MW01029675

lingüística
y
teoría literaria

traducción de

TATIANA BUBNOVA

ESTÉTICA DE LA CREACIÓN VERBAL

por

M. M. BAJTÍN

Siglo veintiuno editores Argentina s. a.
LAVALLE 1634 11 A (C1048AAN), BUENOS AIRES, REPÚBLICA ARGENTINA

Siglo veintiuno editores, s.a. de c.v.
CERRO DEL AGUA 248, DELEGACIÓN COYOACÁN, 04310, MÉXICO, D. F.

410 Bajtín, Mijaíl Mijáilovich
BAJ Estética de la creación verbal. -1ª. ed.-
Buenos Aires: Siglo XXI Editores Argentina, 2002.
400 p.; 21x13 cm.- (Lingüística y teoría literaria)

Traducción de: Tatiana Bubnova

ISBN 987-1105-20-7

I. Título. – 1. Lingüística 2. Teoría Literaria

Título original: *Estetika slovesnogo tvorchestva*

Adaptación de portada: Daniel Chaskielberg

1ª edición argentina: 1.000 ejemplares

ISBN 987-1105-20-7

Impreso en Industria Gráfica Argentina
Gral. Fructuoso Rivera 1066, Capital Federal,
en el mes de febrero de 2003

Hecho el depósito que marca la ley 11.723
Impreso en Argentina – Made in Argentina

ÍNDICE

PRÓLOGO DEL COMPILADOR

En los trabajos de M.Bajtín que forman parte del presente libro se refleja todo el camino del destacado sabio: desde su primera aparición en la prensa —un breve artículo de 1919— hasta los apuntes que concluyen este camino: "Hacia una metodología de las ciencias humanas" (1974). La mayor parte de los trabajos reunidos aquí jamás se publicó en vida del autor; algunos de ellos se publicaron completa o parcialmente en las revistas *Voprosy literatury, Voprosy filosofii, Literaturnaia uchioba* y el anuario teórico *Kontekst;* los demás se publican por primera vez. Casi todos los materiales (con la excepción del artículo "Arte y responsabilidad" y de los fragmentos del libro *Problemy tvorchestva Dostoievskogo)* se editan sobre la base de los manuscritos que se han conservado en el archivo del autor.

Durante más de cincuenta años, M.Bajtín iba elaborando un círculo de problemas científicos y filosóficos relacionados entre sí interiormente; en diferentes períodos, el autor se interesaba preferentemente por unos u otros aspectos de este complejo unitario y coherente de problemas.

Para la comprensión de la estética de M.Bajtín tiene gran importancia el gran trabajo de la primera mitad de los años veinte que se ocupa de la correlación entre el autor y el héroe de la actividad estética, en el acto de creación artística y en una obra de arte. El período en que se elaboró este trabajo se refleja, desde luego, en él, sobre todo en su terminología. Pero, perteneciendo a su tiempo, esta obra de M.Bajtín, igual que sus otros trabajos, planteó nuevos problemas y nuevas áreas de estudio. En el trabajo se anticipa la actualidad del problema del autor en la estética y en la poética contemporáneas.

La postura científica de M.Bajtín durante la década de los veinte se determinó por el rechazo polémico de aquellas corrientes en los estudios de arte y en la poética a las que él había dado el nombre generalizado de "estética material"; de una manera más estrecha, esta polémica se refería a la escuela formal, de la que M.Bajtín hace una crítica profunda en una serie de trabajos de los años veinte. Esta crítica también continúa en el trabajo acerca del autor y el héroe publicado aquí; en este caso, se desarrolla filosóficamente en forma de una crítica del reduccionismo de los valores existenciales al material. Otro objeto fundamental de crítica en este trabajo es el concepto de *empatía,* influyente en la estética de los fines del siglo XIX y los principios del XX.

Su propia área de estudio la define M.Bajtín como "estética de la creación verbal". Esta fórmula abarcadora se eligió como título del presente libro.

Si en los años veinte M.Bajtín se preocupa principalmente por los problemas de la estética general, de la metodología, de la filosofía del lenguaje, durante la década de los treinta el autor se dirige a las cuestiones de la poética histórica, sobre todo a la poética de los géneros literarios. En el centro de sus intereses está ahora la teoría de la novela elaborada de una manera muy extendida: forman parte de ella problemas tales como la evolución de la imagen del hombre en la literatura, el tiempo y espacio como coordenadas principales de la representación artística del mundo (teoría del cronotopo), los destinos históricos de la palabra en diversas esferas de cultura y en los géneros literarios ("la palabra en la novela" es tema al que el autor regresó durante muchos años, y con una intensidad especial en los años treinta), los profundos orígenes folklóricos de la imagen literaria (el estudio del carnaval y la idea de la carnavalización de la literatura).

En la presente edición por primera vez se dan a conocer los materiales relacionados con la gran obra de M.Bajtín de aquel período: el trabajo extraviado "La novela de educación y su importancia en la historia del realismo".

En los estudios del período que abarca desde la década de los cincuenta hasta los principios de los setenta, M.Bajtín vuelve a ocuparse de los temas principales que atraviesan su estética de la creación verbal (los géneros del discurso, el problema del texto, el enunciado como objeto de una especial disciplina filológica que M.Bajtín había denominado "metalingüística" y fundamentado precisamente en estos trabajos tardíos, el problema del autor y, finalmente, las bases filosóficas y metodológicas de toda la amplia esfera del pensamiento humanístico y filológico). Los materiales de esta época que se editan aquí tienen la característica de ser con frecuencia apuntes para un trabajo extenso, y la exposición a veces adquiere el aspecto de un resumen, los diferentes temas se entretejen y parecen atravesarse mutuamente. Se nos revela el laboratorio del pensamiento de un científico. En ello consiste el interés especial y el valor de este tipo de materiales de "laboratorio" que provienen de la herencia científica de M.Bajtín.

Los trabajos reunidos en el libro ofrecen un cuadro del desarrollo del pensamiento del autor durante varias décadas y al mismo tiempo permiten percibir la cohesión orgánica y la totalidad de la obra filosófica y científica de M.Bajtín.

ARTE Y RESPONSABILIDAD

Un todo es mecánico si sus elementos están unidos solamente en el espacio y en el tiempo mediante una relación externa y no están impregnados de la unidad interior del sentido. Las partes de un todo semejante, aunque estén juntas y se toquen, en sí son ajenas una a otra.

Tres áreas de la cultura humana —la ciencia, el arte, la vida— cobran unidad sólo en una personalidad que las hace participar en su unidad. Pero su vínculo puede llegar a ser mecánico y externo. Es más, casi siempre sucede así. El artista y el hombre se unen de una manera ingenua, con frecuencia mecánica, en una sola personalidad; el hombre provisionalmente se retira de la "turbación de la vida" hacia la creación, al mundo de "la inspiración, dulces sonidos y oraciones".* ¿Qué es lo que resulta? El arte es demasiado atrevido y autosuficiente, demasiado patético, porque no tiene que responsabilizarse por la vida, la cual, por supuesto, no puede seguir a un arte semejante. "Y cómo podríamos seguirlo —dice la vida—; para eso es el arte, y nosotros nos atenemos a la prosa de la existencia."

Cuando el hombre se encuentra en el arte, no está en la vida, y al revés. Entre ambos no hay unidad y penetración mutua de lo interior en la unidad de la personalidad.

¿Qué es lo que garantiza un nexo interno entre los elementos de una personalidad? Solamente la unidad responsable. Yo debo responder con mi vida por aquello que he vivido y comprendido en el arte, para que todo lo vivido y comprendido no permanezca sin acción en la vida. Pero con la responsabilidad se relaciona la culpa. La vida y el arte no sólo deben cargar con una responsabilidad recíproca, sino también con la culpa. Un poeta debe recordar que su poesía es la culpable de la trivialidad de la vida, y el hombre en la vida ha de saber que su falta de exigencia y de seriedad en sus problemas existenciales son culpables de la esterilidad del arte. La personalidad debe ser plenamente responsable: todos sus momentos no sólo tienen que acomodarse juntos en la serie temporal de su vida, sino que también deben compenetrarse mutuamente en la unidad de culpa y responsabilidad.

* Cita de Pushkin. [T.]

Y es inútil justificar la irresponsabilidad por la "inspiración" La inspiración que menosprecia la vida y es igualmente subestimada por la vida, no es inspiración sino obsesión. Un sentido correcto y no usurpador de todas las cuestiones viejas acerca de la correlación entre el arte y la vida, acerca del arte puro, etc., su *pathos* verdadero, consiste solamente en el hecho de que tanto el arte como la vida quieren facilitar su tarea, deshacerse de la responsabilidad, porque es más fácil crear sin responsabilizarse por la vida y porque es más fácil vivir sin tomar en cuenta el arte.

El arte y la vida no son lo mismo, pero deben convertirse en mí en algo unitario, dentro de la unidad de mi responsabilidad.

NOTA ACLARATORIA

Es la primera aparición conocida de M. Batjín en la prensa. Por primera vez se publicó en la antología *Día del arte* (Nevel, 1919, 13 de septiembre, pp. 3-4). El autor vivió y trabajó en Nevel en 1918-1920, después de graduarse en la universidad de San Petersburgo. El artículo se reimprimió en *Voprosy literatury* (1977, núm. 6, pp. 307-308; edición de Iu. Galperin).

AUTOR Y PERSONAJE EN LA ACTIVIDAD ESTÉTICA

LA ACTITUD DEL AUTOR HACIA EL HÉROE

La actitud arquitectónicamente estable y dinámicamente viva del autor con respecto a su personaje debe ser comprendida tanto en sus principios básicos como en las diversas manifestaciones individuales que tal actitud revela en cada autor y cada obra determinada. Nuestro objetivo es el análisis de estos principios básicos y en lo sucesivo sólo trazaremos las vías y los tipos de individuación de esta actitud y, finalmente, verificaremos nuestras conclusiones sobre la base de un análisis de la actitud del autor hacia el héroe en la obra de Dostoievski, Pushkin y otros.

Ya hemos hablado bastante acerca de que cada momento de una obra se nos presenta como reacción del autor, que abarca tanto el objeto mismo como la reacción del personaje frente al objeto (reacción a la reacción); en este sentido, el autor es el que da el tono a todo detalle de su personaje, a cualquier rasgo suyo, a todo suceso de su vida, a todo acto suyo, a sus pensamientos, sentimientos, igual que en la vida real evaluamos cualquier manifestación de las personas que nos rodean; pero en la vida tales reacciones son de carácter suelto y vienen a ser precisamente reacciones a algunas manifestaciones aisladas y no a la totalidad de una persona dada; inclusive allí donde ofrecemos una definición completa de una persona y la definimos como buena o mala, egoísta, etc., las definiciones expresan una postura pragmática y vitalista que adoptamos frente a esta persona, y no tanto la determinan como, más bien, dan cierto pronóstico de aquello que podría o no esperarse de la persona en cuestión; o, finalmente, nuestras definiciones son impresiones eventuales de una totalidad, o una mala generalización empírica; en la vida real no nos interesa la totalidad de la persona sino actos aislados suyos, que de una u otra manera nos importan. Como veremos más adelante, uno mismo es la persona menos indicada para percibir en sí la totalidad individual. Pero en una obra artística, en la base de la reacción del autor a las manifestaciones aisladas de su personaje está una reacción única con la *totalidad* del personaje, y todas las manifestaciones separadas tienen tanta importancia para la caracterización del todo como su conjunto. Tal reacción frente a la totalidad del hombreprotagonista es específicamente estética, porque recoge todas las definiciones y valoraciones cognoscitivas y éticas y las constituye en una totalidad única, tanto concreta y especulativa como totalidad de sentido. Esa reacción total frente al héroe literario tiene un carácter fundamentalmente productivo y constructivo. Y en general, toda actitud de principio tiene un carácter creativo y productivo. Aquello que en la vida, en la conciencia, en el acto, solemos llamar un objeto determinado, tan sólo adquiere su determinación, sus rasgos, en nuestra actitud hacia él: es nuestra actitud la que define el objeto y su estructura, y no al revés; solamente allí donde nuestra actitud se vuelve eventual o caprichosa, sólo cuando nos apartamos de nuestra actitud de principio hacia las cosas y el mundo, la determinación del objeto se nos contrapone entonces como algo ajeno e independiente y comienza a desintegrarse, y nosotros mismos caemos bajo el dominio de lo casual, nos perdemos a nosotros mismos y la estabilidad de un mundo definido.

El autor tampoco encuentra en seguida una visión no eventual, fundamentalmente creativa, de su héroe, la reacción del autor no se torna básica y productiva en seguida, cuando de una actitud valorativa se desprende la totalidad del personaje: éste mostrará muchas muecas, facetas casuales, gestos falsos, acciones inesperadas relacionadas con las reacciones eventuales, caprichos emocionales y volitivos del autor, y este último tendrá que avanzar a través del caos hacia su verdadera postura valorativa, hasta que su visión del personaje llegue a constituir una totalidad estable y necesaria. Hay muchos velos que quitar de la cara de la persona más cercana, y según parece bien conocida, velos que nuestras reacciones casuales, actitudes y situaciones cotidianas han aportado, para poder ver una imagen total y verdadera de esta persona. La lucha de un artista por una imagen definida y estable de su personaje es, mucho, una lucha consigo mismo.

Este proceso, como una regularidad psicológica, no puede ser estudiado por nosotros de una manera inmediata; nos enfrentamos al personaje tan sólo en la medida en que se ha plasmado en una obra literaria, es decir, únicamente vemos su historia ideal de sentido y su regularidad ideal de sentido, y en cuanto a cuáles fueron sus causas temporales y su desenvolvimiento psicológico, sólo puede ser conjeturado, pero nada tiene que ver con la estética.

Esta historia ideal, el autor nos la cuenta tan sólo en la obra misma y no en su confesión de autor, dado el caso, y tampoco aparece en sus opiniones acerca del proceso creativo; tales confesiones y opiniones deben tomarse con mucha precaución por las siguientes razones: la reacción entera, que crea el objeto como un todo, se realiza de una manera activa pero no se vive como algo determinado, su determinación se encuentra precisamente en el mismo producto, es decir, en el objeto formado por ella; el autor transmite la postura emocional y volitiva del personaje, pero no su propia actitud hacia él; esta actitud es realizada por él, es objetual, pero en sí misma no llega a ser objeto de análisis y de vivencia reflexiva; el autor crea, pero ve su creación tan sólo en el objeto que está formando, es decir, únicamente ve la generación del producto y no su proceso interno, psicológicamente determinado. Y así son todas las vivencias activas de la creación: uno ve a su objeto y a sí mismo en el objeto, pero no el proceso de su propia vivencia; el trabajo creativo se vive, pero la vivencia no se oye ni se ve a sí misma, tan sólo ve su producto o el objeto hacia el cual está dirigida. Por eso el artista nada tiene que decir acerca de su proceso creativo: todo él está en el producto creado, y lo único que le queda es señalarnos su obra; y así es —únicamente allí hemos de buscar ese proceso. (Los momentos técnicos de la creación, la maestría, se perciben claramente, pero también tan sólo en el objeto.) Cuando un artista empieza a hablar de su trabajo fuera de la obra creada y como anexo a ella, suele sustituir su actitud creadora real, que no había vivido analíticamente sino llevado a cabo en la obra (no fue vivida por el autor, sino que se hizo efectiva en su héroe), por una actitud nueva, más receptiva, hacia la obra ya creada. Cuando el autor estuvo creando, vivía sólo a su héroe y ponía en su imagen toda su actitud creativa fundamental hacia él; pero cuando empieza a hablar de sus personajes en una confesión creativa, como Gógol y Goncharov, manifiesta hacia ellos, ya creados y definidos, una actitud presente, transmite la impresión que producen en él como imágenes artísticas, y asimismo expresa su actitud hacia ellos como personas reales desde el punto de vista social, moral, etc.; sus personajes ya se han independizado de él, y él mismo, en tanto que su creador, se ha vuelto independiente de sí mismo como hombre, crítico, psicólogo o moralista. Si tomamos en consideración todos los factores eventuales que determinan las opiniones del autor como persona acerca de sus personajes: la crítica, su visión actual del mundo, que pudo haber cambiado esencialmente, sus deseos y pretensiones (Gógol), sus consideraciones prácticas, etc., se vuelve absolutamente obvio el hecho de que las opiniones del autor acerca del proceso de la creación de sus personajes son un material con muy poco fundamento. Este material tiene un enorme valor biográfico, también puede adquirir valor estético, pero únicamente después de que sea ilegible el sentido artístico de su obra. El autor-creador nos ayudará a entender al autor persona real, y sólo después de todo aquello cobrarán una importancia vislumbradora y totalizadora sus opiniones acerca de su creación. No sólo los personajes creados son los que se desprenden del proceso que los constituyó, sino que a su creador le acontece otro tanto. En esta relación hay que subrayar el carácter productivo del concepto del autor y el de su reacción total frente a su personaje: el autor no es portador de una vivencia anímica, y su reacción no es un sentimiento pasivo o una percepción; el autor es la única energía formativa que no se da en una conciencia psicológicamente concebida sino un producto cultural significante y estable, y su reacción aparece en la estructura de una visión activa del personaje como totalidad determinada por la reacción misma, en la estructura de su representación, en el ritmo de su manifestación, en su estructura entonacional y en la selección de los momentos de sentido.

Tan sólo después de comprender esta reacción fundamental del autor hacia su personaje, después de entender el principio mismo de su visión del personaje, la que lo genera como un todo determinado en todos sus momentos, se podrá introducir un estricto orden en la definición de la forma y el contenido de los tipos de personajes. darles un sentido unívoco y crear una clasificación sistemática y no casual de ellos. En este aspecto hasta ahora reina un caos completo en la estética de la creación verbal y, sobre todo, en la historia de la literatura. La confusión de diversos puntos de vista, de distintos enfoques, de diferentes principios de evaluación, aparece en todo momento. Personajes positivos y negativos (desde el punto de vista del autor), héroes autobiográficos y objetivos, idealizados y realistas, heroización, sátira, humorismo, ironía; héroe épico, dramático, lírico; carácter, tipo, personajes; personaje de fábula; la famosa clasificación de papeles escénicos: galán (lírico, dramático), razonador, simple, etc. —todas estas clasificaciones y definiciones de personajes no están fundamentadas en absoluto, no están jerarquizadas entre sí y, por lo demás, no existe un principio único para su ordenación y fundamentación. Estas clasificaciones suelen ser mezcladas acríticamente. Los intentos más serios de un enfoque fundamentado de personaje se proponen por los métodos biográficos y sociológicos, pero estos métodos aún no se apoyan en una comprensión estético-formal del principio de correlación entre el personaje y el autor, sustituyéndolo por esas relaciones pasivas y "extrapuestas" a la conciencia creadora, que son factores psicológicos y sociales: el personaje y el autor no resultan ser los momentos de la totalidad artística de la obra, sino momentos de la unidad (comprendida prosaicamente) entre la vida psicológica y social.

El procedimiento más común, hasta en un trabajo históricoliterario más serio y concienzudo, es el de buscar el material biográfico en las obras, y viceversa, el de explicar una obra determinada mediante la biografía, y se presentan como suficientes las justificaciones puramente fácticas, o sea las simples coincidencias en los hechos de la vida del personaje con los del autor, se realizan extracciones que pretenden tener algún sentido, mientras que la totalidad del personaje y la del autor se desestiman de una manera absoluta; por consiguiente, se menosprecia también un momento tan importante como lo es la manera de enfocar un acontecimiento, la manera de vivirlo dentro de la totalidad de la vida y del mundo. Parecen sobre todo increíbles las confrontaciones fácticas y las correspondencias entre la cosmovisión del personaje y la del autor —por ejemplo, un aspecto del contenido abstracto de una idea determinada se confronta con una idea parecida del personaje. Así los puntos de vista sociopolíticos de Griboiédov se comparan con las correspondientes opiniones de Chatski [personaje de una de sus obras] y se toma por demostrada la afinidad o identidad de sus opiniones; otro tanto sucede con los puntos de vista de Tolstoi y los de Liovin [personaje de *Ana Karénina*]. Como veremos más adelante, es imposible suponer una coincidencia a nivel teórico entre el autor y el personaje, porque la correlación que se da entre ellos es de orden absolutamente distinto; siempre se desestima el hecho de que la totalidad del personaje y la del autor se encuentran en niveles diferentes; no se toma en cuenta cómo se manifiesta la actitud hacia el pensamiento e inclusive hacia la totalidad teórica de una visión del mundo. Es una práctica muy común la de discutir con un personaje en vez de hacerlo con el autor, como si fuera posible disentir o estar de acuerdo con la categoría del *ser;* se desconoce la *refutación estética.* Desde luego, a veces el autor convierte a su personaje en el portavoz inmediato de sus propias ideas, según su importancia teórica o ética (política, social), para convencer de su veracidad o para difundirlas, pero éste ya no sería un principio de actitud hacia el personaje que pudiese llamarse estéticamente creativo; sin embargo, cuando sucede tal cosa, generalmente resulta que, independientemente de la voluntad y la conciencia del autor, existe una adecuación de la idea a la totalidad del personaje, no a la unidad teórica de su cosmovisión; la idea se ajusta a la individualidad completa del personaje, en la cual su aspecto, sus modales, las circunstancias absolutamente determinadas de su vida tienen tanta importancia como sus ideas; es decir, en este caso, en vez de la fundamentación y propaganda de una idea tiene lugar la encarnación del sentido al ser. Cuando esta reelaboración no se realiza, aparece un prosaísmo no disuelto en la totalidad de la obra, que tan sólo puede ser explicado comprendiendo con anticipación el principio general y estéticamente productivo de la actitud del autor hacia su personaje. De igual modo puede ser establecido el grado de declinación de la idea pura del autor, de significado teórico, de su realización en el personaje, es decir, el sentido del trabajo que se realiza sobre la idea original en la totalidad de la obra. Todo lo dicho no niega en lo absoluto la posibilidad de una confrontación científica productiva de las biografías del personaje y del autor, así como la comparación entre sus visiones del mundo, procedimiento útil tanto para la historia de la literatura como para un análisis estético. Estamos rechazando únicamente aquel enfoque absolutamente infundado y fáctico que es actualmente el único que predomina, el que se basa en la confusión entre el autor-creador, que pertenece a la obra, y el autor real, que es un elemento en el acontecer ético y social de la vida. En este enfoque también tiene lugar una incomprensión del principio creativo de la actitud del autor hacia su personaje; como resultado tenemos la incomprensión y distorsión (o, en el mejor de los casos, una transmisión de hechos desnudos) de la individualidad ética y biográfica del autor por un lado, y la incomprensión de toda una obra y de su protagonista por otro. Para poder aprovechar una obra como fuente para sacar conclusiones de todo tipo acerca de los momentos que no le pertenecen, hay que comprender su estructura creativa; y para utilizar una obra literaria como fuente biográfica resultan ser del todo insuficientes los procedimientos que se aplican a las fuentes empleadas por la ciencia de la historia, porque tales procedimientos, justamente, no toman en cuenta la estructura específica de una obra —lo cual debería ser una condición filosófica previa [ilegible]. Por lo demás, hay que anotar que el error metodológico señalado afecta mucho menos a la historia literaria que a la estética de la creación verbal; para la última, las especulaciones histórico-genéticas son sobre todo funestas.

El mismo asunto se presenta de un modo diferente en la estética filosófica general, donde el problema de la interrelación existente entre el autor y el personaje se plantea de una manera fundamental, de principio, aunque no en su forma pura. (Aún tendremos que regresar, en lo sucesivo, al análisis de las clasificaciones de los personajes que hemos mencionado, así como a una apreciación del método biográfico y sociológico.) Hablamos de la idea de proyección sentimental *(Einfühlung)* como principio de la forma y del contenido de la actitud del autor contemplativo hacia su objeto en general y hacia el protagonista (la fundamentación más profunda de este procedimiento es la de Lipps), y de la idea del autor estético (simpatía social en Guillot y, según un enfoque muy distinto, amor estético en Cohen). Pero estos dos enfoques [ilegible] tienen un carácter demasiado general e indiferenciado tanto en relación con las artes específicas como con respecto al objeto específico de la visión estética, es decir, el personaje (más diferenciado en Cohen). Sin embargo, ni aun dentro de este corte estético general podríamos aceptar ambos principios, a pesar de que tanto el uno como el otro poseen una gran dosis de veracidad. Tendremos que tomar en cuenta, en lo sucesivo, los dos puntos de vista; éste no es el lugar apropiado para su análisis y evaluación.

En términos generales, hay que decir que la estética de la creación verbal ganaría mucho si se orientara hacia la filosofía estética general, en vez de dedicarse a generalizaciones cuasicientíficas acerca de la historia literaria; desgraciadamente, hay que reconocer que los fenómenos importantes en el área de la estética general no influyeron en lo más mínimo en la estética de la creación verbal; es más, existe una especie de temor ingenuo frente a una profundización filosófica, con lo cual se explica el nivel extremadamente bajo de la problemática de nuestro campo cognoscitivo.

Ahora vamos a dar una definición muy general del autor y del personaje como correlatos de la totalidad artística de una obra, y luego vamos a ofrecer una fórmula general de su interrelación misma, que debe ser sometida a una diferenciación y profundización en los capítulos posteriores del presente trabajo.

Es el autor quien confiere la unidad activa e intensa a la totalidad concluida del personaje y de la obra; esta unidad se extrapone a cada momento determinado de la obra. La totalidad conclusiva no puede, por principio, aparecer desde el interior del protagonista, puesto que éste llega a ser nuestra vivencia; el autor no puede orientarse hacia el interior de su héroe, la conciencia de la unidad desciende al autor como un don de otra conciencia, que es su conciencia creadora. La conciencia del autor es conciencia de la conciencia, es decir, es conciencia que abarca al personaje y a su propio mundo de conciencia, que comprende y concluye la conciencia del personaje por medio de momentos que por principio se extraponen (transgreden) [1] a la conciencia misma; de ser inmanentes, tales momentos convertirían en falsa la conciencia del personaje. Porque el autor no sólo ve y sabe todo aquello que ve y sabe cada uno de sus personajes por separado y todos ellos juntos, sino que ve y sabe más que ellos, inclusive sabe aquello que por principio es inaccesible para los personajes, y es en este determinado y estable excedente de la visión y el conocimiento del autor con respecto a cada uno de sus personajes donde se encuentran todos los momentos de la conclusión del todo, trátese de la totalidad de los personajes o de la obra en general. Efectivamente, el personaje vive cognoscitiva y éticamente, sus acciones se mueven dentro del abierto acontecimiento ético de la vida o dentro del mundo determinado de la conciencia; es el autor quien está dirigiendo a su personaje y a su orientación ética y cognoscitiva en el mundo fundamentalmente concluido del ser, que es un valor aparte en la futura orientación del acontecimiento, debido a la heterogeneidad concreta de su existencia. Es imposible que uno viva sabiéndose concluido a sí mismo y al acontecimiento; para vivir, es necesario ser inconcluso, abierto a sus posibilidades (al menos, así es en todos los instantes esenciales de la vida); valorativamente, hay que ir adelante de sí mismo y no coincidir totalmente con aquello de lo que dispone uno realmente.

La conciencia del personaje, su modo de sentir y desear al mundo (su orientación emocional y volitiva) están encerrados como por un anillo por la conciencia abarcadora que posee el autor con respecto a su personaje y su mundo; las autocaracterizaciones del personaje están abarcadas y compenetradas por las descripciones del personaje que hace el autor. El interés vital (ético y cognoscitivo) del personaje está comprendido por el interés artístico del autor. En este sentido, la objetividad estética se mueve en un sentido diferente con respecto a la objetividad cognoscitiva y ética: esta última es una apreciación imparcial y desapasionada de una persona y de un suceso determinados desde el punto de vista común o tenido por tal, que aspira a ser un valor universal, ético y cognoscitivo; para la objetividad estética, el centro valorativo es la totalidad del personaje y del suceso que le concierne, a los cuales se les subordinan todos los valores éticos y cognoscitivos; la objetividad ética y estética abarca e incluye a la objetividad ético-cognoscitiva. Es obvio que los valores cognoscitivos y éticos ya no pueden ser momentos conclusivos. En este sentido, tales momentos terminantes transgreden no sólo a la conciencia real del personaje, sino también a su conciencia posible, apenas marcada: el autor sabe y ve más no tan sólo en aquella dirección en que mira y ve el héroe, sino también en otra que por principio es inaccesible al personaje; ésta es la postura que el autor debe tomar con respecto a su personaje.

Para encontrar al autor concebido de una manera semejante en alguna obra, hay que precisar todos los momentos que determinan al personaje y a los sucesos de su vida, los aspectos que transgredan su conciencia de una manera fundamental, y definir su unidad activa, creativamente intensa y significativa; el autor es el portador viviente de esta unidad conclusiva, que se opone a la noción del personaje concebido como una otra unidad, abierta e internamente inconclusa unidad del acontecimiento. Estos momentos activamente determinantes vuelven pasivo al personaje, así como la parte es pasiva en relación a la totalidad que la acoge y determina.

De ahí se deduce inmediatamente la fórmula general de la actitud general y estéticamente productiva del autor frente a su personaje que es la de una intensa extraposición del autor con respecto a todos los momentos que constituyen al personaje; es una colocación desde fuera, espacial y temporalmente hablando, de los valores y del sentido, la cual permite armar la totalidad del personaje que internamente está disperso en el mundo determinista del conocimiento, así como en el abierto acontecer del acto ético; esta colocación desde fuera permite ensamblar al personaje y a su vida mediante aquellos momentos que le son inaccesibles de por sí; a saber: la plenitud de imagen externa, la apariencia, el fondo sobre el cual se presenta, su actitud hacia el acontecimiento de la muerte y del futuro absoluto, etc., y permite asimismo justificarlo y concluirlo al margen del sentido, de los logros, del resultado y del éxito de su propia vida orientada hacia el futuro. Esta actitud es la que saca al personaje del acontecimiento único y abierto del ser que abarca tanto a él como al autor-persona, este acontecimiento donde el personaje como persona hubiese podido estar junto al autor, como compañero del acontecer vital, o en contra del autor, como su enemigo, o, finalmente, como él mismo; tal actitud lo ubica fuera de la caución solidaria, de la culpa solidaria y de la responsabilidad general, y lo crea como a un nuevo hombre dentro de un nuevo plano del ser, en el cual el personaje no puede nacer para sí, por su propio deseo; le da una nueva realidad que para él mismo no es esencial o no existe. Así es [ilegible] la extraposición del autor con respecto a su personaje, la amorosa autoeliminación con respecto a su personaje, la amorosa autoeliminación con respecto al espacio vital del personaje, la purificación del espacio vital para que quede libre para el personaje y para su ser, la comprensión llena de simpatía y la definición de su acontecer vital de una manera realista y cognoscitiva, y como por parte de un espectador éticamente imparcial.

Esta actitud, formulada aquí de una manera demasiado sumaria, es profundamente vital y dinámica: la *extraposición* se ha de conquistar, y a menudo se trata de una lucha mortal, sobre todo allí donde el personaje es autobiográfico, aunque no sólo en estos casos: a veces resulta difícil ubicar su propio punto de vista fuera del punto de vista del compañero del acontecer vital o fuera del enemigo; no tan sólo el hecho de situarse dentro del personaje, sino también el situarse a su lado o frente a él distorsiona la visión debido a momentos que la completan de una manera exigua; entonces resulta que los valores abstractos de la vida son más preciados que su mismo portador. La vida del personaje es para el autor una vivencia dentro de las categorías valorativas muy diferentes a las de su propia vida y las de otras personas que viven a su lado y que participan de un modo real en el acontecer abierto, único y éticamente evaluable de la existencia, mientras que la vida de su personaje se llena de sentido en un contexto de valores absolutamente distinto.

Ahora, unas palabras acerca de tres casos típicos de desviación de la actitud directa del autor con respecto a su personaje que tienen lugar cuando el personaje coincide con el autor, es decir cuando el personaje es autobiográfico.

De acuerdo con la actitud directa, el autor debe ubicarse fuera de su propia personalidad, vivirse a sí mismo en un plan diferente de aquel en que realmente vivimos nuestra vida; sólo con esta condición puede completar su imagen para que sea una totalidad de valores extrapuestos con respecto a su propia vida; el autor debe convertirse en *otro* con respecto a sí mismo como persona, debe lograrse ver con ojos de otro; por cierto, en la vida real lo hacemos a cada paso, nos valoramos desde el punto de vista de otros, a través del otro tratamos de comprender y de tomar en cuenta los momentos extrapuestos a nuestra propia conciencia: así, contamos con el valor de nuestro físico desde el punto de vista de su posible impresión con respecto al otro (para nosotros mismos, este valor no existe de una manera directa, es decir, no existe para la autoconciencia real y pura); tomamos en cuenta el fondo sobre el cual actuamos, o sea, la realidad circundante que podemos no ver inmediatamente ni conocerla y que puede no tener para nosotros un valor directo, pero que es vista, es importante y es conocida por otros, todo lo cual constituye una especie de fondo sobre el cual nos perciben los demás; finalmente, adelantamos y contamos con aquello que sucedería después de nuestra muerte, que es resultado de nuestra vida en general (por supuesto, para los demás). En resumen, de una manera constante e intensa acechamos y captamos los reflejos de nuestra vida en la conciencia de otras personas, hablando tanto de momentos parciales de nuestra vida como de su totalidad; tomamos en cuenta también un coeficiente de valores muy específico que marca nuestra vida para el otro y que es totalmente distinto de aquel con que vivimos nuestra propia vida para nosotros mismos. Pero todos estos momentos conocidos y anticipados a través del otro se vuelven inmanentes a nuestra conciencia como si se tradujeran a su lenguaje, sin lograr consistencia ni independencia, o sea, no salen de la unidad de nuestra existencia siempre orientada hacia el futuro acontecer y nunca satisfecha de sí misma; y cuando estos reflejos se consolidan en nuestra vida (lo cual a veces sucede), se vuelven los puntos muertos de logros o estorbos, y a veces se concentran hasta poder presentarnos a un doble salido de la noche de nuestra vida; pero de esto hablaremos después. Los momentos que nos pueden concluir en la conciencia del otro, anticipándose a nuestra propia conciencia, pierden su fuerza conclusoria tan sólo cuando amplían nuestra conciencia dentro de su propio sentido; incluso si pudiésemos abarcar la totalidad de nuestra conciencia concluida en el otro, esta totalidad no podría dominarnos y realmente concluirnos hasta nuestro "yo", nuestra conciencia la tomaría en cuenta y la superaría como uno de los momentos de su unidad dada y aun de la por lograrse en lo esencial; la última palabra la diría nuestra conciencia y no la del otro, y hay que considerar que nuestra conciencia jamás se diría una palabra conclusiva. Al vernos con ojos del otro en la vida real siempre regresamos hacia nosotros mismos, y un acontecimiento último se cumple en nosotros dentro de las categorías de nuestra propia vida. Cuando un autor-persona vive el proceso de autoobjetivación hasta llegar a ser un personaje, no debe tener lugar el regreso hacia el "yo": la totalidad del personaje debe permanecer como tal para el autor que se convierte en otro. Hay que separar al autor del personaje autobiográfico de un modo contundente, hay que determinarse a sí mismo dentro de los valores del otro, o, más exactamente, hay que ver en sí mismo a otro, muy consecuentemente, porque la inmanencia de un fondo con respecto a la conciencia no es, en absoluto, una combinación estética entre el personaje y su fondo: el fondo debe destacar la conciencia en su totalidad, por más profunda y extensa que fuera, aunque fuese capaz de concientizar y volver inmanente a sí misma el mundo entero, y lo estético, sin embargo, debe darle un fondo extrapuesto (transgrediente) a lo inmanente; el autor debe encontrar un punto de apoyo fuera de sí mismo para que esta unidad llegue a ser un fenómeno estéticamente concluso, como lo es el personaje. Asimismo, mi propia apariencia reflejada a través del otro no es la del personaje artísticamente objetivado.

Si el autor pierde este punto valorativo de la extraposición, existen tres casos típicos de su actitud hacia el personaje, y dentro de cada uno de los tres existen muchas variantes posibles. Aquí, sin anticipar lo sucesivo, marcamos los rasgos más generales.

Primer caso: el personaje se apropia del autor. La orientación emocional y volitiva del personaje, su postura ética y cognoscitiva posee tanto prestigio para el autor, que éste no puede dejar de ver el mundo de objetos sin usar la visión de su personaje, no puede dejar de vivenciar los sucesos de la vida del personaje internamente; el autor no puede encontrar un punto de apoyo válido y estable fuera del personaje. Desde luego, para lograr que una totalidad artística, si bien inconclusa, llegue a ser, hacen falta algunos momentos conclusivos y, por consiguiente, es necesario que el autor los ubique fuera del personaje (como suele haber más de un personaje, las relaciones señaladas tan sólo tienen validez para el protagonista), en caso contrario, el resultado será ora un tratado filosófico, ora una confesión, ora, finalmente, esa tensión ético-cognoscitiva encontrará salida en actos vitales, en conductas éticas. Pero tales puntos de apoyo siempre adoptados por el autor tienen un carácter casual, poco fundamentado e inseguro; esos puntos de apoyo movedizos de la extraposición suelen cambiar a lo largo de una obra, y permanecen ocupados tan sólo en relación con un momento determinado del desarrollo del personaje; después el personaje vuelve a desplazar al autor de la posición temporalmente ocupada por éste, y el autor se ve obligado a buscar otra; a menudo esos puntos de apoyo casuales, el autor los encuentra en otros personajes, con la ayuda de los cuales el autor, viviendo su postura emocional y volitiva con respecto al protagonista autobiográfico, trata de librarse de este último, o sea de sí mismo. Los momentos conclusivos entonces tienen un carácter fragmentario y poco convincente. A veces el autor, al ver desde un principio que su lucha es desesperada, se conforma con unos puntos de apoyo convencionales que se encuentran fuera del protagonista y que se prestan para constituir aspectos puramente técnicos, estrictamente formales, de la narración o de la estructura de la obra; la obra resulta ser hecha, no creada por el autor, y el estilo, como combinación de procedimientos convincentes y poderosos de la conclusión, degenera en pura convención. Subrayamos que aquí no se trata de un acuerdo o desacuerdo teórico entre el autor y el protagonista: para encontrar un obligatorio punto de apoyo fuera del personaje no hace falta, ni es suficiente, encontrar una fundamentada refutación teórica de sus puntos de vista; un desacuerdo intensamente interesado y seguro es un punto de vista tan poco estético como lo es una interesada solidaridad con respecto al héroe. Es necesario encontrar, con respecto al personaje, una actitud que sea capaz de marcar que la visión del mundo de éste, con toda su profundidad, con sus razones y sinrazones, con todo el bien o el mal (por igual), es tan sólo un momento de su totalidad existencial, intuitiva y reflexiva, una actitud que permita trasponer el mismo centro de valores de la forzada definitividad a la bella existencia del personaje, que no permita escuchar al personaje ni estar o no estar de acuerdo con él, sino verlo en la plenitud del presente y admirarlo; de esta manera, la importancia cognoscitiva de la postura del personaje no se pierde, conserva su significado, pero resulta ser tan sólo un momento de su totalidad; la admiración (contemplación) es consciente e intensiva; el acuerdo o el desacuerdo con respecto al personaje son momentos 'significativos de la postura global del autor con respecto al personaje, pero no la agotan. En nuestro caso, ésta es la única posición desde la cual resulta posible ver la totalidad del personaje y del mundo como algo que enmarca al personaje desde fuera, que lo delimita y matiza, pero no se logra de una manera convincente y estable por la plenitud de la visión del autor, y la consecuencia de todo esto es el hecho de que el fondo, el mundo tras las espaldas del personaje, no está elaborado y no es visto con claridad por el autor-contemplador, sino que se da tentativamente, con inseguridad desde adentro del personaje mismo, tal como nosotros mismos percibimos el plano detrás de nuestra vida: todo ello es una característica particular de la totalidad artística, en este caso concreto. A veces el fondo está del todo ausente: fuera del protagonista y de su propia conciencia no hay nada establemente real; el personaje no es connatural con su contexto (ambientación, vida cotidiana, naturaleza, etc.), no se combina adecuadamente con su contexto en un todo artísticamente necesario, sino que se mueve sobre su fondo como una persona viva frente a unos bastidores inmóviles; no hay fusión orgánica entre el aspecto exterior del personaje (apariencia, voz, modales, etc.) y su postura interna ético-cognoscitiva, lo externo abraza lo interno como una máscara insignificante y no única, o ni siquiera alcanza a ser algo claro, el personaje no nos da la cara sino que tenemos que vivirlo desde dentro, los diálogos de personajes totales, donde su apariencia, trajes, mímica, ambiente que se encuentra detrás del límite de una escena dada, los que son momentos necesarios y artísticamente significativos —esos diálogos empiezan a degenerar en una disputa interesada, donde el centro de los valores está entre los problemas discutidos; finalmente, los momentos conclusivos no están unificados, no existe imagen única del autor; su imagen se dispersa o viene a ser una máscara convencional. Ese tipo comprende a casi todos los personajes de Dostoievski, a algunos de Tolstoi (Pierre, Liovin), de Kierkegaard, de Stendhal, etc., cuyos protagonistas en parte tienden a ese tipo como a su límite. (El tema indisoluble.)

Segundo caso: el autor se posesiona de su personaje, introduce en él momentos conclusivos, la actitud del autor frente al personaje llega a ser en parte la actitud del personaje hacia sí mismo. El personaje comienza a autodefinirse, el reflejo del autor está en el alma o en el discurso del héroe.

El personaje de este tipo puede desarrollarse en dos direcciones: *1*] el personaje no es autobiográfico, y el reflejo del autor que se percibe en él realmente lo concluye; si en el primero de los casos que se están analizando sufre la forma, aquí lo que sufre es la convención realista de la postura emocional-volitiva del héroe dentro del acontecimiento. Así es el personaje del seudoclasicismo, el cual sostiene una unidad artística conclusiva que le confiere el autor y que queda fiel a su principio estético en toda manifestación suya, en cada acto, en la mímica, en el sentimiento. En los seudoclásicos como Sumarókov, Ózerov, Kniazhnín, los protagonistas a menudo expresan, con mucha ingenuidad, la idea ético-moral que los determina y cuyos portadores son ellos mismos, desde el punto de vista del autor. *2*] El protagonista es autobiográfico; al asumir el reflejo conclusivo del autor, su total reacción formadora, el personaje la adopta como un momento vivencial propio y luego la supera; este tipo de personaje es inconcluso, e interiormente rebasa cualquier definición totalizadora como inadecuada para él; el personaje vive la totalidad concluida como una limitación y le contrapone cierto misterio interior que no puede ser expresado. "¿Ustedes creen que yo totalmente estoy aquí —parece que dijera el personaje—, que están viendo mi totalidad? Ustedes no pueden ver, ni oír, ni saber aquello que es lo más importante para mí." Este tipo de personaje es infinito para el autor, muchas veces vuelve a renacer exigiendo formas conclusivas siempre nuevas, y las destruye él mismo en su autoconciencia. Así es el personaje romántico: un autor romántico tiene miedo de traicionarse, de ponerse en evidencia a sí mismo a través de su personaje y deja en él una salida interna por la cual podría escabullirse y superar su conclusividad.

Posibilidad final: el personaje es su propio autor, comprende su propia vida estéticamente, está representando cierto papel; ese personaje, a diferencia del infinito héroe del romanticismo y del héroe no expiado de Dostoievski, es autosuficiente y concluido de una manera total.

La actitud del autor frente a su personaje, presentada aquí de una manera sumaria, se complica y se matiza mediante aquellas definiciones ético-cognitivas de la totalidad del personaje que están fusionadas indisolublemente, como hemos visto, con su complementación puramente artística. Así, la orientación objetual y emocional-volitiva del personaje puede ser valiosa para el autor en el sentido cognitivo, ético, religioso, lo cual constituiría una heroización; tal orientación puede ser desenmascarada como algo que pretende injustamente tener importancia, lo cual remite a una sátira, una ironía, etc. Cada momento conclusivo puesto fuera de la conciencia del personaje puede ser utilizado en todas estas corrientes (satírica, heroizante, humorística, etc.). Por ejemplo puede existir una satirización de la apariencia, la ridiculización y limitación de su importancia ético-cognitiva mediante una expresión externa, definida, demasiado humana, como también es pensable la heroización a través de la apariencia (lo monumental en la escultura); el plano de fondo, lo invisible y lo desconocido que transcurre a espaldas del personaje, puede volver cómica su vida y sus pretensiones ético-cognitivas: un hombre pequeño sobre el fondo del gran mundo, el pequeño conocimiento que tiene acerca del mundo el hombre, junto a un desconocimiento infinito e inconmensurable, la seguridad que tiene el hombre de ser el centro del todo, y de su exclusividad, junto a la misma seguridad que tienen acerca de sus personas los otros hombres —en todos estos casos el fondo aprovechado para una apreciación ética contribuye al desenmascaramiento. Pero el fondo no tan sólo desenmascara sino que también viste, o sea que puede ser aprovechado para heroizar al personaje que se destaca sobre él. Más adelante veremos cómo la satirización y la ironización siempre suponen una posibilidad de ser vividas, es decir, poseen un grado menor de extraposición. Hemos de demostrar la existencia de una extraposición valorativa de todos los momentos conclusivos frente al personaje mismo, su situación inorgánica dentro de la autoconciencia, su no pertenencia a otro mundo que no sea el del autor, y que, en sí mismos, estos momentos no son vividos por los personajes como valores estéticos; finalmente, hemos de establecer la relación entre estos momentos y los momentos de forma que son imagen y ritmo.

Cuando existe un solo participante único y total, no hay lugar para un acontecer estético; la conciencia absoluta que no dispone de nada que le fuese extrapuesto, que no cuenta con nada que la limite desde afuera, no puede ser estetizada; uno puede familiarizarse con ella, pero es imposible que se vea como una totalidad conclusa. Un acontecer estético puede darse únicamente cuando hay dos participantes, presupone la existencia de dos conciencias que no coinciden. Cuando el personaje y el autor coinciden o quedan juntos frente a un valor común, o se enfrentan uno a otro como enemigos, se acaba el acontecer estético y comienza el ético (panfleto, manifiesto, veredicto, discurso laudatorio o de agradecimiento, injuria, confesión autoanalítica, etc.); cuando el personaje no llega a existir, siquiera potencialmente, sobreviene un acontecer cognoscitivo (tratado, artículo, lección); allí donde la otra conciencia viene a ser la abarcadora conciencia de Dios, tiene lugar un acontecer religioso (oración, culto, rito).

LA FORMA ESPACIAL DEL PERSONAJE

1] Cuando observo a un hombre íntegro, que se encuentra afuera y frente a mi persona, nuestros horizontes concretos y realmente vividos no coinciden. Es que en cada momento dado, por más cerca que se ubique frente a mí el otro, que es contemplado por mí, siempre voy a ver y a saber algo que él, desde su lugar y frente a mí, no puede ver: las partes de su cuerpo inaccesibles a su propia mirada (cabeza, cara y su expresión, el mundo tras sus espaldas, toda una serie de objetos y relaciones que me son accesibles a mí e inaccesibles a él). Cuando nos estamos mirando, dos mundos diferentes se reflejan en nuestras pupilas. Para reducir al mínimo esta diferencia de horizontes, se puede adoptar una postura más adecuada, pero para eliminar la diferencia es necesario que los dos se fundan en uno, que se vuelvan una misma persona.

Este *excedente* de mi visión que siempre existe con respecto a cualquier otra persona, este sobrante de conocimiento, de posesión, está determinado por la unicidad y la insustituibilidad de mi lugar en el mundo: porque en este lugar, en este tiempo, en estas circunstancias yo soy el único que me coloco allí; todos los demás están fuera de mí. Esta extraposición concreta de mi persona frente a todos los hombres sin excepción, que son los otros para mí, y el excedente de mi visión (determinado por la extraposición) con respecto a cualquier otro (con esta situación está vinculada la bien conocida deficiencia que consiste en el hecho de que precisamente aquello que yo veo en el otro, en mí mismo lo puede distinguir únicamente el otro, pero aquí esto no es importante, porque en la vida real la correlación que existe entre el yo y el otro es irreversible), se superan mediante el conocimiento, el cual construye un mundo único y universalmente válido, absolutamente independiente de aquella situación única y concreta que ocupa uno u otro individuo; para el conocimiento, la relación entre el yo y el otro, en tanto que es ideada, es una relación relativa y reversible, puesto que el sujeto cognoscente como tal no ocupa un lugar determinado y concreto en el ser. Pero este único mundo del conocimiento no puede tomarse por la totalidad concreta y única, que está llena de múltiples cualidades del ser, así como percibimos un paisaje, una escena dramática, un edificio, etc., porque una percepción real de la totalidad concreta presupone un lugar muy determinado para el espectador: su unicidad y su encarnación; mientras que el mundo del conocimiento y cada momento suyo tan sólo pueden ser ideados. Igualmente, una vivencia interna y una totalidad interna pueden vivirse concretamente (percibirse internamente) o dentro de la categoría *yo-para-mí,* o bien dentro de la categoría *otro-para-mí,* es decir, ora como mi vivencia, ora como la vivencia de este otro determinado y único.

La contemplación estética y el acto ético no pueden ser abstraídos de la unicidad concreta del lugar dentro del ser ocupado por el sujeto de este acto y de la contemplación artística.

El sobrante de mi visión con respecto al otro determina cierta esfera de mi actividad excepcional, o sea el conjunto de aquellos actos internos y externos que tan sólo yo puedo realizar con respecto al otro y que son absolutamente inaccesibles al otro desde su lugar: son actos que completan al otro en los aspectos donde él mismo no puede completarse. Estos actos pueden ser infinitamente heterogéneos porque dependen de la heterogeneidad infinita de las situaciones vitales en las que tanto yo como el otro nos ubicamos en determinado momento; pero en todas partes, siempre y en todas las circunstancias, este sobrante de mi actividad existe, y su estructura tiende (se aproxima) a cierta constancia estable. Aquí no nos interesan las acciones que con su sentido externo nos abarcan a mí y al otro en un solo y único acontecimiento del ser y que están orientadas hacia un cambio real de tal acontecimiento y del otro, en tanto que es un aspecto del acontecimiento: éstas son acciones puramente éticas. Ahora nos interesan las acciones *contemplativas* (porque la contemplación es activa y productiva), que no rebasan los límites del otro sino que tan sólo unen y ordenan la realidad; son acciones contemplativas que vienen a ser consecuencia del excedente de la visión interna y externa del otro, y su esencia es puramente estética. El excedente de la visión es un retoño en el cual duerme la forma y desde la cual ésta se abre como una flor. Pero, para que el retoño realmente se convierta en la flor de la forma conclusiva, es indispensable que el excedente de mi visión complete el horizonte del otro contemplado sin perder su carácter propio. Yo debo llegar a sentir a este otro, debo ver su mundo desde dentro, evaluándolo tal como él lo hace, debo colocarme en su lugar y luego, regresando a mi propio lugar, completar su horizonte mediante aquel excedente de visión que se abre desde mi lugar, que está fuera del suyo; debo enmarcarlo, debo crearle un fondo conclusivo del excedente de mi visión, mi conocimiento, mi deseo y sentimiento. Pongamos por caso que frente a mí hay una persona que está sufriendo; el horizonte de su conciencia está repleto de la circunstancia que lo obliga a sufrir y de los objetos que ve; los tonos emocionales y volitivos que abarcan este visible mundo objetual son los del sufrimiento. Yo tengo que vivenciar y concluir estéticamente a esta persona (actos éticos como ayuda, salvamento, consuelo, aquí se excluyen). El primer momento de la actividad estética es la vivencia: yo he de vivir (ver y conocer) aquello que está viviendo el otro, he de ponerme en su sitio, como si coincidiera con él (en qué forma es posible esta vivencia, es decir, el problema psicológico de la vivencia ajena, lo dejamos de lado; para nosotros es suficiente el indiscutible hecho de que, dentro de ciertos límites, tal vivencia se vuelve posible). Yo debo asumir el concreto horizonte vital de esta persona tal como ella lo vive; dentro de este horizonte faltará toda una serie de momentos que me son accesibles desde mi lugar: así, el que sufre no vive la plenitud de su propia expresividad externa, la vive sólo parcialmente y además mediante el lenguaje de sensaciones internas únicamente; no advierte la dolorosa tensión de sus músculos, la postura plásticamente concluida de su cuerpo, no ve la expresión de sufrimiento en su cara, no ve el claro azul del cielo sobre cuyo fondo se dibuja para mí su adolorida imagen externa. Inclusive si él pudiera ver todos estos aspectos, por ejemplo si se colocara frente a un espejo, no habría podido dar un correspondiente enfoque emocional y volitivo a estos aspectos que no habían ocupado en su conciencia el lugar que ocupan en la concienca de quien lo contempla. Durante mi vivencia yo debo abstenerme del significado independiente de los momentos extrapuestos (transgredientes) a su conciencia, debo aprovecharlos únicamente como índice, como aparato técnico de la vivencia; su expresividad externa es el camino por el cuál lo penetro y casi me fundo con él por dentro. Pero ¿acaso esa plenitud de fusión interna es el fin último de la actividad estética, para la cual la expresividad externa es tan sólo un medio y lleva la función comunicativa? En absoluto: la actividad propiamente estética ni siquiera ha comenzado. La posición vital del que sufre, si se sufre desde dentro, me puede inducir a una acción ética: ayuda, consuelo, reflexión cognitiva, pero, en todo caso, la vivencia debe regresar hacia uno mismo, a su lugar que está fuera del que sufre, y tan sólo desde su propio lugar el material vivencial puede ser concientizado ética, cognitiva o estéticamente; si tal regreso no tuviese lugar, sucedería un fenómeno patológico de la vivencia del sufrimiento ajeno como propio, una contaminación por el sufrimiento ajeno y nada más. Hablando estrictamente, la vivencia pura, relacionada con la pérdida de su propio lugar fuera del otro, es difícil que sea posible y, en todo caso, es absolutamente inútil y desprovista de sentido. Viviendo las penas del otro, las vivo precisamente como *suyas,* dentro de la categoría del *otro,* y mi reacción frente a la pena no es un grito sino una palabra de consuelo y un acto de ayuda. La referencia de lo vivido al otro es la condición obligatoria de una vivencia productiva y de un conocimiento tanto de lo ético como de lo estético. La actividad estética propiamente dicha comienza cuando regresamos hacia nosotros mismos y a nuestro lugar fuera de la persona que sufre, cuando estructuramos y concluimos el material de la vivencia. La estructuración y la conclusión se realizan de tal modo que completamos el material vivencial, o sea el sufrimento de la otra persona, con los momentos que son extrapuestos (transgredientes) a todo el mundo objetual de su adolorida conciencia, que ahora ya no cumplen con una función comunicativa sino con una nueva, que es la *conclusiva:* la posición de su cuerpo, que nos comunicaba su sufrimiento, que nos acercaba a su sufrimiento interno, llega a ser ahora un valor puramente plástico, una expresión que encarna y concluye el sufrimiento expreso, y los tonos emocionales y volitivos de tal expresividad ya no son tonos de sufrimiento; el cielo azul que lo enmarca llega a ser un momento pintoresco que concluye y resuelve el sufrimento. Y todos los valores que concluyen su imagen son extraídos por mí del excedente de mi visión, volición y sentimiento. Hay que tener en cuenta que los momentos de vivencia y conclusión no se suceden cronológicamente (insistimos en una diferenciación de su sentido), sino que en una vivencia real se entretejen estrechamente y se fusionan. En una obra verbal cada palabra comprende ambos momentos y lleva una doble función: dirige la vivencia y la concluye, aunque puede prevalecer uno u otro momento. Nuestro propósito inmediato es el análisis de los valores plásticos y espaciales que son extrapuestos a la conciencia del personaje y a su mundo, a su orientación cognitiva y ética en el mundo, y que lo concluyen desde afuera, desde el conocimiento que tiene el otro de él, desde la conciencia del autor-contemplador.

2] El primer momento que está sujeto a nuestro análisis es la apariencia externa como conjunto de todos los momentos expresivos del cuerpo humano. ¿Cómo vivimos nuestra propia apariencia y cómo vivimos la del otro? ¿En qué plano de vivencia se sitúa su valor estético? Éstos son los problemas que plantea el presente análisis.

Desde luego, no hay duda de que mi apariencia no forma parte del horizonte real y concreto de mi visión, con la rara excepción de aquellos casos en que yo, semejante a Narciso, contemplo mi expresión en el agua o en un espejo. Mi aspecto exterior, es decir, todos los momentos expresivos de mi cuerpo, sin excepción, se viven por mí internamente; mi apariencia llega al campo de mis sentidos externos, y ante todo a la vista, tan sólo en forma de fragmentos dispares, de trozos suspendidos en la cuerda de la sensación interna; pero los datos proporcionados por los sentidos externos no representan una última instancia ni siquiera para la solución del problema de que si es mío o no este cuerpo; lo soluciona únicamente nuestra sensación propia interna. Es la misma que da unidad a los fragmentos de mi expresividad externa, la que los traduce a su lenguaje interno. Así es como funciona la percepción real: en el mundo exterior único, que es visto, oído y palpado por mí, yo no encuentro mi expresividad externa como un objeto externo y único junto a los demás objetos; yo me ubico en una especie de frontera del mundo que es visible para mí, yo no le soy plásticamente connatural. Es mi pensamiento el que ubica mi cuerpo en el mundo exterior como objeto entre otros objetos, mas no es mi visión real; ésta no puede prestarle ayuda al pensamiento dándole una imagen adecuada.

Si nos dirigimos hacia la imaginación creadora, hacia el sueño sobre nosotros mismos, nos convenceremos con facilidad de que la imaginación no trabajó fundada en mi expresividad externa, no evoca su imagen exterior concluida. El mundo de mi activa ilusión con respecto a mí mismo se sitúa frente a mí igual que el horizonte de mi visión real, y yo formo parte de este mundo como su protagonista que triunfa sobre los corazones, conquista una fama extraordinaria, etc., pero con todo esto no me imagino en absoluto cómo es mi imagen externa, mientras que las imágenes de otros personajes de mi ilusión, incluso los secundarios, aparecen a veces con una claridad y plenitud extraordinarias, hasta el punto de representar sorpresa, admiración, miedo, amor en sus caras; pero no veo en absoluto a aquel a quien se dirigen el miedo, la admiración o el amor; es decir, no me veo a mí mismo, sino que estoy viviendo mi imagen internamente; inclusive cuando sueño con éxitos de mi apariencia, no necesito imaginármela: solamente me imagino el resultado de la impresión que produce en otras personas. Desde el punto de vista de la plasticidad artística, el mundo de la ilusión es en todo semejante al mundo de la percepción real: el protagonista tampoco está expresado externamente, se sitúa en otro plano en comparación con otros personajes; mientras que éstos están representados externamente, aquel se vive *por dentro*.[2] La ilusión no rellena aquí las lagunas de la percepción real, porque no lo necesita. La ubicación dispar de los personajes en una ilusión es sobre todo obvia cuando esta última tiene un carácter erótico: es el personaje deseado el que alcanza tal grado de expresividad externa de que es capaz la imaginación, mientras que el protagonista, el que está sonando, vive sus deseos y su amor por dentro y no está representado externamente. La misma disparidad de planos tiene lugar en los sueños. Pero cuando yo empiezo a contar mi ilusión o mi sueño al otro, debo trasponer al protagonista al mismo plano con los demás personajes (inclusive cuando hay relato en primera persona), y en todo caso debo tomar en cuenta el hecho de que todos los personajes de mi narración, inclusive yo mismo, se percibirán por el oyente en un mismo plano plástico y pintoresco, porque todos ellos son otros para él. Ésta es la diferencia entre el mundo de la ficción creativa y el mundo de la ilusión o la vida real: todos los personajes se representan igualmente en un solo plano plástico de la visión, mientras que en la vida y en el sueño el protagonista (yo) no está representado externamente y no necesita imagen propia. El darle una apariencia externa al protagonista, de la vida real o de una ilusión acerca de la vida, viene a ser el primer problema del artista (escritor). A veces, cuando tiene lugar una lectura no artística de una novela por personas de poca cultura, la percepción artística es sustituida por una ilusión, pero no se trata de una ilusión libre, sino predeterminada por la novela; es una ilusión pasiva, y entonces sucede que el lector se identifica con el protagonista, se abstrae de todos sus aspectos conclusivos y, ante todo, de su aspecto exterior, y vivencia la vida del protagonista como si fuera la suya propia.

Se puede hacer un esfuerzo por imaginar su propio aspecto externo, por percibirse desde fuera, traducir a su misma persona del lenguaje de la sensación propia interna al de la expresividad externa, lo cual no es tan fácil y requeriría cierto esfuerzo inusitado; esta dificultad y este esfuerzo no se parecen a aquellos que vivimos recordando una cara poco conocida o semiolvidada; aquí no se trata de una falta de la memoria con respecto a su apariencia, sino de cierta resistencia, por principio, de nuestro aspecto exterior. Es fácil convencerse, mediante una autoobservación, de que el resultado primero de tal intento será el siguiente: mi imagen visualmente expresada empezará a definirse de una manera inestable junto a mi persona percibida internamente, apenas se separará de mi autopercepción interna hacia adelante y se moverá un poco hacia un lado, como un bajorrelieve, se desprenderá de la autopercepción interna sin dejarla por completo; parece que yo me divido en dos sin desintegrarme definitivamente: el cordón umbilical de la autopercepción seguirá uniendo mi expresividad externa con la vivencia interna de mi persona. Se requeriría cierto esfuerzo nuevo para que uno se imagine a su persona claramente representada de frente, para desprenderse totalmente de la autosensación interna de uno, y, cuando esto se logra, nos sorprende en nuestra imagen externa un extraño vacío fantasmal y una espantosa soledad que la rodea. ¿Cómo explicar este hecho? Resulta que no tenemos, con respecto a nuestra imagen, una actitud emocional y volitiva correspondiente, que hubiese podido vitalizarla e incluirla en el sistema de valores del mundo plástico artísticamente expresado y único. Todas mis reacciones emocionales y volitivas percibidas valorativamente que contribuyen a constituir la expresividad externa del otro: admiración, amor, ternura, compasión, enemistad, odio, etc., dirigidas por delante de mi persona hacia el mundo, son inaplicables con respecto a mí mismo de una manera inmediata, tal y como yo me vivo a mí mismo; yo constituyo mi *yo* interior volitivo, que ama, siente, ve y sabe, desde adentro y mediante categorías valorativas muy diferentes, que no son compatibles directamente con mi expresividad exterior. Pero mi autopercepción y la vida para mí permanecen en mí, quien imagina y ve; no se encuentran en mí imaginado y visto, y yo no dispongo de una reacción emocional y volitiva con respecto a mi apariencia, una reacción que inmediatamente vivifique y concluya; de ahí que aparezcan la vacuidad y la soledad de mi imagen.

Hace falta reconstruir de una manera radical toda la arquitectónica del mundo de la ilusión al introducir en éste un momento absolutamente distinto, para revivir y relacionar nuestra imagen con la totalidad contemplada. Este nuevo momento que reconstituye la arquitectónica es la afirmación emocional y volitiva de mi imagen desde el otro y para el otro, porque desde dentro de mi persona fluye tan sólo mi propia autoafirmación que no puedo proyectar hacia mi expresividad externa, separada de mi autopercepción interna, y por lo tanto mi imagen se me contrapone en el vacío de valores, en la falta de afirmación. Es necesario introducir, entre mi autopercepción interna que es función de mi visión vacía, y mi imagen externamente representada, una especie de pantalla transparente, que es pantalla de una posible reacción emocional y volitiva del otro con respecto a mi apariencia externa, que incluya una posible admiración, amor, sorpresa, compasión hacia mí sentida por el otro. Al mirar a través de esta pantalla del alma ajena reducida a ser intermediario, yo le doy vida a mi apariencia y la inicio en el mundo de la representación plástica. Este posible portador de la reacción valorativa del otro frente a mi persona no ha de llegar a ser un hombre determinado; en caso contrario, éste haría desplazar en seguida de mi campo de representaciones a mi imagen y ocuparía su lugar; yo lo vería con su reacción hacia mí exteriorizada, cuando se encontraría sobre los límites de mi campo de visión; además, este hombre introduciría cierto determinismo confabulado con mi ilusión, como participante con un papel dado, mientras que se requiere un autor que no participe en un acontecimiento imaginario. Se trata precisamente de la necesidad del lenguaje interno al lenguaje de la expresividad externa e introducir toda su personalidad en la tela unitaria y plástica de la vida humana, tanto al hombre entre otros hombres como al personaje entre otros personajes; esta finalidad puede ser fácilmente sustituida por otro problema totalmente diferente, por un propósito del pensamiento: el pensamiento logra con mucha facilidad colocarme a mí mismo en un mismo plano con la demás gente, porque dentro del pensamiento yo ante todo me abstraigo de aquel único lugar que yo como único hombre ocupo dentro del ser y, por lo tanto, me abstraigo de la unicidad concreta y obvia del mundo; por eso el pensamiento no conoce dificultades éticas y estéticas de la autoobjetivación.

La objetivación ética y estética necesita un poderoso punto de apoyo fuera de uno mismo, en una fuerza real desde la cual yo podría verme a mí como un otro.

Efectivamente, cuando observamos nuestra apariencia (como algo vivo e iniciado en la totalidad viviente y externa) a través del prisma del alma de un otro posible que avalúa, esta alma del otro que carece de vida propia, alma esclava, aporta un elemento falso y absolutamente ajeno al ser-acontecer ético: no se trata de algo productivo que enriquezca la generación, porque esta última carece de valor propio, sino de un producto inflado y ficticio que enturbia la nitidez óptica del ser; en este caso se realiza una especie de sustitución óptica, se crea un alma sin lugar, un participante sin nombre ni papel, algo totalmente extrahistórico. Está claro que con los ojos de este otro ficticio es imposible ver la cara auténtica de uno, se puede observar tan sólo una máscara.[3] Esta pantalla de la reacción viva del otro debe densificarse y obtener una independencia fundamentada, sustancial y autorizada, debe hacer del otro un autor responsable. Una condición negativa para este procedimiento es una actitud mía absolutamente desinteresada con respecto al otro: al regresar a mí mismo, yo no he de aprovechar para mí la valoración del otro. No podemos profundizar aquí en estas cuestiones, mientras se trate sólo de la apariencia externa (ver acerca del narrador, acerca de la autoobjetivación a través de la heroína, etc.). Está claro que la apariencia como un valor estético no aparece como un momento de mi autoconciencia sino que se sitúa sobre la frontera del mundo plástico y pintoresco; yo como el protagonista de mi propia vida, tanto real como imaginaria, me vivencio en un plano fundamentalmente distinto del de todos los demás actores de mi vida y de mi ilusión.

Un caso muy especial de la visión del aspecto exterior de uno mismo representa el verse en el espejo. Por lo que parece, en este caso nos estamos viendo directamente. Sin embargo, no es así; permanecemos dentro de nosotros mismos y vemos tan sólo un reflejo nuestro que no puede llegar a ser un momento directo de nuestra visión y vivencia del mundo: vemos un reflejo de nuestra apariencia, pero no a nosotros mismos en medio de esta apariencia, el aspecto exterior no me abraza a mí en mi totalidad; yo estoy frente al espejo pero no dentro de él; el espejo sólo puede ofrecer un material para la objetivación propia, y ni siquiera en su forma pura. Efectivamente, nuestra postura frente al espejo es siempre un poco falsa: puesto que no poseemos un enfoque de nosotros mismos desde el exterior, en este caso también hemos de vivenciar a otro, indefinido y posible, con la ayuda del cual tratamos de encontrar una posición valorativa con respecto a nosotros mismos, otra vez intentamos vivificar y formar nuestra propia persona a partir del otro; de ahí que se dé esa expresión especial y poco natural que solemos ver en el espejo y que jamás tenemos en la realidad. Esta expresión de nuestra cara reflejada en el espejo es suma de varias expresiones de tendencias emocionales y volitivas absolutamente dispares: *1*] expresión de nuestra postura emocional y volitiva real, que efectuamos en un momento dado y que justificamos en un contexto único y total de nuestra vida; *2*] expresión de una posible valoración del otro, expresión de un alma ficticia carente de lugar; *3*] expresión de nuestra actitud hacia la valoración del posible otro: satisfacción, insatisfacción, contento, descontento; porque nuestra propia actitud hacia la apariencia no tiene un carácter directamente estético sino que se refiere a su posible acción sobre otros que son observadores inmediatos, es decir, no nos apreciamos para nosotros mismos, sino para otros a través de otros. Finalmente, a estas tres expresiones se les puede agregar una expresión que desearíamos ver en nuestra cara y, otra vez, no para nosotros mismos, sino para el otro: casi siempre nosotros casi tomamos una pose ante el espejo, adoptando una u otra expresión que nos parezca adecuada y deseable. Éstas son las expresiones diferentes que luchan y participan de una simbiosis casual en nuestra cara reflejada en el espejo. En todo caso, allí no se expresa un alma única, sino que en el acontecimiento de la contemplación propia se inmiscuye un segundo participante, un otro ficticio, un autor que carece de autorización y fundamentación; yo no estoy solo cuando me veo en el espejo, estoy poseído de un alma ajena. Es más, nunca esta alma ajena puede concretarse hasta cierta independencia: un enfado y cierta irritación, a los que se añade nuestro disgusto por la apariencia propia, concretizan a este otro que es un posible autor de nuestra apariencia; puede haber una desconfianza hacia él, así como odio y deseo de aniquilarlo: al tratar de luchar con una valoración posible de alguien que me forma de una manera total, aunque sólo posible, concretizo a este alguien hasta la independencia, casi hasta una personalidad localizable en el ser.

El primer propósito de un artista que trabaja sobre un autorretrato es la *purificación de la expresión de la cara reflejada,* lo cual se logra únicamente gracias al hecho de que el pintor ocupa una sólida posición fuera de sí mismo, encuentra a un autor autorizado y con principios; se trata de un autor artista que como tal triunfa sobre el artista hombre. Me parece, por lo demás, que un autorretrato siempre puede ser distinguido de un retrato, debido al carácter algo fantasmal de la cara que da la impresión de no abarcar al hombre entero hasta el final: me deja una impresión casi horrorosa la cara de Rembrandt [4] que ríe eternamente en su autorretrato, o la cara de Wróbel [5] extrañamente enajenada.

Es mucho más difícil ofrecer una imagen íntegra de la apariencia propia en un héroe autobiográfico de una obra verbal donde esta apariencia, impulsada por el movimiento heterogéneo del argumento, debe cubrir a todo el hombre. No conozco intentos concluidos de este tipo en obras literarias importantes, pero hay muchos intentos parciales; algunos de ellos son el autorretrato infantil de Pushkin,[6] el Irtenev de Tolstoi [*Infancia, Adolescencia* y *Juventud*], Liovín del mismo Tolstoi, el hombre del subsuelo de Dostoievski y otros. En la creación verbal no existe ni es posible la perfección de la apariencia propia de la pintura, donde el aspecto externo se funde con otros momentos del hombre íntegro, que analizaremos en lo sucesivo.

Una fotografía propia también nos ofrece sólo un material para la comparación, también en ella vemos no a nosotros mismos sino un reflejo nuestro sin autor; por cierto, este reflejo ya no revela la expresión del otro ficticio, es decir, es más puro que el reflejo en un espejo, pero es casual, se adopta artificialmente y no expresa nuestra actitud esencial emocional y volitiva dentro del acontecer del ser: se trata de una materia prima que no puede ser incluida en la unidad de mi experiencia vital, porque no existen principios para esta inclusión.

Otro es el caso cuando se trata de un retrato nuestro realizado por un pintor de categoría; este retrato es efectivamente una ventana al mundo donde yo jamás habito; se trata de una visión real de uno mismo en el mundo con los ojos del otro hombre, puro e íntegro (el pintor); es una especie de adivinación que tiene algo predeterminado con respecto a mí. Y es que la apariencia debería abarcar y contener en sí, así como concluir la totalidad del alma (esto es, de mi única postura emocional y volitiva y ético-cognoscitiva en el mundo); ésta es la función que corresponde a mi apariencia, para mí mismo, sólo a través del otro: yo no puedo sentirme a mí mismo en mi apariencia como algo que me abarca y me expresa, porque mis reacciones emocionales y volitivas se encuentran fijadas a los objetos y no logran reducirme a una imagen de mí mismo exteriormente concluida. Mi apariencia no puede llegar a ser el momento de mi característica para mí mismo. Mi apariencia no puede ser vivida dentro de la categoría del *yo* como un valor que me abarque y concluya, porque se vive de este modo tan sólo dentro de la categoría del *otro,* y es necesario que uno se incluya en esta última categoría para poder verse como uno de los momentos del mundo exterior plásticamente expresado.

La apariencia no debe tomarse aisladamente con respecto a la creación artística verbal; cierta falta de plenitud de un retrato pictórico se completa en una obra verbal mediante toda una serie de momentos contiguos a la apariencia que son poco accesibles o totalmente inaccesibles al arte figurativo: modales, manera de andar, timbre de voz, la expresión cambiante de la cara y de todo el aspecto externo en ciertos momentos históricos de la vida humana, la expresión de los momentos irreversibles del acontecer de la vida en la serie histórica de su transcurrir, los momentos del crecimiento paulatino del hombre que atraviesa la expresividad externa de las edades; las imágenes de la juventud, edad madura y vejez en su continuidad plástica: todos éstos son los momentos que pueden ser expresados como historia del hombre exterior. Para la autoconciencia esta imagen íntegra aparece difusa en la vida; entra en el campo de la visión del mundo exterior tan sólo en forma de fragmentos casuales a los que faltan precisamente esta unidad externa y permanencia, y el hombre no puede constituir su propia imagen en todo más o menos concluido, porque vive su vida dentro de la categoría de su propio *yo.* El problema no consiste en una insuficiencia del material para la visión externa (aunque esta insuficiencia sea extremadamente grande), sino en una fundamental ausencia de un enfoque valorativo íntegro desde el interior del mismo hombre con respecto a su expresividad externa; ningún espejo ni fotografía, tampoco una autoobservación minuciosa, puede ayudar en este caso; como resultado mejor, sólo obtendríamos un producto estéticamente falso, creado interesadamente desde la posición de otro posible, carente de independencia.

En este sentido se puede hablar acerca de una necesidad estética absoluta del hombre con respecto al otro, de la necesidad de una participación que vea, que recuerde, que acumule y que una al otro; sólo esta participación puede crear la personalidad exteriormente conclusa del hombre; esta personalidad no aparecería si no la crease el otro; la memoria estética es productiva y es ella la que genera por primera vez al *hombre exterior* en el nuevo plano del ser.

3] Uno de los momentos especiales y de singular importancia de la visión plástica externa del hombre es la vivencia de las fronteras exteriores que la delimitan. Este momento se vincula indisolublemente con la apariencia y puede separarse de ella sólo en abstracto, al expresar la actitud del hombre exterior y aparente hacia el mundo exterior que lo abarca: es el momento de la delimitación del hombre en el mundo. Esta frontera exterior se vive de una manera muy diferente por la autoconciencia, es decir, con respecto a uno mismo frente a la actitud hacia otro hombre. Efectivamente, tan sólo en el otro hombre me es dada la vivencia, convincente desde el punto de vista estético y ético, de la objetualidad empíricamente limitada. El otro en su totalidad me es dado, en el mundo que me es externo, como un momento de este mundo limitado espacialmente por todos lados; en todo momento determinado yo vivencio claramente todos sus límites, lo abarco con mi mirada y puedo palparlo todo; estoy viendo la línea que enmarca su cabeza sobre el fondo del mundo externo, así como todas las líneas de su cuerpo, que lo delimitan en el espacio; es externo, como una cosa entre otras cosas, sin abandonar sus fronteras para nada, sin infringir para nada su unidad visible, palpable y plástica.

No cabe duda de que toda mi experiencia recibida jamás puede ofrecerme una visión semejante de mi propia delimitación externa completa; no tan sólo la percepción real, sino tampoco las nociones son capaces de construir un horizonte cuya parte formaría yo como una totalidad absolutamente delimitada. En relación con la percepción real, esto no requiere una demostración especial: yo me ubico en la frontera de mi visión; el mundo visible se extiende frente a mi persona. Al volver la cabeza hacia todos lados, puedo lograr una visión de mí mismo desde cualquier punto del espacio que me rodea y en el centro del cual yo me encuentro, pero no podré verme a mí mismo rodeado por este espacio. El caso de la noción es algo más difícil. Ya hemos visto que aunque habitualmente yo no pueda figurarme mi propia imagen, con cierto esfuerzo siempre lo puedo hacer, imaginando mi figura delimitada por todas partes como si se tratara de otro. Pero esta imagen no es convincente: yo no dejo de vivenciarme desde el interior, y esta vivencia propia permanece conmigo o, más bien, yo mismo permanezco dentro de la vivencia y no la transfiero a la imagen figurada; y precisamente esta conciencia de que yo estuviese representado íntegramente en esta imagen, la conciencia de que yo no exista fuera de este objeto completamente delimitado, es la que jamás resulta convincente: un índice necesario de toda percepción y concepción de mi expresividad externa es la conciencia del hecho de que yo no me encuentro, en toda mi plenitud, en esta imagen. Mientras que la concepción de otro hombre corresponde plenamente a la totalidad de su visión real, mi conceptualización propia aparece como construida y no corresponde a ninguna percepción real; lo más importante de una vivencia real de uno mismo permanece fuera de la visión exterior.

Esta diferencia entre una vivencia propia y la vivencia imaginada del otro se supera mediante el conocimiento o, más exactamente, el conocimiento subestima esta diferencia, igual que menosprecia también la unicidad del sujeto cognoscente. En el único mundo del conocimiento, yo no puedo ubicar a mi persona como un único *yo-para-mí,* en oposición a todos los demás hombres sin excepción alguna, tanto pasados como presentes y futuros, en tanto que sean otros para mí; por el contrario, yo sé que soy un hombre tan limitado como todos los demás, y que cualquier otro hombre se vivencia esencialmente desde su interior, sin manifestarse, por principio, en una expresividad exterior de sí mismo. Pero este conocimiento no puede determinar una visión real del mundo concreto del sujeto único. La correlación de las categorías de imágenes del *yo* y del *otro* es la forma de la vivencia concreta de un hombre; y esta forma del *yo* en la que yo vivencio a mí mismo, como algo único, se distingue radicalmente de la forma del *otro* en la que yo vivencio a todos los demás hombres sin excepción. También el *yo* del otro hombre es vivenciado por mí de un modo totalmente diferente de mi propio *yo;* el *yo* del otro se reduce a la categoría del *otro* como su momento; esta diferencia tiene importancia no sólo para la estética, sino también para la ética. Basta con señalar la inequidad de principio que existe entre el yo y el otro desde el punto de vista de la moral cristiana: no se puede amar a uno mismo, pero se debe amar al otro, no se puede ser condescendiente consigo mismo, pero se debe ser condescendiente con el otro; en general se debe liberar al otro de cualquier peso y tomarlo para uno mismo; [7] por ejemplo el altruismo que valora de una manera muy distinta la felicidad propia y la del otro. Más adelante aún vamos a regresar al solipsismo ético.

Para el punto de vista estético es importante lo siguiente: yo para mí soy sujeto de toda actividad, de toda visión, de toda audición, tacto, pensamiento, sentimiento, etc., como si yo partiera de mi persona en mis vivencias y me dirigiera adelante de mí mismo, hacia el mundo, hacia el objeto. El objeto se me contrapone a mí como sujeto. Aquí no se trata de una correlación gnoseológica entre el sujeto y el objeto sino de la correlación vital entre el yo como sujeto único y todo el resto del mundo como objeto no tan sólo de mi conocimiento y de los sentidos exteriores, sino también de mi voluntad y mi sentimiento. El otro hombre, para mí, se presenta en su totalidad como objeto; asimismo su *yo* es tan sólo un objeto para mí. Yo puedo recordar a mi persona, puedo percibirme parcialmente mediante un sentido externo y volverme parcialmente objeto del deseo y del sentimiento, esto es, puedo convertirme en mi propio objeto. Pero en este acto de autoobjetivación yo no coincidiría conmigo mismo, el *yo-para-mí* permanecería en el mismo acto de autoobjetivación, pero no en su producto; estará en el acto de la visión, sentimiento, pensamiento, pero no en el objeto visto o sentido. Yo no puedo incluirme como totalidad en un objeto, yo supero todo objeto como su sujeto activo. Aquí no nos interesa el aspecto cognoscitivo de esta situación, que ha sido el fundamento del idealismo, sino la vivencia concreta de su subjetividad y de su absoluta inagotabilidad en el objeto (momento profundamente comprendido y asimilado por la estética del romanticismo: las enseñanzas de Schlegel acerca de la ironía [8]), en oposición a la pura objetualidad del otro hombre. El conocimiento aporta aquí una corrección según la cual tampoco el yo para mí —hombre único— es el *yo* absoluto o el sujeto gnoseológico; todo aquello que hace que yo sea yo mismo, un hombre determinado distinto de otros hombres: un determinado lugar y tiempo, un determinado destino, etc., es también objeto y no sujeto del conocimiento (Rickert [9]); pero es la vivencia propia lo que hace que el idealismo sea intuitivamente convincente, y no la vivencia del otro hombre; esta última es lo que más bien hace convincente el realismo y el materialismo. El solipsimo, que coloca todo un mundo dentro de mi conciencia, puede ser convincente intuitivamente, o en todo caso comprensible; lo totalmente incomprensible intuitivamente hubiese sido el colocar todo el mundo y a mí mismo en la conciencia de otro hombre, el cual con toda evidencia representa tan sólo una parte mísera del gran mundo. Yo no puedo vivenciar convincentemente a mi persona presa totalmente en un objeto externamente limitado, totalmente visible y palpable, pero tampoco puedo imaginarme al otro hombre de una manera distinta: todo lo interno que le conozco, y que parcialmente vivencio, lo proyecto hacia su imagen exterior como en un recipiente que contiene su *yo,* su voluntad, su conocimiento; el otro está constituido y ubicado para mí en su imagen externa. Mientras tanto, yo estoy vivenciando mi propia conciencia como algo que abarca el mundo, que lo abraza, y no como algo colocado en el mundo. La imagen exterior puede ser vivenciada como algo que concluya y abarque al otro, pero ella no es vivenciada por mí como algo que me agote y me concluya a mí.

Para evitar malentendidos, subrayamos una vez más que aquí no nos referimos a los momentos cognoscitivos: la relación entre el alma y el cuerpo, entre la conciencia y la materia, entre el idealismo y el realismo, y otros problemas vinculados a estos momentos; lo que nos importa aquí es tan sólo la vivencia concreta, su carácter convincente desde el punto de vista puramente estético. Podríamos decir que, desde el punto de vista de una vivencia propia, el idealismo es intuitivamente convincente, pero desde el punto de vista del cómo vivencio yo al otro hombre es convincente el materialismo, sin tocar para nada la justificación filosófica y cognoscitiva de estas dos corrientes. La línea como frontera del cuerpo es adecuada valorativamente para definir y concluir al *otro* en su totalidad, en todos sus momentos, y no es adecuada en absoluto para definir y concluir a mi propia persona, porque yo me vivencio esencialmente a mí mismo abarcando todas las fronteras, todo cuerpo, ampliándome más allá de cualquier límite; mi autoconciencia destruye el carácter plásticamente convincente de mi imagen.

De allí que tan sólo otro hombre se esté vivenciando por mí como algo connatural al mundo externo, que pueda ser introducido en él de un modo estéticamente convincente y concorde con él. El hombre, en tanto que naturaleza, sólo se vivencia convincentemente en el otro, pero no en mí mismo. Yo para mí no soy connatural totalmente con el mundo externo; en mí siempre hay algo esencial que yo puedo oponer al mundo y que es mi actividad interna, mi subjetividad que se contrapone al mundo exterior en tanto que objeto sin caber dentro de él; esta actividad interna mía es extranatural y está fuera del mundo, yo siempre poseo una salida en la línea de la vivencia interior de mi persona en el acto [ilegible] del mundo; existe una especie de escapatoria gracias a la cual me salvo de la dación natural. El *otro* [ilegible] está vinculado íntimamente con el mundo, y *yo* me vinculo con la actividad interior que está fuera del mundo. Cuando me poseo a mí mismo en toda mi seriedad, todo lo objetual en mí —fragmentos de mi expresividad exterior, todo lo dado y existente en mí, el yo como un determinado contenido de mi pensamiento acerca de mi persona, de mis sensaciones de mí mismo—, todo esto deja de expresarme y yo empiezo a hundirme en el acto de este pensamiento, visión y sensación. Ni una sola circunstancia externa me abarca completamente ni me agota; yo para mí me ubico en una suerte de tangente con respecto a otra circunstancia dada. Todo aquello que es dado en mí espacialmente tiende hacia un centro interior extraespacial, mientras que en el otro lo ideal tiende a su dación espacial.

Esta particularidad de la concreta vivencia mía del otro plantea el agudo problema estético de una justificación puramente intensiva de una limitada consunción dada sin salir fuera de los límites de un mundo exterior espacial y sensorial igualmente dado; tan sólo en relación con el otro se vive directamente la insuficiencia de una concepción cognoscitiva y de una justificación semántica indiferente a la unicidad concreta de la imagen, porque ambas pasan por alto el momento de la expresividad externa que es tan importante para la manera de cómo vivencio yo al otro, pero no es esencial dentro de mi persona.

Mi actividad estética —la que no consiste en el desenvolvimiento especializado de un artista o autor, sino en una única vida no diferenciada y no liberada de los momentos no estéticos—, la que sincréticamente encubre una especie de germen de una imagen creativa y plástica, se expresa en una serie de acciones irreversibles que salen de mí y que afirman valorativamente al otro hombre en su conclusividad exterior: abrazo, beso, señal de bendición, etc. Es en la vivencia real de estas acciones donde se manifiesta con una claridad especial su carácter improductivo e irreversible. Yo realizo en ellas, de un modo evidente y convincente, el privilegio de mi ubicación fuera del otro hombre, y su densidad valorativa se vuelve aquí sobre todo palpable. Y es que tan sólo al otro se puede abrazar, abarcar por todos lados, palpar amorosamente todos sus límites: el carácter frágil, terminal y concluido del otro, su ser *aquí* y *ahora,* se conocen por mí internamente y se constituyen mediante el acto de abarcar; es en este acto donde el ser del otro vuelve a vivir, adquiere un nuevo sentido, nace en otro plano del ser. Sólo los labios del otro pueden ser tocados por los míos, sólo sobre el otro pueden colocarse las manos, sólo por encima del otro podemos elevarnos activamente abarcándolo todo, en todos los momentos de su ser, su cuerpo, y el *alma* que está en él. Todo esto yo no lo puedo vivir con respecto a mi persona, y aquí no se trata únicamente de una imposibilidad física, sino de una *no-verdad* emocional y volitiva en la orientación de todos estos actos hacia uno mismo. En tanto que objeto de un abrazo, de un beso, de una bendición, este ser externo, limitado, del otro llega a ser un elástico y consistente material, internamente ponderable, para formar plásticamente y moldear a un hombre dado no como un espacio concluído físicamente delimitado, sino como un espacio estéticamente concluido y delimitado, estéticamente vivo y lleno de sucesos. Está claro, por supuesto que aquí nos abstraemos de los momentos sexuales, que enturbian la pureza estética de estas acciones irreversibles; las tomamos como reacciones vitales y artísticamente simbólicas de la totalidad del hombre, cuando, al abrazar o bendecir un cuerpo, abrazamos y abarcamos un alma concluida y expresada en este cuerpo.

4] El tercer momento en que fijaremos nuestra atención son las acciones externas del hombre, que transcurren en el mundo espacial. De qué manera se vive la acción y su espacio en la autoconciencia del que actúa, y de qué manera vivencio la acción de otro hombre, en qué plano de la conciencia se ubica su valor estético: éstos son los problemas planteados por el examen que sigue.

Hemos apuntado hace poco que los fragmentos de mi expresividad exterior me incumben sólo a través de las vivencias interiores correspondientes. Efectivamente, cuando mi realidad por alguna razón se vuelve dudosa, cuando yo no sé si sueño o no, no me convence la pura visibilidad de mi cuerpo: o bien debo hacer algún movimiento, o bien pellizcarme, es decir, para percatarme de mi realidad debo traducir mi apariencia externa al lenguaje de sensaciones propias, internas. Cuando dejamos de utilizar, a consecuencia de alguna enfermedad, algún miembro, por ejemplo una pierna, ésta se nos presenta como algo ajeno, "no mío", a pesar de que en la imagen externa y visible de mi cuerpo sin duda sigue perteneciendo a mi totalidad. Todo fragmento de cuerpo dado externamente debe ser vivido por mí desde el interior, y sólo de este modo puede ser atribuido a mi persona y a mi unicidad; si esta traducción al lenguaje de las sensaciones internas no se logra, estoy preparado para rechazar dicho fragmento como si no fuera mío, como si no se tratara de mi cuerpo, y se rompe su nexo íntimo conmigo. Es sobre todo importante esta vivencia puramente interna del cuerpo y de sus miembros en el momento del cumplimento de la acción, que siempre establece una relación entre mi persona y otro objeto, externo, y amplifica la esfera de mi influencia física.

Sin dificultad y mediante autoobservación es posible convencerse de que el momento en que yo me fijo menos en mi expresividad externa es el de la realización de la acción física; hablando estrictamente, yo actúo, agarro un objeto, no con la mano en tanto que imagen externamente concluida, sino mediante una sensación muscular internamente vivida que corresponde a la mano, y no toco el objeto como una imagen externamente concluida, sino la correspondiente vivencia táctil y la sensación muscular de la resistencia del objeto, de su peso, densidad, etc. Lo visible tan sólo completa desde el interior lo vivido y, sin duda, sólo tiene una importancia secundaria para la realización de la acción. En general todo lo dado, existente, habido y realizado, como tal, retrocede al plano posterior de la conciencia activa. La conciencia está dirigida hacia una finalidad y los caminos de su cumplimiento y todos los medios de su realización se viven desde el interior. La vía del cumplimiento de una acción es puramente interna, y la continuidad de esta vía es también puramente interna (Bergson). Supongamos que yo realizo con mi mano algún movimiento determinado, por ejemplo alcanzo un libro de un estante; no estoy siguiendo el movimiento externo de mi mano ni el camino visible que ella hace, no observo las posiciones que mi mano adopta durante el movimiento con respecto a diversos objetos que se encuentran en la habitación: todo ello se introduce en mi conciencia únicamente en forma de fragmentos casuales poco necesarios para la acción; yo dirijo mi mano desde adentro. Cuando camino por la calle, me oriento internamente hacia adelante, calculo y evalúo mis movimientos internamente; por supuesto, a veces necesito ver algunas cosas con exactitud, incluso algunas cosas que forman parte de mí mismo, pero esta vista externa durante el cumplimiento de la acción es siempre unilateral: sólo abarca en el objeto aquello que tiene que ver directamente con la acción dada, y con esto destruye la plenitud de la dación visible del objeto. Lo determinado, lo dado, lo seguro que se encuentra en la imagen visible del objeto que se encuentra en la zona de acción, está corroído y descompuesto durante la realización de la acción por la acción inminente, futura, aún en proceso de realización con respecto al objeto dado: el objeto es visto por mí desde el punto de vista de una vivencia futura interior, pero éste es el punto de vista más injusto con respecto a la conclusividad externa del objeto. Así, pues, desarrollando nuestro ejemplo, yo, al caminar por la calle y al ver a una persona que viene a mi encuentro, me retiro rápidamente hacia la derecha para evitar una colisión; en la visión de este hombre para mí, en el primer plano se encontraba este choque posible previsto por mí y vivido por mí internamente (y esta anticipación se efectuaría en lenguaje de la sensación interna propia), de allí que directamente se realizara mi movimiento hacia la derecha dirigido internamente. El objeto que se encuentra en la zona de una acción externa intensa se vive como un obstáculo posible, como una presión, como un posible dolor, o como un posible apoyo para una pierna, un brazo, etc., y todo esto se realiza en el lenguaje de la autosensación interna: es lo que descompone la externa dación conclusa del objeto. En una acción externa de carácter intenso, de esta manera, la base —o, propiamente dicho, el mundo de la acción— sigue siendo la autosensación interna que disuelve en sí o somete todo aquello que está expresado externamente, que no permite que nada externo se concluya en una estable dación visible ni dentro de mí mismo, ni fuera de mi persona.

La fijación de la apariencia propia durante la realización de la acción puede resultar una fuerza fatal que destruya la acción. Así, cuando es necesario realizar un salto difícil y arriesgado, es extremadamente peligroso seguir el movimiento de las piernas: hay que recogerse por dentro y calcular los movimientos desde adentro. La primera regla de todo deporte es mirar hacia adelante y no la propia persona. Durante una acción difícil y peligrosa yo me encojo todo hasta lograr una unidad interior pura, dejo de ver y de oír todo lo externo, reduzco mi persona y mi mundo a la autosensación pura.

La imagen externa de la acción y su relación externa y visible con respecto a los objetos del mundo exterior nunca son dados a la misma persona que actúa, y cuando irrumpen en la conciencia activa inevitablemente se convierten en freno, en punto muerto de la acción.

La acción desde el interior de una conciencia activa niega por principio la independencia valorativa de todo lo dado, existente, habido, concluido, destruye el presente del objeto en aras de su futuro anticipado desde adentro. El mundo de la acción es el mundo del futuro anticipado. La *finalidad* anticipada de la acción desintegra la existencia dada del mundo objetual externo, el *plan* de una futura realización desintegra el *cuerpo* del estado presente del objeto; todo el horizonte de la conciencia activa se compenetra y se descompone en su estabilidad por la anticipación de una realización futura.

De allí que se siga que la verdad artística de una acción expresada y externamente percibida, su integración orgánica en el tejido externo del ser circundante, la correlación armoniosa con el fondo en tanto que conjunto del mundo objetual estable dentro del presente, transgreden básicamente la conciencia del que actúa; se efectúan sólo por una conciencia que se encuentre fuera y no participe de la acción como finalidad y sentido. Sólo la acción de otro hombre es la que puede ser comprendida y artísticamente constituida por mí, mientras que la acción desde mi interior por principio no se somete a la forma y conclusión estética. Aquí estamos hablando, por supuesto, de la concepción de la acción como algo puramente plástico y visual.

Las características principales plásticas y pictóricas de la acción exterior: epítetos, metáforas, símiles, etc., jamás se realizan en la mente del actor y nunca coinciden con la verdad interna de finalidad y sentido de la acción. Todas las características literarias trasponen la acción a un otro plano, en otro contexto de valores donde el sentido y la finalidad de la acción llegan a ser inmanentes al acontecimiento de su realización, se hacen tan sólo el momento que llena de sentido la expresividad externa de la acción, es decir, transfieren la acción del horizonte del actor al horizonte de un observador extrapuesto.

Si las características plásticas y pictóricas de la acción están presentes en la conciencia del mismo actor, entonces su acción en seguida se desprende de la seriedad tediosa de su finalidad, de su necesariedad real, de la novedad y productividad de lo que está por realizarse, y se convierte en un *juego,* degenera en un *gesto.*

Es suficiente analizar cualquier descripción literaria de una acción para convencerse de que en una imagen icónica, en el carácter de tal descripción, la perfección artística y lo convincente descansan en un contexto semántico de la vida ya muerto, que transgrede la conciencia del actor en el momento de su acción, y de que nosotros, los lectores mismos, no estamos interesados en la finalidad y en el sentido de la acción internamente, porque en caso contrario el mundo objetual de la acción estaría atraído por nuestra conciencia activa vivida desde adentro, y su expresividad externa se encontraría desintegrada: no esperamos nada de la acción y no contamos para nada con respecto a ella en un futuro *real.* El futuro real está sustituido en nuestra conciencia por un futuro *artístico,* y este futuro artístico siempre está predeterminado artísticamente. Una acción artísticamente constituida se vivencia fuera del tiempo fatal del suceso de mi única vida. En este mismo tiempo fatal de la vida ni una sola acción se vuelve hacia mí con su lado artístico. Todas las características plásticas e icónicas, sobre todo los símiles, neutralizan este futuro fatal y real, todas ellas se extienden en el plano de un pasado autosuficiente y del presente, desde los cuales no puede surgir un enfoque de un futuro vivo y aun riesgoso.

Todos los momentos de la conclusión plástico-pictórica de la acción transgreden por principio el mundo de propósitos y del sentido en su irremediable necesidad e importancia; una acción artística se concluye fuera de la finalidad y el sentido allí donde éstos dejan de ser las fuerzas motrices únicas de mi actividad, lo cual sólo es posible e internamente justificado con respecto a la acción de otro hombre, cuando mi horizonte es el que completa y concluye el suyo, que actúa y se desintegra gracias a una finalidad tediosa y anticipada.

5] Hemos analizado el carácter peculiar de la vivencia, dentro de la autoconciencia y en relación con otro hombre, de la apariencia exterior, de los límites externos del cuerpo y de la acción física externa. Ahora hemos de sintetizar estos tres momentos aislados abstractamente en una totalidad única del cuerpo humano, esto es, hemos de plantear el problema del cuerpo como valor. Está claro, por supuesto, que dado que el problema se refiere precisamente a un valor, se distingue netamente del punto de vista de las ciencias naturales: del problema biológico del organismo, del problema psicofísico de la relación entre lo psíquico y lo corporal, y de los problemas correspondientes de la filosofía natural; nuestro problema sólo puede ser ubicado en un nivel ético y estético y en parte en el religioso [...].

Para nuestro problema, resulta de extrema importancia el único lugar que ocupa el cuerpo en el único mundo concreto con respecto al sujeto. Mi cuerpo es, básicamente, un cuerpo interior, el cuerpo del otro es básicamente un cuerpo exterior.

El cuerpo interior, mi cuerpo como momento de mi autoconciencia, representa el conjunto de sensaciones orgánicas internas, de necesidades y deseos reunidos alrededor de un centro interior; mientras que el momento exterior, como hemos visto, tiene carácter fragmentario y no alcanza independencia y plenitud y, al poseer siempre un equivalente interno, pertenece, gracias a éste, a la unidad interior. Yo no puedo reaccionar de un modo directo a mi cuerpo exterior: todos los tonos emocionales y volitivos inmediatos que yo relaciono con el cuerpo se vinculan a los estados y posibilidades internas: sufrimentos, placeres, pasiones, satisfacciones, etc. Se puede amar al cuerpo propio, experimentar hacia él una especie de ternura, pero esto significa sólo una cosa: un permanente afán y deseo de tener aquellas vivencias y estados puramente internos que se realizan a través de mi cuerpo, y este amor no tiene nada esencialmente en común con el amor hacia la apariencia individual de otro hombre; el caso de Narciso es interesante precisamente en tanto que excepción característica y aclaradora de la regla. Se puede vivir el amor del otro hacia uno mismo, se puede querer ser amado, se puede imaginar y anticipar el amor del otro, pero no se puede amar a la propia persona como al otro, de una manera inmediata. Del hecho de que yo me cuide y de la misma manera cuide de la otra persona amada por mí, aún no se puede deducir acerca del carácter común de la actitud emocional y volitiva con respecto a uno mismo y al otro: los tonos emocionales y volitivos que en los dos casos inducen a las mismas acciones son radicalmente distintos. No se puede amar al prójimo como a uno mismo o, más exactamente, no se puede amar a uno mismo como al prójimo; sólo se puede transferir a éste todo aquel conjunto de acciones que suelen realizarse para uno mismo. El derecho y la moral derivados de éste no pueden extender su existencia hacia la interna reacción emocional y volitiva y sólo exigen determinadas acciones exteriores que se cumplen respecto a uno mismo y deben cumplirse para el otro; pero ni siquiera se puede hablar de una transferencia valorativa interna de la actitud hacia uno mismo al otro; se trata de una creación de una totalmente nueva actitud emocional y volitiva hacia el otro como tal, que llamamos amor y que es absolutamente imposible en relación con uno mismo. El sufrimiento, el miedo por uno mismo, la alegría, difieren cualitativamente del sufrimiento, el miedo por el otro, de la alegría conjunta; de allí que haya una diferencia fundamental en la apreciación moral de estos sentimientos. Un egoísta actúa *como* si se amara a sí mismo, pero desde luego no vive nada semejante al amor y a la ternura hacia su persona: precisamente éstos son los sentimientos que él no conoce. La conservación propia representa un frío y cruel objetivo emocional y volitivo carente de una manera absoluta de toda clase de elementos amorosos y compasivos.

El valor de mi personalidad exterior en su totalidad (y ante todo el valor de mi cuerpo exterior, lo cual es lo único que nos interesa aquí) tiene carácter de préstamo, es construido por mí pero no es vivido por mí directamente.

Así como yo puedo aspirar directamente a la conservación propia y al bienestar, defender mi vida con todos los medios, e inclusive puedo buscar el poder y la sumisión de otros, nunca puedo vivir directamente dentro de mí aquello que representa la personalidad jurídica, porque ésta no es sino la seguridad garantizada en el reconocimiento de mi persona por otra gente, vivida por mí como la obligación de esta gente con respecto a mi persona (porque una cosa es el defender la vida de uno de un ataque real —como hacen los animales— y otra cosa muy diferente es vivir el *derecho* de uno a vivir y a asegurar la vida y la obligación de otros de respetar este derecho); igualmente son profundamente diferentes la vivencia del cuerpo de uno y el reconocimiento de su valor externo por otros hombres, mi derecho a la aceptación amorosa de mi apariencia; esta aceptación desciende hacia mí de parte de otros como la bienaventuranza que no puede ser fundamentada y comprendida internamente; sólo es posible la seguridad de este valor, pero es imposible la vivencia intuitiva y evidente del valor externo del cuerpo de uno, y yo sólo puedo aspirar a esta vivencia. Los actos de atención heterogéneos y dispersos por mi vida, amor hacia mi persona, el reconocimiento de mi valor por otra gente, crean para mí el valor plástico de mi cuerpo exterior. Efectivamente, apenas empieza un hombre a vivir su propia persona por dentro, en seguida encuentra los actos de reconocimiento y amor de los prójimos, de la madre, dirigidos desde el exterior: todas las definiciones de sí mismo y de su cuerpo, el niño los recibe de su madre y de sus parientes más cercanos. De parte de ellos, y en el tono emocional y volitivo del amor de ellos, el niño oye y empieza a reconocer su *nombre* y el de los elementos referidos a su cuerpo y a sus vivencias y estados internos; las primeras y las más autorizadas palabras acerca de su persona, que la definen por primera vez desde el exterior, que se encuentran con su propia sensación interna todavía oscura, dándole forma y nombre en los cuales empieza por vez primera a comprender y a encontrarse a sí mismo como algo, son palabras de una persona que lo ama. Las palabras amorosas y los cuidados reales se topan con el turbio caos de la autopercepción interna, nombrando, dirigiendo, satisfaciendo, vinculándome con el mundo exterior como una respuesta interesada en mí y en mi necesidad, mediante lo cual le dan una forma plástica a este infinito y movible caos [10] de necesidades y de disgustos en que para el niño todavía se disuelve todo lo exterior, en que está aún sumergida la futura diada de su personalidad y del mundo exterior que se le opone. Las amorosas acciones y palabras de la madre ayudan al descubrimiento de esta diada, en su tono emocional y volitivo se constituye y se forma la personalidad del niño; se forma en el amor su primer movimiento, su primera postura en el mundo. El niño empieza a verse por primera vez mediante la mirada de la madre y empieza asimismo a hablar de sí empleando los tonos emocionales y volitivos de ella, acariciándose con su primera expresión propia; así, por ejemplo, aplica a su persona y a los miembros de su cuerpo los diminutivos en un tono correspondiente: "mi cabecita, manita, piernita", etc.; de esta manera se define a sí mismo y sus estados a través de la madre, de su amor por él, se define como objeto de sus caricias y besos; parecería que valorativamente el niño está conformado por sus brazos. El hombre nunca hubiera podido, desde adentro de sí mismo y sin ninguna mediación del otro amoroso, hablar de sí mismo en diminutivo; en todo caso, estos tonos no definirían en absoluto el tono emocional y volitivo real de mi vivencia propia, de mi actitud interior directa hacia mí mismo, siendo estos tonos estéticamente falsos: desde adentro yo no concibo en absoluto "mi cabecita" ni "mis manitas", sino que precisamente pienso y actúo con la "cabeza" y la "mano". Yo sólo puedo hablar en diminutivo acerca de mi persona en relación con el otro, expresando así su real —o deseada por mí— actitud hacia mí.

[Ilegible] yo experimento una necesidad absoluta de amor, la que puede realizar únicamente el otro desde su único lugar *fuera* de mí; esta necesidad, ciertamente, destruye mi autosuficiencia desde adentro, pero aún no me conforma afirmativamente desde *afuera*. Yo, con respecto a mí mismo, soy profundamente frío, incluso en mi autoconservación.

Este amor que conforma al hombre desde afuera a partir de la infancia, el amor de la madre y de otras personas, a lo largo de toda su vida constituye su cuerpo interior, sin ofrecerle, por cierto, una imagen intuitiva pero obvia de su valor externo, pero haciéndolo poseer el valor potencial de este cuerpo que sólo puede ser realizado por otro.

El cuerpo del otro es un cuerpo exterior y su valoración es realizada por mí de un modo contemplativo e intuitivo y se me da directamente. El cuerpo exterior se une y se conforma mediante categorías cognoscitivas, éticas, estéticas, mediante el conjunto de los momentos externos visuales y táctiles que representan para él valores plásticos y pictóricos. Mis reacciones emocionales y volitivas frente al cuerpo exterior del otro son inmediatas, y tan sólo en relación con el otro se vive por mí directamente la *belleza* del cuerpo humano, esto es, este cuerpo empieza a vivir para mí en un plano valorativo totalmente distinto, inaccesible a la autopercepción interna y a la visión externa fragmentada. Tan sólo otra persona se plasma para mí en un plano valorativo y estético. En ese respecto, el cuerpo no es algo autosuficiente sino que necesita del *otro*, necesita de su reconocimiento y de su acción formadora. Es sólo el cuerpo interior —la carne pesada— lo que se le da al hombre mismo, y el cuerpo exterior del otro apenas está planteado: el hombre tiene que crearlo de una manera activa.

Un enfoque totalmente distinto del cuerpo del otro es el sexual; por sí mismo, este enfoque no es capaz de desarrollar energías formadoras plásticas y pictóricas, es decir, este enfoque no es capaz de recrear el cuerpo como una definitividad externa, concluida, autosuficiente y artística. En lo sexual, el cuerpo exterior del otro se desintegra constituyendo tan sólo un momento de mi cuerpo interior y llega a ser valioso únicamente en relación con aquellas posibilidades internamente corporales —concupiscencia, placer, satisfacción— que se me prometen, y estas posibilidades internas ahogan su conclusividad externa y elástica. En lo sexual, mi cuerpo y el cuerpo del otro se funden en una sola carne, pero esta carne única sólo puede ser interior. Es cierto que esta fusión en una sola carne interna representa el límite hacia el cual mi actitud sexual tiende en su estado puro, pero en la realidad esta fusión siempre se complica también por los momentos estéticos de la admiración por el cuerpo exterior y, por consiguiente, por las energías formadoras y creadoras también, pero la creación de un valor artístico resulta en este caso sólo un medio y no alcanza independencia y plenitud.

Éstas son las diferencias entre el cuerpo exterior y el cuerpo interior —de mi cuerpo y del cuerpo del otro— en el contexto cerrado y concreto de la vida de un hombre único para el cual la relación "*yo* y el *otro*" es absolutamente irreversible y se da de una vez para siempre.

Ahora analicemos el problema ético-religioso y estético del valor del cuerpo humano en su historia, tratando de entenderlo desde el punto de vista de la diversificación establecida.

En todas las concepciones importantes, desarrolladas y concluidas, éticas, estéticas y religiosas, del cuerpo, éste suele generalizarse y no diferenciarse, pero con esto inevitablemente predomina o bien el cuerpo interior o bien el exterior, ora el punto de vista subjetivo, ora el objetivo; bien en la base de una experiencia viva de la que se desarrolla la idea del hombre aparece la vivencia propia, bien se trata de la vivencia del *otro* hombre; en el primer caso el fundamento sería la categoría valorativa del *yo,* a la cual se reduce también el otro, en el segundo caso se trataría de la categoría del *otro,* que también abarca al yo. En el primer caso, el proceso de la constitución de la idea del hombre (hombre como valor) podría ser expresada de la siguiente manera: el hombre soy yo tal como estoy viviendo a mi persona y los otros son idénticos a mí. En el segundo caso, la cuestión se plantea así: el hombre más bien se identifica con los otros hombres que me rodean, tal como yo los percibo, y yo soy igual a los otros. De esta manera, o bien se reduce el carácter específico de la vivencia propia bajo la influencia de otros hombres, o bien disminuye el carácter propio de la vivencia del otro bajo la influencia de la vivencia propia, y para complacerla. Por supuesto, sólo se trata de la predominancia de uno u otro momento como algo que determina valorativamente; ambos momentos forman parte de la totalidad del hombre.

Está claro que en la importancia determinante de la categoría del otro para la conformación de la idea del hombre va a predominar la apreciación estética y positiva del *cuerpo*: el hombre está *plasmado* y es importante desde el punto de vista pictórico y plástico; mientras tanto, el cuerpo interior tan sólo se adjunta al exterior reflejándolo, siendo consagrado por el último. Todo lo corporal fue consagrado por la categoría del *otro,* se vivió como algo directamente valioso y significativo, la autodefinición valorativa interna estuvo sometida a una definición exterior a través del otro y para el otro, el *yo-para-mí* se disolvió en el *yo-para-otro.*[11] El cuerpo interior se vivía como un valor biológico (el valor biológico de un cuerpo sano es vacío y dependiente, y no puede originar nada creativamente productivo y culturalmente significativo, sólo puede reflejar un valor de otro tipo, principalmente el estético, pero de por sí este valor es "precultural"). La ausencia del reflejo gnoseológico y del idealismo puro. (Husserl.) Zelinski. El momento sexual estaba lejos de ocupar un lugar predominante porque es hostil a la plasticidad. Sólo con la aparición de las bacantes[12] empieza a incorporarse una corriente distinta, en realidad oriental. Dentro de lo dionisiaco predomina una vivencia interna *pero no solitaria* del cuerpo. Las facetas plásticas empiezan a decaer. Un hombre plásticamente concluido —el *otro*— se ahoga en una vivencia sin cara, pero unitaria e intracorporal. Pero el *yo-para-mí* aún no se aísla y no se contrapone a los otros como una categoría esencialmente diferente de vivencia de hombre. Para esto apenas se va preparando el terreno. Pero las fronteras ya no son sagradas y empiezan a agobiar (añoranza de individuación); lo interior perdió su autoritaria forma *exterior,* pero todavía no ha encontrado una "forma" espiritual (no la forma en sentido exacto, porque ésta ya no tiene carácter estético, el espíritu se plantea a sí mismo). El epicureísmo ocupa una posición mediadora particular: aquí el cuerpo vuelve a ser organismo, se trata del cuerpo interior[13] en tanto que conjunto de necesidades y satisfacciones, pero es un cuerpo que aún no se aísla y que aún lleva un matiz, aunque débil, del valor positivo del otro; pero todos los momentos plásticos y pictóricos ya están apagados. Una leve ascesis señala la anticipación de la consistencia del cuerpo interno y solitario en la idea del hombre concebida en la categoría *yo-para-mí,* como espíritu. Esta idea empieza a germinar en el estoicismo: muere el cuerpo exterior y se inicia la lucha con el cuerpo interior (dentro de sí mismo y para sí) como algo irracional. Un estoico se abraza a una estatua para enfriarse.[14] En la base de la concepción del hombre se coloca la vivencia propia (el otro soy yo), de allí que aparezca la dureza (el rigorismo) y la fría falta de amor en el estoicismo.[15] Finalmente, la negación del cuerpo alcanza su punto superior (la negación de *mi* cuerpo) en el neoplatonismo.[16] El valor estético casi muere. La idea del nacimiento vivo (del otro) se substituye por el autorreflejo *yo-para-mí* en la cosmogonía donde yo engendro al otro dentro de mí sin abandonar mis límites y permaneciendo solo. El carácter peculiar de la categoría del *otro* no se afirma. La teoría de la emanación: yo me pienso a mí mismo, yo en tanto que alguien *pensado* (producto del autorreflejo) me separo del yo *pensante*; tiene lugar un desdoblamiento, se crea una nueva persona y ésta a su vez se desdobla en el reflejo propio, etc.: todos los acontecimientos se concentran en el único *yo-para-mí* sin la aportación del nuevo valor del *otro.* En la diada *yo-para-mí* y *yo,* así como yo aparezco frente al *otro,* el segundo miembro se piensa como una mala limitación y como tentación, en tanto que algo carente de realidad esencial. Una actitud pura hacia uno mismo —y ésta carece de todo momento estético y sólo puede tener carácter ético y religioso— llega a ser el único principio creativo de la vivencia valorativa y de la justificación del hombre y del mundo. Pero dentro de la actitud hacia uno mismo no se vuelven imperativas reacciones tales como ternura, condescendencia, favor, admiración, o sea las reacciones que pueden ser abarcadas por la única palabra que es la "bondad": no se puede entender y justificar la bondad respecto a sí mismo como principio de la actitud hacia la dación, aquí tenemos que ver con la región del planteamiento puro que rebasa todo lo dado, lo existente como algo malo, así como todas las reacciones que constituyen y consagran lo dado. (El eterno rebasarse a sí mismo con base en el autorreflejo.) El ser se consagra a sí mismo en el inevitable arrepentimiento del cuerpo. El neoplatonismo representa una comprensión más pura y más consecuentemente llevada a cabo del hombre y del mundo con base en la vivencia propia pura: todo —el universo, Dios, los otros hombres— son sólo un *yo-para-mí;* su juicio acerca de ellos mismos es el más competente y último, el *otro* no tiene voz; el hecho de que todos ellos también sean un *yo-para-otro* es casual e inconsistente y no origina una apreciación nueva. De allí que aparezca la negación más consecuente del cuerpo: mi cuerpo no puede ser valor para mí mismo. Una autoconservación totalmente espontánea no es capaz de originar un valor a partir de sí misma. Al conservar a mi persona, yo no me estoy apreciando: esto sucede fuera de toda apreciación y justificación. El organismo vive simplemente, pero no se justifica desde el interior de sí mismo. La bienaventuranza de la justificación sólo puede descender hacia él desde el *exterior*. Yo mismo no puedo ser autor de mi propia valoración, así como no puedo elevarme agarrándome de la cabellera. La vida biológica del organismo sólo llega a ser valor mediante la compasión y la piedad de parte del otro (la maternidad), con lo cual se introduce en un nuevo contexto valorativo. Valorativamente, son profundamente diferentes mi hambre y el hambre que experimenta otro ser: en mí, el deseo de comer es un simple "tener ganas", "tener hambre", en el otro este deseo llega a ser sagrado para mí, etc... Allí donde no se permite la posibilidad y la justificación de una valoración con respecto al otro, imposible e injustificada con respecto a uno mismo, donde el otro como tal no tiene privilegios —en tal situación el cuerpo como portador de vida corporal para el sujeto mismo debe negarse categóricamente (donde el otro no crea un nuevo punto de vista).

El cristianismo aparece desde nuestro punto de vista como un fenómeno complejo y heterogéneo.[17] Lo constituyeron los siguientes momentos diversos: *1*] una consagración profundamente específica de la interna corporeidad humana, de las necesidades corporales por parte del judaísmo con base en una vivencia colectiva del cuerpo con la predominancia de la categoría del *otro;* la autopercepción de uno mismo dentro de esta categoría, una vivencia ética propia con respecto al cuerpo casi estuvo ausente (la unidad del organismo popular). El momento sexual (lo dionisiaco) de la unión corporal interna también era débil. El valor del bienestar corporal. Pero gracias a las condiciones especiales de la vida religiosa, el momento plástico y pictórico no pudo alcanzar un desarrollo significativo (tan sólo en la poesía). "No te vayas a construir un ídolo"; [18] *2*] la idea de la encarnación de Dios (Zelinski) y de la deificación del hombre (Harnack), perteneciente plenamente a la antigüedad clásica; *3*] el dualismo gnóstico y la ascesis y, finalmente, *4*] el Cristo de los Evangelios. En Cristo encontramos una síntesis, única por su profundidad, del *solipsismo ético*, de la infinita severidad del hombre para consigo mismo, esto es, de una actitud hacia su persona que es intachablemente pura, con una *bondad* hacia el otro que es de carácter *ético y estético*: aquí por primera vez se manifiesta una infinita profundización del *yo-para-mí,* pero este yo no es frío sino infinitamente bueno para con el otro, es un yo que hace toda la justicia al otro como tal, que descubre y afirma toda la plenitud de la particularidad valorativa del otro. Para este yo, todos los hombres se dividen en sí mismo, que es único, y en todos los demás hombres, en él mismo, que perdona a otros, y en otros los perdonados, él que es salvador y todos los demás, salvados, él quien acepta el peso del pecado y la expiación y todos los demás, liberados de este peso y expiados. De allí que en todas las normas de Cristo se opongan el *yo* y el *otro:* el sacrificio absoluto de sí mismo y el perdón absoluto para el otro. Pero el *yo-para-mí* es el *otro* para Dios. Dios ya no se define esencialmente como la voz de mi conciencia, como la pureza de la actitud hacia uno mismo, como la pureza de la arrepentida autonegación de todo lo dado en mí, Dios no es aquel en cuyas manos da miedo caer, no es aquel cuya vista da muerte [19] (autocondena inmanente), sino que es el padre de los cielos que está *por encima de mí* y que me puede justificar y perdonar en los casos cuando yo desde mi interior no me puedo perdonar ni justificar por principio, permaneciendo puro para conmigo mismo. Lo que yo he de ser para el otro, es Dios para mí. Aquello que el otro supera y rechaza en sí mismo como una dación mala, yo lo acepto y lo perdono en él como la querida carne del otro.

Tales son los elementos constitutivos del cristianismo. En su desarrollo desde el punto de vista de nuestro problema, notamos dos corrientes. En una, salen al primer plano las tendencias neoplatónicas: el *otro* es ante todo un *yo-para-mí;* la carne en sí misma, tanto en mí como en el otro, es mala. En la otra encuentran su expresión ambos principios de la actitud valorativa en su particularidad: la actitud hacia uno mismo y la actitud hacia el otro. Por supuesto, estas dos corrientes no existen en su aspecto puro, sino que representan dos tendencias abstractas, y en todo fenómeno concreto sólo puede predominar una de ellas. Con base en la otra tendencia encontró su desarrollo la idea de la transfiguración de la carne en Dios como en otro para él. La Iglesia es el cuerpo de Cristo,[20] es la esposa de Cristo.[21] El comentario de Bernardo de Claraval al Cantar de los Cantares.[22] Finalmente, la idea de la bienaventuranza como descenso desde afuera de un perdón justificador, y la aceptación de lo dado, que es por principio pecaminoso y que no puede superarse a sí mismo desde adentro. Allí mismo se incorpora la idea de la confesión (arrepentimiento hasta el fin) y de la absolución. Desde el interior de mi arrepentimiento aparece la negación de la totalidad de mí mismo;

desde el exterior aparece la reconstitución y el perdón (Dios como el otro). El hombre por sí mismo sólo puede arrepentirse; absolverlo sólo puede el otro. La segunda tendencia del cristianismo encuentra su expresión en la aparición de San Francisco de Asís, de Giotto y de Dante.[23] En la conversación con San Bernardo en el Paraíso [24] Dante expresa la idea de que nuestro cuerpo no resucitaría para sí mismo, sino por los que nos quieren, nos quisieron y conocieron nuestro único rostro.

La rehabilitación de la carne en la época del Renacimiento tiene un carácter mixto y confuso. La pureza y la profundidad de la aceptación de San Francisco, Giotto y Dante fue perdida, y la ingenua aceptación de la antigüedad clásica no pudo ser reconstruida. El cuerpo buscó y jamás encontró un autor con autoridad que en su nombre hubiese creado un artista. De allí que aparezca la *soledad* del cuerpo renacentista. Pero en los fenómenos más importantes de esta época se manifiesta un influjo de San Francisco, Giotto y Dante, aunque ya no en su pureza anterior (Leonardo, Rafael, Miguel Ángel). En cambio, la técnica de representación alcanza un desarrollo poderoso, a pesar de que carezca a menudo de un portador puro y con autoridad. La aceptación ingenua del cuerpo de la antigüedad clásica, no separada aún de la unidad corporal del mundo externo de otros, puesto que la autoconciencia de su *yo-para-mí* aún no se ha aislado y el hombre aún no ha llegado a una actitud pura hacia su persona distinta por principio de su actitud hacia los otros, no pudo ser reconstruida después de la experiencia interior de la Edad Media, y, junto con los clásicos, no podía dejarse de leer y de comprender a San Agustín (Petrarca, Boccaccio).[25] También era fuerte el momento sexual como desintegrador, y la muerte epicúrea también se reforzó. El *ego* individualista en la idea del hombre del Renacimiento. Sólo el alma puede ser aislada, pero no el cuerpo. La idea de la *gloria* representa una asimilación parasitaria de la palabra del otro, carente de autoridad. Durante los dos siglos siguientes, la extraposición autoritaria con respecto al cuerpo se pierde definitivamente, y luego degenera por fin en el organismo como conjunto de necesidades del hombre natural de la época de la Ilustración. La idea del hombre iba creciendo y enriqueciéndose, pero en otro sentido, no como la enfocamos nosotros. La cientificidad positivista definitivamente redujo el *yo* y el *otro* a un denominador común. El pensamiento político. La rehabilitación sexual del romanticismo.[26] La idea del derecho del hombre en tanto que otro. Ésta es la historia breve, sólo en sus rasgos más generales, e inevitablemente incompleta, del cuerpo en la idea del hombre.

Pero la idea del hombre como tal es siempre monística, siempre trata de superar el dualismo del *yo* y del *otro* escogiendo como básica una de estas dos categorías. La crítica de esta idea generalizada del hombre en cuanto a si es legítima tal superación (en la mayoría de los casos se trata simplemente de una subestimación de la diferenciación ética y estética del *yo* y del *otro*) no puede formar parte de nuestro propósito. Para entender profundamente el mundo como acontecimiento y para orientarse en él como en un acontecimiento abierto y único es imposible abstraerme de mi único lugar en tanto que *yo* en oposición a todos los demás hombres, tanto presentes como pasados y futuros. Hay una cosa importante para nosotros que no está sujeta a la duda: una vivencia concreta del hombre, real y evaluable, dentro la totalidad cerrada de mi vida, en el horizonte real de mi vida, tiene un carácter doble, el *yo* y los *otros* nos estamos moviendo en diferentes planos (niveles) de *visión* y *apreciación* (real y concreta esta última, y no abstracta) y, para que nos traslademos a un plano único, yo habría de colocarme valorativamente fuera de mi vida y de percibirme como a otro entre otros; esta operación se realiza sin dificultad por el pensamiento abstracto, cuando yo reduzco mi persona a una norma común con el otro (en la moral, en el derecho) o a una ley general del conocimiento (fisiológica, psicológica, social, etc.), pero esta operación abstracta se encuentra muy lejos de la vivencia valorativa concreta de mí mismo como otro, de la visión de mi vida concreta y de mí mismo, que soy su protagonista en un mismo nivel con otras personas y sus vidas, en un mismo plano. Pero esto presupone una posición autoritaria y valorativa fuera de mí. Solamente en una vida percibida de esta manera, en la categoría del *otro,* mi cuerpo puede volverse estéticamente significativo, pero esto no puede suceder en el contexto de mi vida para mí mismo, no en el contexto de mi autoconciencia.

Pero si no existe esta posición autoritaria para una visión valorativa concreta (la percepción de uno mismo como otro), entonces mi apariencia —mi ser para otros— tiende a vincularse con mi autoconciencia y tiene lugar el regreso a mí mismo para un uso interesado, para mí, de mi ser para otro. Entonces mi reflejo en el otro, aquello que yo represento para el otro se vuelve mi doble que irrumpe en mi autoconciencia, enturbia su pureza y me declina de una actitud directa valorativa hacia mi persona. El miedo del doble. El hombre, que acostumbra soñar concretamente con respecto a su persona tratando de imaginarse su imagen externa, que aprecia de una manera enfermiza la impresión externa que deja, pero que no está seguro de esta impresión, un hombre con excesivo amor propio, pierde la actitud correcta y puramente interna hacia su cuerpo, se vuelve torpe, no sabe qué hacer con sus manos, con sus pies; esto sucede porque en sus gestos y movimientos interviene el otro indefinido, en su interior aparece un segundo principio de actitud valorativa hacia sí mismo, el contexto de su autoconciencia se mezcla con el contexto de la conciencia que tiene el otro de su persona, y a su cuerpo interior se le contrapone el cuerpo exterior, separado de él, que vive para los ojos del otro.

Para comprender esta diferenciación del valor corporal en la vivencia propia y en la vivencia del otro hay que intentar evocar la imagen plena, concreta y compenetrada de tono emocional y volitivo de toda mi vida en su totalidad, pero sin el propósito de transferirla al otro, de encarnarla para el otro. Esta vida mía recreada por la imaginación estaría llena de imágenes plenas e imborrables de otros hombres en toda su plenitud externamente contemplativa, de caras de amigos, parientes y hasta de gente casualmente encontrada, pero entre estas imágenes no estaría mi propia imagen exterior, entre todas estas caras irrepetibles y únicas no estaría mi cara; a mi *yo* le van a corresponder los recuerdos netamente interiores de felicidad, sufrimiento, arrepentimiento, deseos, aspiraciones, que penetrarían este mundo visible de los otros, es decir, voy a recordar mis actitudes internas en determinadas circunstancias de la vida, pero no mi imagen exterior. Todos los valores plástico-pictóricos —colores, tonos, formas, líneas, gestos, poses, caras, etc.— se distribuirían entre el mundo objetual y el mundo de otros hombres, y yo formaría parte de ellos como un portador invisible de los tonos emocionales y volitivos que matizan estos mundos, tonos que se originan en la única postura apreciativa que yo adopto en este mundo.

Yo creo activamente el cuerpo exterior del otro como un valor, por el hecho de ocupar una posición emocional y volitiva determinada con respecto a él, precisamente al otro; esta actitud mía está dirigida hacia adelante y no es reversible hacia mi persona directamente. La vivencia del cuerpo desde sí mismo: el cuerpo interior del héroe se abarca por el cuerpo exterior para el otro, para el autor, cobra corporeidad estéticamente gracias a su reacción valorativa. Cada momento de este cuerpo exterior que abarca el interior tiene, en tanto que fenómeno estético, una doble función: la expresiva y la impresiva, a las cuales les corresponde una doble orientación activa del autor y del contemplador.

6] *Las funciones expresiva e impresiva del cuerpo exterior como fenómeno estético.* Una de las corrientes más poderosas y, tal vez, la más desarrollada en la estética del siglo XIX, sobre todo en su segunda mitad, y del principio del XX es aquella que interpreta la actividad estética como empatía o vivencia compartida. Pero aquí no nos interesan las facetas de esta corriente, sino su idea principal en su forma más generalizada. He aquí la idea: el objeto de la actividad estética —las obras de arte, fenómenos de la naturaleza y de la vida— representan la expresión de cierto estado interior cuyo conocimiento estético es la vivencia compartida de este estado interior. Para nosotros no es importante la diferencia entre la vivencia compartida y la empatía, puesto que, al atribuir nuestro propio estado interior al objeto, siempre lo vivenciamos no como lo *nuestro* inmediato, sino como estado de contemplación del objeto, esto es, compartimos su vivencia. Una vivencia compartida expresa con mayor claridad el sentido real de la vivencia (fenomenología de la vivencia), mientras que la empatía o endopatía trata de explicar la génesis psicológica de esta vivencia. La estructuración estética debe ser independiente de las teorías propiamente psicológicas (excepto la descripción psicológica, la fenomenología); por eso el problema de cómo se realiza psicológicamente una vivencia compartida —si es posible una vivencia inmediata de la vida interior ajena (Losski), si es necesario comparar exteriormente una cara contemplada (reproducción inmediata de su mímica), qué papel juegan las asociaciones, la memoria, si es posible imaginarse el sentimiento (lo niega Gomperz, lo afirma Vitasek), etc.—, todos estos problemas los podemos dejar abiertos por lo pronto. Fenomenológicamente, la vivencia participada de la vida interior de otro ser no es sujeta a duda, por más inconsciente que fuese la técnica de su realización.

Así, pues, la corriente que estamos examinando determina la esencia de la actividad estética como una vivencia participada de un estado interior o de una actividad interior de contemplación de un objeto: un hombre, un objeto inanimado, incluso líneas y colores. Mientras que la geometría (el conocimiento) define la línea en su relación con otra línea, punto o superficie como línea vertical, tangente, paralela etc., la actividad estética la define desde el punto de vista de su estado interior (más exactamente, no la define sino que la vivencia) como línea que va hacia arriba o que se desploma hacia abajo, etc. Desde el punto de vista de la formulación tan común del fundamento de la estética hemos de incluir en la corriente señalada no sólo la estética de la empatía,[27] en el sentido propio de la palabra (en parte ya Th.Vischer, Lotze, R.Vischer, Volkelt, Wundt y Lipps), sino también la estética de la imitación interna (Groos) del juego y la ilusión (Groos y K.Lange), la estética de Cohen, en parte la de Schopenhauer y de su escuela (la sumersión en el objeto) y, finalmente, las opiniones estéticas de A. Bergson. Designaremos esta corriente estética con la arbitraria expresión "estética expresiva", en oposición a otras corrientes que transfieren el centro de gravedad hacia los momentos externos, y que denominaremos "estética impresiva" (Fiedler, Hieldebrand, Hanslick, Riegl y otros). Para la primera corriente, el objeto estético es expresivo como tal, es expresión externa de un estado interior. Con esto, lo importante es lo siguiente: lo expreso no es algo significado externamente (el valor objetivo), sino la vida interior del propio objeto que se expresa, su estado emocional y volitivo y su orientación; sólo en función de esto puede hablarse de una vivencia participada. Si el objeto estético expresa una idea o cierta circunstancia objetiva directamente, como en el simbolismo y en la estética del contenido (Hegel, Schelling), entonces no hay lugar para la vivencia participada y tenemos que ver con una corriente distinta. Para la estética expresiva, el objeto estético es el hombre, y todo lo demás es animado, humanizado (incluso el color y la línea). En este sentido se puede decir que la estética expresiva concibe todo valor estético espacial como cuerpo que expresa un alma (estado interior); la estética viene a ser la mímica y la fisiognómica (mímica petrificada). El percibir estéticamente un cuerpo significa vivenciar sus estados interiores, tanto corporales como anímicos, mediante la expresividad exterior. Podríamos formularlo de esta manera: un valor estético se realiza en el momento de estar el observador dentro del objeto contemplado: en el momento de la vivencia de su vida desde su interior, en el límite coinciden el que contempla y lo contemplado. El objeto estético aparece como sujeto de su propia vida interior, y es precisamente en el plano de esta vida interior del objeto estético en tanto que sujeto donde se realiza el valor estético, o sea en el plano de una conciencia, en el plano de una vivencia participada del sujeto, en la categoría del *yo.* Este punto de vista no logra sostenerse consecuentemente hasta el fin; así, en la explicación de lo trágico y lo cómico es difícil limitarse a la vivencia compartida con el héroe y a "comulgar con la tontería" de un héroe cómico. Pero la tendencia principal siempre va dirigida a que el valor estético se realice de un modo totalmente inmanente a una sola conciencia, y no se permite la oposición entre el *yo* y el *otro;* sentimientos tales como la compasión (hacia un héroe trágico), el sentido de superioridad (con respecto a un héroe cómico), de miseria propia o de superioridad moral (frente a lo sublime), se excluyen como extraestéticos precisamente por el hecho de que estos sentimientos, al ser referidos al otro como tal, presuponen una oposición valorativa entre el *yo* (del que contempla) y el *otro* (lo contemplado) y su carácter fundamentalmente inconfundible. Los conceptos de juego y de ilusión son sobre todo característicos. En efecto: en el juego yo estoy viviendo otra vida sin abandonar los límites de la vivencia propia y de la autoconciencia, sin tener que ver con el otro como tal; lo mismo sucede en la conciencia de una ilusión: siendo yo mismo, estoy viviendo una otra vida. Pero en este caso está ausente la *contemplación* (yo contemplo a mi pareja en el juego con ojos de participante y no de espectador), lo cual no se toma en cuenta. En este caso se excluyen todos los sentimientos posibles con respecto al otro como tal, y al mismo tiempo se vive otra vida. La estética expresiva a menudo recurre a estos conceptos para describir su posición (o bien yo sufro como héroe, o bien estoy libre del sufrimiento en tanto que espectador; la actitud hacia uno mismo, la vivencia de la categoría del *yo,* los valores imaginados, siempre corresponden al *yo*: mi muerte, la muerte que no es mía), la posición de encontrarse dentro de la persona que sufre la vivencia para actualizar un valor estético, de la vivencia de la vida dentro de la categoría del *yo* inventado o real. (Las categorías estructurales de un objeto estético —la belleza, lo sublime, lo trágico— se convierten en las formas posibles de una vivencia propia —la belleza autosuficiente, etc., sin la correlación con el otro como tal. La vivencia libre de su persona y de su vida, según la terminología de Lipps.)

Crítica de los fundamentos de la estética expresiva. La estética expresiva se nos figura básicamente incorrecta. El momento puro de la vivencia participada y de la empatía (sensación o sentimiento participado) es en su esencia extraestético. El hecho de que la empatía tenga lugar no sólo en la percepción estética sino en la vida en general (empatía práctica, ética, psicológica, etc.) no puede ser negado por ninguno de los representantes de esta corriente, pero tampoco ninguno puede señalar los rasgos que distinguen la vivencia participada estética (pureza de la empatía en Lipps, intensidad de la empatía en Cohen, imitación simpática en Groos, empatía elevada en Volkelt).

Además, esta delimitación es imposible permaneciendo en el plano de la vivencia compartida. Las siguientes consideraciones pueden fundamentar el carácter insatisfactorio de la teoría expresiva.

a] La estética expresiva no es capaz de explicar la totalidad de una obra. En efecto: supongamos que enfrente tenga yo la "Última cena". Para entender la figura central de Cristo y las de cada uno de los apóstoles, yo habría de participar en los sentimientos de todos los personajes partiendo de la expresividad externa, habría de vivenciar el estado interior de todos ellos. Pasando de uno a otro, puedo comprender a cada personaje por separado, participando en su vivencia. Pero ¿de qué manera podría yo vivenciar la totalidad estética de la obra? Porque la totalidad no puede ser igual a la suma de las vivencias de todos los personajes. ¿No será que yo debería participar sentimentalmente en el movimiento interno unitario de todo el grupo? Pero no existe este movimiento interno unitario; no tengo enfrente un movimiento masivo espontáneamente unificado que pueda ser comprendido como un sujeto único. Por el contrario, la orientación emocional y volitiva de cada participante es profundamente individual y entre ellos tiene lugar una controversia: frente a mí hay un suceso único pero complejo, en el que cada uno de los participantes ocupa su posición única en la totalidad, y este suceso total no puede ser comprendido mediante una vivencia participada con respecto a los personajes, sino que supone un punto de extraposición con respecto a cada uno por separado y a todos juntos. En casos semejantes incluyen al autor como ayuda: al participar de su vivencia nos posesionamos de la totalidad de su obra. Cada héroe expresa su persona, la totalidad de la obra representa la expresión del autor. Pero de esta manera el autor se coloca al lado de sus personajes (a veces esto tiene lugar, pero no es un caso normal; en nuestro ejemplo esto no funciona). ¿Y en qué relación se encuentra la vivencia del autor con respecto a las vivencias de los héroes, cuál es su posición emocional y volitiva con respecto a sus posiciones? La introducción del autor socava radicalmente la teoría expresiva. La participación en la vivencia del autor, puesto que él se expresó en la obra dada, no es la participación en su vida interior (su alegría, sufrimiento, deseos y aspiraciones) en el sentido en que nosotros vivenciamos al héroe, sino que es la participación en su enfoque activo y creador del objeto representado, es decir, ya llega a ser participación en la creación; pero este enfoque creador vivenciado viene a ser precisamente la actitud estética que es la que ha de ser explicada, y esta actitud, por supuesto, no puede ser explicada como una vivencia participada; pero de ahí se sigue que de una manera semejante tampoco puede ser interpretada la contemplación. El error radical de la estética expresiva consiste en el hecho de que sus representantes hayan elaborado su principio fundamental partiendo del análisis de los elementos estéticos o de las imágenes separadas, comúnmente naturales, y no de la totalidad de una obra. Éste es el pecado de toda la estética contemporánea en general: la adicción a los elementos. Un elemento y una imagen natural aislada no tienen autor, y su contemplación estética tiene un carácter híbrido y pasivo. Cuando tengo frente a mí una simple figura, un color o una combinación de dos colores, una roca real o la resaca del mar, y trato de darles un enfoque estético, ante todo necesito darles vida, hacerlos héroes potenciales, portadores de un destino, debo proporcionarles determinada orientación emocional y volitiva, humanizarlos; con esto se logra por primera vez la posibilidad de su enfoque estético, se realiza la condición principal de una visión estética, pero la actividad propiamente estética aún no ha comenzado, puesto que permanezco en la fase de una simple vivencia compartida (simpatía) de una imagen vivificada (pero la actividad puede seguir en otra dirección: yo puedo asustarme de un mar temible, puedo compadecerme de la roca oprimida, etc.). Yo debo pintar un cuadro o componer un poema, hacer un mito, aunque en mi imaginación, donde un fenómeno dado llegaría a ser el protagonista de un acontecimiento que lo circunda, pero esto es imposible si permanezco dentro de la imagen (simpatizando), lo cual presupone una estable postura fuera de la última. El cuadro o el poema creados por mí representarían una totalidad artística en que existirían todos los elementos estéticos necesarios. Su análisis sería productivo. La imagen externa de la roca *representada* no sólo expresaría su alma (los estados internos posibles: tenacidad, orgullo, inexpugnabilidad, autonomía, angustia, soledad), sino que concluiría esta alma mediante valores extrapuestos a su posible simpatía, la abrazaría una bienaventuranza estética, una justificación llena de cariño que no podría aparecer desde su interior. A su lado resultaría una serie de valores estéticos objetuales con significado artístico, pero carentes en sí mismos de una postura interna autónoma, puesto que en una totalidad artística no cada aspecto estéticamente significativo posee una vida interior y es accesible a la simpatía; así, son tan sólo héroes participantes. La *totalidad* estética no se vive simpáticamente sino que se crea (tanto por el autor como por el contemplador; en este sentido, con cierta tolerancia se puede hablar de una simpatía del espectador hacia la actividad creadora del autor); hay que simpatizar tan sólo con los héroes, pero tampoco esto representa un aspecto propiamente estético, y tan sólo la *conclusión* es la que viene a ser un momento auténticamente estético.

b] La estética expresiva no puede fundamentar la forma. Efectivamente, la forma más lógica de la estética expresiva es su reducción a una pureza de expresión (Lipps, Cohen, Volkelt): la función de la forma es coadyuvar a la simpatía y expresar lo interior de la manera más clara, completa y pura (lo interior de quién: ¿del héroe o del autor?). Es un enfoque puramente expresivo de la forma: ésta no concluye el contenido en el sentido del conjunto de lo vivido en el interior, simpática y empáticamente, sino que apenas lo expresa, quizá lo profundice, aclare, pero no aporta nada fundamentalmente nuevo y extrapuesto a la vida interior expresada. La forma tan sólo expresa el interior de quien está abrazado por esta forma, o sea que es una pura autoexpresión (una autoenunciación). La forma del héroe sólo lo expresa a él mismo, a su alma, pero no la actitud del autor frente a él; la forma debe ser fundamentada desde el interior del héroe, parecería que éste engrendrara de sí mismo a su forma en tanto que autoexpresión adecuada. Este razonamiento es inaplicable a un pintor. La forma de la "Madona de la Sixtina" la expresa a ella, a la Virgen; si decimos que expresa a Rafael, a su comprensión de la Virgen, entonces a la expresión se le atribuye un sentido absolutamente distinto y ajeno a la estética expresiva, porque aquí este término no expresa para nada a Rafael-hombre, su vida interior, así como una aventurada formulación de una teoría encontrada por mí no es en absoluto la expresión de mi vida interior. La estética expresiva, de una manera fatal, siempre se refiere al héroe y al autor en tanto que héroe o en la medida en que coincide con el héroe. La forma tiene un carácter mímico y fisiognómico, expresa a un sujeto; es cierto que lo expresa para el otro (oyente o espectador), pero este otro es, pasivo, sólo puede percibir y solamente influye en la forma en la medida en que una persona que se verbalice a sí misma toma en cuenta a su oyente (así como yo al manifestarme mímica o verbalmente acomodo mi enunciado a las características de mi oyente). La forma no desciende hacia el objeto sino que emana del objeto como su expresión, o en el límite, como su autodefinición. La forma debería llevarnos a una simpatía interna del objeto, la forma sólo nos ofrece una simpatía ideal con la simpatía del objeto. La forma de esta roca únicamente expresa su soledad interior, su autosuficiencia, su postura emocional y volitiva frente al mundo, en la cual sólo nos queda participar simpáticamente. Aunque lo expresemos de tal modo que nos manifestemos a *nosotros,* a *nuestra* vida interior mediante la forma de esta roca, sintamos nuestro yo a través de ella, de todas maneras la forma seguiría siendo la expresión propia de un alma única, la expresión pura de lo interior.

La estética expresiva rara vez conserva una comprensión semejante y lógica de la forma. Su evidente insuficiencia obliga a introducir a su lado otras fundamentaciones de la forma y, por consiguiente, otros principios formales. Pero éstos no se relacionan y no pueden ser relacionados con el principio de expresividad y permanecen junto con éste como una especie de anexo mecánico, como un acompañamiento de la expresión no integrado internamente. Una tarea de explicar la forma de una *totalidad* como expresión de una posición interna del héroe (y hay que tomar en cuenta que el autor sólo se expresa a través del héroe tratando de hacer la forma una expresión adecuada del último, y en el mejor de los casos tan sólo aporta el elemento subjetivo de su propia comprensión del héroe) aparece como un imposible. La definición negativa de la forma, etc. El principio formal de Lipps (los pitagóricos, Aristóteles): la unidad dentro de lo heterogéneo es tan sólo apéndice de la significación expresiva. Esta función secundaria de la forma adopta inevitablemente un matiz hedonista, separándose de un vínculo necesario y esencial con lo expresado. Así, al explicar una tragedia se suele explicar el placer obtenido de la vivencia compartida del sufrimiento, además de explicar el aumento de la valoración del *yo* (Lipps); se explica también mediante el efecto de la forma, mediante el placer que proviene del proceso mismo de simpatía (comprendido formalmente), independientemente de su contenido; parafraseando el proverbio se podría decir: poca hiel echa a perder mucha miel. El vicio radical de la estética expresiva es el querer ubicar en un mismo plano, en una misma conciencia, el contenido (conjunto de vivencias interiores) y los elementos formales, querer deducir la forma del contenido. El contenido en tanto que vida interior crea por sí mismo su forma del contenido. El contenido en tanto que vida interior crea por sí mismo su forma como expresión propia. Lo cual podría expresarse de la siguiente manera: la vida interior, la postura interior vital puede llegar a ser autora de su propia forma estética externa. [. . .] ¿Puede esta postura engendrar directamente de sí misma una forma *estética,* una expresión *artística?* Y al revés ¿la forma artística *únicamente* lleva a esta postura interior, es *sólo* su expresión? Esta pregunta ha de contestarse negativamente. Un sujeto que viva objetualmente su vida orientada puede expresarla directamente, y la expresa mediante el *acto;* puede también enunciarla desde su interior en una confesión-rendimiento de cuentas (autodefinición) y, finalmente, puede expresar toda su orientación cognoscitiva, toda su visión del mundo dentro de las categorías del enunciado cognoscitivo como un significante teórico. El acto y la confesión como rendimiento de cuentas a mí mismo son las formas mediante las cuales puede ser expresada mi orientación emocional y volitiva en el mundo, mi postura vital desde mi interior, sin tener que aportar los valores fundamentalmente extrapuestos a esta postura vital (el héroe actúa, se arrepiente y conoce desde sí mismo). A partir de sí misma, la vida no puede originar una forma estéticamente significativa sin abandonar sus propios límites, sin dejar de ser ella misma.

He aquí a Edipo. Ni un solo momento de su vida, puesto que es él mismo quien la vive, carece para él de un significado objetual en el contexto valorativo y significativo de su vida, y su postura interior emocional y volitiva encuentra en todo momento su expresión en el acto (acto como acción y acto como discurso), se refleja en su confesión y arrepentimiento; desde su interior Edipo no es *trágico* si entendemos esta última palabra en su *significado estrictamente estético:* el sufrimiento vivido objetualmente en el interior del que sufre para él mismo no es trágico; la vida no puede expresarse y constituirse a sí misma desde su interior como una tragedia. Al coincidir internamente con Edipo, perderíamos en seguida la categoría puramente estética de lo trágico; en un mismo contexto de valores y sentidos en que Edipo mismo vive objetualmente su vida no existen los momentos que construyan la forma de la tragedia. Desde la vivencia misma la vida no aparece trágica ni cómica, bella ni sublime para aquel que la vive objetualmente y para aquel que participa en su vivencia de la manera más pura. Sólo en la medida en que yo salga de los dominios de la vida vivenciada, ocupe una posición firme fuera de esta vida, la revista de un cuerpo exteriormente significativo, la rodee de valores extrapuestos a su orientación objetual (fondo, entorno, y no campo de acción u horizonte) —sólo así esta vida quedaría alumbrada para mí con una luz trágica, adquiriría una expresión cómica, llegaría a ser bella y sublime. Si sólo participamos simpáticamente de la vivencia de Edipo (suponiendo la posibilidad de semejante simpatía pura), si sólo vemos con sus ojos, oímos con sus oídos, en seguida se desintegraría su expresividad externa, su cuerpo y toda aquella serie de valores plástico-pictóricos en los que está revestida y concluida para nosotros su vida: estos valores después de servir de conductores de la simpatía no pueden integrarse a la vivencia, porque en el mundo de Edipo, tal como él lo vive, no existe su cuerpo exterior propio, no está presente su faz individualmente pictórica como valor, no existen las posturas plásticamente significativas que adopta su cuerpo durante uno u otro momento de su vida. En su mundo, sólo los otros personajes de su vida están revestidos de una corporeidad externa, y estas caras y objetos no lo rodean, no forman parte de su entorno estéticamente significativo sino que constituyen su horizonte propio. Y es en el mundo de este mismo Edipo donde habría de realizarse un valor estético, según la teoría expresiva [ilegible], su realización en nosotros es en el propósito final de la actividad estética a la que la forma puramente expresiva le sirve de medio. En otras palabras, la contemplación estética nos habría de llevar a una recreación del mundo de la vida, de una ilusión acerca de nosotros mismos o de un sueño tal como yo mismo los vivo y en los cuales yo, en tanto que su protagonista, no poseo una expresividad externa (cf. *supra*). Pero este mundo sólo se constituye mediante categorías cognoscitivas y estéticas, y a su estructura le es profundamente ajena la estructura de una tragedia, comedia, etc., (estos momentos pueden ser interesadamente aportados desde una conciencia ajena; ver *supra* acerca del doble). Al fundirnos con Edipo, al perder nuestra posición fuera de él, lo cual representa aquel límite hacia el cual tiende, según la estética expresiva, la actividad estética, perderíamos en seguida lo "trágico", y esta actividad dejaría de ser para mí, en tanto que Edipo, una expresión mínimamente adecuada y la forma de la vida vivida por mí; esta actividad se expresaría en las palabras y actos de Edipo, pero éstos se vivirían por mí únicamente desde el interior, desde el punto de vista de aquel sentido real que tienen en los acontecimientos de mi vida, pero no desde el punto de vista de su significado estético, es decir, como momento de la totalidad artística de la tragedia. Al fundirme con Edipo, al perder mi lugar *fuera* de él, dejo de enriquecer el acontecimiento de su vida con un nuevo punto de vista creativo inaccesible a él mismo desde su único lugar, o sea, dejo de enriquecer este acontecimiento de su vida en tanto que autor-observador; pero con esto mismo se aniquila la tragedia que venía a ser precisamente el resultado de este enriquecimiento fundamental aportado por el autor-observador al acontecimiento de la vida de Edipo. Porque el acontecimiento de la tragedia en tanto que acción artística (y religiosa) no coincide con el acontecimiento de la vida de Edipo, y sus participantes no son tan sólo Edipo, Yocasta y otros personajes, sino también el autor-observador. En la totalidad de la tragedia como acontecimiento artístico, el autor-observador es un ente activo y los personajes son pasivos, salvados y expiados mediante una redención estética. Si el autor-contemplador pierde su firme y activa posición fuera de cada uno de los personajes, si se funde con ellos, se destruyen el acontecimiento artístico y la totalidad artística como tal, en los cuales él, como persona creativamente independiente, viene a ser un momento necesario; Edipo permanece a solas consigo mismo sin ser salvado ni redimido estéticamente, la vida permanece inconclusa y no justificada en un plano valorativo distinto del que corresponde a la vida real de una persona real. [...] Pero la creación estética no tiende a esta repetición permanente de una vida vivida o posible, con los mismos participantes y en una misma categoría, en la que realmente haya o hubiese pasado. Hay que anotar que con esto no nos estamos oponiendo al realismo o naturalismo defendiendo una transformación idealista de la realidad en el arte, como podría parecer. Nuestro razonamiento se ubica en un nivel totalmente distinto que la discusión entre el realismo e idealismo. Una obra que transforme la vida de un modo idealista puede ser fácilmente interpretada desde el punto de vista de la teoría expresionista, porque tal transformación puede ser pensada en la misma categoría del *yo,* mientras que una reproducción naturalista más exacta de la vida real puede ser percibida en la categoría valorativa del *otro,* en tanto que vida de otro hombre. Tenemos frente a nosotros el problema de correlación entre el personaje y el autor-espectador, a saber: ¿es la actividad estética del autor-espectador una empatía con respecto al héroe, que tienda al límite de su coincidencia?; y, por otra parte, ¿puede la forma ser comprendida desde adentro del héroe, en tanto que expresión de su vida, que tienda hacia el límite de la *auto*expresión adecuada de la vida? Y hemos establecido que según la teoría expresiva, la estructura del mundo hacia el cual nos lleva una obra de arte entendida de un modo puramente expresivo (el objeto estético propiamente) es semejante a la estructura del mundo de la vida tal como yo la vivo realmente y donde el héroe principal que soy yo no está expresado plástica ni pictóricamente, pero igualmente semeja a un mundo de la ilusión más desenfrenada acerca de uno mismo donde el héroe tampoco está expresado y donde tampoco existe un entorno puro sino apenas un horizonte. Más adelante veremos cómo la comprensión expresiva se justifica principalmente con respecto al romanticismo.

El error radical de la teoría expresiva que lleva a la destrucción de la totalidad estética propiamente dicha se vuelve sobre todo claro en el ejemplo de un espectáculo teatral (representación escénica). La teoría expresiva debería aprovechar el acontecimiento del drama en sus momentos propiamente estéticos (o sea, como el objeto estético por excelencia) de la siguiente manera: el espectador pierde su lugar *fuera* del acontecimiento y *frente* a él, de la vida de los personajes del drama; en cada momento dado, vive a través de uno de ellos y desde su interior su vida, ve con sus ojos la escena, con sus oídos escucha a los demás personajes, comparte con él todos sus actos. El espectador no existe, pero tampoco existe el autor como participante independiente y activo del acontecimiento; el espectador no tiene que ver con éste en el momento de la empatía, porque todo él está dentro de sus héroes, en lo vivido empáticamente; tampoco existe el director de escena: éste tan sólo ha preparado la forma expresiva de los actores, facilitando con ello el acceso del espectador a su interior; el director ahora coincide con los actores y no tiene otro lugar. ¿Qué es lo que permanece? Desde luego, empíricamente permanecen los espectadores que están en sus lugares en las butacas y palcos, los actores en la escena y el director emocionado y atento detrás de bastidores, así como, probablemente, el autor-hombre en algún palco. Pero todos éstos no son los momentos del acontecer *estético* del drama. ¿Qué es lo que queda en el objeto propiamente *estético*? Es la vida vivida desde adentro, y no una sola sino varias, según los participantes del drama. Por desgracia, la teoría expresiva deja irresuelto el problema de si se debe participar empáticamente sólo en la vida del protagonista o en la de todos los demás por partes iguales; la última exigencia es difícilmente realizable por completo. En todo caso, todas estas vidas compartidas empáticamente no pueden ser unidas en un acontecimiento unitario y total si no se crea una posición fundamental y no casual fuera de cada una de ellas, la cual se excluye por la teoría expresiva. El drama no existe, no existe el acontecer estético. Éste sería el resultado límite si se llevara a cabo la teoría expresiva (lo cual no sucede). Puesto que no existe una total coincidencia entre el espectador y el héroe, y entre el actor y su personaje, sólo nos enfrentamos a un *juego* a la vida, lo cual se afirma como lo debido por un grupo de los estéticos expresivos.

Aquí conviene tocar el problema de una verdadera correlación entre el juego y el arte, excluyendo totalmente, por supuesto, el punto de vista genético. La estética expresiva, que en su límite tiende a excluir al autor en tanto que momento fundamentalmente independiente con respecto al héroe, limitando sus funciones tan sólo a la técnica de la expresividad, en mi opinión llega a ser más consecuente al defender la teoría del juego en una u otra forma, y si los representantes más importantes de esta teoría no proceden así (Volkelt y Lipps), es precisamente porque a precio de esta inconsecuencia salvan la verosimilitud y la amplitud de sus postulados. Es la ausencia fundamental del espectador y autor lo que distingue radicalmente al juego del arte. El juego no presupone, desde el punto de vista de los mismos jugadores, a un espectador que se encuentre fuera del juego, y para el cual se realizaría la totalidad del acontecimiento representada por el juego; y en general, el juego no representa nada, sino que imagina. Un niño que juega a ser jefe de bandidos vive desde dentro su vida de bandido, con ojos de bandido ve pasar a otro niño que juega a ser viajero, su horizonte es el del bandido que quiere representar; lo mismo sucede con sus compañeros de juego: la actitud que cada uno de ellos tiene hacia el acontecimiento de la vida a que juegan —el asalto de los viajeros por los bandidos— es tan sólo el deseo de participar en él, de vivir esta vida como uno de sus participantes: uno quiere ser bandido; otro, viajero; otro más, policía, etc., y su actitud hacia la vida en tanto que deseo de vivirla él mismo no es una actitud estética frente a la vida; en este sentido, el juego se asemeja a una ilusión acerca de uno mismo y a una lectura no artística de una novela, cuando vivimos empáticamente a un personaje para revivir en la categoría de su *yo* su existencia y su interesante vida, es decir, cuando sólo estamos soñando bajo la dirección del autor, pero esto no es un acontecimiento estético. El juego efectivamente empieza a aproximarse al arte, y precisamente a una acción dramática, cuando aparece un nuevo participante imparcial: el espectador, quien empieza a admirar el juego de los niños desde el punto de vista del acontecimiento total de la vida que este juego representa, al contemplarlo estéticamente y en parte recrearlo (como una totalidad con un significado estético, pasando a un nuevo plano estético); sin embargo, con esto el acontecimiento inicial se transforma, enriqueciéndose con un momento fundamentalmente nuevo que es el espectador-autor, con lo cual se conforman también todos los demás momentos del acontecimiento, formando una nueva totalidad: los niños que juegan se convierten en héroes, es decir, frente a nosotros no está ya el acontecimiento del juego, sino el acontecimiento dramático rudimentario. Pero el acontecimiento se vuelve a transformar en el juego cuando el participante, al negar su postura estética, y entusiasmado por el juego como por una vida interesante, participa él mismo como otro viajero o como un bandido, pero ni siquiera esto es necesario para anular el acontecimiento artístico; es suficiente que el espectador, permaneciendo empíricamente en su lugar, participe empáticamente con uno de los jugadores y viva con éste desde el interior la vida imaginada.

Así, pues, no hay momento estético que sea inmanente al juego mismo; este momento sólo puede ser aportado por un espectador que observe de una manera activa, pero el juego mismo, y los niños que lo llevan a cabo, nada tienen que ver con ello, y en el momento del juego les es ajeno su valor propiamente estético; al convertirse en "héroes", ellos, quizá, se sentirían como Makar Dévushkin [de *Pobre gente,* de Dostoievski] que fue profundamente herido y ofendido al imaginar que fue a él a quien Gógol había representado en *El capote,* porque de repente vio en su persona al protagonista de una obra satírica. Entonces, ¿qué tienen en común el juego y el arte?

Éste sólo sería un momento negativo, que se refiere a que tanto aquí como allá no tiene lugar una vida real sino tan sólo su representación; pero tampoco esto puede decirse, porque sólo en el arte la vida se *representa*: en el juego, la vida se imagina como lo hemos anotado con anterioridad; la vida se vuelve representada tan sólo en la observación creativa del espectador. El hecho de que se la pueda hacer objeto de la actitud estética no viene a ser su ventaja, puesto que también la vida real puede ser contemplada por nosotros estéticamente. La imitación interna de la vida (Groos) tiende al límite de la vivencia real de la vida o, a grandes rasgos: existe un sucedáneo de la vida —así es el juego y, en un grado mayor, la ilusión—, lo que no existe es una actitud estética hacia la vida, que también ame la vida pero de otra manera y, ante todo, con una mayor participación y por lo tanto desee permanecer *fuera* de la vida para ayudarla, allí donde a ésta, le faltan fuerzas, desde adentro fundamentalmente. Éste es el juego. Sólo inventando inconscientemente una posición del autor-observador, y sobre todo por la asociación con el teatro, se llega a dar cierta verosimilitud a la teoría del juego en la estética. Aquí conviene decir algunas palabras acerca de la creatividad del actor. Su posición desde el punto de vista de la correlación entre el héroe y el autor es sumamente compleja. ¿Cuándo y en qué medida el actor crea estéticamente? No es cuando logra vivenciar al héroe y se expresa desde su interior en el acto y la palabra correspondientes valorados y comprendidos asimismo desde el interior, cuando apenas vive desde adentro una u otra acción, una u otra postura de su cuerpo, y los llena de sentido en el contexto de su vida (vida del héroe); es decir, no crea cuando, al transformarse, vive en su imaginación la vida del héroe como suya propia y en cuyo horizonte aparecen todos los demás personajes, el decorado, los objetos etc., cuando en su conciencia no existe un solo momento extrapuesto a la conciencia del héroe personificado.

El actor crea estéticamente cuando logra crear *desde afuera* y constituye aquella imagen del héroe al cual personificaría más adelante, cuando la crea como una totalidad, y no aisladamente, sino como el momento de la totalidad de la obra (el drama); es decir, el actor crea en el momento de ser el autor o, más exactamente, coautor, director de escena y espectador activo (entre estas nociones podemos poner el signo de igualdad, exceptuando algunos momentos mecánicos: autor-director de escena-espectador-actor) del héroe representado y de la totalidad de la obra, porque el actor, igual que el autor y el director de escena, crea un personaje aislado en relación con la totalidad artística de la pieza, siendo uno de sus momentos. Está claro que la totalidad de la obra, de este modo, ya no se percibe desde el interior del héroe (como acontecimiento de su vida), no como su horizonte vital, sino desde el punto de vista del autor-contemplador activo, y extrapuesto estéticamente como su entorno, y forman parte de él los momentos que transgreden la conciencia del héroe. La imagen artística del héroe la crea el actor frente a un espejo, frente al director de escena y con base en su experiencia externa; forman parte el maquillaje (aunque el actor no se maquille él solo, cuenta con el maquillaje como un aspecto estéticamente importante de la imagen), el vestuario, o sea la creación de una imagen plástico-pictórica evaluable, y luego las maneras, los diversos movimientos y posiciones del cuerpo respecto a otros objetos; el fondo; el trabajo con la voz apreciable desde el exterior y, finalmente, la creación del carácter (el carácter en tanto que momento artístico transgrede la conciencia del caracterizado, como lo veremos más adelante con todo detalle) —y todo esto en relación con la totalidad artística de la obra (y no del suceso de la vida); aquí el actor llega a ser creador. Aquí su actividad estética está dirigida a la constitución del hombre-héroe y de su vida. Pero en el momento de transformarse en el héroe en escena, todos estos aspectos transgredirían su conciencia y sus vivencias como héroe (supongamos que la transformación se cumpla en toda su plenitud): el cuerpo constituido desde afuera, sus movimientos, posturas, etc.; estos aspectos llegarían a ser artísticamente importantes sólo en la conciencia del observador, en la totalidad de la obra, y no en la vida vivenciada del héroe. Por supuesto, en el trabajo real de actor, todos estos aspectos abstractamente aislados se entretejen, y en este sentido el trabajo del actor representa un vivo acontecimiento concreto y estético; el actor es un artista completo: todos los momentos de la totalidad artística aparecen en su labor, pero el centro de gravedad en el momento de representación se traslada hacia las vivencias internas del mismo héroe como hombre, como sujeto de la vida, es decir, en el material extraestético conformado anteriormente por el mismo en tanto que autor y director de escena; en el momento de la representación escénica el actor es un material pasivo (con respecto a la actividad estética), o sea, la vida de una totalidad artística creada por él antes, y que ahora se realiza por el espectador; toda la actividad vital del actor como héroe es pasiva en relación con la actividad estética del espectador. El actor tanto se imagina como personifica la vida en su actuación. Si únicamente se la imaginara, si la actuara por el interés de la misma vida vivida desde el interior y no la constituyera a partir de una actividad dirigida desde el exterior, como juegan los niños, entonces no sería un artista sino, en el mejor de los casos, un instrumento, bueno pero pasivo, en manos de otro artista (del director de escena, autor o un espectador activo). Pero regresemos a la estética expresiva (por supuesto, aquí tan sólo nos referimos al valor estético espacial y por eso acentuamos el momento plástico-pictórico en la obra propiamente estética del actor, mientras que lo más importante es la creación del carácter y del ritmo interior; más adelante nos convenceremos de que también estos aspectos transgreden la vida del héroe vivida internamente, y no los crea el actor en el momento de la transformación, coincidencia con el héroe, sino que los forma desde el exterior el actor-autor-director-espectador; a veces el actor tanto vive como estéticamente empatiza consigo mismo, en tanto que autor del héroe lírico: el momento propiamente lírico de la creación de actor). Desde el punto de vista de la estética expresiva, todos los aspectos que son estéticos desde nuestro punto de vista, o sea la labor del actor como autor, director y espectador, se reducen tan sólo a la creación de una forma puramente expresiva como camino de una realización más completa y diáfana de la empatía-simpatía; un valor propiamente estético se realiza sólo después de la transformación, en la vivencia de la vida del héroe como si fuera suya propia, y en este momento el espectador habría de fundirse con el actor mediante la forma expresiva. La comprensión ingenua de un hombre del pueblo que estuvo avisando al héroe sobre la trampa empleada en su contra y que estuvo a punto de lanzarse a ayudarlo durante un atraco, nos parece mucho más cercana a la postura estética real del espectador. A través de tal comprensión, un espectador ingenuo ocupaba una posición estable *fuera* del héroe, contaba con los momentos que transgreden la conciencia del mismo protagonista y estaba a punto de aprovechar el privilegio de su posición *afuera,* ayudando al héroe allí donde carecía de fuerzas en su lugar. Es una actitud correcta con respecto al héroe. Su equivocación consiste en no poder encontrar una posición igualmente firme *fuera* de la totalidad del acontecimiento representado, lo cual, ciertamente, obligaría a su actividad a desarrollarse no en un sentido ético, sino estético; irrumpió en la vida como un nuevo participante y quiso ayudarla desde su interior, es decir, en un plano ético-cognoscitivo atravesó el escenario y se colocó *junto* al héroe en un solo plano de la vida como acontecimiento ético abierto, con lo cual destruyó el acontecimiento estético al dejar de ser espectador-autor. Pero el acontecimiento vital en su totalidad no tiene solución: desde adentro, la vida puede expresarse mediante un acto, una confesión-arrepentimiento, un grito; la absolución y la bienaventuranza descienden del Autor. La solución no es inmanente a la vida sino que desciende hacia ella como el don de la participación recíproca del otro.

Algunos de los estéticos expresivos (la estética schopenhaueriana de Hartmann), para explicar el carácter específico de la empatía y la simpatía en la vida interior, introducen el concepto de sentimientos ideales o ilusorios, a diferencia de los sentimientos reales de la vida real y de aquellos que son provocados en nosotros por una forma estética. El placer estético es un sentimiento real, mientras que la empatía a los sentimientos del héroe es sólo ideal. Los sentimientos ideales son aquellos que no despiertan la voluntad de acción. Una definición semejante no soporta la crítica. No vivenciamos los sentimientos aislados del héroe (que no existen) sino su totalidad espiritual, nuestros *horizontes* coinciden y es por eso por lo que cometemos internamente, junto con el héroe, todos sus actos como momentos necesarios de su vida vivida por nosotros empáticamente: al vivenciar el sufrimiento, internamente vivenciamos también el grito del héroe, al vivenciar el odio, internamente vivenciamos un acto de venganza, etc.; puesto que sólo participamos en las vivencias del héroe, coincidimos con él; la intromisión en su vida está abolida porque supone una extraposición con respecto al héroe, como en el caso de nuestro espectador ingenuo. He aquí algunas otras explicaciones de las particularidades de la empatía: al transformarnos, ampliamos el valor de nuestro *yo,* nos iniciamos (interiormente) en lo humanamente importante, etc.: en todos estos casos no rompemos el círculo de una sola conciencia, vivencia propia y actitud hacia sí mismo; no se introduce el valor de la categoría del *otro.* En los límites de una teoría expresiva desarrollada consecuentemente, la empatía o la simpatía hacia una vida son simplemente su vivencia, la repetición de la vida no enriquecida por ningún valor nuevo que transgreda a ella misma, es la vivencia dentro de las mismas categorías en las que efectivamente vive la vida un sujeto real. El arte me da la oportunidad de vivir varias vidas, en lugar de una, y de enriquecer con lo mismo la experiencia de mi vida real, de iniciarme interiormente en una otra vida por ella misma, por su significado vital ("importancia humana", de acuerdo con Lipps y Volkelt).

Hemos sometido a la crítica el principio de la estética expresiva en su forma más pura y en una aplicación consecuente. Pero esta pureza y consecuencia no tienen lugar en los trabajos reales de los estéticos expresivos; ya hemos señalado que sólo mediante una evasión del principio y mediante el carácter inconsecuente de la teoría expresiva logra ésta no romper la relación con el arte y seguir siendo una teoría estética. Estas desviaciones del principio de la estética expresiva las aporta la experiencia estética real, que los estéticos expresivos desde luego poseen pero a la que dan una interpretación estética falsa, y estos aportes estéticos reales no nos permiten ver lo erróneo que es el principio general tomado en su pureza; impiden verlo tanto a nosotros mismos como a los estéticos expresivos. La desviación más grande que comete la mayoría de los estéticos expresivos en relación con su principio general, y que nos permite comprender la actividad estética de la manera más correcta, es la definición de la vivencia participada o empatía como algo simpático, lo cual a veces se expresa directamente (en Cohen, en Groos), o se deduce inconscientemente. El concepto de una vivencia simpática, desarrollado hasta sus últimas consecuencias, destruiría radicalmente el principio expresivo y nos llevaría a la idea de un *amor* estético y a una correcta actitud del autor respecto al héroe. ¿Qué es entonces una vivencia simpática? Una vivencia simpática "emparentada con el amor" (Cohen) ya no viene a ser una vivencia pura o empatía respecto al objeto, al héroe. En los sufrimientos de Edipo, que vivenciamos empáticamente, en su mundo interior, no hay nada parecido al *amor* hacia sí mismo; su amor propio o egoísmo, como ya lo hemos apuntado, es algo totalmente distinto y, desde luego, no se trata de empatía respecto a este egoísmo cuando se habla de una vivencia simpática; más bien se habla de la creación de una nueva actitud emocional con respecto a toda su vida interior en su totalidad. Esta simpatía emparentada con el amor cambia radicalmente toda la estructura emocional y volitiva de la vivencia interna empática respecto al héroe; a esta vivencia se le da un matiz y una tonalidad absolutamente nuevos. ¿La estamos uniendo a la vivencia del héroe? Y si lo hacemos, ¿de qué manera? Se podría pensar que este amor fuese un sentimiento tan participado en un objeto estéticamente contemplado como los demás estados interiores; sufrimiento, paz, alegría, tensión, etc. Cuando llamamos bello o simpático un objeto o a un hombre, le atribuimos cualidades que expresan nuestra actitud hacia él como si fueran sus rasgos internos. Efectivamente, el sentimiento de amor parece que penetra en el objeto, cambia su apariencia para nosotros, y sin embargo esta penetración tiene un carácter totalmente distinto que cuando atribuimos a un objeto otra vivencia como su estado propio, como, por ejemplo, la atribución de alegría a un hombre que sonría felizmente, de paz interior a un mar inmóvil y tranquilo, etc. Mientras que estas últimas empatías llenan de vida, desde adentro, un objeto *externo,* al crear una vida interior que dé sentido a su apariencia, el amor, en cambio, parece que penetrara totalmente su vida exterior y su vida interior simpatizada; este amor matiza y transforma para nosotros el objeto completo ya existente, que posee alma y cuerpo. Es posible intentar a dar una interpretación puramente expresiva a la simpatía emparentada con el amor; efectivamente, se puede decir que la simpatía sea una condición necesaria para una vivencia empática; para poder tener empatía hacia alguna persona, es necesario que este alguien nos sea simpático; no podemos vivenciar un objeto antipático, no podemos interiorizarlo, más bien lo rechazamos, lo evadimos. Una expresión pura debe ser simpática para poder introducirnos en el mundo interior del que la expresa. En efecto, la simpatía puede ser una de las condiciones de la empatía, pero no es condición única ni obligatoria; pero, por supuesto, con ello no se agota su papel en una empatía estética; la simpatía acompaña y penetra la empatía durante todo el período de la contemplación estética del objeto, transformando todo el material contemplado y empatizado. Una vivencia simpática de la vida del héroe es una vivencia realizada en una forma totalmente diferente de la que aparecería en una vivencia real para el mismo sujeto de esta vida. Una vivencia simpática está lejos de buscar el límite de la coincidencia absoluta, de la fusión con la vida vivenciada, porque esta fusión significaría una eliminación de este coeficiente de la simpatía, del amor y, por consiguiente, de aquella forma que había sido creada por éstos últimos. Una vida vivenciada simpáticamente no se concibe en la categoría del *yo,* sino en la del *otro,* como la vida de un otro hombre, de un otro *yo,* tanto exterior como *interior* (acerca de la *vivencia* de una vida *interior,* ver el siguiente capítulo).

Es precisamente la vivencia simpática (y solamente ella) la

que posee fuerza para combinar armoniosamente lo interior con lo exterior en un solo plano. Desde adentro de la vida vivenciada no hay aproximación posible al valor estético de lo externo en esta misma vida (el cuerpo), y tan sólo el amor como una aproximación activa al otro hombre combina la vida interior vivenciada externamente (el propósito vital del mismo sujeto) con el valor del cuerpo vivido desde el exterior, para fundirlos en un solo hombre como fenómeno estético; es la que combina la orientación con el sentido, el horizonte con el entorno. El hombre integral es producto de un punto de vista estético y creativo, y solamente de él; el conocimiento es indiferente con respecto al valor y no nos ofrece un hombre concreto y único; el sujeto ético por principio no es unitario (un deber propiamente ético se vive en la categoría del *yo*); el hombre integral presupone un sujeto estéticamente activo y ubicado al exterior (abstraemos aquí las vivencias religiosas del hombre). Desde un principio, una vivencia simpática aporta a la vida vivenciada los valores que la transgreden, desde un principio la traslada a un nuevo contexto de valores y significados, desde un principio puede aportarle un ritmo temporal y ubicarla espacialmente (*bilden, gestalten*). Una vivencia participada pura carece de todo punto de vista, aparte de aquellos que sean posibles desde el interior de la vida participada empáticamente, y entre estos puntos de vista no existen los estéticamente productivos. La forma estética, como expresión adecuada de esta vivencia, no se crea ni se justifica desde el interior de ésta, tendiendo al límite de la autoexpresión pura (expresión de la actitud inmanente de una conciencia solitaria hacia sí misma), sino que se constituye por la simpatía y el amor que van a su encuentro y que son estéticamente productivos; en este sentido, la forma expresa la vida que la está creando, y lo activo en esta forma no es la vida expresada sino el *otro* que se encuentra fuera de ella: el autor, y la vida misma, es *pasivo* en relación con su propia expresión estética. Pero en un enfoque semejante la palabra "expresión" resulta inadecuada y debe ser abandonada como algo que corresponde más a la comprensión puramente expresiva (sobre todo el alemán *Ausdruck*); el término de la estética impresiva expresa el acontecimiento estético real mucho mejor; el concepto de "representación" puede ser válido tanto para las artes espaciales como para las temporales; esta palabra transfiere el centro de gravedad del héroe al sujeto estéticamente activo que es el autor.

La forma expresa el carácter activo del autor con respecto al héroe, que es el otro hombre; en este sentido se puede decir que la forma es resultado de la interacción entre el héroe y el autor. Pero en esta interacción el héroe es pasivo; no es el que expresa, sino lo expresado; sin embargo, como tal, siempre determina la forma, porque ésta le debe corresponder, debe concluir desde el exterior precisamente *su* propósito interno vital; de este modo la forma le ha de ser adecuada pero no como su autoexpresión posible. Mas esta pasividad del héroe con respecto a la forma no se ofrece desde un principio sino que es programada y se realiza activamente, se conquista en el interior de la obra de arte, se conquista tanto por el autor como por el espectador, los que no siempre salen victoriosos. Esto se logra tan sólo mediante una extraposición intensa y amante del autor-contemplador respecto al héroe. El propósito vital interno del héroe desde su mismo interior posee una necesariedad inmanente, una ley propia que a veces nos obliga a formar parte de su círculo, de su proceso de formación absolutamente vital que no tiene solución estética hasta tal grado que logramos perder una posición firme fuera de este círculo y llegamos a expresar al héroe desde su mismo interior y junto con él; allí donde el autor se funde con el héroe tenemos, en efecto, la forma como una expresión pura en tanto que resultado del carácter activo del héroe, fuera del cual no hemos logrado ubicarnos; pero el carácter activo del mismo héroe no puede ser activo estéticamente: en él pueden aparecer la necesidad, el arrepentimiento, la súplica y, finalmente, una pretensión dirigida a un posible autor, pero no puede ser originada una forma estéticamente concluida.

Esta necesariedad inmanente de la vida éticamente orientada del héroe debe ser comprendida por nosotros en toda su fuerza e importancia, en lo cual tiene razón la teoría expresiva, pero esto se refiere únicamente a la apariencia estéticamente significativa de la forma de esta vida a la que transgrede, y esta forma es la *expresión,* pero no la *conclusión* de la vida. A la necesariedad inmanente (claro, no psicológica, sino de sentido) de una conciencia viviente (o la conciencia de la vida misma) se le debe oponer la actividad justificadora y conclusiva venida desde el exterior, y sus aportes no deben estar en el plano de la vida vivenciada internamente, en tanto que su enriquecimiento de contenido en una misma categoría —así sucede sólo en la ilusión, y en la vida real esto corresponde al acto (de ayuda, por ejemplo)—, sino que deben estar en el plano donde la vida, al permanecer siendo vida solamente, por principio carezca de fuerza; la actividad estética trabaja todo el tiempo sobre las fronteras (y la forma es una frontera) de la vida vivenciada desde el interior, allí donde la vida está orientada hacia el *exterior,* donde se acaba (el final espacial, temporal y de sentido) y donde comienza una vida nueva, allí donde se encuentra la esfera de actividad del otro, inalcanzable para ella. La vivencia propia y la conciencia propia de la vida y, por lo tanto, su autoexpresión como algo unitario, tienen sus fronteras inamovibles; ante todo, éstas se trazan en relación con el propio cuerpo exterior de uno: el cuerpo en tanto que valor estéticamente observable y que puede ser combinado con el propósito vital interno, permanece detrás de las fronteras de una vivencia propia unitaria; en mi vivencia de la vida, mi cuerpo exterior puede no ocupar el lugar que ocuparía para mí en una vivencia empática de la vida de otro hombre, en la totalidad de su vida para mí; su belleza exterior puede ser momento sumamente importante en mi vida y para mí mismo, pero esto por principio no es lo mismo que vivenciarla de una manera intuitiva y observable en el nivel unitario de valores con su vida interior como su forma, así como yo vivo esta personificación del otro hombre. Yo mismo me encuentro todo *dentro* de mi vida, y si yo de alguna manera pudiera ver la *apariencia* de mi vida, en seguida esta apariencia se convertiría en uno de los momentos de mi vida vivida internamente, la enriquecería de un modo inmanente, esto es, dejaría de ser una apariencia real que concluyese mi vida desde el exterior, dejaría de ser frontera sujeta a una elaboración estética que me concluyese desde el exterior. Supongamos que yo pudiera colocarme físicamente fuera de mi persona: digamos que obtenga la posibilidad física de darme una forma desde el exterior —de todos modos yo no dispondría de ningún principio convincente para constituirme exteriormente, para moldear mi apariencia, para concluirme estéticamente, si yo no alcanzo a ubicarme *fuera* de toda mi vida en su totalidad, percibirla como la vida de otro hombre. Pero para encontrar esta posición firme fuera de mí mismo, no sólo como algo externo sino como una fundamentación significativa y convincente, con todos sus propósitos, deseos, aspiraciones, logros, habría que percibir todo esto en otra categoría. No expresar su vida, sino hablar acerca de su vida por la boca del otro —esto es lo necesario para crear una totalidad artística, incluso de una pieza lírica. [. . .]

De esta manera, hemos visto que el hecho de anexar una actitud simpática o amorosa respecto a una vida vivenciada empáticamente, es decir, el concepto de simpatía, o sentimiento participado explicado y comprendido de una manera consecuente, destruye radicalmente el principio puramente expresivo: el acontecer artístico de la obra adquiere una apariencia totalmente nueva, se desarrolla en un sentido muy diferente, y la simpatía pura en tanto que momento abstracto de este acontecer viene a ser sólo uno de los momentos, y además un momento extraestético; la actividad propiamente estética se manifiesta en el amor creativo hacia un contenido vivenciado, es decir, en el amor que crea la forma estética de la vida vivenciada a la que transgrede. La creación estética no puede ser explicada y entendida inmanentemente a una sola conciencia, el acontecimiento estético no puede tener un solo participante, que tanto vivencie la vida como exprese su vivencia en una forma artísticamente significativa; el sujeto de la vida y el sujeto de la actividad estética que conforma esta vida no pueden coincidir. Hay acontecimientos que por principio no pueden desenvolverse en el plano de una conciencia unitaria sino que suponen la existencia de *dos* conciencias inconfundibles; hay sucesos cuyo momento constitutivo esencial es la actitud de una conciencia hacia *otra* conciencia, precisamente en tanto que otro; y estos son todos los acontecimeintos creativos y productivos que aportan lo nuevo, que son únicos e irreversibles. La teoría estética expresiva es sólo una de las muchas teorías filosóficas, éticas, histórico-filosóficas, metafísicas, religiosas, que podríamos denominar teorías empobrecedoras, porque aspiran a explicar un acontecimiento productivo mediante su empobrecimiento, ante todo, mediante la reducción cuantitativa de sus participantes: para explicar el acontecimiento en todos sus momentos, se transfiere al plano de una sola conciencia, y es dentro de la unidad de ésta como debe ser entendido y deducido dicho suceso; con lo cual se logra una transcripción teórica del acontecimiento ya sucedido, pero se pierden las fuerzas creadoras reales que iban construyendo el acontecimiento en el momento de su creación (en el momento en que el acontecimiento aún permanecía abierto), desaparecen sus participantes vivos y fundamentalmente inconfundibles. Sigue sin ser entendida la idea de *enriquecimiento formal,* en oposición a un enriquecimiento material o de contenido, mientras que esta idea aparece como la fuerza motriz principal de la creación cultural, que en todas sus áreas no aspira a enriquecer el objeto con el material inmanente sino que lo transfiere a un distinto plano de valores, y este enriquecimiento formal es imposible cuando tiene lugar una *fusión* con el objeto a elaborar. ¿Con qué se enriquece un acontecimiento si yo me confundo con el otro hombre? ¿Qué me importa si el otro se funde conmigo? El otro ve y sabe aquello que veo y sé yo, y él sólo repetiría lo irresoluble que es mi vida: que el otro permanezca fuera de mí, puesto que en esta posición puede ver y saber aquello que yo no veo ni sé desde mi lugar y así él puede enriquecer de una manera significativa el acontecimiento de mi vida. Si yo *solamente* me fundo en la vida del otro, entonces lo que logro es únicamente profundizar más su carácter irresoluble, y así sólo doblo numéricamente su vida. Cuando somos dos, entonces, desde el punto de vista de la productividad real del acontecimiento, lo importante no es el hecho de que aparte de mí exista *uno más,* o sea, un hombre *igual* (*dos hombres*), sino precisamente el hecho de que éste sea *otro* para mí, y en este sentido su simple compasión por mi vida no viene a ser nuestra fusión en un solo ser ni tampoco una repetición numérica de mi vida, sino un enriquecimiento importante del suceso, puesto que mi vida la vive él de una forma nueva, en una nueva categoría de valores: en tanto que es la vida de otro hombre que valorativamente posee un matiz distinto y se percibe diferente, se justifica de otro modo en comparación con su propia vida. La productividad del acontecimiento no consiste en la fusión de todos en una sola unidad, sino en la intensificación de nuestra exposición e inconfundibilidad, en el aprovechamiento del privilegio de nuestro único lugar fuera de otros hombres.

Estas teorías empobrecedoras que fundamentan la creación cultural mediante la negación de su lugar único, de su contraposición a los otros, que parten de la *iniciación en una conciencia unitaria,* de la solidaridad e incluso de la fusión con ella, todas estas teorías, y ante todo la teoría expresiva en la estética, se explican por el gnoseologismo de toda la cultura filosófica de los siglos XIX y XX; la teoría del conocimiento llegó a ser modelo para las demás áreas de la cultura: la ética, o la teoría del acto, se sustituye por una epistemología de los actos ya cometidos, la estética, o la teoría de la actividad estética, se sustituye por una epistemología de la actividad estética ya realizada, es decir, no hace objeto de estudio el acto directo de una realización estética, sino su posible transcripción teórica, su conscientización; por eso la unidad de realización del acontecimiento se sustituye por la unidad de conciencia, comprensión del acontecimiento, y el sujeto como participante del acontecimiento se convierte en sujeto de un conocimiento indiferente y puramente teórico del acontecimiento. La conciencia gnoseológica, la conciencia de la ciencia es una conciencia única y unitaria; todo aquello que es tocado por esta conciencia debe ser definido por ella misma, y toda determinación debe ser *su* determinación activa: toda definición del objeto ha de ser definición de la conciencia. En este sentido, la conciencia gnoseológica no puede tener fuera de sí una otra conciencia, no puede establecer una relación con la otra conciencia, que es autónoma y no se funde con ella. Toda unidad es su unidad y no puede permitir la existencia de otra unidad independiente a su lado (unidad de la naturaleza, unidad de la otra conciencia), que es una unidad soberana que se le opone con su destino no definido por esta conciencia. Esta conciencia única crea y forma su objeto sólo como tal, pero no como sujeto, y el sujeto mismo viene a ser para ella solamente un objeto más. El sujeto se comprende y se conoce sólo en tanto que objeto, y solamente una valoración lo puede convertir en sujeto portador de su vida con sus propias leyes que viva su propio destino. Mientras tanto, la conciencia estética, la conciencia que ama y que establece el valor, es conciencia de la conciencia, conciencia del autor como *yo* de la conciencia del héroe como *otro;* en un acontecimiento estético estamos frente al encuentro de dos conciencias fundamentalmente inconfundibles, y la conciencia del autor se refiere a la del héroe no desde el punto de vista de su composición objetual, de su importancia objetiva, sino desde el punto de vista de su unidad vital subjetiva, y esta conciencia del héroe se localiza concretamente (claro que el grado de concretización puede ser distinto), se personifica y se concluye amorosamente. Pero la conciencia del autor, así como la conciencia gnoseológica, no puede ser conclusa. [...]

Así, pues, la forma espacial no es, en un sentido exacto, la forma de la obra en tanto que objeto, sino la forma del héroe y de su mundo en tanto que sujeto; en esto la estética expresiva tiene mucha razón (por supuesto, tomando en cuenta la inexactitud, se podría hablar de que la forma de una vida representada en una novela es la forma de la novela, pero la novela, comprendida ahí la forma del aislamiento que es la ficción, es precisamente la forma de aprehender la vida); pero, muy a pesar de la estética expresiva, la forma no es la expresión pura del héroe y de su vida, sino que es algo que, al expresarlo, expresa también la actitud creativa del autor, y esta actitud es precisamente el momento estético de la forma. La forma estética no puede ser fundamentada desde el interior del héroe, desde el interior de su propósito significativo, es decir, de su importancia estrictamente vital; la forma se fundamenta desde el interior del *otro*: el autor, como su reacción creativa frente al héroe y su vida, reacción que crea valores que transgreden tanto al héroe como a su vida pero que tienen un vínculo importante con ellos. Esta reacción estética es el amor estético. La relación de una forma estética transgresiva al héroe y a su vida, tomados desde el interior, son la única relación en su género del amante al amado (claro, con la completa eliminación del momento sexual), relación de una apreciación no motivada al objeto ("sea como fuere, lo amo"— y sólo después sigue una idealización activa, la donación de la forma), relación que afirma la aceptación de lo afirmado y admitido, relación del don a la necesidad, del perdón gratis [28] al crimen, de la bienaventuranza al pecador —todas estas relaciones (la serie puede ser aumentada) son semejantes a la relación del autor con el héroe o de la forma con el héroe y su vida. El momento esencial que es común a todas estas relaciones aparece como el don de la transgresión al donado por una parte, y su profundo vínculo precisamente con el donado, por otra; no él, sino para él; de ahí que el enriquecimiento tenga un carácter formal y transformador y transfiera al donado a un nuevo plano del ser. A un nuevo plano no se transfiere el material (el objeto), sino el héroe que es sujeto, porque sólo con respecto a él puede ser posible el deber estético, así como el amor estético y la donación del amor.

La forma debe utilizar el momento que transgreda la conciencia del héroe (su posible vivencia propia y autovaloración concreta), pero deben establecer una relación que defina al héroe como una *totalidad* externa, o sea, que se establezca su orientación hacia el exterior con sus fronteras en tanto que fronteras de su totalidad. [. . .] La forma es frontera trabajada estéticamente. Al mismo tiempo, se trata de la frontera del cuerpo, de la frontera del alma y de la del espíritu (de la orientación semántica). Estos límites se viven de una manera radicalmente distinta: desde el interior de la autoconciencia y desde el exterior, en la vivencia estética del otro. En todo acto, interior y exterior, de mi orientación teleológica vital yo parto de mí mismo, no encuentro un límite *valorativo* que *concluya positivamente;* sigo adelante y rebaso mis fronteras, desde afuera puedo percibirlas como obstáculo pero no como conclusión; un límite estéticamente vivido del otro lo concluye positivamente, lo concentra con toda su actividad, la cierra. El propósito vital del héroe se le confiere en su totalidad a su cuerpo en tanto que límite estéticamente significante; se *encarna.* Este doble significado del límite se aclarará más adelante. Al vivenciar al héroe desde el interior, abrimos las fronteras, y las volvemos a cerrar cuando lo concluimos estéticamente desde el exterior. Si en el primer movimiento interno somos pasivos, en el movimiento que viene desde el exterior somos activos, creando algo absolutamente nuevo, excedente. Este encuentro de dos movimientos en la superficie del hombre es el que define sus fronteras valorativas, el que enciende el fuego del valor estético.

De ahí que el ser estético —hombre total— no se fundamente desde el interior, desde una posible autoconciencia, y es por eso por lo que la belleza, dado que nos abstraemos de la actividad del autor-contemplador, nos parece pasiva, ingenua y espontánea; la belleza no sabe de su existencia, no la puede fundamentar, la belleza solamente *es*, es un don prestado en abstracción del donante y de su actividad fundamentada internamente (porque este don sí está fundamentado, pero desde el interior de la actividad donante). [. . .]

La *teoría impresiva de la estética,*[29] con la cual relacionamos todas aquellas teorías estéticas para las que el centro de gravedad se encuentra en la actividad formalmente productiva del artista —Fiedler, Hildebrand, Hanslick, Riegl, Vitasek y otros, y los llamados formalistas (Kant tiene una posición ambigua)—, en oposición a la estética expresiva, no pierde al autor sino al héroe como momento independiente, aunque pasivo, del acontecimiento estético. Precisamente el acontecimiento, en tanto que relación viva entre dos conciencias, tampoco existe para la estética impresiva. En esta estética, la creación del artista también se entiende como acto unilateral que no se opone otro sujeto, sino tan sólo el objeto, el material. La forma se deduce de las particularidades del material: visual, fónico, etc. Con semejante enfoque, la forma no puede ser fundamentada profundamente y encuentra, al fin de cuentas, una explicación hedonista más o menos fina. El amor estético pierde su objeto, se vuelve un puro proceso o juego de amor carente de contenido. Los extremos se juntan: también la teoría impresiva ha de llegar al juego, sólo que de otra especie; no se trata de un juego a la vida por la vida —como juegan los niños—, sino del juego con una aceptación de una vida posible sin contenido, del momento desnudo de la justificación estética y la conclusión de una vida apenas posible. Para la teoría impresiva sólo existe el autor sin héroe, cuya actividad dirigida hacia el material se convierte en una actividad puramente técnica.

Ahora, cuando hemos aclarado el significado de los momentos expresivos e impresivos del cuerpo exterior en el acontecimiento artístico de la obra, se vuelve claro el hecho de que es precisamente el cuerpo *exterior* el centro valorativo de la forma espacial. Nos queda por desarrollar este postulado más detalladamente respecto a la creación artística verbal.

7] *La totalidad espacial del héroe y de su mundo en la creación artística verbal. Teoría del horizonte y del entorno.* ¿En qué medida la creación verbal tiene que ver con la *forma* espacial del héroe y de su mundo? El hecho de que la creación verbal tenga que ver con la apariencia del héroe y con un mundo espacial, en que se desenvuelve el acontecimiento de su vida, no está sujeto, por supuesto, a la duda. Pero sí existe la duda de si la creación verbal tenga que ver con la *forma espacial como forma artística,* y generalmente este problema se resuelve negativamente. Para una solución correcta es necesario tomar en cuenta el papel doble de la forma estética. Como ya lo hemos señalado, la forma estética puede ser forma empírica externa o interna o, expresándolo de otro modo, forma del objeto estético, es decir, de un mundo que se construye sobre la base de una obra artística dada pero que no coincide con él, y forma de la misma obra artística, o sea, su forma material. Por supuesto, no se puede afirmar sobre la base de esta distinción un carácter idéntico de los objetos estéticos de diferentes artes: pintura, poesía, música, etc., y encontrar la diferencia sólo en los medios de realización, de estructuración de este objeto estético, reduciendo la diversidad de las artes a un momento puramente técnico. No, la forma material que condiciona el hecho de ser una obra determinada, obra pictórica, poética o musical, determina también la correspondiente estructura del objeto estético haciéndolo un poco unilateral, acentuando uno u otro aspecto suyo. No obstante, el objeto estético es siempre polifacético, es *concreto* como la realidad ético-cognoscitiva (un mundo vivenciado) que se justifica artísticamente y se concluye en este objeto, y este mundo es el más concreto y polifacético en la creación verbal (y, menos que nada, en la música). La creación verbal no construye una forma espacial *externa,* puesto que no opera con el material espacial, como lo hacen la pintura, la plástica, el dibujo; su material, la palabra (la forma espacial de la disposición del texto: estrofas, capítulos, complejas figuras de la poesía escolástica, etc., tiene una importancia mínima), es por excelencia un material no espacial (el sonido de la música es aún menos espacial); sin embargo, el objeto estético representado por la palabra no consiste únicamente en palabras, a pesar de que contiene muchas cosas puramente verbales, y *este objeto de una visión estética tiene una forma espacial interna con un significado artístico,* representada también mediante las palabras de la obra (mientras que en la pintura esta forma se representa con colores, en el dibujo con líneas, de lo cual tampoco se deriva que el objeto estético correspondiente consista sólo en líneas o colores; precisamente se trata de crear mediante líneas o colores un objeto concreto).

Así, pues, la existencia de una forma espacial dentro de un objeto estético, y expresada mediante la palabra, no está sujeta a duda. Otra cuestión es el cómo se realiza esta forma espacial interna: si debe reproducirse en una dimensión puramente *visual* clara y completa, o si solamente se realiza su equivalente emocional y volitivo, un tono sensitivo correspondiente, un matiz emocional; una representación visual puede ser intermitente, momentánea o incluso estar ausente por completo al ser sustituida por la palabra. (El tono emocional y volitivo, a pesar de estar vinculado a la palabra, tiene una fijación a la imagen fónica entonada, pero, por supuesto, no se refiere a la palabra sino al objeto expresado por ésta, aunque el objeto no se realizase en la conciencia en forma de imagen visual; un tono emocional sólo se comprende a través del objeto, a pesar de que se desarrolle junto con el sonido de la palabra.) La elaboración detallada del problema planteado de este modo rebasa los límites de la presente investigación, su lugar está en la estética de la creación verbal. Para nuestro problema son suficientes las indicaciones más breves sobre la cuestión. La forma espacial interna jamás se realiza con toda conclusión y plenitud *visual* (lo mismo pasa, por cierto, con la forma temporal con toda su plenitud fónica); incluso en las artes figurativas, la plenitud y conclusión *visual* sólo son propios de la forma material externa de la obra, y las cualidades de esta última se trasponen a la forma interna (la imagen visual de la forma interna es muy subjetiva, incluso en las artes figurativas). La forma visual interna se vivencia emocional y volitivamente de un modo como si pareciera concluida y perfeccionada, pero esta perfección y conclusión nunca llegan a ser una imagen efectivamente realizada. Por supuesto, el grado de realización de la forma interna de una imagen visual es diferente en diversos géneros de la creación verbal y en las obras diferentes.

En la epopeya este grado es el más alto (por ejemplo, la descripción de la apariencia del héroe en la novela necesariamente debe ser evocada visualmente, a pesar de que la imagen obtenida de un material verbal resulte ser diferente y visualmente subjetiva en diversos lectores), y en la lírica es el más bajo, sobre todo en la lírica romántica: en ésta, a menudo el grado elevado de la visualización —costumbre desarrollada por la lectura de la novela— destruye el efecto estético; pero siempre existe un equivalente emocional y volitivo de la apariencia del objeto, siempre está presente una voluntad emocional de una apariencia posible aunque no visualizable que la crea como valor artístico. Por eso debe ser reconocido y comprendido el valor *plástico-pictórico* de la creación artística verbal.

El cuerpo externo del hombre es dado, sus límites exteriores y los de su mundo son dados (en la dación extraestética de la vida); se trata de un momento necesario e imposible de eliminar de la dación del ser; por consiguiente, todo ello precisa de una aceptación, recreación, elaboración y justificación estética; es lo que se realiza con todos los recursos que posee el arte: colores, líneas, masas, palabras, sonidos. Puesto que un artista tiene que ver con el ser del hombre y con su mundo, con las fronteras exteriores como momentos necesarios de este ser, y, al transferir el ser del hombre al plano estético, el artista se ve obligado a ubicar su apariencia en un mismo plano en los límites determinados por el material (colores, sonidos, etcétera).

Un poeta crea una apariencia, una forma espacial del héroe y de su mundo, mediante el material verbal; su falta de sentido interno y de su facticidad cognoscitiva externa son comprendidas y justificadas por él estéticamente, al volverla artísticamente significativa.

Una imagen externa expresada verbalmente, independientemente de si se evoca visualmente (hasta cierto punto, por ejemplo en la novela) o se vivencia emocional y volitivamente, tiene una importancia formal y conclusiva, es decir, no es únicamente expresiva, sino también artísticamente impresionista. Aquí son aplicables todos los postulados expuestos por nosotros, porque un retrato verbal está tan sujeto a ellos como uno pictórico. Aquí también sólo la postura de extraposición crea el valor estético de la apariencia, la forma espacial expresa la actitud del autor con respecto al héroe; el autor tiene que ocupar una posición firme fuera del personaje y de su mundo y aprovechar todos los momentos que transgreden su apariencia.

Una obra verbal se crea desde el exterior de cada uno de los héroes, y cuando leemos hemos de seguir a los héroes externa y no internamente. Pero es precisamente en la creación verbal (y más que nada en la música) donde aparece como muy seductora y convincente la interpretación puramente expresiva de la apariencia (tanto del héroe como del objeto), porque la extraposición del autor-contemplador no posee la misma nitidez espacial que en las artes figurativas (la sustitución de las imágenes visuales por su equivalente emocional y volitivo fijado a la palabra). Por otra parte, la lengua como material no es suficientemente neutral con respecto a la esfera ético-cognoscitiva en la que se usa como autoexpresión y como información, es decir, expresivamente, y estos hábitos lingüísticos expresivos (el de expresarse a sí mismo y el de significar un objeto) son trasladados por nosotros hacia la percepción de las obras del arte verbal. A todo ello, además, se une nuestra pasividad espacial y visual que caracteriza esta percepción: parecería que mediante la palabra se representara una dación espacial determinada y no una amorosa y activa construcción de una forma espacial mediante la línea, el color, que crean y originan la forma desde el exterior, con el movimiento de la mano y de todo el cuerpo, creación que venciera el movimiento-gesto imitativo. La articulación lingüística y la mímica, a consecuencia de que ellas, igual que la lengua, existen en la vida real, tienen una tendencia expresiva mucho más marcada (la articulación y el gesto o bien expresan, o imitan); los tonos emocionales y volitivos constructivos del autor-contemplador pueden ser absorbidos por los tonos reales del héroe. Por eso hay sobre todo que subrayar que el contenido (aquello que se le aporta al héroe, a su vida, desde el exterior) y la forma son injustificados e inexplicables en el plano de una sola conciencia, que únicamente en los límites de dos conciencias, en las fronteras del cuerpo, se realiza el encuentro y el don artístico de la forma. Sin esta fundamental correlación con el otro, como un don ofrecido a éste que lo justifica y lo concluye mediante una justificación estética inmanente), la forma, sin hallar una fundamentación interna desde el interior del autor-contemplador, inevitablemente degeneraría en algo hedonísticamente agradable, en algo "bonito", algo que me agrada inmediatamente, como suelen serme inmediatos el calor y el frío; el autor crea técnicamente el objeto de placer, el contemplador se da este placer pasivamente. Los tonos emocionales y volitivos del autor, que establecen y crean la apariencia activamente como un valor estético, no se subordinan directamente al propósito semántico del héroe desde el interior sin la aplicación de la categoría valorativa y mediatizadora del *otro*; sólo gracias a esta categoría es posible hacer que la apariencia del héroe sea completamente abarcadora y concluyente, introducir el propósito semántico y vital del héroe en su aspecto exterior como en una forma, llenar de vida la apariencia, crear un hombre íntegro como un valor.

¿Cómo se representan los objetos del mundo exterior en relación con el héroe en una obra verbal, qué lugar ocupan en ella?

Es posible una doble combinación del mundo con el hombre: desde su interior, como su *horizonte,* y desde su exterior, como su entorno. Desde mi interior, en el contexto semántico valorativo de mi vida, el objeto se me *opone* en tanto que objeto de mi orientación vital (ético-cognoscitiva y práctica), porque en este caso representa el momento del acontecimiento único y abierto del ser al que yo pertenezco por estar forzosamente interesado en su desenlace. Desde el interior de mi participación real en el ser, el mundo aparece como el horizonte de mi conciencia en proceso de funcionamiento. Yo sólo puedo orientarme en este mundo como acontecimiento, ordenar su estructura en categorías cognoscitivas, éticas y prácticas (bien, verdad y utilidad práctica), y con ello se determina para mí el aspecto de cada objeto, su tonalidad emocional y volitiva, su importancia. Desde el interior de mi conciencia participante en el ser, el mundo es el objeto del acto, del acto-sentimiento, del acto-pensamiento, del acto-palabra, de la acción; el centro de gravedad se ubica en el futuro deseado y debido y no en la dación autosuficiente del objeto, en su existencia, en su presente, en su totalidad, en su carácter ya realizado. Mi actitud hacia cada objeto del horizonte nunca está concluida sino predeterminada, porque el acontecimiento del ser es abierto en su totalidad; mi situación debe cambiar en todo momento, yo no puedo demorar y tranquilizarme. La contraposición temporal y espacial del objeto es el principio del *horizonte;* los objetos no me rodean a mí en tanto que a un cuerpo exterior, como una dación existente y valorable, sino que se me oponen como objetos de mi actitud ético-cognoscitiva vital en el acontecimiento abierto y aun arriesgado del ser cuya unidad, sentido y valor aún no están dados sino planteados.

Si nos dirigimos al mundo objetual de una obra literaria, nos convenceremos fácilmente de que su unidad y estructura no son unidad y estructura del horizonte vital del héroe, de que el mismo principio de su ordenación transgrede la conciencia real y posible del mismo héroe. Un paisaje verbal, una descripción del ambiente, una representación de la vida cotidiana, o sea la naturaleza, la ciudad, la cotidianidad, no son momentos del acontecimiento abierto del ser, momentos del horizonte de una conciencia activa de un hombre (que actúa ética y cognoscitivamente). Sin duda, todos los objetos representados en una obra tienen y deben tener una relación básica con el héroe; en caso contrario vienen a ser un *hors d'oeuvre;* sin embargo, esta relación en su principio estético básico no se da desde el interior de la conciencia vital del héroe. El centro de la disposición espacial y de la valoración semántica de los objetos presentados en la obra es el cuerpo y el alma exterior del hombre. Todos los objetos tienen correlación con el aspecto del héroe, con sus fronteras tanto interiores como exteriores (fronteras del cuerpo y del alma).

El mundo objetual dentro de una obra literaria cobra sentido y se correlaciona con el héroe como su *entorno.* La particularidad del entorno se expresa ante todo en la correspondencia formal externa de carácter plástico-pictórico: en una armonía de colores, líneas, en la simetría y otras combinaciones puramente estéticas, no semánticas. En una obra verbal este aspecto no logra, por supuesto, una perfección externamente visible, pero las equivalencias de las posibles imágenes visuales corresponden en un objeto estético a esta totalidad plástico-pictórica y no semántica de la totalidad (no tocamos aquí la combinación de la pintura, dibujo y plástica). El objeto como combinación de colores, líneas y masas es independiente o influye en nosotros junto con el héroe y a su alrededor, el objeto no se le opone al héroe en su horizonte sino que se percibe como total y puede ser abarcado por todas partes. Está claro que este principio plástico-pictórico de ordenación del mundo objetual externo transgrede de un modo absoluto la conciencia viviente del héroe, porque tanto los colores como las líneas y las masas en su interpretación estética son fronteras extremas del objeto, del cuerpo viviente, en los cuales el objeto está orientado hacia su exterior y existe valorativamente tan sólo en el otro y para el otro, participa de un mundo en que él mismo no existe desde su interior. [...]

LA TOTALIDAD TEMPORAL DEL HÉROE
(el problema del hombre interior o el alma)

1] El hombre en el arte es hombre integral. En el capítulo anterior hemos definido el cuerpo externo como el momento estéticamente significativo y el mundo de los objetos como el entorno del cuerpo externo. Hemos convenido que el hombre exterior como valor plástico figurativo y el mundo que le es correlativo y que se combina con él estéticamente transgreden una autoconciencia posible y real del hombre, su *yo-para-mí,* su conciencia viviente y capaz de vivenciar; no pueden, por principio, ubicarse en su actitud valorativa hacia sí mismo. La comprensión estética y la figuración del cuerpo externo y de su mundo son el *don* de una otra conciencia (la del autor-observador con respecto al héroe), que no es una expresión suya desde adentro de él mismo, sino una actitud creativa y constructiva, que establece el autor en tanto que *otro* con respecto al héroe. En el presente capítulo hemos de fundamentar lo mismo también en relación con el hombre interior, con la totalidad interna del alma del héroe como fenómeno estético. También el alma como algo *dado,* como una totalidad de la vida interior del héroe vivenciada artísticamente, transgrede su orientación vital semántica, su autoconciencia. Nos hemos de convencer de que el alma como una totalidad interior que está en proceso de formación *en el tiempo,* como una totalidad *dada, existente,* se constituye mediante categorías estéticas; se trata del espíritu tal como éste se ve desde *afuera,* desde el otro.

El problema del alma es metodológicamente un problema estético y no puede ser el problema de la psicología, que es una ciencia causal carente de valoraciones, puesto que el alma, a pesar de que se desarrolle y se forme en el tiempo, es una totalidad individual, valorativa y libre; tampoco puede este problema pertenecer a la ética, puesto que el sujeto ético se presenta frente a sí mismo como un valor y por principio no puede ser dado, existir, ser contemplado: se trata de un *yo-para-mí.* También el espíritu del idealismo es pura suposición, que se constituye con base en la vivencia propia y de una actitud solitaria hacia sí mismo; el *yo* trascendental de la gnoseología también tiene un carácter puramente formal (basado también en la vivencia propia). No tocamos aquí el problema religioso y metafísico (la metafísica sólo puede ser religiosa), pero no cabe duda de que el problema de la inmortalidad se refiere precisamente al alma, no al espíritu, o sea a aquella totalidad individual y valorable que transcurre en la temporalidad de la vida interior, que vivenciamos en el *otro,* que se describe y se representa en el arte mediante la palabra, el color, el sonido; esto es, al alma que se ubica en un mismo plano de valores que el cuerpo externo del otro y que no se separa de este cuerpo en el momento de la muerte o de la inmortalidad (resurrección de la carne). Dentro de mí no existe el alma como una totalidad de valores ya dados y existentes en mí, en mi actitud hacia mi persona yo no tengo nada que ver con el alma, y mi reflejo propio, puesto que es mío, no pueden generar un alma, sino tan sólo una subjetividad mala y desarticulada, algo que no debe ser; mi vida interior que transcurre en el tiempo no puede concretarse para mí en algo de valor, algo que debería ser guardado y permanecer eternamente (desde dentro de mí mismo en mi actitud solitaria y diáfana hacia mi persona se entiende intuitivamente sólo una condenación eterna del alma, y únicamente con ella puedo yo ser solidario internamente), el alma desciende hacia mí como la gracia hacia un pecador, como un don inmerecido e inesperado. Es dentro del espíritu donde yo puedo y debo solamente perder mi alma, y ésta puede ser conservada únicamente gracias a las fuerzas *que no son mías.*

¿Cuáles son, pues, los principios de ordenación, constitución y formación del alma (de su totalización) en una visión artísticamente activa?

2] *Actitud emocional y volitiva hacia el determinismo interno del hombre. El problema de la muerte (muerte desde adentro y muerte desde afuera).* Los principios de figuración del alma son los de la formación de la vida interior *desde afuera,* desde una otra conciencia; aquí también el trabajo del artista se realiza sobre las fronteras de la vida interior, allí donde la vida se orienta internamente *hacia afuera* de uno mismo. El otro hombre se sitúa fuera y frente a mí, no sólo externa sino también internamente. Podemos hablar, empleando un oxímoron, acerca de una *extraposición* interna y de una *contraposición* del otro. Cualquier vivencia interna de algo que pertenece al otro hombre —su alegría, sufrimiento, deseo, aspiración, y finalmente su orientación semántica (aunque todo ello no se manifieste en nada externo, no se revele, no se refleje en su cara, en la expresión de ojos, sino que apenas se capte, se adivine por mí, gracias al contexto de la vida)—, todas estas vivencias las encuentro *fuera* de mi propio mundo interior (a pesar de que se vivan de alguna manera por mí, valorativamente no se refieren a mí, no se me incriminan como mías), fuera de mi *yo-para-mí;* están *para mí dentro del ser,* son momentos del ser valorable del otro.

Las vivencias, al transcurrir fuera de mí en el otro, tienen una apariencia interna dirigida a mí, poseen una faz interna que puede y debe ser contemplada amorosamente y no debe ser olvidada, como no olvidamos la cara de un hombre (pero no como nosotros nos acordamos de nuestra vivencia pasada), debe ser afirmada, figurada, querida, acariciada, no por los ojos físicos externos sino por la mirada interior. Esta apariencia del alma del otro, una especie de cuerpo interior más sutil, es la individualidad artística intuitiva y contemplativa: carácter, tipo, situación, etc.; es una refracción del sentido en el ser, una refracción y solidificación individual del sentido, su introducción en su cuerpo interno y mortal: es aquello que puede ser idealizado, heroizado, ritmizado, etc. Habitualmente, esta actitud activa mía dirigida desde el exterior hacia el mundo interior del otro es denominada comprensión simpática. Hay que subrayar el carácter absolutamente lucrativo, productivo, enriquecedor y excesivo de la comprensión simpática. La palabra "comprensión" en una interpretación corriente, ingenua y realista, siempre desorienta. No se trata en absoluto de un reflejo pasivo y exacto, de una duplicación de la vivencia del otro hombre en mí (además, tal duplicación es imposible), sino de un traslado de la vivencia a un plano absolutamente distinto de valores, a una categoría nueva de valoración y figuración. El sufrimiento del otro vivenciado por mí es una cosa por principio distinta, diferente en un sentido más importante y esencial, en comparación con lo que representa su propio sufrimiento para él, y el mío para mí; lo que tienen en común es solamente el concepto de sufrimiento lógicamente idéntico a sí mismo, un momento abstracto que en ninguna parte y nunca se realiza de un modo puro, porque en el pensamiento vital hasta la misma palabra "sufrimiento" cambia de tono según el contexto. El sufrimiento vivenciado del otro es una formación totalmente nueva del *ser,* que se realiza sólo por mí, desde mi único lugar e *interiormente fuera* del otro. La comprensión simpática no es sino un reflejo de una valoración totalmente nueva, es la utilización de la posición arquitectónica de uno en el ser fuera de la vida interior del otro. La comprensión simpática reconstruye al hombre interior total en las categorías estéticamente compasivas para con el nuevo ser en un nuevo plano del mundo.

Ante todo, es necesario establecer el carácter de la actitud emocional y volitiva mía hacia mi propio determinismo interno, así como hacia el de otro hombre y, ante todo, hacia el mismo ser-existir de ambos determinismos, es decir, también es necesario hacer la misma descripción fenomenológica de la vivencia propia y de la del otro, que tuvo lugar con respecto al cuerpo como valor.

La vida interior, así como la dación externa del hombre —su cuerpo—, no es algo indiferente a la forma. La vida interior (el alma) se constituye o bien en la autoconciencia, o bien en la conciencia del otro, y en los dos casos el empirismo del alma se supera igualmente. El empirismo del alma, como algo neutral con respecto a estas formas, es tan sólo un producto abstracto del pensamiento psicológico. ¿En qué dirección y en qué categorías se realiza esta constitución de la vida interior en la autoconciencia (mi vida interior) y en la conciencia del otro (vida interior del otro hombre)?

Tanto la forma espacial del hombre exterior como la estéticamente significativa forma *temporal* de su vida interior se desenvuelven a partir del *excedente* que abarca todos los momentos de la conclusión que transgrede la totalidad interior de la vida espiritual. Estos momentos que transgreden la autoconciencia y la concluyen son las *fronteras* de la vida interior desde las cuales ésta está orientada hacia el exterior y deja de ser activa a partir de sí misma; ante todo, son fronteras *temporales:* principio y fin de la vida que no se dan a una autoconciencia concreta, y para posesionarse de las cuales la autoconciencia no dispone de un enfoque valorativo (de una visión volitivo-emocional y valorativa); son su nacimiento y muerte en su significación conclusiva (argumental, lírica, caracterológica, etcétera).

En mi vida, que es vivida por mí interiormente, no pueden vivenciarse, por principio, los acontecimientos de mi nacimiento y de mi muerte: éstos, como tales, no pueden llegar a ser sucesos de mi propia vida. En este caso, igual que en el caso de la apariencia externa, no se trata únicamente de una absoluta ausencia del enfoque esencialmente valorativo con respecto a ellos. El miedo a mi propia muerte y la atracción hacia la vida-existencia son esencialmente distintos del miedo a la muerte del otro hombre, mi prójimo, y al deseo de proteger su vida. En el primer caso, está ausente el momento más importante del segundo caso: momento de la pérdida, de la ausencia de la personalidad determinada y única del otro, el empobrecimiento del mundo de mi vida donde el otro estuvo presente y donde ahora no está (por supuesto, no se trata de una pérdida vivida de una manera egoísta, porque toda mi vida puede perder su valor después de que el otro la haya abandonado). Pero también aparte de este momento principal de la pérdida, los índices morales del miedo a la muerte propia y a la del otro son profudamente diferentes, igual que lo fueron la protección propia y la del otro, y es imposible eliminar esta diferencia. La pérdida de mí mismo no es una separación de mí mismo, porque tampoco mi vida-existencia es una alegre existencia conmigo mismo en tanto que personalidad calificativamente definida y amada. Tampoco yo puedo vivenciar el cuadro valorativo de un mundo en que yo viví y en que ya no estoy. Por supuesto, yo puedo imaginarme el mundo después de mi muerte, pero yo no puedo vivenciarlo a partir del hecho emocionalmente matizado de mi muerte, de mi no-ser desde el interior de mi persona, porque para hacerlo yo debería vivenciar al otro o a otros para los cuales mi muerte, mi ausencia, llegarían a ser un acontecimiento de su vida; al realizar el intento emocional (valorativo) de percibir el suceso de mi muerte en el mundo, llego a ser poseído por el alma de otro posible, yo ya no estoy solo intentando contemplar la totalidad de mi vida en el espejo de la historia, como asimismo no suelo estar solo al observar mi apariencia en el espejo. La totalidad de mi vida no tiene importancia en el contexto valorativo de mi vida. Los sucesos de mi nacimiento, de mi permanencia evaluable en el mundo, y finalmente de mi muerte, no se realizan en mí ni tampoco para mí. El peso emocional de mi vida en su *totalidad* no existe para mí mismo.

Los valores del ser de una personalidad cualitativamente definida sólo le son propios al otro. La alegría del encuentro con él es posible para mí tan sólo en relación con el otro, así como la tristeza de la separación, el dolor de la pérdida; sólo con él me puedo encontrar, y de él separarme en el tiempo, sólo él es quien puede *ser* o *no ser* para mí. Yo siempre permanezco conmigo mismo y para mí, no puede haber vida sin mí. Todos estos matices emocionales y volitivos, posibles sólo con respecto al ser-existencia del otro, son los que crean el especial peso del acontecimiento de mi vida para mí, peso que mi propia vida no tiene. Aquí no se trata del grado, sino del carácter cualitativo de un valor. Estos tonos en que el otro se vuelve más denso y crean lo específico en la vivencia de la totalidad de su vida, matizan valorativamente esta totalidad. En mi vida los hombres nacen, pasan y mueren, y su vida-muerte a menudo llega a ser el acontecimiento más importante de mi vida, el que determina su contenido (los asuntos más importantes de la literatura universal). Los términos de mi propia vida no pueden tener esta importancia argumental, porque mi vida es algo que abarca temporalmente las existencias de otros.

Cuando el ser del otro define irrevocablemente y de una vez para siempre el *argumento* principal de mi vida, cuando las fronteras entre la existencia válida y la no-existencia del otro estén abarcadas totalmente por mis fronteras, jamás dadas y en un principio no vivenciadas, cuando el otro sea vivenciado (provisionalmente abarcado) por mí a partir de *natus est anno Domini* hasta *mortuus est anno Domini* se vuelve absolutamente claro el hecho de ser estos *natus-mortuus,* en toda su concreción y fuerza, fundamentalmente no vivenciables con respecto a mi propia existencia, y puesto que mi propia vida no puede llegar a ser tal acontecimiento, mi vida suena para mí de una manera totalmente diferente en comparación con la del otro, y se vuelve muy nítida la ligereza argumenticia de mi vida en su contexto propio y que su valor y sentido se encuentran en un plano valorativo totalmente distinto. Yo mismo soy la condición de la posibilidad de mi vida, pero no soy su protagonista valioso. Yo no puedo vivenciar el tiempo emocionalmente concentrado que abarca mi vida, así como no puedo vivenciar el espacio que me enmarca. Mi tiempo y mi espacio son tiempo y espacio del autor, no con respecto al otro, a quien abarcan, pero no estéticamente pasivo; se puede estéticamente justificar y concluir al otro, mas no a uno mismo.

Con lo cual no disminuye para nada, por supuesto, la importancia de la conciencia moral de mi mortalidad y de la función biológica del miedo a la muerte y de la evasión a ésta, pero esta mortalidad anticipada desde el interior se distingue radicalmente de la vivencia desde afuera de la muerte del otro y del mundo donde se desenvuelve el otro en tanto que individualidad cualitativamente definida e igualmente se distingue de mi propia orientación valorativa hacia tal acontecimiento: sólo esta orientación puede ser estéticamente productiva.

Mi actividad prosigue aún después de la muerte del otro, y los momentos estéticos empiezan a predominar en ella (en oposición a los valores morales y prácticos): se me presenta la totalidad de su vida liberada de los momentos del futuro temporal, de los propósitos y deberes. Cuando pasan los funerales y se instala el monumento fúnebre, les sucede la *memoria.* Se me presenta *toda* la vida del otro *fuera* de mí, y es ahora cuando se inicia la estetización de la personalidad, esto es, su concretización y acabado en una imagen estéticamente significativa. De la postura emocional y volitiva con respecto al recuerdo del finado nacen esencialmente las categorías estéticas de la constitución del hombre interior (también las del hombre exterior), porque sólo esta postura con respecto al otro posee un enfoque valorativo hacia la totalidad temporal ya acabada de la vida exterior e interior del hombre; y reiteramos que aquí no se trata de la presencia de todo el material de la vida (de todos los hechos biográficos), sino ante todo de la existencia de un enfoque valorativo que pudiese darle una forma estética a un material determinado (el acontecer argumental de una personalidad dada). La *memoria* del otro y de su vida es radicalmente distinta de la contemplación y recuerdo de la vida propia: la memoria ve la vida y su contenido desde un punto de vista formal diferente, y sólo la memoria es estéticamente productiva (el momento contenidista puede, desde luego, proporcionar la observación y el recuerdo de la vida propia, pero no ofrece una participación formadora y conclusiva). El recuerdo de la vida concluida del otro (también es posible una anticipación del final) posee una llave de oro para concluir estéticamente la personalidad. El enfoque estético de una persona viva anticipa su muerte, determina su futuro y lo vuelve casi innecesario, porque a todo determinismo espiritual le es inmanente el fatalismo. La memoria es el punto de vista de la conclusividad valorativa; en cierto sentido, la memoria no tiene esperanza, pero en cambio sólo ella puede apreciar por encima del propósito y del sentido una vida ya concluida y presente.

El determinismo de las fronteras temporales del otro, aunque sólo en el plano de lo posible, el determinismo del mismo enfoque valorativo de la vida conclusa del otro, a pesar de que de hecho el otro me sobreviva, su percepción bajo el signo de la muerte, de una posible ausencia: ésta es la dación que determina la concentración y el cambio formal de la vida, de todo su transcurrir temporal dentro de estos límites (la anticipación moral y biológica de estas fronteras desde el interior no tiene un significado formalmente transformador, y aún menos lo posee el conocimiento teórico de su limitación temporal). Cuando las fronteras son dadas, la vida puede ser dispuesta y constituida dentro de ellas de un modo diferente, así como el desarrollo de nuestro pensamiento puede ser constituido de un modo distinto en caso de que la conclusión ya sea encontrada y dada (de que sea dado el dogma) en comparación con el proceso de búsqueda de esta conclusión. Una vida determinada liberada de las garras de lo inminente, del futuro, del propósito y sentido, se vuelve emocionalmente conmensurable, musicalmente expresiva, es autónoma dentro de su existencia homogénea; su carácter *ya determinado* se vuelve un determinismo valorativo. El sentido no nace ni muere; la serie semántica de la vida, o sea la tensión cognoscitiva y ética desde el mismo interior de la vida, no puede ser inicada ni concluida. La muerte no puede ser la conclusión de una serie semántica, es decir, no puede adquirir la importancia de una conclusión positiva; desde su interior, esta serie no conoce conclusión positiva y no puede dirigirse hacia sí misma, para coincidir tranquilamente con su propia existencia ya presente; sólo allí donde esta serie está dirigida hacia afuera de sí misma, allí donde no existe para sí misma —sólo de allí le puede llegar una aceptación conclusiva.

De un modo semejante a las fronteras espaciales, también los límites temporales de mi vida no tienen para mí un significado *formalmente* organizador que tienen para la vida del otro. Yo vivo —pienso, siento, actúo— dentro de la serie semántica de mi vida y no dentro de la totalidad posible y conclusiva de la existencia vital. Este último aspecto no puede determinar y organizar los pensamientos y los actos desde el interior de mí mismo, porque éstos de por sí tienen un significado cognoscitivo y ético (son extratemporales). Se podría decir: yo no sé cómo se ve desde el exterior mi alma en el ser, en el mundo, y si lo supiera, su imagen no podría fundamentar ni organizar ni un solo acto de mi vida desde el interior de mí mismo, porque el significado valorativo (estético) de esta imagen me transgrede (es posible la presencia de una falsedad, pero también ésta rebasa los límites de esta imagen, no es fundamentada por ella y la destruye). Toda conclusión es un *deus ex machina* con respecto a la serie vital dirigida hacia el significado semántico.

Existe una analogía casi completa entre el significado de las fronteras temporales y espaciales en la conciencia del otro y en la autoconciencia. Un examen fenomenológico y la descripción de la vivencia propia y de la del otro, por el hecho de que la nitidez de tal descripción no es opacada con la aportación de las generalizaciones y regularidades teóricas (el hombre en general, la igualación del *yo* y del *otro,* la abstracción de los significados valorativos), manifiesta claramente una diferencia fundamental en la importancia del tiempo en la organización de la vivencia propia y de la vivencia de mi persona por el otro. El otro está ligado más íntimamente al tiempo (claro que aquí no se trata de un tiempo elaborado matemáticamente o desde el ángulo de las ciencias naturales, lo cual supondría una correspondiente generalización del hombre), el otro está completamente en el tiempo, así como lo está en el espacio, y nada en la vivencia que él hace de mí irrumpe en la temporalidad permanente de mi existencia. Yo mismo, para mí, no me encuentro en el tiempo, pero "una gran parte de mí" * se vive por mí intuitivamente fuera del tiempo, y yo poseo un apoyo inmediato para ello en el sentido. *Este* apoyo no me es dado de una manera *inmediata* en el otro; al otro, yo lo ubico totalmente en el tiempo, mientras que a mí mismo yo me vivencio en un *acto* que enmarca el tiempo. Yo, en tanto que sujeto del acto que presupone la temporalidad, estoy fuera del tiempo. El otro siempre se me contrapone como objeto: su imagen está en el espacio y su vida interior en el tiempo. Yo, en tanto que sujeto, jamás coincido conmigo mismo: yo, como sujeto del acto de autoconciencia, rebaso los límites del contenido de este acto; ésta no es una consideración abstracta sino una posibilidad de escape fuera del tiempo y de todo lo dado, de todo lo terminal y existencial que yo manejo con seguridad: obviamente, yo no me vivencio como una totalidad en el tiempo. Luego, está claro que yo no dispongo ni organizo mi vida, mis pensamientos, mis actos, en el tiempo (en una cierta totalidad temporal): un horario del día no organiza la vida, por supuesto; más bien los organizo sistemáticamente, en todo caso se trataría de una organización semántica (aquí abstraemos una especial psicología del conocimiento de la vida interior, y la psicología de la autoobservación; Kant hablaba de la vida interior como objeto del conocimiento teórico); yo no vivo el aspecto temporal de mi vida, y no es éste el fundamento rector, ni incluso en un acto práctico elemental; el tiempo tiene para mí un carácter técnico, igual que el espacio

* Bajtín cita el *Monumento* de Pushkin: "No, no moriré todo,/sino que una gran parte de mí/evitará la muerte y vivirá eternamente." [T.]

(yo domino la técnica del tiempo y del espacio). La vida de otro, concreto y determinado, la organizo básicamente en el tiempo (por supuesto, cuando no separo al otro de su causa, o a su pensamiento de su personalidad), pero no en un tiempo cronológico o matemático sino en el tiempo de la vida que posee una carga emocional y valorativa, o que puede lograr tener un ritmo musical. Mi unidad es una unidad de sentido (lo trascendente se da en mi experiencia espiritual), mientras que la unidad del otro es de carácter espaciotemporal. Y aquí podemos decir que el idealismo es intuitivamente convincente en la vivencia propia; el idealismo es la fenomenología de la vivencia propia, pero no de la vivencia del otro; la concepción naturalista de la conciencia y del hombre en el mundo es la fenomenología del otro. Por supuesto, no nos referimos aquí a la importancia filosófica de estas concepciones, sino solamente a la experiencia fenomenológica que está en su base; las concepciones filosóficas representan una elaboración teórica de esta experiencia.

Yo vivencio la vida interior del otro como un alma, pero vivo en mi interior con el espíritu. El alma es la imagen del conjunto de todo lo vivido realmente, de todo lo existente en el alma en el plano temporal, mientras que el espíritu es el conjunto de todos los sentidos, significados de la vida, de los actos a partir de uno mismo (sin abstraerse del *yo*). Desde el punto de vista de la vivencia propia es convincente la inmortalidad semántica del espíritu; desde el punto de vista de mi vivencia del otro, se vuelve convincente el postulado de la inmortalidad del alma, es decir, de la inmortalidad del determinismo interno del otro, de su paz interior (la memoria), que yo amo sobre el sentido (así como el postulado de la inmortalidad de un cuerpo amado: Dante).[30]

Un alma vivida desde el interior es espíritu, y éste es extraestético (así como es extraestético un cuerpo vivido desde el interior); el espíritu no puede ser portador del argumento, porque el espíritu en general no existe sino que se presupone en cada momento, está por realizarse, y una tranquilidad interna es para él imposible: no existe un punto, una frontera, un período, un apoyo para el ritmo y para una mediación absoluta emocional y positiva; tampoco el espíritu puede ser portador del ritmo (y de la exposición y, en general, del orden estético). El alma es un espíritu que aún no se realiza y se refleja en la conciencia amorosa del otro (del hombre, de Dios); es aquello con lo que yo no tengo nada que hacer, en lo que yo soy pasivo, receptivo (desde el interior, un alma sólo puede avergonzarse de sí misma; desde el exterior puede ser bella e ingenua).

Un determinismo interno nacido y muerto en el mundo y para el mundo (la carne mortal del sentido), dado totalmente y concluido en el mundo, aunado todo en un objeto terminal, puede tener una importancia argumental, puede llegar a ser héroe.

Así como el argumento de mi vida personal es creado por la otra gente que lo protagoniza (sólo dentro de mi vida expuesta para el otro, sólo a sus ojos y en sus tonos emocionales y volitivos puedo llegar a ser su protagonista), igual una visión estética del mundo, la imagen del mundo, se crea por la vida conclusa de los otros hombres que son sus héroes. El comprender este mundo como el mundo de otros hombres, que concluyeron en él su vida —el mundo de Cristo, de Sócrates, de Napoleón, de Pushkin, etc.—, es la primera condición para su enfoque estético. Hay que sentirse como en su casa en el mundo de los otros hombres, para poder pasar de la confesión a una contemplación estética objetiva, de las preguntas sobre el sentido, y de las búsquedas del sentido, a la bella dación del mundo. Es necesario comprender que todas las definiciones positivas de valores de la dación del mundo, todas las figuraciones valorativas propias de la existencia del mundo, tienen al otro como su protagonista justificadamente concluso: todos los argumentos se componen en torno al otro, sobre él se han escrito todas las obras, se han vertido todas las lágrimas, a él se han dedicado todos los monumentos, todos los panteones están llenos de otros, sólo al otro lo conoce, recuerda y reconstruye la memoria productiva, para que también mi recuerdo sobre el objeto, el mundo y la vida se vuelva artística. Sólo en un mundo de los otros es posible un movimiento estético, argumental, de valor propio: el movimiento en el *pasado*, que tiene su valor fuera del futuro y en que están perdonadas todas las obligaciones y deudas, y están abandonadas todas las esperanzas. El interés artístico se ubica fuera del significado de una vida concluida fundamentalmente. Hay que apartarse de uno mismo por liberar al héroe para un movimiento argumental libre en el mundo.

3] Hemos examinado, desde el punto de vista del valor, el mismo hecho del ser-no ser del determinismo interior del hombre, y hemos establecido que mi ser-existencia carece de valor estético, de significado argumental, así como mi existencia física carece de significado plástico-pictórico. Yo no soy el héroe de mi propia vida. Ahora hemos de analizar todas las condiciones de la elaboración estética del determinismo interno: la vivencia aislada, la situación interna y, por fin, la totalidad de la vida espiritual. En el capítulo presente sólo nos interesan las condiciones generales para constituir esta vida interior en un alma, y en particular sólo las condiciones semánticas del *ritmo* en tanto que ordenación puramente temporal; las formas especiales de expresión del alma en la creación verbal —confesión, autobiografía, biografía, carácter, tipo, situación, personaje— se analizarán en el capítulo siguiente (la totalidad del sentido).

Semejante a un movimiento físico externo vivido desde el interior, también el movimiento interno, la orientación, la vivencia, carecen de un determinismo significativo, de un carácter ya dado, y no viven gracias a su existencia. La vivencia como algo determinado no la vive el sujeto mismo, sino que está dirigida hacia cierto sentido, objeto, estado, más hacia uno mismo, hacia una determinación y plenitud de su existencia en el alma. Yo vivencio el objeto de mi miedo como horror, el de mi amor como amado, el de mi sufrimiento como pesar (el grado de la definición cognoscitiva es aquí, por supuesto, insustancial), pero no vivencio mi miedo, mi amor, mi sufrimiento. La vivencia es una orientación valorativa de mi *totalidad* con respecto a algún objeto, mi "pose" no está presente en esta orientación. Para vivir mis vivencias, yo debo convertirlas en el objeto especial de mi actividad. Debo abstraerme de aquellos objetos, propósitos y valores hacia los cuales fue dirigida la vivencia real y los cuales le dieron sentido para poderla realizar como algo determinado y existente. Debo dejar de tener miedo para vivirlo en su determinismo espiritual (no objetual), debo dejar de amar para vivenciar mi amor en todos los momentos de su existencia. Aquí no se trata de una imposibilidad psicológica ni de una "estrechez de la conciencia" sino de una imposibilidad valorativa y semántica: debo rebasar los límites de aquel contexto valorativo en que transcurría mi vivencia para hacer de ella la carne misma de mi alma, mi objeto; yo debo ocupar una posición distinta en un horizonte de valores distinto, y esta reconstrucción tiene un carácter sumamente importante. He de volverme, con respecto a mí mismo, otro que vive su vida en este universo de valores, y este otro debe ocupar una posición esencialmente fundamentada fuera de mi persona (como psicólogo, artista, etc.). Podemos expresarlo de esta manera: la vivencia misma como determinismo espiritual cobra su importancia *no* en el contexto de valores de mi propia vida. En mi vida, esta vivencia no existe. Es necesario obtener un punto de apoyo semántico de peso fuera de mi contexto vital, un punto vivo y creativo y, por lo tanto, *justificado,* para extraer la vivencia del único y unitario acontecimiento de mi vida y, por consiguiente, del ser como acontecer único, porque éste sólo es dado desde mi interior, y para percibir su determinismo como una característica, como un rasgo de la totalidad espiritual (es lo mismo si se trata de un carácter completo, de un tipo, o sólo de una situación interna).

Es cierto que puede aparecer un reflejo moral con respecto a uno mismo que no rebase los límites del contexto vital; el reflejo moral no se abstrae del objeto y del sentido que ponen en movimiento la vivencia; precisamente desde el punto de vista del objeto dado se refleja la mala dación de la vivencia. El reflejo moral no conoce la dación positiva, la existencia, con un valor propio, porque desde el punto de vista de lo dado la existencia es casi siempre algo malo, algo que no debe ser; lo mío en la vivencia es la mala subjetividad del punto de vista de un objeto significativo hacia el cual está dirigida la vivencia; de ahí que sólo en tonos de arrepentimiento pueda ser percibida la dación interior en un reflejo moral de uno mismo, pero la reacción de arrepentimiento no crea una imagen íntegra y estéticamente significativa de la vida interior; desde el punto de vista de la significación forzosa del mismo sentido dado en tanto que éste se me oponga en toda su seriedad, el ser interior no encarna sino distorsiona (subjetiviza) el sentido (frente al sentido, la vivencia no puede tranquilizarse justificadamente e independizarse). El reflejo gnoseológico tampoco conoce la dación individual positiva, ni tampoco el reflejo filosófico en general (la filosofía de la cultura), y éste no tiene que ver con la forma individual de la vivencia del objeto, que es el momento de la totalidad interior e individual dada del alma, sino con las formas trascendentes del objeto (y no de la vivencia) y con su unidad ideal (presupuesta). Lo *mío* en la vivencia del objeto es estudiado por la psicología, pero en una abstracción absoluta del peso valorativo del *yo* y del *otro,* de su unicidad; la psicología sólo conoce de "individualidad posible" (Ebbinghaus). La dación interior no se contempla sino que se estudia en la supuesta unidad de la ley psicológica y en un contexto despojado de valores.

Lo *mío* llega a ser dación positiva y contemplada sólo gracias a un enfoque estético, pero lo *mío* no está en mí para mí, porque en mí no puede cristalizar en una existencia calmada bajo la luz directa irradiada por el sentido y el objeto, no puede llegar a ser el centro valorativo de la contemplación receptiva como un propósito (en el sistema de propósitos prácticos), sino como despropósito interior. Éste es nuestro determinismo interno, no iluminado por el sentido sino por el amor por encima de todo sentido. La contemplación estética debería abstraerse de la significación forzosa del sentido y propósito. El objeto, el sentido y el propósito dejan de regir valorativamente y se convierten sólo en características de la dación autónoma de la vivencia. La vivencia es la huella del sentido en el ser, es un destello sobre el ser, desde su interior la vivencia no vive por sí misma sino por este sentido que se encuentra y se capta afuera, porque cuando la vivencia no capta el sentido es que simplemente no existe; la vivencia representa la relación con el sentido y el objeto y fuera de esta relación no existe para sí, nace como un cuerpo interior involuntaria e ingenuamente y, por consiguiente, no para sí sino para el otro, para el cual llega a ser un valor observable aparte del sentido, llega a ser una forma valorada, y el sentido se vuelve el contenido. El sentido se somete al valor del ser individual, a la carne mortal de la vivencia. Por supuesto, la vivencia se lleva consigo el destello de su sentido predeterminado, porque sin éste quedaría vacía, pero se concluye positivamente fuera de este sentido en toda su forzada no-realización fundamental en el ser.

La vivencia, para plasmarse estéticamente, para definirse positivamente, debe purificarse de las mezclas de sentido, de todo lo trascendentemente significativo, de todo aquello que la hace significar no en el contexto valorativo de una personalidad determinada y en la vida que puede ser concluida, sino en el contexto objetivo y siempre predeterminado del mundo y de la cultura: todos estos momentos han de ser inmanentes a la vivencia, reunidos en un alma fundamentalmente terminal y concluida, concentrados y cerrados en ella, en su unidad individual e internamente evidente; sólo un alma así puede ser ubicada en un mundo existente y determinado, sólo un alma semejante y concentrada llega a ser un héroe estéticamente significativo en el mundo.

Pero esta liberación esencial del determinismo es imposible con respecto a mi propia vivencia, aspiración, acción. El futuro interno anticipado de la vivencia y la acción, su propósito y sentido, desintegran el carácter definido del camino de la aspiración; ni una sola vivencia en este camino llega a ser independiente para mí, determinada, adecuadamente descriptible y expresable mediante la palabra e incluso mediante un sonido de tonalidad determinada (desde mi interior sólo existe la tonalidad de oración, de súplica y de arrepentimiento); además, esta inquietud e indefinición tienen un carácter de principio: una amorosa demora de la vivencia, necesaria internamente para iluminar y definir la última, y las mismas fuerzas emocionales y volitivas necesarias para ello, serían una traición a la forzada seriedad del sentido-propósito de la aspiración, una separación del acto de determinación viva hacia la dación. Yo debo abandonar los límites de la aspiración, colocarme fuera de ella para poderla ver encarnada interna y significativamente. Para ello es insuficiente la salida fuera de los confines de una sola vivencia dada, provisionalmente aislada de otras (un aislamiento semántico, o bien tendría un carácter sistemático, o bien sería la inmanentización estética de un sentido carente de importancia), lo cual es posible cuando la vivencia se aleja de mí hacia un *pasado temporal;* entonces yo *temporalmente* me ubico fuera de ella; para una amorosa definición estética es insuficiente esta provisional extraposición respecto a la vivencia; es necesario abandonar los límites de todo lo dado vivenciado que llena de sentido las vivencias separadas de la totalidad, es decir, dejar los límites el alma dada que es la que la realiza. La vivencia debe ingresar a un *pasado semántico* absoluto, con todo su contexto semántico gracias al cual cobra sentido. Sólo bajo esta condición la vivencia de una aspiración puede adquirir una cierta duración, un contenido casi observable directamente, y solamente así el camino interno de la acción puede ser fijado, determinado, amorosamente concentrado y medido por el *ritmo,* lo cual sólo sucede debido a la actividad de otra alma, en su contexto abarcador emocional y volitivo. Para mí mismo, ni una sola vivencia ni aspiración mía pueden pasar a formar parte de un pasado semántico absoluto, aislado y delimitado del futuro, justificado y concluido fuera de él, puesto que es *a mí* a quien yo encuentro en la vivencia dada; yo no lo niego *en tanto que mío,* en la unidad de mi vida, sino que lo relaciono con un futuro semántico, lo hago indiferente con respecto a este futuro, traslado su justificación y cumplimiento hacia lo inmediato (que aún puede tener solución), y todo esto porque yo soy quien lo habita, porque aún no existe plenamente. Así nos hemos enfrentado al problema del *ritmo.*

El ritmo es la ordenación valorativa de la dación interna, de la existencia. El ritmo no es expresivo en el sentido exacto de la palabra, no expresa la vivencia, no se fundamenta desde su interior, no es una reacción emocional y volitiva al objeto y al sentido, sino que representa una reacción a esta reacción. El ritmo no tiene objeto en el sentido de que no se relacione directamente con el objeto, sino con la vivencia del objeto, con la reacción a ella, por lo cual disminuye la importancia objetual de los elementos de la serie.

El ritmo supone una inmanentización del sentido con respecto a la misma vivencia, del propósito a la misma aspiración; el sentido y el propósito han de ser para mí solo un momento de la vivencia-aspiración con valor propio. El ritmo presupone cierta *predeterminación* de la aspiración, de la acción, de la vivencia (cierta irremediabilidad semántica); el futuro real, fatal, arriesgado y absoluto se supera mediante el ritmo, se supera la frontera misma entre el pasado y el futuro (y, por supuesto, el presente) a favor del pasado; el futuro semántico parece disolverse en el pasado y el presente, se predetermina artísticamente por ellos (puesto que el autor contemplador siempre abarca provisionalmente la totalidad, él siempre es *después,* y no sólo temporalmente sino que es después en el *sentido*). Pero el mismo momento de transición, del movimiento del pasado y presente (al futuro semántico absoluto; no a aquel futuro que asienta todo en su lugar, sino al otro futuro que debe por fin cumplir, realizar, el futuro que *oponemos* al presente y al pasado como una salvación, transformación y expiación; es decir, no el futuro en tanto que una desnuda categoría temporal, sino como una categoría de sentido, como algo que aún no existe en tanto que valor, que aún no está predeterminado, que aún no está *desacreditado* por el ser, no está enturbiado por el ser-dación, que es puro, incorruptible, desvinculado e ideal, pero no gnoseológica y teóricamente, sino prácticamente, como un deber ser), éste es el momento del suceso puro en mí, donde yo, desde mi interior, pertenezco al unitario y único acontecimiento del ser: en él existe una arriesgada y absoluta no-predeterminación del desenlace del suceso (no se trata de una no-predeterminación argumental y semántica; el argumento, igual que el ritmo y que todos los momentos estéticos en general, puede y debe ser abarcado por completo, desde el principio hasta el fin, en todos sus momentos, por la mirada interior, puesto que sólo la totalidad, aunque sólo potencial, puede tener un significado estético); se trata aquí de un "o bien esto-o bien aquello" del acontecimiento; es aquí donde se traza la frontera absoluta del ritmo; este momento no se somete al ritmo, es por principio extrarrítmico, y no le es adecuado; el ritmo aquí se distorsiona y se vuelve falso. Es el momento en que el ser debe superarse a sí mismo por el deber ser, en que el ser y el deber ser se reúnen, se encuentran en mí con hostilidad, en que el "es" y el "debe ser" se excluyen recíprocamente; es el momento de la disonancia fundamental, puesto que el ser y el deber ser, la dación y la predeterminación, en mi interior, en lo que es *yo mismo,* no pueden ser relacionados rítmicamente, no pueden ser percibidos en un único plano de valores, no pueden llegar a ser el momento del desarrollo de una serie positiva de valores (no pueden ser *arsis* y *tesis* [31] del ritmo, disonancia y cadencia, dado que ambos momentos se ubican en un plano idénticamente positivo de valores, y la disonancia en el ritmo siempre es convencional). Pero es precisamente este momento en que se me opone fundamentalmente el deber ser como un mundo diferente el que viene a ser la cumbre de mi seriedad creadora, de la productividad pura. Por consiguiente, el acto creativo (vivencia, aspiración, acción) que enriquece el acontecimiento del ser (sólo es posible un enriquecimiento cualitativo y formal del acontecer, y no uno cuantitativo y material, si es que éste no se transforma en enriquecimiento cualitativo también), que crea lo nuevo, es, por principio, arrítmico (en su proceso de realización, por supuesto; una vez concluido, el acto se aísla en el ser; en mí mismo, en tonos de arrepentimiento; en el otro, en tonos heroicos).

El libre albedrío y la actividad son incompatibles con el ritmo. La vida (vivencia, aspiración, acto), vivida en categorías de una libertad moral y de la actividad, no puede cobrar un ritmo. La libertad y la actividad crean el ritmo para un ser éticamente no libre y pasivo. El creador es libre y activo, lo creado no es libre y es pasivo. Es cierto que la no-libertad, la necesidad de una vida marcada por el ritmo, no es una necesidad cognoscitiva mala e indiferente respecto al valor, sino una necesidad bella y donada por el amor. Un ser realizado es un "propósito del despropósito", el propósito no se elige, no se discute, no hay responsabilidad del propósito; el lugar ocupado por la totalidad estéticamente percibida en el acontecimiento abierto de un ser único y unitario no se discute, no entra en el juego; la totalidad como valor es independiente del futuro riesgoso en el acontecimiento del ser, y se justifica a pesar de este futuro. Pero la actividad moral es responsable precisamente de la elección del propósito y del lugar en el acontecimiento del ser, y en esto no es libre. En este sentido, la libertad ética (el llamado libre albedrío) no es sólo la libertad con respecto a la necesidad cognitiva (causal), sino también con respecto a la necesidad estética; es la libertad de mi acto con respecto al ser en mí: o bien como algo afirmado o bien como no afirmado valorativamente (el ser de la visión artística). En todas partes donde yo soy, soy libre y no me puedo liberar del deber ser; el comprenderse a sí mismo activamente significa iluminarse a sí mismo con un sentido inminente; fuera de mí, este sentido no existe. La actitud hacia uno mismo no puede ser rítmica, no es posible encontrarse a sí mismo en el ritmo. La vida que yo reconozco como mía, en la que me encuentro *activamente*, no puede ser expresada mediante el ritmo, se avergüenza de éste; aquí debe ser interrumpido todo ritmo, ésta es la zona de sobriedad y silencio (comenzando por las depresiones de la praxis y llegando hacia las cumbres ético-religiosas). Yo sólo puedo ser poseído por el ritmo; bajo el ritmo, como bajo narcosis, yo no estoy consciente de mí mismo. (La vergüenza del ritmo y de la forma es la raíz de la soledad soberbia y de la oposición al otro que ha transgredido las fronteras y que desea trazar alrededor suyo un círculo infranqueable.)

En la vivencia interior del ser del otro hombre realizada por mí (en el ser activamente vivido en la categoría de *otredad*), el ser y el deber ser no están disociados ni son hostiles, sino que se relacionan orgánicamente, se encuentran en un mismo plano valorativo; el *otro* crece en tanto que sentido. Su actividad es heroica y se halaga mediante el ritmo (porque la totalidad del otro para mí puede encontrarse en el pasado, y lo libero justificadamente del deber ser, sólo se opone a mí en mí mismo, en tanto que sea imperativo categórico). El ritmo es posible como una actitud hacia el otro, pero no hacia uno mismo (y aquí no se trata de una imposibilidad de una orientación valorativa); el ritmo aquí representa el abrazo y el beso destinados al tiempo de la vida mortal del otro valorativamente concentrada. Donde hay ritmo, hay dos almas (o, más bien alma y espíritu), hay dos actividades; una es la que vive la vida y que se hizo pasiva para la otra, que es la que la constituye y ensalza.

A veces yo me enajeno de mí mismo en el plano valorativo, empiezo a vivir en el otro y para el otro, y entonces puedo iniciarme en el ritmo, pero soy éticamente pasivo para mí mismo dentro del ritmo. En la vida yo participo en lo cotidiano, en las costumbres, en la nación, el estado, la humanidad, el mundo de Dios; es allí donde yo vivo valorativamente en el otro y para otros, donde estoy revestido valorativamente de la carne del otro; donde mi vida puede someterse justificadamente a un ritmo (es sobrio el mismo momento de la sujeción), donde yo vivo, aspiro y hablo en el *coro* de otros. Pero no me canto a mí mismo en este coro y soy activo tan sólo con respecto al otro y pasivo ante la actitud del otro hacia mí, intercambio los dones desinteresadamente; siento en mí el cuerpo y el alma del otro. (Siempre y cuando la finalidad del movimiento o de la acción se encarnen en el otro o se coordinen bajo la acción del otro, en el caso del trabajo común; entonces también mi acción participa en el ritmo, pero yo no lo estoy creando para mí sino que me inicio en el ritmo para el otro.) No es mi naturaleza, sino la naturaleza humana en mí la que puede ser bella, y es el alma humana la que está llena de armonía.

Ahora podemos desarrollar más detalladamente la idea expuesta anteriormente acerca de la diferencia esencial que existe entre mi tiempo y el tiempo del otro. En relación conmigo mismo, yo vivo el tiempo de un modo extraestético. La dación inmediata de los sentidos, fuera de los cuales nada puede ser activamente comprendido como algo *mío,* hace imposible una positiva conclusión valorativa de la temporalidad. En una vivencia propia real, el sentido extratemporal no es indiferente con respecto al tiempo, sino que se le opone como un futuro semántico, como aquello que debe ser, en oposición a lo que ya es. Toda temporalidad y duración se opone al sentido como algo *aún no realizado,* como algo aún no concluido, como algo que *aún no está completo:* sólo de esta manera puede ser vivida la temporalidad, la dación del ser frente al sentido. Ya no hay nada que hacer, ni se puede vivir con la conciencia de la conclusión temporal completa; no puede haber ninguna actitud valorativa con respecto a una vida ya terminada de uno; desde luego, esta conciencia puede existir en el alma (conciencia de la conclusión), pero esta conciencia no organiza la vida; al contrario, su carácter de vivencia real (enfoque, valor) encuentra su actividad, su palpabilidad de una predeterminación forzosamente opuesta, porque sólo ésta organiza la realización interna de la vida (convierte una posibilidad en una realidad). Este futuro semántico absoluto es lo que se me opone valorativamente a mí y a mi temporalidad (a todo lo que ya existe en mí), no en el sentido de prolongación temporal de *una misma vida,* sino como una constante posibilidad y necesidad de transformarla *formalmente,* de atribuirle un nuevo sentido (la última palabra de la conciencia).

El futuro semántico es hostil al presente y al pasado en tanto que espacios carentes de sentido, así como una tarea es hostil a un incumplimiento, como el deber ser es hostil al ser, como la expiación es hostil al pecado. Ni un solo momento de la ya-existencia para mí mismo puede ser autosuficiente, una vez justificado, mi justificación siempre está en el futuro; esta justificación que se me opone eternamente cancela, para mí, mi pasado y mi presente en su pretensión de una ya-existencia continua, en la quietud de la dación, de la autosuficiencia, de una realidad verdadera del ser, en su pretensión de ser siempre y esencialmente yo, de agotar mi definición en el ser (la pretensión que tiene mi dación de proclamarse como una totalidad, la pretensión usurpadora de la dación). La realización futura no aparece para mí mismo como una continuación orgánica, como un crecimiento de mi pasado y presente, como su clímax, sino como una cancelación; así como la bienaventuranza donada no es un crecimiento orgánico de la naturaleza pecaminosa del hombre. En el otro está el perfeccionamiento (categoría estética); en mí, un nuevo nacimiento. Yo en mí mismo siempre vivo teniendo presente la absoluta exigencia o tarea, y no hay una aproximación gradual, parcial, relativa, hacia la última. La exigencia de vivir como si cada momento de la vida de uno pudiese resultar también el momento conclusivo, último, y al mismo tiempo, el momento inicial de una nueva vida, es para mí irrealizable por principio, puesto que en ella aún está viva la categoría estética (actitud hacia el otro), aunque en forma debilitada. Para mi persona, ni un solo momento puede ser autosuficiente hasta tal punto que pudiese evaluarse como la conclusión justificada de toda una vida y como un digno inicio de otra. Además, ¿en qué plano valorativo podrían encontrarse este inicio y esta conclusión? Esta misma exigencia, al ser reconocida por mí, en seguida se convierte en una tarea fundamentalmente inalcanzable; desde ese ángulo yo siempre padecería una necesidad absoluta. Para mí mismo sólo es posible la historia de mi caída, pero es por principio imposible la historia de mi encumbramiento. El mundo de mi futuro semántico es hostil al mundo de mi pasado y presente. En todo acto mío, en todo hecho interno y externo, en el acto-sentimiento, en el acto cognoscitivo, mi futuro se impone como un sentido puro y mueve mi acto, pero jamás se realiza en éste para mí mismo, siendo siempre una pura exigencia con respecto a mi temporalidad, historicidad, limitación.

Puesto que no se trata del valor de la vida para mí, sino de mi valor propio, no para otros, sino para mí, yo ubico este valor en el futuro semántico. Jamás mi reflejo propio llega a ser realista, yo no conozco forma alguna de la dación para conmigo mismo: la forma de la dación distorsiona radicalmente el cuadro de mi ser interior. Yo, dentro de mi propio sentido y valor para mí, estoy arrojado al mundo con un sentido infinitamente exigente. Apenas trato de definirme *para mí mismo* (no para el otro a partir del otro), me hallo a mí únicamente en un mundo planteado, fuera de mi existencia temporal, me encuentro como algo por venir en su sentido y valor; y en el tiempo (si nos abstraemos por completo de lo planteado yo sólo encuentro una orientación dispersa, un deseo y aspiración no cumplidos: *membra disjecta* de mi posible totalidad; pero aún no existe en el ser aquello que los podría unir, llenar de vida y darles forma: no existe el alma, mi verdadero *yo-para-mí;* este yo está planteado y está por realizarse. Mi definición de mi persona no se me da (o se me da como tarea, como una dación planteada) en las categorías del ser temporal sino en las de un *aún-no-ser,* en las categorías de finalidad y sentido, en un futuro semántico hostil a toda existencia mía en el pasado y presente. El ser para uno mismo significa además ir adelante de uno mismo *(el dejar de adelantarse a uno mismo, el resultar ya concluido, significa morir espiritualmente)*.

En el determinismo de mi vivencia para mí mismo (determinismo del sentimiento, deseo, aspiración, pensamiento) no puede haber nada valioso aparte de aquel sentido y objetivo planteado que venía realizándose, que definía la vivencia. Porque el determinismo contenidista de mi ser interior es sólo un destello del objetivo y sentido posibles; es su huella. Cualquier anticipación, incluso la más completa y perfecta (definición para el otro y en el otro), desde mi interior es siempre subjetiva, y su concentración y determinismo —si no aportamos desde fuera categorías estéticas justificantes y conclusivas, o sea formas de otredad— es una concentración viciosa que limita el sentido; representa una especie de concentración de la distancia espaciotemporal entre el sentido y el objetivo. Y si el ser interior se separa del sentido contrapuesto y anticipado gracias al cual es creado en su totalidad y el cual lo hace significar, y se le opone como un valor autónomo, llega a ser autosuficiente frente al sentido, con ello cae en una profunda contradicción consigo mismo, en una negación propia que con su existencia niega su contenido y se convierte en mentira: el ser de la mentira o la mentira del ser. Podemos decir que es una falta inmanente al ser: forma parte de la tendencia del ser, puesto que pretende permanecer, satisfecho, en su existencia frente al sentido —la concentrada autoafirmación del ser a pesar del sentido que lo había engendrado (la separación del origen), el movimiento que se ha detenido repentinamente y puso un punto final sin justificación, dio la espalda a la finalidad que lo había creado (materia que cobró súbitamente forma de una roca). Es una conclusión absurda y desconcertante que se avergüenza de su forma.

Pero en el *otro* este determinismo del ser interior y exterior se vive como una pasividad miserable y necesitada, como un indefenso movimiento hacia el ser y la permanencia eterna, ingenuo en su afán de ser, cueste lo que cueste; el ser que se concentra fuera de mí como tal en sus monstruosas pretensiones es tan sólo ingenua y femenilmente pasivo, y mi actividad estética desde fuera ilumina, confiere un sentido y una forma a sus fronteras, lo concluye valorativamente (al separarme totalmente del ser, apago la claridad del acontecimiento para mí y me convierto en su participante oscuro, espontáneo y pasivo).

Una real vivencia mía en la que yo soy activo jamás puede cobrar una paz interior, detenerse, terminar, concluir, no puede dejar de formar parte de mi actividad, cristalizar de repente en un ser autónomamente acabado, con el cual nada tiene que ver mi actividad, porque si tengo una vivencia, en ella siempre está presente un planteamiento forzoso, desde interior esta vivencia es infinita y no puede dejar de justificarse, o sea, no puede librarse de todas las obligaciones con respecto a su objetivo y sentido. Yo no puedo dejar de ser activo en este planteamiento, lo cual significaría cancelarme a mí mismo en mi sentido, convertirme en una máscara de mi ser, en una mentira a mí mismo. La vivencia puede ser olvidada, pero entonces no existe para mí; puede ser recordada valorativamente sólo en su planteamiento (al renovar la tarea), pero no puede ser recordada su existencia. La memoria es memoria del futuro para mí: para el otro, lo es del pasado.

El carácter activo de mi autoconciencia siempre es real y traspasa todas mis vivencias en tanto que *mías;* esta actividad no deja pasar nada y siempre renueva las vivencias que traten de separarse y de quedar concluidas; en todo esto existe mi responsabilidad, mi fidelidad a mí mismo en mi futuro, en mi ruta.

Yo puedo recordar mi vivencia como valorada activamente no desde su contenido aislado, sino desde su sentido y objetivo planteado, es decir desde aquello que había llenado de sentido su aparición en mí, con lo cual yo siempre renuevo el planteamiento de toda vivencia; uno mi totalidad no en un pasado sino en un futuro que siempre está adelante: se me da y no se me da, yo la conquisto permanentemente sobre el filo de mi actividad; no es la unidad de mi tenencia y mi posesión, sino la de mi no-tenencia y no-posesión; no es la unidad de mi ya-existencia, sino la de mi aún-no-existencia. Todo lo positivo de esta unidad se encuentra sólo como un planteamiento, mientras que en la dación está todo lo negativo; lo positivo se me da sólo cuando todo valor se me plantea como tal.

Sólo cuando yo no me aíslo de un sentido planteado, me puedo dominar en un futuro absoluto, me mantengo en mi planteamiento, me gobierno efectivamente desde la infinita lontananza de mi futuro absoluto. Puedo demorar en mi existencia sólo en forma de arrepentimiento, porque esta demora se realiza a la luz de lo planteado. Pero apenas dejo salir del campo valorativo de mi visión a mí mismo planteado, y dejo de estar intensamente conmigo en el futuro, mi dación pierde en seguida para mí su unidad anticipada, se descompone, se estratifica en fragmentos llanamente existentes del ser. Sólo queda buscar morada en el *otro* y desde allí juntar los trozos dispersos dentro del alma del otro y con sus propias fuerzas. Así mi espíritu desintegra mi alma.

Éste es el tiempo de una vivencia propia que haya logrado una pureza completa con respecto a uno mismo, vivencia del propósito valorativo del espíritu. Pero aun en una conciencia más ingenua en que todavía no se haya diferenciado por completo el *yo-para-mí* (en el plano de la cultura: la conciencia de la antigüedad clásica), yo siempre me defino en términos del futuro.

¿En qué consiste mi seguridad interior que endereza mi espalda, que me hace levantar la cabeza, que dirige mi mirada hacia adelante? ¿En la dación pura, no completada ni continuada por el deseo y la tarea? También en este caso, el hecho de ubicarme delante de mí mismo viene a ser fundamento del orgullo y de la autosuficiencia, también aquí el centro valorativo de autodeterminación está desplazado hacia el futuro. Yo no sólo quiero parecer mayor de lo que soy en realidad, sino que en efecto no puedo ver mi presencia pura, en efecto nunca puedo creer por completo en que yo sea solamente lo que soy aquí y ahora, yo me completo desde lo inminente, desde lo debido, desde lo deseado; sólo en el futuro se ubica el centro real de la definición propia. No importa qué forma más eventual e ingenua adoptase el deber y el desear, lo que importa es que no estén aquí, ni en el pasado ni en el presente. Y no importa qué podría lograr yo en el futuro, el centro de gravedad de la autodefinición siempre se estará moviendo hacia adelante, hacia el futuro, mientras que yo me apoyaría en lo inminente. Incluso el orgullo y la autosuficiencia por el presente se completan a cuenta del futuro (apenas empiezan a manifestarse y en seguida acusan su tendencia de adelantarse a sí mismos).

Sólo la conciencia de que en lo más importante de mi persona yo aún no existo viene a ser el principio organizador de mi vida desde mi interior (dentro de mi actitud hacia mi persona). La locura justificada de mi fundamental no-coincidencia conmigo mismo como algo dado determina la forma de mi vida desde mi interior. Yo no acepto mi presencia; yo creo loca e inefablemente en mi no-coincidencia con este mi ser interior. Yo no puedo medir mi persona total, diciendo: he aquí yo *todo,* y no hay ninguna cosa ni lugar más donde yo exista, yo ya soy plenamente. Aquí no se trata del hecho de la muerte: yo moriré; se trata del sentido. Yo vivo en la profundidad de mí mismo gracias a la eterna fe y esperanza de una constante posibilidad del milagro interior de un nuevo nacimiento. Yo ya puedo ubicar toda mi vida valorativamente acabada, y sólo desde el exterior puede llegarle una justificación amorosa, aparte del sentido no logrado. Mientras la vida no se interrumpa en el tiempo (para mí mismo, la vida se interrumpe, no se concluye) sigue viviendo desde su interior gracias a la esperanza y la fe en su no-coincidencia consigo, en su adelantarse semántico con respecto a sí misma; en eso, la vida es demente desde el punto de vista de su existencia, porque la fe y la esperanza no están fundamentadas por nada desde el punto de vista de ser efectivo (en el ser no hay garantía del deber ser, "no hay prenda de los cielos").[32] De allí que la fe y la esperanza tengan un carácter de letanía (desde el interior de la vida misma, sólo aparecen los tonos de letanía y de súplica). Dentro de mí mismo, esta locura de la fuerza y la esperanza permanece como la última palabra de mi vida; desde mi interior y con respecto a mi dación, sólo la oración y el arrepentimiento acaban en una necesidad (lo último que mi dación puede hacer es suplicar y arrepentirse; la última palabra de Dios que llega a nosotros es la salvación o condena). Mi última palabra carece de toda clase de energías, conclusivas, que afirmen positivamente; es estéticamente improductiva. Con ella, yo me dirijo fuera de mí mismo y me entrego al favor del otro (es el sentido de la confesión en el lecho de muerte). Yo sé que también en el otro la misma locura de no-coincidir fundamentalmente consigo mismo, el mismo carácter inconcluso de la vida, existen; pero para mí ésta no es su última palabra puesto que no suena como tal para mí: yo me encuentro fuera de él, y la última y conclusiva palabra me pertenece a mí. Está condicionada y requerida por mi concreta y plena extraposición con respecto al otro, por la extraposición con respecto al otro, por la extraposición espacial, temporal y semántica de la vida del otro como totalidad, de su orientación valorativa y su responsabilidad. Esta postura de extraposición hace que no sólo sea posible física, sino también moralmente lo imposible en sí mismo para uno mismo: la afirmación valorativa y aceptación de todo el ser dado del otro; la misma no-coincidencia suya con su persona, su tendencia a ubicarse fuera de sí mismo como algo dado, es decir su correlación más íntima con el espíritu, es para mí tan sólo una característica de su ser interior, sólo un momento de su alma dada y existente se concentra para mí en un cuerpo muy fino completamente abarcable por mi cariño. En este punto externo, *yo* y el *otro* nos encontramos en una contradicción mutua accidental: allí donde el otro se niega a sí mismo, a su ser-dación, desde su interior, yo, desde mi único lugar en el acontecer, afirmo y fijo valorativamente mi existencia negada por él, y la negación misma es para mí tan sólo un momento de su existencia. Aquello que el otro niega con justicia en su persona, yo lo afirmo y lo conservo también con toda justicia, con lo cual por primera vez yo concibo su alma en un nuevo plano de valores. Los centros valorativos de su propia visión de su vida y de mi visión de su vida no coinciden. En el acontecimiento del ser esta mutua contradicción valorativa no puede ser eliminada. Nadie puede ocupar una posición neutral respecto al *yo* y al *otro;* el punto de vista abstractamente cognitivo carece de enfoque valorativo; para obtener una orientación valorativa, es necesario ocupar el único lugar en el acontecimiento único del ser, es necesario encarnarse. Toda valoración implica el ocupar una posición individual en el ser; incluso Dios tuvo que encarnarse para poder acariciar, sufrir y *perdonar,* abandonando el abstracto punto de vista de la justicia. El ser es, de una vez y para siempre, irrevocable entre mí, que soy único, y todos los demás, que son otros para mí; la posición en el ser está tomada, y ahora todo acto y toda valoración pueden partir de ella, haciendo de ella su premisa. Yo soy el único en todo el ser del *yo-para-mí,* y todos los demás son *otros-para-mí* —éste es el postulado aparte del cual no puede existir valoración alguna; fuera de él es imposible para mí el enfoque del acontecimiento del ser; allí empezó y sigue empezando todo acontecimiento para mí. Un punto de vista abstracto no conoce ni ve el movimiento del acontecer del ser, su devenir valorativo aún abierto. En el acontecimiento único y unitario del ser no se puede ser neutral. Sólo desde mi único lugar puede aclararse el sentido del acontecimiento en proceso de desarrollo, y cuanto más intensamente me arraigo en mi lugar, tanto más claro es el sentido.

Para mí, el otro coincide consigo mismo, y yo lo enriquezco desde el exterior mediante esta coincidencia totalizante que lo concluye positivamente, y de este modo el otro llega a ser estratégicamente significativo, se hace héroe; desde su forma, en su totalidad, el héroe siempre es ingenuo e inmediato, por más desdoblado y profundo que sea por dentro; la ingenuidad y la espontaneidad son momentos de la forma estética como tal; cuando no se logran, el héroe no se objetiviza estéticamente porque entonces el autor aún no ha logrado una postura firme fuera de sí mismo, porque aún posee autoridad para consigo mismo desde el punto de vista de su sentido. Una forma con significado estético no busca en el héroe revelaciones del sentido; su última palabra es la conclusión en el ser en tanto que pasado básico. El percibir la contradicción más profunda *en el ser,* abrazarla con una mirada única como un momento del ser, sin participar en ella, es contribuir a que la contradicción sea ingenua y espontánea.

Allí donde el otro y su tensión semántica poseen una autoridad interna para nosotros, donde coparticipamos en su orientación semántica, allí se dificulta su superación y conclusión estética, el sentido autoritario desintegra su cuerpo exterior e interior, destruye su forma significativa ingenua y espontánea. (Es difícil traducirlo a la categoría del ser, porque soy yo quien se encuentra en el ser.) La anticipación de la muerte tiene una gran importancia para la conclusión estética del hombre. Es la anticipación de la muerte la que aparece como momento necesario en la forma estéticamente significativa del ser interior del hombre, en la forma del alma. Anticipamos la muerte del otro como una inevitable irrealización del sentido, como un fracaso semántico de toda una vida, creando tales formas de su justificación que él mismo no puede encontrar desde su lugar. En todo momento dado de la contemplación estética, desde el principio, el otro debe coincidir positivamente consigo mismo, lo debemos ver *por completo* en todo momento dado, aunque sea de un modo potencial. El enfoque artístico del ser interior del hombre lo predetermina: el alma siempre está predeterminada (en contraposición al espíritu). Ver su retrato interior es lo mismo que ver uno exterior; es un asomarse a un mundo en que por principio no existo y donde yo, permaneciendo yo mismo, no tengo nada que hacer; mi faz interna estéticamente significativa es una especie de horóscopo (con el cual tampoco hay nada que hacer; el hombre que supiese realmente su horóscopo quedaría en una situación internamente contradictoria y absurda: serían imposibles la seriedad y el riesgo de la vida, así como una correcta orientación del acto).

El enfoque estético del ser interior del hombre exige ante todo que no le creamos, ni contemos con él, sino que lo aceptemos por encima de la fe y la esperanza, que no nos encontremos con él y en él, sino fuera de él (porque a partir de su interior no puede haber ninguna valoración fuera de la fe y la esperanza). La memoria empieza a actuar como la fuerza que une y concluye; desde el primer momento de la aparición del héroe, éste nace para esta memoria (muerte), y su proceso de formación es el de recordación. La encarnación estética del hombre interior anticipa desde un principio la irremediabilidad semántica del héroe; la visión artística nos ofrece a *todo* el héroe calculado y medido hasta el final; en él no debe haber un secreto de sentido para nosotros, y nuestra fe y esperanza han de permanecer calladas. Desde un principio debemos buscar los límites de su sentido, admirarlo como algo formalmente terminado, pero no esperar de él revelaciones de sentido; desde un principio lo debemos vivenciar en su totalidad, y en su sentido, debe estar formalmente muerto para nosotros. Podemos decir que la muerte es una forma de conclusión estética de una personalidad. La muerte en tanto que fracaso semántico y en tanto que falta de justificación totaliza el sentido, plantea el problema y ofrece el método de una justificación estética fuera del sentido. Cuanto más perfecta y profunda es una encarnación, tanto más claramente se manifiestan en ella la conclusión-muerte y al mismo tiempo el triunfo estético sobre la muerte, la lucha de la memoria con la muerte (memoria en el sentido de una determinada tensión valorativa, de una fijación y aceptación por encima del sentido). Los tonos de réquiem suenan a lo largo de toda la vida del héroe personificado. De allí la particular irremediabilidad del ritmo y su ligereza, al mismo tiempo triste y alegre, la liberación de la seriedad irremediable del sentido. El ritmo abarca la vida *vivida,* y ya en la canción de cuna empiezan a sonar los tonos del réquiem final. Pero en el arte esta vida vivida se conserva, se justifica y se concluye en la memoria eterna; de allí que aparezca la cariñosa y bondadosa irremediabilidad del ritmo.

Y si el sentido motor de la vida del héroe nos arrastra como tal, gracias a su carácter planteado y no como una dación individual en su ser interior, esto obstaculiza la forma y el ritmo; la vida del héroe empieza a querer atravesar la forma y el ritmo, recibir un sentido autoritario desde el punto de vista del cual la refracción individual del sentido en el ser del alma, la existencia de un sentido encarnado, aparecen como su distorsión; una conclusión artísticamente convincente se vuelve imposible: el alma del héroe pasa de la categoría del *otro* a la del *yo,* se desintegra y se pierde en el espíritu.

4] Ésta es la totalidad estéticamente significativa de la vida interior de un hombre, ésta es su alma; ésta se crea activamente, cobra una forma positiva y se concluye únicamente dentro de la categoría del *otro,* la que permite afirmar positivamente la existencia por encima del sentido-deber-ser. El alma es la totalidad de una vida interior que coincide consigo misma, que es igual a sí misma y cerrada, que postula la extraposición de la actividad amorosa del otro. El alma es el don de mi espíritu al *otro.*

El mundo objetual en el arte, donde vive y se mueve el alma del héroe, es estéticamente significante en tanto que entorno de esta alma. Un mundo dentro del arte no es el *horizonte* de un espíritu que avanza, sino el *entorno* de un alma en proceso de desaparición, o desaparecida. La actitud del mundo con respecto al alma (actitud estéticamente significativa y correlación entre el mundo y el alma) es análoga a la relación entre su imagen visual y su cuerpo; no se le contrapone sino que la rodea y abraza vinculándose a sus fronteras; la dación del mundo completa la del alma.

El momento de la ya-existencia en todo el ser, la *faz* del ser ya *definida* en cuanto al contenido, necesita una justificación más allá del sentido por ser solamente *fáctica* con respecto a la plenitud planteada del sentido del acontecimiento. Incluso allí donde el sentido y el deber ser se anticipan como definidos en cuanto al contenido en imágenes o concepto, esta *definición* anticipada en seguida llega a formar parte del ser, de lo existente. Todo sentido anticipado del acontecimiento del ser en todo su carácter *definido* se plasma a través de lo fáctico y no se justifica ya por el mismo hecho de estar existiendo *ya*. Todo aquello que *ya es,* es injustificadamente, porque parece haberse atrevido a definirse y a persistir en esta su definitividad en el mundo que en su totalidad *aún* no está en tanto que sentido, en tanto que su justificación, *semejantemente a la palabra que quisiera definirse por completo en una frase todavía no acabada de pensar y pronunciar.* El mundo entero en su ya-existencia (es decir, allí donde pretende coincidir consigo mismo, con su dación independientemente de lo inminente, donde el ser es autosuficiente) no aguanta ni siquiera una crítica semántica que le sea inmanente.

"Un pensamiento expresado es mentira": el *mundo real* (abstraído de lo por venir y de lo planteado, de lo aún no pronunciado) representa un sentido ya expresado, ya enunciado del acontecimiento del ser, el mundo en su existir es la palabra dicha, enunciada. La palabra dicha se avergüenza de sí misma en la luz del único sentido que tenía que ser expresado (si no existe nada valorable aparte de este sentido contrapuesto). Mientras la palabra no estaba enunciada, se podía creer y tener esperanzas, porque adelante estaba una forzosa plenitud del sentido; pero una vez dicha la palabra, una vez que se atrape el sentido, todo desaparece. La palabra ya pronunciada suena a lo irremediable en su carácter ya enunciado; la palabra pronunciada es la carne mortal del sentido. El ser ya existente en el pasado y presente representa tan sólo la carne mortal del sentido del acontecimiento del ser por realizarse, del futuro absoluto; es irremediable (fuera de un cumplimiento futuro). Pero el otro hombre se encuentra por completo en este mundo, es su héroe, su vida se cumple de lleno en este mundo. Es carne de la carne y hueso del hueso del mundo existente y no es fuera de este mundo. A su alrededor y como su mundo, la existencia del ser encuentra su afirmación por encima del sentido, como un cumplirse positivo. El alma está fundida con la dación del mundo, a la que consagra con su presencia. El mundo me muestra su faceta planteada y todavía no cumplida; es el *horizonte* de mi conciencia avanzando: la luz del futuro descompone la estabilidad y el valor intrínseco de la carne del pasado y del presente. El mundo se vuelve positivamente significativo para mí en su plena dación tan sólo como el *entorno* del otro. Todas las características y definiciones del mundo en el arte y en la filosofía estetizada se dirigen valorativamente al *otro* que es su héroe. Este mundo, esta naturaleza, esta historia determinada, esta visión del mundo históricamente condicionada, en tanto que afirmados positivamente fuera del sentido, son el mundo, la naturaleza, la historia, la cultura del otro hombre, recogidas y concluidas por la eterna memoria. Todas las características y definiciones del ser existente que le confieren un movimiento dramático, desde el ingenuo antropomorfismo del mito (cosmogonías, teogonías) hasta los procedimientos del arte moderno y las categorías de la filosofía intuitiva y estetizante —principio y fin, nacimiento y eliminación, ser y llegar a ser, la vida etc.—, están iluminadas, todas, gracias a la luz valorativa reflejada de la *otredad*. El nacimiento y la muerte y todos los eslabones intermedios de la vida representan la escala del enunciado valorativo acerca de la existencia del ser. La carne mortal del mundo cobra un significado valorativo sólo vivificada por el alma mortal del *otro;* pero se desintegra en el espíritu (que no la vivifica sino que la juzga).

De todo lo dicho se sigue que el alma y todas las formas de representación estética de la vida interior (el ritmo), así como las formas del mundo dado correlacionado estéticamente con el alma, por principio no pueden ser formas de la autoexpresión pura, expresión de *uno mismo* y de lo *suyo,* sino que aparecen como formas de actitud hacia el *otro* y a su expresión propia. Todas las definiciones estéticamente significativas transgreden la vida misma y la dación del mundo vivida desde su interior, y sólo este carácter transgresivo fundamenta su fuerza e importancia (así como la fuerza y la importancia del perdón y de la expiación de los pecados es creada por el hecho de que sea el otro quien los realiza; yo no puedo perdonarme mis pecados, en tal caso el perdón y la expiación carecerían de valor); en caso contrario serían falsos y vacíos de contenido. La actividad del autor que está por encima del ser es la condición necesaria para darle una forma estética a la existencia. Para que el ser sea confiadamente pasivo, yo debo ser activo; para que el ser sea ingenuo para mí, yo debo ver más que el ser (y para obtener este excedente valorativo de visión, yo debo ocupar una posición fuera de un ser que se interpreta estéticamente). Yo debo ubicar mi acto creativo fuera de las pretensiones a la belleza, con el fin de que el ser se me aparezca como bello. La actividad creadora pura que emana de mí empieza allí donde termina en mí cualquier existencia, donde se acaba en mí todo ser como tal. Puesto que yo encuentro y comprendo algo como dado y determinado, en el mismo acto de determinación me coloco ya por encima de este algo (y por lo tanto la definición valorativa evalúa por encima de él); en esto consiste mi privilegio arquitectónico: partiendo de mí mismo, encontrar un mundo fuera de mí. Por eso yo soy el único que, estando fuera del ser, lo puede aceptar y concluir por encima del sentido. Es el acto absolutamente productivo de mi participación. Pero para ser realmente productivo y enriquecer el ser, este acto debe ser ubicado completamente por encima del ser. Yo debo abandonar valorativamente el ser para que en él no quede nada verdaderamente valioso para mí; nada mío que esté sujeto a la aceptación y conclusión estética; hay que limpiar todo el campo del ser dado para el otro, hay que impulsar la actividad de uno hacia adelante (para que no se desvíe hacia la propia persona de uno, en el sentido de querer colocarse también dentro del campo de visión); sólo entonces el ser aparecerá como algo necesitado, débil y frágil, como una criatura solitaria e indefensa, pasiva y santamente ingenua. El *ya-ser* significa necesitar: necesitar una afirmación desde el exterior, un cariño y protección desde fuera; estar presente (externamente) significa ser femenino para la efectividad pura y afirmativa del *yo*. Pero es necesario colocarse absolutamente fuera del ser, para que éste se revele frente a mí en toda su pasividad femenil.

El ser en su carácter existente, expreso, enunciado, ya se ha dado a mi actividad pura en la atmósfera de necesidad y vacío no completable por principio desde el interior de uno mismo, mediante sus fuerzas propias; y toda su actividad resulta ser pasiva para la mía; todas sus fronteras semánticas son dadas de una manera clara y palpable; y esta actividad de extraposición debe realizarse en la plena afirmación del ser por encima del sentido por el ser mismo, y en este acto la pasividad femenil y la ingenuidad del ser existente se tornan belleza. Si yo mismo, con toda mi actividad, caigo en el ser, en seguida se destruye su belleza expresada.

Por supuesto, es posible mi iniciación en la dación justificada del ser; yo debo volverme ingenuo para poder estar alegre. Desde mi interior, en mi actividad, yo no puedo ser ingenuo, por lo tanto no puedo ser alegre. Sólo el ser es ingenuo y alegre, pero no la actividad: ésta es irremediablemente seria. La alegría es el estado más pasivo, más indefenso del ser. Incluso la sonrisa más sabia es lastimera y femenil (o usurpadora, en el caso de ser autosuficiente). Sólo en Dios o en el mundo es posible para mí la alegría, o sea, sólo allí donde yo me inicio justificadamente en el ser a través del otro y para el otro, donde yo soy pasivo y acepto el don. Es mi otredad la que se alegra en mí, pero no yo para mí. También sólo la fuerza ingenua y pasiva del ser puede celebrar el triunfo; la celebración es espontánea. Yo sólo puedo reflejar la alegría del ser afirmado de los otros. La sonrisa del ser es una sonrisa *reflejada,* no es la sonrisa de uno (la alegría reflejada y la sonrisa en la hagiografía y en la pintura eclesiástica, en el icono).

Puesto que yo me inicio justificadamente en el mundo de la otredad, yo soy pasivamente activo en este mundo. La imagen clara de esta actividad pasiva es la danza. En la danza se funden mi apariencia, vista sólo por los otros y existente para los otros, y mi actividad orgánica interna; en la danza, todo lo interior en mí aspira a salir fuera, a coincidir con la apariencia; en la danza yo más que nada me concentro en el ser, iniciándome en el ser de los otros; es mi existencia la que danza en mí, afirmada valorativamente desde el exterior; es el otro quien danza en mí. En la danza se vive, evidentemente, la posesión por el ser. La danza es un límite extremo para mi actividad pasiva, pero ésta aparece también en otros ámbitos de la vida. Soy pasivamente activo cuando mi acción no es condicionada por la actividad semántica de mi *yo-para-mí,* pero se justifica a partir del ser cotidiano, de la naturaleza, cuando no es el espíritu sino el ser existente de lo espontáneamente activo en mí. La actividad pasiva está condicionada por las fuerzas dadas y existentes, está predeterminada por el ser; no enriquece el ser con algo que es por principio inalcanzable desde el ser mismo, no cambia el aspecto semántico del ser. La actividad pasiva no transforma nada formalmente.

Con lo dicho, se marca aún más firmemente la frontera entre el autor y el héroe, como portador de un contenido vital el segundo, y portador de la conclusión estética de éste, el primero.

Nuestro postulado acerca de la combinación estética de cuerpo y alma se fundamenta definitivamente con esto. Puede haber conflicto entre el espíritu y el cuerpo externo, pero no puede haberlo entre alma y cuerpo, porque se construyen en las mismas categorías valorativas y expresan una única relación creadora activa con la dación del hombre.

EL HÉROE COMO TOTALIDAD DE SENTIDO

Acto, confesión, autobiografía, héroe lírico, biografía, situación, carácter, tipo, personaje, hagiografía.

La arquitectónica de la visión artística no sólo ordena los momentos espaciales y temporales, sino también los de significado; la forma no sólo puede ser espacial y temporal, sino semántica. Hasta ahora, hemos analizado las condiciones en que el espacio y el tiempo del hombre con su vida se vuelven estéticamente significativos; pero también la orientación semántica del héroe en su existencia adquiere una importancia estética: se trata del lugar interior que ocupa en el único acontecimiento del ser, de su postura valorativa dentro del ser, es una posición que se aísla del acontecimiento y se concluye artísticamente; la selección de los momentos semánticos determinados del acontecer define también la selección de los momentos transgredientes que les corresponden en la conclusión, lo cual se expresa en la diversidad de las formas de la totalidad semántica del héroe. Los analizaremos en el presente capítulo. Hay que anotar que las totalidades espacial, temporal y semántica no existen por separado: así como en el arte el cuerpo siempre está animado por el alma (no importa si se trata de un alma muerta, en la representación de un difunto), tampoco el alma puede ser percibida fuera de la postura semántico-valorativa que adopta, fuera de su especificación como carácter, tipo, situación, etcétera.

1] *Acto y confesión.* En la vida, un hombre se establece desde su interior en el mundo de un modo activo, su vida consciente en todo momento es un avance: yo actúo por medio de un hecho, palabra, pensamiento, sentimiento; y vivo y llego a ser acto. Sin embargo, no me expreso ni me defino directamente por el acto; mediante un acto yo denoto un objeto o un sentido, pero no a mí mismo como algo determinado y determinable; sólo el objeto y el sentido se oponen al acto. En el acto, el momento del reflejo propio de una personalidad en avance está ausente; ese momento aparece en un contexto significante objetivo: en un mundo de propósitos estrictamente prácticos (cotidianos, de valores sociales y políticos, de significados cognoscitivos —el acto del conocimiento—, de valores estéticos —el acto de creación artística o de la percepción—, y, finalmente, en el área de la moral —en el mundo de los valores estrictamente éticos, en la *actitud directa hacia el bien y el mal*). Estos mundos objetuales determinan valorativamente el acto por completo a través del mismo actor. Para la misma conciencia en el proceso de avance, su acto no necesita un héroe (o sea, de una personalidad determinada) sino tan sólo propósitos y valores que la rijan y la llenen de sentido. Como tal, mi conciencia en el proceso de avance se plantea las siguientes preguntas: por qué, para qué, cómo, es correcto o no, hace o no hace falta, se debe o no se debe hacer, está bien o mal hecho; pero jamás se pregunta: quién soy, qué soy, cómo soy. Mi determinismo (yo soy así) para mí no forma parte de la motivación misma del acto; no existe el determinismo de la personalidad del actor en el contexto que llena de sentido el acto para el actor mismo (en el neoclasicismo, el acto siempre es motivado por el determinismo del carácter del héroe; el héroe no sólo actúa porque así se deba y haga falta hacer sino también porque él mismo es así; es decir, el acto se determina tanto por la situación como por el carácter, expresa la situación del carácter —por supuesto, no para el mismo actor, sino para el autor-contemplador extrapuesto. Esto tiene lugar en cualquier obra artística que tenga como propósito la creación de un carácter o un tipo). La ausencia del determinismo en la personalidad (de un "yo soy así) en el contexto motivador del acto no puede despertar duda alguna cuando no se trate de los actos de la creación cultural: así, cuando yo actúo conociendo, el acto de mi pensamiento se determina y se motiva por significaciones objetuales hacia las que este pensamiento se dirige; por supuesto, yo puedo explicar el éxito por mi talento, los errores, por la falta del último, y en general puedo atenerme a semejantes definiciones de mi persona las cuales, sin embargo, no forman parte del contexto motivador del acto como sus determinantes; la que los conoce no es la conciencia en avance cognoscitivo. El acto de creación artística también tiene que ver sólo con las significaciones objetuales a las que va dirigida la actividad artística, y si un artista tiende a plasmar su individualidad en la creación, la individualidad no se le da como un acto determinante sino que se le plantea en el objeto, representa un valor que todavía está por realizarse, la individualidad no es portadora del acto sino su objeto y sólo en éste forma parte del contexto motivador de la creación. Está claro que un acto social, político o estrictamente técnico se encuentra en la misma situación.

Es más compleja la situación de una actividad en la vida, donde, por lo visto, el acto se motiva a menudo por el determinismo de su portador. No obstante, también en este caso *todo lo mío* forma parte del planteamiento objetual del acto, se le contrapone en tanto que propósito definido, y aquí el contexto motivador del mismo acto carece de héroes. En suma: un acto expresado, enunciado en toda su nitidez, sin introducir los momentos y valores transgredientes que le sean ajenos, no tendrá héroe en tanto que determinismo esencial. Si se reconstruyera con exactitud un mundo en que un acto se conscientice y se determine, un mundo en que este acto sea orientado responsablemente, si este mundo pudiera ser descrito, carecería de héroe (de su valor temático, caracterológico, tipológico, etc.). El acto requiere un determinismo de propósitos y de medios, pero no pasa lo mismo con su portador que es el héroe. El mismo acto no dice nada del actor sino apenas de su circunstancia objetual, sólo ésta es la que genera el acto valorativamente; no el héroe mismo. El informe de un acto es absolutamente objetivo. De ahí, que aparezca la idea de la libertad ética del acto: lo que lo determina es un todavía-no-ser, la orientación de objeto y de propósito; sus orígenes se ubican adelante, no atrás, no en aquello que es sino en aquello que aún no es. También por lo mismo el reflejo dirigido hacia el acto ya concluido no echa luz sobre el autor (sobre cómo es, qué es), sino que apenas aparece como una crítica inmanente del acto desde el punto de vista de sus propios fines y su deber ser; si a veces sale fuera de los límites de la conciencia en avance, esto no sucede para atraer los momentos fundamentalmente transgredientes a la conciencia, sino para incluir aquellos que de hecho estuviesen ausentes y no se tuviesen en cuenta (si no se aporta un valor ajeno al acto: cómo el otro ve mi acto). Dentro de una conciencia en proceso de avance —incluso cuando ésta rinde cuentas, se expresa—, no existe el héroe como factor significativo y determinante, la conciencia es objetual pero no psicológica ni estética (no se rige por la causa ni por la regularidad estética: temática, caracterológica, etc.). Cuando mi acto se rige por el deber ser como tal, cuando aprecia directamente su objeto en categorías del bien y del mal (excluyendo la serie técnicamente cultural de valoraciones), es decir, representa un acto propiamente moral, entonces mi reflejo y mi rendimiento de cuentas empiezan también a determinarme a mí mismo, abarcan mi determinismo.

El arrepentimiento, del plano psicológico (enojo) se transfiere al plano creativamente formal (arrepentimiento, autocondena), llegando a ser el principio organizador y formador de la vida interior para la visión y la fijación valorativa de uno mismo. Cuando aparece un intento de fijar a la persona de uno en tonos de arrepentimiento, a la luz del deber ser moral, surge la primera forma esencial de objetivación verbal de la vida y la personalidad (es decir, la vida personal no abstraída de su portador) que es la confesión. El elemento *constitutivo* de esta forma es el hecho de ser ella precisamente una *auto*objetivación, de que se excluya el *otro* con su específico enfoque *privilegiado;* solamente la actitud pura del *yo* con respecto a uno mismo es el principio organizador del enunciado. Sólo aquello que yo mismo puedo decir de mi persona forma parte de la confesión (lo fundamental, por supuesto, y no solamente los hechos); la confesión es inmanente a la conciencia que avanza moralmente, no rebasa sus fronteras básicas, y todos los momentos transgredientes a la autoconciencia se excluyen. En relación con estos momentos transgredientes, es decir, en relación con una posible conciencia valorativa del otro, la confesión se establece negativamente, lucha con ellos por la pureza de la autoconciencia, por la pureza de la actitud solitaria hacia uno mismo. Porque el enfoque estético y la justificación del otro pueden penetrar en mi actitud valorativa hacia mi persona y enturbiar su nitidez (la gloria, la opinión de la gente, la vergüenza, el favor de los hombres, etc.). La actitud solitaria puramente valorativa hacia uno mismo es el límite al que tiende la confesión rebasando todos los momentos transgredientes de justificación y valoración posibles en la conciencia de otros hombres; en el camino hacia este límite el *otro* puede ser necesario como juez que habría de juzgarme como yo me juzgo, sin estetizarme, necesario para destruir su posible influencia sobre mi valoración propia para liberarme de esta influencia de su postura valorativa fuera de mí y de las posibilidades relacionadas con esta extraposición de posibilidades (el no tener miedo de la opinión de los hombres, el superar la vergüenza), mediante autohumillación. En este sentido, toda calma, toda demora en la autocondena, toda evaluación positiva (yo llego a ser mejor) se perciben como una separación de la pureza de la actitud hacia uno mismo, como la introducción de un otro posible que valora (los *lapsus* en los diarios de Tolstoi).

Esta lucha con la posible postura valorativa del otro plantea de un modo especial el problema de la forma externa de la confesión-rendimiento de cuentas; aquí es inevitable el conflicto con la forma y con el mismo lenguaje de la expresión, los cuales, por una parte, son necesarios y, por otra, por principio inadecuados, porque contienen momentos estéticos fundamentales en la conciencia valorativa del otro (raíces de la locura como forma de negación básica del significado de la forma de expresión). La confesión-rendimiento de cuentas no puede ser concluida por principio, porque para ella no existen momentos conclusivos que le sean transgredientes; incluso si éstos forman parte del plano de la conciencia de la confesión, en todo caso carecen de su significado valorativo positivo, esto es, de sus fuerzas conclusivas y pacificadoras; todo aquello que ya se definió y se formó, se definió mal y se formó indignamente; no hay valor estéticamente significativo. Ni un solo reflejo con respecto a uno mismo me puede concluir por completo puesto que, siendo inmanente a mi conciencia unitaria y responsable, este reflejo se vuelve factor valorativo y semántico del desarrollo posterior de esta conciencia; mi propia palabra acerca de mí mismo en un principio no puede ser la última, la que me concluya; mi palabra para mí mismo es mi acto, y éste sólo está vivo en el único y unitario acontecimiento del ser; es por eso que ningún acto puede concluir la vida propia porque vincula la vida con la abierta infinitud del acontecimiento del ser. La confesión-rendimiento de cuentas es precisamente el acto de la no-coincidencia fundamental y actual con uno mismo (no hay fuerza extrapuesta que pueda realizar esta coincidencia que es postura valorativa del otro), de la pura transgresión valorativa de uno mismo desde el interior de uno, de un final justificado y ajeno; es acto que no conoce este final justificado. Paulatinamente supera todas aquellas fuerzas valorativas que podrían obligarme a coincidir conmigo mismo, y esta superación misma no puede realizarse, acabar justificadamente y estar en paz. Sin embargo, esta intranquilidad y la inconclusión en sí son solamente un aspecto de la confesión-rendimiento de cuentas, sólo uno de los límites a los que tiende en su desarrollo concreto. La negación de una justificación que provenga de este mundo se transforma en necesidad de una justificación religiosa; necesita un perdón y una expiación como un *don* absolutamente *puro* (que no corresponde a sus méritos), necesita un favor y una bienaventuranza que lleguen del más allá. Esta justificación no es inmanente a la confesión, sino que está fuera de sus límites en un futuro no predeterminado y riesgoso del acontecer real, como un cumplimiento real de un ruego y una súplica que depende de la voluntad ajena, se ubica fuera de las fronteras de la misma súplica, la trasciende; el ruego y la súplica permanecen abiertos, inconclusos, parecen interrumpirse frente al futuro predeterminado del acontecer. Es el momento netamente confesional del género. Un rendimiento de cuentas puro, o sea la orientación valorativa solamente hacia uno mismo en una soledad absoluta, es imposible; es el límite equilibrado por otro límite que es la confesión, o sea la súplica dirigida fuera de uno, a Dios. Los tonos de súplica y de oración se mezclan con los tonos penitentes del rendimiento de cuentas.

Una confesión pura y solitaria es imposible; cuanto más se acerca a este límite, tanto más clara se vuelve la presencia del otro, la acción del otro límite, tanto más profunda es la soledad (valorativa) con uno mismo y, por consiguiente, el arrepentimiento y la transgresión de uno mismo, tanto más clara y sustancial es la orientación a Dios. En un vacío valorativo absoluto es imposible cualquier enunciado y la conciencia misma. Fuera de Dios, fuera de la confianza en la otredad absoluta es imposible la autoconciencia y la autoexpresión, y por supuesto esto sucede no porque prácticamente carezcan de sentido sino porque la confianza en Dios es el momento constitutivo inmanente a la autoconciencia y la autoexpresión pura. (Allí donde se supera en sí la autosuficiencia valorativa del ser-existencia, se supera precisamente aquello que encubría a Dios; allí donde yo no coincido en absoluto conmigo mismo, se abre un lugar para Dios.) En la atmósfera valorativa que me rodea hace falta cierto grado de calor para que la autoconciencia y la autoexpresión puedan realizarse en ella, para que pueda empezar la vida. Ya el mismo hecho de que yo atribuya una importancia, si bien negativa, a mi determinismo, de que lo discuta, o sea, el mismo hecho de conocerse a sí mismo dentro del ser, habla de que yo no estoy solo en mi *rendimiento de cuentas,* de que yo me reflejo valorativamente en alguien, de que alguien está interesado en mí, de que alguien necesita que yo sea bueno.

Pero este momento de otredad es valorativamente trascendente a la conciencia y por principio *no está garantizado,* porque la *garantía* lo rebajaría hasta el grado del ser-existencia (en el mejor de los casos, una existencia estetizada, como en la metafísica). No se puede vivir ni comprenderse ni dentro de una *garantía,* ni en un *vacío* (garantía y vacío de valores); esto sólo es posible dentro de la *fe.* La vida (y la conciencia) desde su interior no es sino la realización de la fe; la pura autoconciencia de la vida es la conciencia de la fe (es decir, de la necesidad y la esperanza, de la insatisfacción y la posibilidad). Es ingenua la vida que no conoce el aire que respira. Así, en los tonos de penitencia y súplica de la confesión-rendimiento de cuentas irrumpen los nuevos matices de fe y de esperanza que hacen posible una estructura de oración. Los profundos y puros ejemplos de confesión-rendimiento de cuentas, con todos los momentos analizados por nosotros (los momentos constitutivos) y sus tonos —la oración del publicano y la de la mujer cananea ("creo: ayuda a mi incredulidad")—,[33] en una forma idealmente resumida; pero no se acaban, se los puede repetir eternamente, son imposibles de concluir desde su interior, es el movimiento mismo (repetición de letanía).

Cuanto más actuales se vuelven el momento de *confianza* y el de fe y de esperanza, tanto más empiezan a penetrarlos algunos momentos estéticos. Cuando la función organizadora pase de la penitencia a la confianza, se vuelve posible la forma estética, la *estructura.* Anticipando la justificación divina mediante la fe, yo poco a poco me convierto, de un *yo-para-mí,* en *otro* para Dios, en un ingenuo en Dios. En esta etapa de la *ingenuidad religiosa* se ubican los salmos (también muchos himnos y oraciones cristianas); se vuelve posible un ritmo que acaricie y sublime la imagen, etc., la pacificación, la estructura y la medida de la anticipación de la belleza en Dios. Un ejemplo especialmente profundo de confesión-rendimiento de cuentas en que el papel organizador fluctúa entre el arrepentimiento y la confianza y se transforma en esperanza (confesión ingenua), es el salmo penitente de David (en él, los tonos de súplica originan imágenes estetizadas: "Crea, oh Dios, para mi corazón limpio", "rocíame con hisopo y seré más blanco que la nieve").[34] El ejemplo de constitución de un sistema con base en los momentos de confesión-rendimiento de cuentas es San Agustín: la incapacidad para hacer el bien, la falta de libertad en el bien, la bienaventuranza, la predeterminación; en cuanto a una concepción estética, el ejemplo sería Bernardo de Claraval (comentario al *Cantar de los cantares*): la belleza en Dios, el alma como la novia de Dios. Sin embargo, tampoco la plegaria es una obra, sino un acto. (La fuerza organizadora del *yo* se sustituye por la fuerza organizadora de Dios; la superación del determinismo terrenal, del nombre terrenal y la aclaración del nombre escrito en el cielo, en el libro de la vida, el *recuerdo* del futuro.)

Esta correlación de los momentos semántico-valorativos en la confesión-rendimiento de cuentas que acabamos de analizar a veces cambia esencialmente y el tipo general se complica. Es posible el momento de lucha con Dios y de lucha con la condición humana en este género, puede aparecer un rechazo de un posible juicio de Dios y del hombre, de allí que aparezcan los tonos de maldad, desconfianza, cinismo, ironía, desafío. (A la locura piadosa, casi siempre le corresponde el elemento de lucha con el hombre, la mueca cínica del loco, la sinceridad desafiante que pretende molestar.)

Éstas son la confesión y la sinceridad practicadas en presencia de un hombre despreciado, en Dostoievski (así son casi todas las confesiones sinceras de sus personajes). El planteamiento de la otredad (de un otro posible, de un oyente, de un lector) en el romanticismo tiene un carácter de lucha con el hombre (es muy especial la actitud de Hipólito en *El idiota* de Dostoievski, así como la del hombre del subsuelo). Los momentos de lucha con el hombre, así como los de lucha con Dios (el resultado de la desesperación), hacen imposible un enfoque estético, de letanía (a veces ayuda la parodia). Las posibilidades de cancelar el arrepentimiento son infinitas. Este momento es análogo al odio en la obsesión por el espejo; el alma puede tener el mismo aspecto que la cara. Estas variaciones de la forma principal de la confesión-rendimiento de cuentas serán analizadas en relación con el problema del héroe y el autor en la obra de Dostoievski. Una particular distorsión de la forma de la confesión-rendimiento de cuentas representa la imprecación en sus manifestaciones más profundas y, por consiguiente, las peores. Se trata de una confesión al revés. La tendencia de las peores imprecaciones es la de decir al otro lo que sólo él mismo puede y *debe* decir de su persona, es un "tocarlo donde más le duele"; la peor imprecación es la más justa porque expresa aquello que el otro podría decir de su persona en tonos de penitencia y súplica, en tonos de maldad y burla, en el hecho de utilizar su lugar privilegiado fuera del otro para los propósitos contrarios a los debidos ("permanece en la soledad, para ti no existe el otro"). Así, un determinado lugar de un salmo penitente se convierte en la peor imprecación.

Saquemos conclusiones de todo lo dicho. En la confesión-rendimiento de cuentas no hay héroe ni autor, porque no hay postura desde la cual podrían realizarse sus relaciones mutuas, no hay lugar para una extraposición valorativa; el héroe y el autor se funden en uno: es el espíritu que supera el alma en su devenir, que no puede ser concluido sino apenas materializado en Dios (un espíritu que se ha vuelto ingenuo). Aquí no hay ni un solo momento de autosuficiencia que sea irresoluble. Está claro que el argumento como momento de significación estética no es posible en la confesión (la carne autosuficiente y limitada del acontecer, aislada, tiene principio y fin positivamente justificados); no puede existir un mundo objetual en tanto que entorno estéticamente significativo, es decir, como momento artístico descriptivo (paisaje, ambiente, vida cotidiana, etc.). La totalidad biográfica de la vida con todos sus acontecimientos no es autosuficiente ni representa un valor (este valor sólo puede ser artístico); resulta que la confesión-rendimiento de cuentas no conoce la tarea de construir una totalidad biográfica valiosa de una vida realizada potencialmente. La forma de la actitud hacia uno mismo vuelve imposibles todos estos momentos valorativos.

¿De qué modo percibe el lector la confesión-rendimiento de cuentas, con qué ojos la lee? Nuestra percepción de la confesión inevitablemente va a tender a una estetización. Bajo este enfoque, la confesión aparece como materia prima para una elaboración estética posible, como contenido de una obra literaria posible (que se aproximaría a una biografía). Al leer nosotros la confesión, aportamos con el mismo hecho de lectura una extraposición valorativa con respecto a su sujeto, con todas las consecuencias relacionadas con esta posición, agregando una serie de momentos de transgresión: damos un acabado al final y a otros momentos (puesto que nos encontramos provisionalmente extrapuestos), añadimos un segundo plano y un fondo (esto es, la percibimos dentro de una época determinada y dentro de un ambiente histórico, en el caso de conocerlos, o, finalmente, la percibimos sobre el fondo de los datos que conozcamos mejor), ubicamos en un espacio los momentos aislados de la realización etc. De todos estos momentos aportados por la percepción del excedente puede originarse la forma estéticamente acabada de la obra. El contemplador empieza a inclinarse por la autoría, el sujeto de la confesión-rendimiento de cuentas llega a ser personaje (por supuesto, el espectador en este caso no crea junto con el autor, como cuando se percibe una obra de arte, sino que realiza un acto creativo primario; por supuesto, es un acto primitivo). Una semejante visión de la confesión-rendimiento de cuentas corresponde a la finalidad, que de *antemano* no es la artística. Por supuesto, de cualquier documento humano se puede hacer un objeto de percepción estética, lo cual se realiza aún más fácilmente con un documento que está en el pasado de la vida (aquí, la conclusión dentro de la memoria estética viene a ser a menudo nuestra obligación), pero no siempre esta percepción es la principal y determinada finalidad del documento, y aún más: la percepción y la profundidad de la estetización presuponen una realización anticipada en la comprensión de la tarea inmanente, extraestética del documento (lo cual no cubre la noción de "invención" y "ficción" en toda su plenitud y legalidad propia.

¿Quién es, pues, el lector de la confesión-rendimiento de cuentas (autoinforme) y cómo debe percibir este género para realizar la tarea extraestética inmanente? Lo esencial consiste en que no hay autor con quien crear conjuntamente, ni hay héroe al cual se podría concluir estéticamente junto con el autor. El sujeto de la confesión-rendimiento de cuentas se nos contrapone en el acontecimiento del ser como alguien que realiza su acto, al que nosotros no debemos reproducir (imitar) ni contemplar artísticamente, sino que debemos reaccionar frente a él por medio de un acto-respuesta (así como un ruego dirigido a nosotros no debe ser reproducido ni vivenciado o imitado, ni tampoco percibido artísticamente, sino que debe recibir una reacción mediante un acto: cumplirlo o negar; este acto no es inmanente al ruego, mientras que la contemplación estética —la creación conjunta— es inmanente a la misma obra de arte, aunque no como a una obra dada empíricamente). Nos oponemos al sujeto de la confesión en el único y unitario acontecimiento del ser que abarca a nosotros dos, y nuestro acto de respuesta no lo debe aislar en el acontecer, el futuro inminente del acontecer nos une a los dos y determina nuestra interrelación (nos encontramos uno frente a otro en el mundo de Dios). Por supuesto, la extraposición le resulta aún más intensa (de no ser así, esta postura no sería creadoramente productiva), pero no se utiliza estéticamente, sino de un modo moral y religioso. Porque además de la memoria estética y de la memoria histórica, existe la memoria eterna proclamada por la Iglesia, que es un recuerdo que no concluye a la personalidad (en el plano fenomenológico), que es una conmemoración eclesiástica (del difunto "esclavo de Dios", Fulano) y una mención en la oración por la paz de su alma. El primer acto definido por la tarea de la confesión-rendimiento de cuentas es la oración por él y por la expiación de sus pecados (que es esencial porque supone un correspondiente estado interior del perdón en mi propia alma). Todo acto laico inmanente de la cultura sería en este caso insuficiente y banal. El análisis de este momento sobrepasa los propósitos de nuestro trabajo, que es de carácter absolutamente laico. Existe otro aspecto en la finalidad de la confesión-rendimiento de cuentas, que es el *preceptivo* (el conocimiento ético-religioso, puramente práctico). En la realización de una finalidad preceptiva tiene lugar una simpatía hacia el sujeto y una reproducción, por uno mismo, del acontecer interno del sujeto, pero no con el propósito de concluirlo sino con el fin de su propio crecimiento espiritual; la confesión comunica y enseña acerca de Dios, porque, como hemos visto, mediante un rendimiento de cuentas a solas con uno mismo se entiende Dios, se conoce la fe que está en la vida misma (vida-fe). (El significado puramente preceptivo de las parábolas acerca del publicano, en parte en los salmos.) Este es, en términos generales, el propósito de la confesión-rendimiento de cuentas para el lector. Lo cual no excluye, por supuesto, la posibilidad de enfocarla desde el punto de vista cognoscitivo teórico y estético, pero ninguno de estos enfoques realiza esencialmente el propósito de este género.

2] Ahora nos toca analizar la *autobiografía*, a su héroe y a su autor. Las formas particulares, internamente contradictorias, de transición entre la confesión y la autobiografía aparecen a fines de la Edad Media cuando no se conocían todavía los valores biográficos, y durante el primer Renacimiento. Ya la *Historia calamitatum mearum* de Abelardo[35] representa una forma mixta semejante en la que aparecen los primeros valores biográficos sobre una base confesional con un cierto matiz de lucha con lo humano: se inicia la densificación del alma, sólo que no en Dios. La orientación valorativa biográfica con respecto a su vida vence la orientación confesional en Petrarca, aunque no sin alguna lucha. Confesión o biografía, descendientes de uno o Dios, San Agustín o Plutarco, héroe o monje —éste es el dilema con el acento sobre el segundo miembro, que atraviesa toda la vida y obra de Petrarca y encuentra una expresión más clara (algo primitiva) en *Secretum*.[36] (El mismo dilema aparece en la segunda mitad de la vida de Boccaccio.) Un matiz confesional aparece a menudo en la tendencia biográfica y en su expresión en la época del primer Renacimiento. Pero la victoria pertenece al valor biográfico. (Una colisión semejante, lucha, compromiso o triunfo de uno u otro principio los observamos en los diarios modernos. Los diarios pueden ser o confesionales o biográficos: son confesionales todos los diarios tardíos de Tolstoi, según se puede deducir por aquellos que se han conservado; el diario de Pushkin es de carácter absolutamente autobiográfico, como todos los diarios clásicos no opacados por el tono penitente.)

No existe una frontera brusca y fundamental entre una autobiografía y una biografía, lo cual es muy importante. Una cierta diferencia existe, desde luego, y puede ser grande, pero tal diferencia no se ubica en el plano de la principal orientación valorativa de la conciencia. Ni en la biografía, ni en la autobiografía el *yo-para-mí* (la actitud hacia uno mismo) viene a ser el momento de organización y estructuración de la forma.

Por biografía o autobiografía entendemos la forma transgrediente más elemental mediante la cual yo puedo objetivar mi vida artísticamente. Examinaremos la forma biográfica sólo en aquellos aspectos en los que pueda servir a los fines de autoobjetivación, es decir, en la medida en que pueda ser autobiografía, o sea, desde el punto de vista de una posible coincidencia en ella entre el héroe y el autor o, más exactamente (puesto que la coincidencia entre el héroe y el autor sea una *contradictio in adjecto*, el autor es un momento de la totalidad artística y como tal no puede coincidir, dentro de esta totalidad, con el héroe que es su otro momento; la coincidencia personal "en la vida" entre el individuo del que se habla y el individuo que habla no elimina la diferencia entre estos momentos en la totalidad artística; es posible, pues, la pregunta: ¿cómo me estoy representando, a diferencia de la pregunta, quién soy?), desde el punto de vista de un carácter particular del autor con respecto al héroe. La autobiografía como un recuento de datos acerca de uno mismo, aunque los datos estén organizados en la totalidad del cuento externamente coherente, que no realice valores artístico-biográficos y que persiga unos fines objetivos o prácticos, tampoco nos interesa aquí. Tampoco existe la finalidad artístico-biográfica en la biografía de tipo científico de un personaje de la cultura: allí se trata de una finalidad histórico-científica, que tampoco puede interesarnos aquí. En cuanto a los consabidos momentos autobiográficos en una obra literaria, estos momentos pueden ser totalmente diferentes, pueden ser de carácter confesional o puramente informativo acerca de un acto objetivo (acto cognoscitivo del pensar, acto político, acto práctico, etc.) o, finalmente, pueden tener carácter lírico; nos interesan sólo aquellos que tengan un carácter ciertamente biográfico, o sea, los que realicen un valor biográfico.

Un valor literario biográfico, es el que entre todos los valores artísticos transgrede menos a la autoconciencia, por eso el autor, en una autobiografía, se aproxima máximamente a su héroe, ambos pueden aparentemente intercambiar sus lugares, y es por eso que se hace posible la coincidencia personal del héroe con el autor fuera de la totalidad artística. Un valor biográfico no sólo puede organizar una narración sobre la vida del otro sino que también ordena la vivencia de la vida misma y la narración de la propia vida de uno; este valor puede ser la forma de comprensión, visión y expresión de la vida propia.

La forma biográfica es la más "real" porque en ella existe la mínima cantidad de momentos aisladores y conclusivos, la actividad del autor es en ella la menos transformadora, el autor aprovecha su postura volorativa fuera del héroe de la manera menos fundamental, limitándose casi a la sola apariencia espacial y temporal, a la extraposición; no existen límites claros del carácter, un aislamiento marcado, una fábula acabada y tensa. Los biográficos son los valores comunes compartidos entre la vida y el arte, es decir, pueden definir los actos prácticos como su finalidad; son forma y valores de la *estética de la vida*. El autor de una biografía es ese otro posible que nos obsesiona en la vida con una gran facilidad, que está con nosotros cuando nos miramos en el espejo, cuando soñamos con la gloria, cuando hacemos planes externos para la vida; es el otro posible que impregna nuestra conciencia y que dirige con frecuencia nuestros actos, valoraciones y nuestra visión propia junto con nuestro *yo-para-mí;* es el otro en la conciencia con el cual la vida exterior puede ser aún suficientemente movible (una vida interior intensa es, por supuesto, imposible, cuando estamos poseídos por el otro, aquí empezaría el conflicto y la lucha con el otro para liberar al *yo-para-mí* en toda su pureza: confesión-rendimiento de cuentas), y que puede llegar a ser, sin embargo, un doble usurpador si se le da libertad, pero junto al que es posible, en cambio, vivir la vida directa e ingenuamente, con alegría y pasión (a pesar de que es el otro quien nos entrega al poder del destino, puesto que una vida obsesiva puede convertirse en una vida fatal). En nuestros recuerdos habituales acerca del pasado con frecuencia es el otro quien viene a ser el activo, y es en sus tonos valorativos como nos recordamos (en los recuerdos de la infancia, este otro es la madre, que se proyecta en nosotros). Un recuerdo tranquilo acerca de un pasado lejano de uno se estetiza y se aproxima formalmente a una narración (los recuerdos realizados a la luz del futuro semántico son recuerdos penitentes). Todo recuerdo del pasado es un poco estetizado, mientras que el recuerdo del futuro siempre es moral.

Este otro que se posesiona de mí no entra en conflicto con mi *yo-para-mí,* puesto que yo no me separo valorativamente del mundo de los otros sino que me percibo dentro de una colectividad: en la familia, la nación, la humanidad cultural; en este caso, la postura valorativa del otro en mí goza de *autoridad,* y el otro puede narrar mi vida totalmente de acuerdo conmigo. Mientras la vida transcurra en una unidad valorativa indisoluble con la colectividad de otros, en todos sus momentos comunes al mundo de otros se comprende, se construye, se organiza en el plano de una posible conciencia ajena que se estructura como un posible relato del otro acerca de esta vida dirigido a otros (descendientes); la conciencia de un narrador posible, el contexto valorativo del narrador organizan el acto, el pensamiento y el sentimiento allí donde éstos se inicien con sus valores en el mundo de otros; todo momento semejante de la vida puede ser percibido en la totalidad del relato que es la historia de esta vida; mi contemplación de mi propia vida es tan sólo una anticipación del recuerdo de otros acerca de esta vida, recuerdo de descendientes, parientes y prójimos (la amplitud biográfica de una vida puede ser variada); los valores que organizan la vida y el recuerdo son los mismos.

El hecho de que este otro no esté inventado por mí para un uso interesado sino que sea una fuerza valorativa que es afirmada por mí y que determina mi vida (como la fuerza valorativa de la madre que me determina en la infancia), este hecho le confiere una *autoridad* a este otro y lo hace autor internamente comprensible de mi vida; no soy yo mediante el otro, sino que es el mismo otro valorativo en mí; es hombre en mí. El otro con una autoridad amorosa interna es el que dirige mi interior, no soy yo quien lo dirige valiéndome del otro como de un medio (no se trata de un mundo de otros en mí, sino de mí en el mundo de otros; yo me inicio en este mundo); no existe el parasitismo. El héroe y el narrador aquí pueden intercambiar fácilmente sus lugares: sea que yo empiece a hablar del otro que me es próximo, con quien comparto una vida de valores en la familia, la nación, la humanidad, el mundo, sea que el otro hable de mí, yo de todas maneras formo parte de la narración en los mismos tonos, en el mismo aspecto formal que él. Sin separarme de la vida en la que los héroes son los otros y el mundo es su entorno, yo resulto ser el narrador de esta vida y parezco asimilarme a sus héroes. Al relatar mi vida cuyos héroes sean otros para mí, yo intervengo paso a paso en su estructura formal (no soy héroe de mi vida, pero participo en ella), me coloco en la situación del héroe, abarco a mi persona con la narración; las formas de la percepción valorativa de obras se transfieren hacia mí cuando yo soy solidario con ellos. Así es como el narrador se transforma en héroe. Si el mundo de otros para mí posee una autoridad valorativa, me asimila como a otro (por supuesto, sólo en aquellos momentos en que posea autoridad). Una parte importante de mi biografía la conozco por las palabras ajenas de mis prójimos y siempre con una tonalidad emocional determinada: nacimiento, origen, sucesos de vida familiar y nacional durante la infancia temprana (todo aquello que no podría haber sido entendido por una criatura, o que simplemente hubiese pasado inadvertido). Todos estos momentos son necesarios para reconstruir un cuadro más o menos comprensible y coherente de mi vida y del mundo que la rodea, y todos ellos los conozco yo que soy el narrador de mi vida por medio de sus otros héroes. Sin estos relatos de otros mi vida no sólo carecería de plenitud de contenido y de claridad, sino que permanecería internamente fragmentada, falta de una *unidad biográfica* valorable. Porque los *fragmentos* de mi vida vividos por mí internamente (son fragmentos desde el punto de vista de la totalidad biográfica) pueden adquirir tan sólo una unidad interior del *yo-para-mí* (unidad futura del propósito), una unidad confesional pero no la de una biografía, porque tan sólo la unidad planteada del *yo-para-mí* es inmanente a una vida vivida interiormente. El principio interno de unidad no sirve para un relato biográfico, mi *yo-para-mí* no podría *relatar* nada; pero esta postura valorativa del otro necesaria para la biografía es la más cercana a mí y yo directamente participo en ella a través de los héroes de mi vida que son los otros y *a través de sus narradores.* Así, el héroe de una vida puede llegar a ser su narrador. Así, pues, se trata tan sólo de una participación apretada y orgánicamente valorativa en el mundo de los otros que hace que la autoobjetivación biográfica de la vida sea productiva y competente, que reafirma y hace que no tenga carácter fortuito la posición del otro en mí, de este otro que es el posible autor de mi vida (la participación consolida el punto de extraposición fuera de uno; el apoyo para la extraposición es el amado mundo de los otros, de los cuales yo no me separo y a los cuales no me contrapongo, se trata de una fuerza y un poder del ser valorativo de la otredad en mí, de la *naturaleza* humana en mí, pero no es una naturaleza cruda e indiferente sino afirmada y formada por mí valorativamente; por lo demás, ella tampoco carece de una cierta espontaneidad).

Son posibles dos tipos principales de conciencia biográfica valorativa y de constitución de la vida de acuerdo con la amplitud del mundo biográfico (extensión del contexto valorativo que le proporciona un sentido) y con el carácter de otredad competente; llamaremos al primer tipo la *aventura heroica* (el Renacimiento, el *Sturm und Drang,* la tentativa de Nietzsche), y al segundo la *cotidianidad social* (el sentimentalismo y en parte el realismo). Analicemos ante todo las particularidades del primer tipo de valor biográfico. En la base del valor biográfico de la aventura heroica está lo siguiente: la voluntad de ser héroe, de tener importancia en el mundo de los otros, la voluntad de ser amado y, finalmente, la voluntad de vivenciar el fabulismo (la aventura) de la vida, la heterogeneidad de la vida exterior e interior. Los tres valores que organizan la vida y los actos de un héroe biográfico para él mismo son significativamente estéticos y pueden organizar también la representación artística de su vida por el autor. Los tres valores están individualizados, pero se trata de un individualismo inmediato e ingenuo no separado del mundo de los otros, iniciado en el ser de la otredad necesitado del ser y que alimenta su fuerza por su autoridad (aquí no existe la contraposición de mi *yo-para-mí* solitario al otro como tal, que es propia de la confesión-rendimiento de cuentas impugnadora del hombre). Este ingenuo individualismo se relaciona con el parasitismo ingenuo e inmediato. Detengámonos en el primer valor: la aspiración de heroizar la vida, de adquirir importancia en el mundo de los otros, de la *gloria.*

El deseo de gloria organiza la vida del héroe ingenuo y también organiza el relato de su vida: enaltecimiento. La aspiración de gloria es un reconocerse dentro de la humanidad cultural de la historia (o de la nación), y un afirmar y construir su vida en la posible conciencia de la humanidad, es un crecer no en sí mismo ni para sí mismo sino en otros y para otros, un ocupar lugar en el mundo inmediato de coetáneos y descendientes. Por supuesto, también aquí el futuro tiene una importancia organizadora para la personalidad que se ve valorativamente en el futuro y se rige desde este futuro, pero no se trata de un futuro absoluto y semántico sino de un futuro temporal e histórico (el mañana), que no niega sino que continúa orgánicamente el presente; no es un futuro del *yo-para-mí* sino de otros, los descendientes (cuando es el futuro semántico el que se dirige a la personalidad, todos los momentos estéticos de la vida se cancelan para la personalidad misma, pierden su significación y, por consiguiente, también deja de existir para la personalidad el valor biográfico). Al heroizar a los otros, al crear un panteón de héroes, se trata de pertenecer al último, de ubicarse en él, de ser dirigido desde allí por su imagen futura deseada, creada a la imagen de los otros. Toda esta sensación orgánica de sí mismo dentro de la humanidad heroizada de la historia, de su participación en ella, de un esencial crecimiento dentro de ella, el arraigo y la autoconciencia, la comprensión de sus trabajos y los días dentro de ella: éste es el momento heroico del valor biográfico. (El parasitismo aquí puede ser más o menos fuerte, según el peso de los valores de sentido puramente objetivos para la personalidad; el deseo de gloria y la sensación de su participar en el ser histórico y heroico pueden ser tan sólo un acompañamiento que contribuye al valor, mientras que los trabajos y los días vendrían a ser puros sentidos, es decir, el futuro temporal oscurecería tan sólo con una leve sombra al futuro semántico, y con ello la biografía se desintegraría al ser sustituida por un informe objetivo o por un autoinforme confesional.)

El amor es el segundo momento del valor biográfico de primer tipo. El deseo de ser amado, la comprensión, la visión y la constitución de la persona en una posible conciencia ajena y amorosa, la [aspiración] de hacer del amor deseado del otro una fuerza que mueva y organice a mi vida en una serie de momentos de amor —todo ello es también un crecimiento en la atmósfera de la conciencia amante del otro. Mientras que el valor heroico determina los momentos y acontecimientos principales de una vida personalmente social, cultural e histórica (*gesta*), la orientación volitiva principal de la vida, el amor determina su tensión emocional contribuyéndole un sentido de valor y materializando todos sus detalles internos y externos.

Mi cuerpo, mi apariencia, mi traje, toda una serie de pormenores internos y externos de mi alma, los detalles y pormenores de la vida que no pueden tener una importancia y reflejo valorativo en un contexto histórico-heroico, en la humanidad o la nación (todo aquello que es históricamente insustancial, pero que existe en el contexto de la vida), todo adquiere un peso valorativo, un sentido, y se forma dentro de la amante conciencia del otro; todos los momentos estrictamente personales se constituyen y se rigen por aquello que yo querría ser en la conciencia amante del otro por mi imagen anticipada que debe ser creada valorativamente dentro de esta conciencia (con la excepción, por supuesto, de todo aquello que se predetermina valorativamente en mi apariencia externa, en mis maneras, en el modo de vida, etc., por la vida cotidiana y la etiqueta, es decir, también por la conciencia valorativa de otros plasmada en esos detalles; el amor aporta formas individuales y emocionalmente más tensas en estos aspectos extrahistóricos de la vida).

En el amor, el hombre tiende a superar sus limitaciones con respecto a un determinado valor, siendo poseído emocionalmente de la manera más intensa por la amante conciencia ajena (el papel de la amada que formalmente organiza la vida exterior e interior, así como la expresión lírica de la vida en el *dolce stil nuovo*: [37] en la escuela boloñesa de Guido Guinicelli, Dante, Petrarca). La vida del héroe tiende a ser para él mismo bella y él incluso percibe su belleza en sí, dentro de esa tensión de la posesión por la conciencia amante y deseada del otro. Pero el amor se vuelca también en la esfera histórico-heroica de la vida del protagonista, el nombre de Laura se entreteje con el laurel (Laura-lauro),[38] la anticipación de la imagen en los descendientes con la imagen de la amada que se guarda en el alma, la fuerza valorativamente formadora de los descendientes se entreteje con la fuerza valorativa de la amada, ellos se refuerzan mutuamente en la vida y se funden en un motivo único en la biografía (y sobre todo en la lírica): esto sucede en la autobiografía poética de Petrarca.

Pasemos al tercer momento del valor biográfico: la aceptación positiva del fabulismo de la vida por el héroe. Es deseo de vivir el fabulismo de la vida, precisamente el fabulismo y no un argumento definido y acabado; vivenciar el determinismo del ser en las situaciones de la vida, su cambio, su variedad, pero no el cambio que determine y concluya al héroe, sino un fabulismo que nada concluya y que lo deje abierto a todo. Esta fabulística alegría de vivir no se iguala, desde luego, a la vitalidad puramente biológica; una simple concupiscencia, una necesidad, una atracción biológica sólo pueden originar la *facticidad* del acto, pero no su valoración (y aún menos su constitución). Cuando un proceso vital se valora y cobra sentido, nos enfrentamos al fabulismo como serie valorativamente afirmada de logros vitales, de dación del contenido del devenir vital. En este plano valorativo de la conciencia, también la lucha vital (la autoconservación biológica y la adaptación del organismo) en determinadas condiciones del mundo valorativamente sostenido llega a ser un valor de aventura (está casi totalmente purificada de significados objetivos; se trata de un *juego* con la vida pura como valor fabulístico, liberado de toda responsabilidad en el acontecimiento único y unitario del ser). El individualismo del aventurero es inmediato e ingenuo, un valor de aventura presupone un mundo afirmado de los otros en el que está arraigado el héroe de este tipo; si se le priva de este suelo de la atmósfera valorativa de la otredad (de esta tierra, de este sol, de esa gente), también moriría el valor de la aventura, no tendría con qué respirar; el enfoque crítico es imposible en la aventura; el sentido la desintegraría; si no, la aventura adquiriría un matiz de desesperación retorcida. En el mundo de Dios, sobre la tierra de Dios y bajo el cielo de Dios, donde transcurre la vida, el valor de aventura es igualmente imposible. El fabulismo valorativo de la vida tiene un carácter inconsciente de oxímoron: alegría y sufrimiento, verdad y mentira, bien y mal están fundidos indisolublemente en la unidad de la corriente del ingenuo fabulismo de la vida, porque el acto determina no el contexto semántico que forzosamente se contrapone al *yo-para-mí,* sino al *otro* que se posesiona de mí, el acontecimiento valorativo del ser le da otredad en mí (por supuesto, no se trata de una fuerza de la natuarleza espontánea absolutamente indiferente al valor, sino de la *naturaleza en el hombre,* valorativamente afirmada y constituída; en este sentido el bien se valora precisamente como bien, y el mal como mal, la alegría como alegría y el sufrimiento como sufrimiento, pero se equilibran precisamente por el peso valorativo del contenido de la dación de la vida, del mismo ser-otredad humano en mí; de allí que su sentido no llega a ser forzado ni desesperado, no se convierte en fuerza decisiva que determine la vida, puesto que en su base no está la conciencia de la unicidad de su lugar en el acontecimiento único y unitario del ser frente al futuro semántico).

Este fabulismo valorativo que organiza la vida y la aventura-acto del héroe también organiza la narración acerca de su vida que es una fábula infinita y falta de sentido con forma de aventura: el interés por la fábula y por la aventura de un autor-lector ingenuo no transgrede el interés vital de un héroe ingenuo.

Éstos son los tres momentos principales de un valor biográfico de aventura heroica. Por supuesto, un momento u otro pueden prevalecer en una forma determinada y concreta, pero los tres momentos están presentes en la biografía de primer tipo. Ésta es una forma que es más próxima al sueño sobre la vida. Pero el soñador (como el héroe de *Las noches blancas*) es un héroe biográfico que perdió su ingenuidad y empezó a reflexionar.

Al héroe biográfico de primer tipo le son propias las escalas específicas de valores, las virtudes biográficas: valentía, honor, magnanimidad, prodigalidad, etc. Es una moral ingenua y concentrada que llega a ser dación: las virtudes de superación del ser neutral y espontáneo de la naturaleza (de la autoconservación biológica, etc.) por el mismo ser, pero afirmado valorativamente (del ser de la otredad), del ser de la cultura, del ser de la historia (la huella del sentido en el ser, la huella del valor en el mundo de otros; el crecimiento orgánico del sentido en el ser).

La vida en la biografía de primer tipo es una especie de danza de ritmo lento (la lírica es danza de ritmo rápido); aquí todo lo interior y todo lo exterior tienden a coincidir en la conciencia valorativa del otro, lo interno tiende a exteriorizarse, y lo externo a interiorizarse. La concepción filosófica surgida con base en los motivos esenciales del primer tipo de biografía corresponde a la filosofía estetizante de Nietzsche; en parte también a la concepción de Jacobi, aunque en esta última aparece un momento religioso: la fe; la actual filosofía de la vida orientada biológicamente también se fundamenta en la aportación de los valores biográficos de primer tipo.

Pasemos al análisis de la biografía de segundo tipo: la biografía social cotidiana. En el segundo tipo no hay historia en tanto que fuerza organizadora de la vida; la humanidad de los otros en la que se inicia y dentro de la que vive el héroe; ésta es humanidad de los vivos (de los que viven ahora) y no la de héroes muertos y de los descendientes por venir en la que los que viven ahora, con sus vínculos, serían sólo un momento perecedero. En la concepción histórica de la humanidad, en el centro valorativo se encuentran los valores culturales históricos que organizan la forma del héroe y la forma de una vida heroica (no la felicidad y la suficiencia, la pulcritud y la honradez, sino la grandeza, la fuerza, la significación histórica, la hazaña, la gloria, etc.), en la concepción social, el centro valorativo está ocupado por los valores sociales y sobre todo familiares (no se trata de la gloria histórica entre la descendencia, sino de la "buena fama" entre los coetáneos, un "hombre honrado y bueno"), que organizan la forma privada de la vida, familiar o personal, con todos sus detalles cotidianos (no los acontecimientos, sino la cotidianidad), cuyos sucesos más importantes no sobresalen por su significado de los límites del contexto valorativo de la vida familiar o personal, se agotan en él desde el punto de vista de su felicidad o desdicha o de la de los prójimos (cuyo círculo, dentro de los límites de la humanidad social puede ser tan extenso como se quiera). En este tipo también está ausente el momento de la aventura, aquí predomina el momento descriptivo: el amor a los objetos y personas comunes que crean una monotonía valorable del contenido de la vida (la biografía de primer tipo incluye a los grandes coetáneos, los hombres de la historia y los grandes sucesos). El amor a la vida, en la biografía de este tipo, es amor a la permanencia de las personas amadas, a los objetos, situaciones y relaciones (no estar en el mundo y tener importancia dentro de él, sino estar con el mundo, observarlo y vivirlo una y otra vez). El amor, en el contexto valorativo de una biografía social, se cambia, por supuesto, de una manera adecuada, vinculándose no al laurel sino a otros valores propios de este contexto, pero la función de ordenación y constitución de los detalles y de los pormenores de la vida carentes de sentido, permanecen con ella en el plano de la conciencia valorativa del otro (puesto que en el plano de la autoconciencia no pueden ser comprendidos y mucho menos ordenados).

En el segundo tipo existe normalmente una manera más individualizada de la narración, pero el narrador protagonista solamente ama y observa sin actuar casi, sin formar parte del argumento, está viviendo "cada día", y su actividad se agota con la observación y la narración.

En una biografía de segundo tipo a menudo pueden distinguirse dos planos: *1*] el mismo narrador protagonista representado desde su interior de un modo semejante a como nos vivenciamos a nosotros mismos en el héroe de nuestro sueño o recuerdo, personaje mal asimilado a los otros que lo rodean; a diferencia de ellos, él está desplazado hacia el plano interior, aunque la distinción de los planos no suele percibirse fuertemente; parece estar ubicado sobre la frontera de la narración, bien formando parte de ella como héroe biográfico, bien empezando a buscar una coincidencia con el autor-portador de la forma, o bien aproximándose al sujeto de la confesión (así sucede en la trilogía de Tolstoi *Infancia, Adolescencia, Juventud*: en *Infancia,* la diferencia de los planos casi no se percibe, en *Adolescencia,* y sobre todo en *Juventud,* se vuelve mucho más importante: el reflejo propio y la torpeza psíquica del héroe; el autor y el héroe se aproximan); *2*] otros personajes, en la representación de los cuales hay muchos rasgos transgresivos que pueden ser no sólo los caracteres sino también los tipos (estos momentos transgredientes se dan a través de la conciencia del narrador protagonista, del héroe propiamente biográfico, acercándolo al autor). Su vida con frecuencia puede tener un argumento terminado, en el caso de no estar demasiado entretejida con la vida del héroe biográfico, o sea con el narrador.

La duplicidad de los planos en la estructura biográfica hace constancia de la descomposición del mundo biográfico: el cantor se vuelve crítico, su extraposición con respecto al otro cualquiera se hace importante, su iniciación valorativa en el mundo de los otros se debilita, disminuye la autoridad de la posición valorativa del otro. Un héroe biográfico solamente ve y ama, pero no vive, y los otros que se le contraponen y que se separan valorativamente de él cobran una forma esencialmente transgrediente. Éstos son los dos tipos principales del valor biográfico. (Algunos momentos complementarios del valor biográfico son: generación, familia, justificación del determinismo nacional, de la tipicidad nacional por encima del sentido, estamento, época y su tipicidad más allá del sentido, colorido. La idea de la paternidad, de la maternidad y de la condición de hijo dentro de un mundo biográfico. La biografía social y cotidiana y el realismo: agotar a sí mismo y a la vida de uno en el contexto de la contemporaneidad. Aislar el contexto valorativo de la actualidad a partir del pasado y del futuro. La "vida" se toma del contexto valorativo de las revistas, periódicos, protocolos, de la popularización de las ciencias, de las conversaciones, etc. El valor biográfico de tipo social cotidiano y la crisis de las formas transgredientes autorizadas y de su unidad: autor, estilo.)

Ésta es, pues, la forma biográfica en sus variedades principales. Formulemos claramente la relación del protagonista y el autor en la biografía.

El autor, al crear al héroe con su vida, se orienta a los mismos valores en medio de los cuales vive la vida su héroe. Por principio, el autor no es más rico que su héroe y no dispone de momentos excedentes y transgredientes para la creación que no poseyera el mismo héroe para con su vida; el autor en su obra solamente continúa aquello que ya existe en la misma vida de los héroes Aquí no existe una oposición fundamental del punto de vista estético al punto de vista existencial, no hay diferenciación: la biografía es de carácter sincrético. El autor sólo ve en su personaje y quiere para él aquello que el mismo héroe ve y quiere para sí en su vida. El personaje vive sus aventuras con interés y el autor en su representación se deja llevar por el mismo interés por la aventura; el personaje actúa con un heroísmo intencionado, y el autor le confiere heroicidad desde el mismo punto de vista. Los valores que mueven al autor en su representación del personaje y sus posibilidades interiores son los mismos que dirigen la vida del personaje, porque su vida es directa e ingenuamente estetizada (los valores rectores son de caracter estético o, más exactamente sincréticos), y en la misma medida es directa e ingenuamente sincrética la obra del autor (sus valores no son de carácter netamente estético, no se oponen a los valores de la vida, o sea a los valores ético-cognoscitivos), el autor no es artista puro como el héroe no es sujeto puramente ético. El autor como artista cree en las mismas cosas en las que cree su personaje; lo que éste considera bueno, lo mismo considera el autor, sin oponer al héroe su bondad meramente estética; para el autor, el personaje no sufre el fundamental fracaso semántico y, por consiguiente, no ha de ser salvado en un camino de valores totalmente diferente y transgrediente a toda su vida. El momento de la muerte del héroe se toma en cuenta pero no le quita el sentido a la vida, por no ser el apoyo básico de la justificación extrasemántica; la vida, a pesar de la muerte, no requiere de un valor nuevo, sólo debe ser recordada y fijada tal como había transcurrido. De esta manera, en la biografía el autor no sólo está de acuerdo con el personaje en sus creencias, convicciones y amores, sino que se guía en su creación artística (sincrética) por los mismos valores que el héroe en su vida estética. La biografía es el producto orgánico de las épocas orgánicas.

En la biografía el autor es ingenuo, está emparentado con el personaje, pueden intercambiar sus lugares los dos (de allí que aparezca la posibilidad de coincidencia personal en la vida, es decir, el carácter autobiográfico). Por supuesto, el autor como momento de una obra literaria jamás coincide con el personaje, ellos son *dos*, pero entre ambos no existe una oposición fundamental, sus contextos valorativos son homogéneos, el portador de la unidad de la vida que es el héroe y el portador de la unidad de la forma que es el autor pertenecen a un mismo mundo valorativo. El autor como portador de la unidad formal conclusiva no se ve obligado a vencer una *resistencia* netamente vital (éticocognoscitiva) y semántica del *personaje;* éste en su vida está poseído valorativamente por el posible autor: el *otro.* Ambos, el héroe y el autor, son *otros* y pertenecen a un mismo mundo autorizado y valorativo de *otros.* En la biografía no salimos fuera de los límites del mundo de los otros; tampoco la actividad creadora del autor nos hace rebasar estos confines: toda esta actividad está incluída en el ser de la otredad, es solidaria con el héroe en su pasividad ingenua. La creación del autor no es acto sino ser, y por lo tanto no está asegurada y padece de necesidad. El acto biográfico es un poco unilateral: hay dos conciencias pero no dos posiciones valorativas, dos hombres, pero no un *yo* y un *otro,* sino dos otros. El carácter fundamental de la otredad del héroe no está plasmado; la tarea de un rescate extrasemántico del pasado no se ha planteado en toda su forzosa claridad. Aquí se da el encuentro de dos conciencias, pero las dos están de acuerdo, y sus mundos valorativos casi coinciden, no existe un excedente básico en el mundo del autor; no hay una autodeterminación fundamental de dos conciencias enfrentadas (una, la pasiva, en un plano vital, otra, la activa, en un plano estético).

Por supuesto que en el fondo también el autor de biografía vive gracias a la no coincidencia consigo mismo y con su personaje, no se entrega plenamente a la biografía conservando una escapatoria interior más allá de las fronteras de la dación y permanece vivo, desde luego, gracias a ese excedente suyo con respecto al ser como dación, mas el excedente no encuentra una expresión positiva en la biografía misma. Pero siempre se da una cierta expresión negativa; el excedente del autor se transfiere al héroe y su mundo y no deja que se los cierre ni se los concluya.

El mundo de la biografía no está cerrado ni concluído, no está aislado por unas fronteras básicas fijas desde el único y unitario acontecimiento del ser. Ciertamente, esta participación en el acontecimiento único es indirecta, y la biografía tiene que ver de un modo inmediato con el mundo más próximo (familia, nación, estado, cultura), y este mundo cercano al que pertenecen tanto el héroe como el autor —el mundo de la otredad— aparece como concentrado valorativamente y, por consiguiente, algo aislado, pero es un aislamiento natural e ingenuo, relativo y no fundamental y estético. La biografía no es una obra, un acto estetizado.

orgánico e ingenuo en un mundo valorativamente autoritario que en un principio es abierto pero que es orgánicamente autosuficiente. Una vida biográfica y un enunciado biográfico acerca de la vida siempre poseen un matiz de fe ingenua, su atmósfera es cálida, la biografía es profundamente crédula, pero su confianza es ingenua (carece de crisis); presupone la existencia de una actividad bondadosa que se encuentra fuera de ella y que la abarca, pero no se trata de la actividad del autor, porque él mismo la necesita junto con su personaje (ambos son pasivos y ambos se encuentran en un mismo mundo existencial), esa actividad debe permanecer fuera de la obra (que no está plenamente concluida ni aislada); la biografía igual que la confesión-rendimiento de cuentas marca sus propias fronteras. (El valor biográfico por ser poseído por la otredad no es asegurado, una vida biográficamente valorada pende de un hilo puesto que no puede ser internamente fundamentada por completo; cuando el espíritu despierte, la vida podrá seguir obstinándose sólo gracias a la falta de sinceridad consigo misma.)

La finalidad de la biografía cuenta con un lector familiar que participe en un mismo mundo de la otredad; este lector ocupa la posición del autor. Un lector crítico percibe la biografía en cierta medida como una materia prima para una elaboración literaria y la conclusión. La percepción suele completar la posición del autor hasta una extraposición valorativa plena y aporta los momentos transgredientes más esenciales y conclusivos.

Está claro que una biografía comprendida y formulada de esta manera es una cierta forma ideal, un límite al que tienden las obras concretas de carácter biográfico o sólo las partes biográficas de obras concretas no biográficas. Claro que es posible también la estilización de una forma biográfica por un autor crítico.

Allí donde el autor deja de ser ingenuo y plenamente arraigado en el mundo de la otredad, donde la *ruptura del parentesco* entre el héroe y el autor existe, donde el autor es escéptico con respecto a la vida del personaje, el escritor puede llegar a ser artista puro; simpre opondría a los *valores de la vida* del héroe los *valores* transgredientes *de conclusión,* concluiría la vida desde un punto de vista fundamentalmente diferente del que tenía el héroe viviéndola desde su interior; en tal caso cada línea, cada paso del narrador revelarían un esfuerzo por utilizar el *excedente fundamental* de la visión puesto que el héroe *necesita* una justificación transgrediente, y el punto de vista y la actividad del autor *abarcarían* y elaborarían precisamente las *fronteras fundamentales del sentido del personaje* allí donde su vida está orientada fuera de sí misma; de este modo entre el héroe y el autor se trazaría un límite fundamental. Es evidente que la biografía no propone un héroe completo, el héroe no puede ser concluído en los límites del valor biográfico.

La biografía tiene un carácter de donación: me es donada por otros y para otros, pero la poseo ingenua y tranquilamente (de allí el carácter algo fatal de una vida valiosa biográficamente). Por supuesto, la frontera entre el campo de visión y el entorno en la biografía es inestable y no tiene importancia decisiva; el momento de simpatía tiene una importancia máxima. Así es la biografía.

3] *El héroe lírico y el autor.* La objetivación lírica del hombre interior puede llegar a ser autoobjetivación. Aquí también el héroe y el autor se acercan, pero existe mayor número de momentos transgredientes a disposición del autor, y éstos tienen un carácter más importante. En el capítulo anterior nos hemos convencido de que el ritmo transgrede fundamentalmente el alma viviente. Desde adentro, la vida interior carece de ritmo y se podría decir que tampoco es lírica. Una forma lírica se aporta desde el exterior y no expresa la actitud del alma hacia sí misma sino la actitud valorativa del otro con respecto a ella. Por eso la extraposición valorativa del autor en la lírica es tan fundamental y tan intensa; el autor debe aprovechar hasta el final su privilegio de estar fuera del héroe. No obstante, la proximidad entre el héroe y el autor en la lírica no es menos evidente que en la biografía. Pero si en la biografía, como lo hemos visto, el mundo de los otros, de los héroes de mi vida, me asimilaba a mí en tanto que autor, y el autor no tiene nada que oponer a su héroe fuerte y autoritario aparte de la concordia (el autor parece ser más pobre que su personaje), en la lírica tiene lugar un fenómeno contrario: el héroe no tiene casi nada que oponer al autor; el autor parece penetrarlo completamente dejándole en su profundidad tan sólo una posibilidad potencial de independencia. El triunfo del autor sobre el héroe es demasiado completo, el héroe está absolutamente debilitado (este triunfo es aún más pleno en la música: se trata de una forma casi pura de otredad detrás de la cual casi no se percibe la oposición netamente vital de un personaje posible). Todo lo interior en el héroe casi totalmente está dirigido hacia el exterior, hacia el autor y está elaborado por éste. Casi todos los momentos objetuales y semánticos en la vivencia del héroe que podrían resistir a la plenitud de la conclusión estética están ausentes en la lírica, y por eso se logra tan fácilmente la *autocoincidencia del héroe, su identificación consigo mismo* (incluso en la lírica filosófica el sentido y el objeto son totalmente inmanentes a la vivencia, están concentrados en ella y por lo tanto no ofrecen lugar a una no coincidencia consigo mismo y a la salida hacia el acontecimiento abierto del ser; se trata de un pensamiento *vivenciado* que cree tan sólo en su propia existencia y que no adivina ni ve nada fuera de sí mismo). ¿Qué es lo que le da al autor un poder tan completo sobre el héroe? ¿Qué es lo que hace al héroe tan débil internamente (se podría decir, no serio)? ¿Por qué el aislamiento de la vivencia en el acontecimiento del ser se vuelve tan completo? En otras palabras: ¿qué es lo que le da al autor y a su postura valorativa en la creación tanta *autoridad* para con un héroe lírico que se vuelva posible una autoobjetivación lírica (una coincidencia personal del héroe y del autor fuera de los límites de la obra)? (Podría parecer que en la lírica no existen dos unidades sino tan sólo una; los círculos del autor y del héroe se fundieron y coincidieron sus centros.) Este carácter autoritario está fundamentado por dos momentos.

a] La lírica excluye todos los momentos de la expresividad espacial y de la exhaustividad del hombre, no localiza ni delimita al héroe totalmente en el mundo exterior y, por consiguiente, no ofrece la sensación de la finitud del hombre en el mundo (la fraseología romántica acerca de la infinitud del espíritu es sobre todo compatible con los momentos de la forma lírica); luego, la lírica no define ni delimita el movimiento vital de su héroe mediante una fábula acabada y concisa; y, finalmente, la lírica no tiende a la creación de un carácter acabado de héroe, no traza una frontera precisa de la totalidad del alma y de toda la vida interior del héroe (sólo tiene que ver con un momento de este todo, con un episodio del alma). Este primer momento crea la ilusión de autoconservación del héroe y de su postura interior, de su experiencia de la vivencia propia pura, crea la apariencia de que en la lírica sólo se tiene que ver con uno mismo y se actúa para uno mismo, que en la lírica se es *solitario pero no poseído,* y esta ilusión le facilita al autor la penetración en la mera profundidad del héroe para posesionarse de él, para impregnarlo todo por su actividad, el héroe es flexible y se entrega por sí mismo a esa actividad. Por su lado el autor, para posesionarse del héroe en esa su postura interior e íntima, debe reducirse hasta una extraposición netamente interior con respecto al héroe negándose a utilizar su extraposición espacial y externamente temporal (la extraposición temporal externa es necesaria para una concepción exacta de un argumento acabado) y el *excedente* de visión externa y de conocimiento relacionado con esa extraposición; el autor debe reducirse hasta una postura puramente valorativa, *fuera de la línea de orientación interna del héroe* (pero no fuera del hombre total), fuera de su *yo* en proceso de avance, fuera de su posible actitud pura hacia sí mismo. Así un héroe externamente solitario, en el interior resulta ser valorativamente no solitario; el otro que lo compenetra lo disuade de la actitud valorativa hacia sí mismo y no permite que esa actitud llegue a ser una fuerza única que forme y ordene su vida interior (arrepentirse, suplicar y transgredir a sí mismo), una fuerza que lo entregaría a la finalidad irremediable del acontecimiento único y unitario del ser donde la vida del héroe sólo puede ser expresada en el acto, en un autoinforme objetivo, en la confesión y en la plegaria (la misma confesión y la plegaria en la lírica parecen dirigirse hacia sí mismas, empiezan a ser pacíficamente suficientes, a coincidir alegremente con su existencia pura sin suponer la existencia de nada fuera de sí mismas, en el acontecimiento por venir; la penitencia ya no se acepta en tonos de arrepentimiento sino en tonos de afirmación, la súplica y la necesidad se admiten con cariño sin necesitar una satisfacción real). Así pues, el primer momento de parte del héroe hace evidente su posesionamiento interior por la postura valorativa del otro igualmente interna.

b] La autoridad del autor es autoridad de *coro*. El posesionamiento lírico en su base es una *obsesión de coro*. (Se trata del ser que encuentra una afirmación en el coro, el apoyo del coro. No es la naturaleza indiferente la que canta en mí, porque ésta solamente puede originar un hecho de concupiscencia, un hecho de acción, pero no su expresión valorativa por más inmediata que fuese; esta expresión se hace poderosa y fuerte no física sino valorativamente, triunfante y posesiva sólo en el coro de otros. Esta expresión se transfiere del plano de la facticidad pura, de la existencia física a un plano valorativo distinto desde el exterior del ser afirmado sancionado emocionalmente.) La lírica es la vista y el oído de uno mismo desde el interior, con ojos emocionales, y en la *voz* emocional del otro: yo me oigo en el otro, con otros y para otros. La autoobjetivación lírica es la obsesión por el *espíritu de la música,* es el estar impregnado y compenetrado por el último. El espíritu de la música, un coro posible: ésta es la postura firme y autoritaria de la autoría interior, fuera de sí mismo, de la vida interior de uno. Yo me encuentro en la voz ajena emocionada, me plasmo en la voz ajena que canta, encontrando en ella un enfoque válido para mi propia agitación interior; yo me canto con la boca de una posible alma amante. Esta voz ajena escuchada desde el exterior que organiza mi vida interior en la lírica es un coro posible, una voz acorde con el coro que percibe desde el exterior un posible apoyo del coro (esta voz no podría sonar así en la atmósfera del silencio absoluto y del vacío; el rompimiento individual y absolutamente solitario del silencio absoluto tiene un carácter horrible y pecaminoso, degenera en un grito que se asusta a sí mismo y se agobia a sí mismo con su existencia importuna y desnuda; la violación solitaria y totalmente arbitraria del silencio impone una responsabilidad infinita o resulta ser injustificadamente cínica; la voz puede cantar tan sólo en una *atmósfera cálida,* en la atmósfera de un posible apoyo por parte del coro, de una fundamental *no soledad sonora*). También el sueño acerca de uno mismo puede ser de carácter lírico, pero sería un sueño que se apropiaría de la música de otredad y por eso llegaría a ser productivo. También la lírica está llena de una profunda confianza inmanentizada en su poderosa, autoritaria, afirmativa forma que es el autor portador de la unidad formal conclusiva. Para hacer que la vivencia de uno suene líricamente hay que sentir en ella no a su propia responsabilidad no solitaria sino a su naturaleza valorativa, al otro en sí, a su pasividad en el posible coro de los otros que me rodea por todos lados y que parece encubrir el determinismo *inmediato* y apurado del único y unitario acontecimiento del ser. Yo aún no sobresalgo del coro como su protagonista que todavía conlleva en sí la concentración valorativa y coral del alma —la otredad—, pero que ya percibió su soledad; se trata del héroe trágico (un otro solitario); en la lírica yo todavía me encuentro todo en el coro y hablo desde el coro. Por supuesto, la fuerza organizadora del amor en la lírica es sobre todo grande como en ningún valor artístico formal; se trata de un amor privado de casi todos los momentos objetivos, semánticos y objetuales que organiza la pura autosuficiencia del proceso de la vida interior, de un *amor a la mujer* que está por encima del hombre y de la humanidad social e histórica (la Iglesia y Dios). Una cálida atmósfera amorosa es necesaria para plasmar el movimiento interior, casi indefinido, a veces caprichoso, del alma (sólo se puede ser caprichoso en el amor del otro, se trata del juego del deseo en una densa atmósfera de amor; el pecado a menudo resulta ser un capricho malo en Dios). También la lírica del amor desesperado se mueve y vive tan sólo en la atmósfera de un amor posible, como una anticipación del amor. (La tipicidad y la ejemplaridad de la lírica amorosa y de la muerte. La inmortalidad como postulado del amor.)

Es posible una forma específica de desintegración de la lírica determinada por el debilitamiento de la autoridad de la postura interior valorativa del otro fuera de mí, por la disminución de la *confianza* hacia un posible apoyo del coro; de allí que aparezca una particular vergüenza lírica por uno mismo, la *vergüenza del patetismo lírico,* la vergüenza de la sinceridad lírica (la *excentricidad lírica,* la ironía y el cinismo líricos). Se trata de una especie de *ruptura de voz* que se haya sentido *fuera del coro.* (No existe, desde nuestro punto de vista, una frontera rígida entre la llamada lírica coral y la individual; toda lírica vive tan sólo gracias a la confianza en un posible apoyo del coro, la diferencia sólo puede consistir en la definición de los momentos estilísticos y de particularidades técnico-formales; una diferenciación esencial empieza solamente donde se debilita la confianza en el coro; allí empieza la descomposición de la lírica. El individualismo se puede definir positivamente sin tener vergüenza por su determinismo únicamente en la atmósfera de confianza, amor y de posible apoyo del coro. El individuo no existe fuera de la otredad.) Lo cual tiene lugar en la poesía del decadentismo, así como en la lllamada lírica realista (Heine). Los ejemplos aparecen también en Baudelaire, Verlaine, Laforgue; en la poesía rusa, sobre todo se refiere a Sluchevski y Annenski: las *voces fuera del coro.* Son posibles diversas formas de locura santa (*iurodstvo*) en la lírica. Siempre cuando el héroe empieza a liberarse de la obsesión por el otro-autor (quien deja de tener autoridad), cuando los momentos semánticos y objetuales llegan a ser *inmediatamente significantes,* cuando el héroe de repente se halla en el único y unitario acontecimiento del ser a la luz del sentido preconcebido, los cabos del círculo lírico dejan de coincidir, el héroe pierde la identificación consigo mismo, empieza a ver su desnudez y a tenerle vergüenza, el paraíso se destruye. (En parte, la lírica en prosa de A. Biely, con cierta mezcla de locura santa. Ejemplos de lírica en prosa, en que la fuerza organizadora es la vergüenza por uno mismo, aparecen en Dostoievski. Esta forma se aproxima a la confesión-rendimiento de cuentas orientada a la lucha con lo humano.) Así es la lírica con su relación entre el héroe y el autor. La posición del autor es fuerte y autoritaria, y la independencia del héroe con su orientación existencial es mínima, el héroe casi *no vive sino que se refleja únicamente* en el alma del autor activo que es el otro que se posesiona del héroe. El autor casi no tiene que superar la resistencia interna del héroe, un paso —y la lírica se presta a ser una forma pura y abstracta del posible acogimiento de un héroe posible (porque solamente el héroe puede ser portador del contenido, del contexto valorativo en prosa). El aislamiento en el acontecimiento del ser en la lírica es completo, pero no hay que subrayarlo. La distinción entre la lírica declamada y cantada carece aquí de importancia: se trata de la diferencia de grado en la independencia temática del héroe.

4] *El problema del carácter como forma de interrelación entre el autor y el héroe.* Ahora hemos de pasar al análisis del carácter exclusivamente desde el punto de vista de la relación mutua del héroe y el autor; por supuesto, no nos vamos a ocupar del análisis de los momentos estéticos de la estructura del carácter, puesto que no tienen relación directa con nuestro problema. Es por eso por lo que no proponemos aquí una estética mínimamente plena del carácter.

El carácter se diferencia clara y esencialmente de todas las formas de expresión del héroe que llevamos examinadas hasta ahora. Ni en la confesión-rendimento de cuentas, ni en la biografía, ni en la lírica la *totalidad del héroe* fue el propósito artístico principal, no fue centro valorativo de la visión artística. (El héroe siempre es el centro de la visión, pero no su *totalidad,* no la plenitud y el acabado de su determinismo.) En la confesión no existe en absoluto un propósito artístico, y por lo tanto no existe el valor netamente estético de la totalidad dada y presente. En la biografía, el principal propósito artístico es la *vida* como valor biográfico, la vida del héroe pero no su determinismo interior y exterior, no la imagen acabada de su personalidad como propósito principal. No importa quién sea el héroe sino qué ha vivido y qué ha hecho. Desde luego, también la biografía conoce momentos que determinan la imagen de la personalidad (la heroización), pero ninguno de ellos cierra a la personalidad ni la concluye; el héroe es importante como portador de una vida determinada, rica y plena, históricamente significativa; es esta vida la que se encuentra en el centro valorativo de la visión, y no la totalidad del héroe cuya vida en su determinismo sólo viene a ser su característica.

En la lírica también está ausente el propósito de totalidad: en el centro valorativo de la visión se encuentra un estado interior o un acontecimiento que no es en absoluto la única característica del héroe, que es tan sólo el portador de la vivencia, pero ésta no lo cierra ni lo concluye como totalidad. Por eso, en todas las formas de interrelación entre el héroe y el autor analizadas hasta ahora ha sido posible la proximidad entre ellos (así como la coincidencia personal fuera de la obra), puesto que allí la actividad del autor no está dirigida hacia la creación y elaboración de claros y esenciales *límites del héroe* y, por consiguiente, de *fron-*

teras fundamentales entre el autor y el héroe. (También importa el mundo que abarca por igual al héroe y al autor, con sus momentos y situaciones.)

Llamaremos *carácter* a la forma de relación recíproca entre el héroe y el autor que realice la tarea de crear la totalidad del héroe como personalidad determinada y en que esta tarea aparezca como la principal: desde un principio, el héroe se nos presenta como un todo, y desde un principio la actividad del autor recorre sus límites esenciales; todo se percibe como momento de caracterización del héroe, todo se reduce y sirve de contestación a la pregunta: quién es él. Es obvio que aquí aparecen dos planos de la percepción valorativa, dos contextos valorativos de sentido (uno de los cuales abarca valorativamente y supera al otro): *1*] el campo de visión (horizonte) del héroe y la importancia existencial ético-cognoscitiva de cada momento (de cada acto, objeto) del mismo héroe dentro de su horizonte; *2*] el contexto del autor que contempla, en el cual todos estos momentos llegan a ser características del todo del héroe, adquiere una importancia determinante y delimitante del mismo (la vida resulta ser modo de vida). El autor aquí es *crítico* (en tanto que autor, por supuesto): en todo momento de su creación aprovecha todos los privilegios de su completa extraposición con respecto al héroe. Simultáneamente, el héroe es más independiente dentro de esta forma de interrelación, es más palpable, consciente y obstinado en su orientación netamente existencial, cognoscitiva y ética; el autor se opone plenamente a esa actividad existencial del héroe y la traduce a un lenguaje estético, estableciendo una definición artística transgrediente para cada momento de la actividad existencial de su personaje. La relación entre el autor y el héroe tiene aquí un carácter siempre intenso y fundamental.

La estructuración del carácter puede tomar dos rumbos principales. Al primero lo llamaremos la estructuración clásica del carácter; al segundo, la estructuración romántica. En el primer tipo de estructuración del carácter la base es el valor artístico de un *destino* (a esta palabra le damos aquí un significado determinado absolutamente delimitado que se quedará aclarado plenamente en lo sucesivo).

El destino es el determinismo pleno de la existencia de una personalidad, que necesariamente predetermina los sucesos de la vida de ésta; de esta manera, la vida viene a ser tan sólo la realización (y el cumplimiento) de aquello que desde un principio se encuentre en la existencia determinada de la personalidad.

Desde su interior, la personalidad construye su vida (piensa, siente, actúa) según sus propósitos, realizando los significados temáticos y semánticos hacia los cuales se orienta su vida: actúa de cierto modo porque así debe ser, por ser lo correcto, lo necesario, lo deseado, etc., pero en realidad tan sólo cumple la necesariedad de su destino, es decir, el determinismo de su existencia, de su faz en ella. El destino es una transcripción artística de la huella en el ser que deja una vida regulada desde su interior por sus propósitos, es la expresión artística del *depósito* en el ser de una vida *plenamente comprendida.* Este depósito en el ser también ha de tener su lógica, pero no se trata de una *lógica del propósito* de la vida misma sino una lógica puramente artística que rige la unidad y la necesidad interna de la imagen. El destino es individualidad, o sea un determinismo esencial de la existencia de la personalidad que marca toda la vida, todos los actos de la última: en este sentido, también el pensamiento-acto no se determina desde el punto de vista de su importancia teóricamente objetiva sino desde el punto de vista de su individualidad, como algo característico precisamente para esta personalidad dada, como algo predeterminado por la existencia de la personalidad; asimismo, todos los actos posibles están predeterminados por la individualidad, realizándola. Y el mismo curso de la vida de la personalidad con todos sus sucesos, y finalmente su muerte, se perciben como necesarios y predeterminados por su individualidad o destino; en este plano del destino-carácter la muerte del héroe no aparece como fin sino como conclusión, y en general todo momento de la vida adquiere una importancia artística, llega a ser artísticamente necesario. Está claro que nuestra comprensión del destino se distingue de la habitual, que es muy amplia. Así, un destino vivido desde el interior como cierta fuerza externa e irracional que determina nuestra vida por encima de sus propósitos, de su sentido y deseos, no es el valor artístico del destino en el sentido que le atribuimos, porque ese destino no ordena a nuestra vida para nosotros mismos en una totalidad artística necesaria, sino que más bien tiene la función puramente negativa de destruir nuestra vida, la cual se ordena, o tiende a ello, por los propósitos, por las significaciones semánticas y objetuales. Por supuesto, es posible tener gran confianza a esta fuerza, confianza que la perciba como la providencia divina; esta última es aceptada por mí, pero no puede llegar a ser la forma que organice mi vida, desde luego. (Se puede amar el propio destino *in absentia,* pero no podemos contemplarlo como una totalidad necesaria, interiormente unitaria y concluída.) No comprendemos la lógica de la providencia sino que tan sólo creemos en ella; pero comprendemos perfectamente la lógica del destino del héroe y no lo aceptamos en absoluto de buena fe (por supuesto, se trata de una comprensión y persuasión artística del destino, no de una comprensión cognoscitiva). El destino como valor artístico es transgrediente a la autoconciencia. El destino es el valor principal que regula, ordena y unifica todos los momentos transgredientes con respecto al héroe; aprovechamos nuestra extraposición respecto al héroe para comprender y ver la totalidad de su destino. El destino no es el *yo-para-mí* del héroe sino su existencia, es aquello que le es dado, aquellos que él resultó ser; no es la forma de su planteamiento sino la forma de su dación.

(Un héroe clásico ocupa determinado lugar en el mundo, en lo más esencial se presenta como plenamente definido y, por tanto, ya está perdido. Luego se presenta *toda* su vida en el sentido de un posible logro existencial. Cuanto comenta el héroe no es motivado artísticamente por su voluntad moral y libre, sino por su ser determinado: actúa de un modo determinado porque es *así*. En él no debe haber nada indefinido para nosotros; todo lo que se cumple y sucede, se desenvuelve dentro de los límites dados de antemano y predeterminados, sin romper sus contornos: se cumple aquello que se debe cumplir y no puede dejar de cumplirse.)

El destino es una forma de ordenación del pasado semántico; el héroe clásico es contemplado desde un principio por nosotros en el pasado, donde no puede haber ningún descubrimiento ni revelación.

Hay que señalar que, para estructurar un carácter clásico en tanto que destino, el autor no debe superar demasiado al héroe ni utilizar los privilegios puramente temporales y fortuitos de su extraposición. Un autor clásico aprovecha los momentos eternos de extraposición; de allí que el pasado de un héroe clásico sea el pasado *eterno* del hombre. La extraposición no debe ser una postura exclusiva, segura de sí misma y original.

(El parentesco aún no se rompe; el mundo es claro; no hay fe en el milagro.)

El autor es dogmático con respecto a la visión del mundo de un héroe clásico. Su posición ético-cognoscitiva debe ser indiscutible o, más exactamente, no se sujeta a discusión. En caso contrario se habría aportado el momento de *culpa* y *responsabilidad*, y la unidad artística del destino se destruiría. El héroe quedaría libre, podría estar sujeto a un juicio moral, carecería de carácter necesario, podría ser otro. Cuando el héroe se constituye con base en la culpa y la responsabilidad (y, por consiguiente, en la libertad moral, en la libertad de la necesidad natural y estética), deja de coincidir consigo mismo, y la extraposición del autor en lo más importante (la exención del otro de la culpa y la responsabilidad, su contemplación *fuera del sentido*) se pierde y la conclusión artística transgrediente se vuelve imposible.

Por supuesto la *culpa* tiene lugar en un carácter clásico (el héroe de la tragedia casi siempre es culpable), pero no se trata de una culpa moral sino la del ser: la culpa de poseer una *fuerza del ser* y no una *fuerza semántica* de la *auto*condena moral (pecado en contra la personalidad divina y no en contra del sentido, el culto etc.).

Porque los conflictos dentro de un carácter clásico son colisiones y son lucha de *fuerzas del ser* (por supuesto, se trata de las fuerzas naturales valorativas de la existencia de la otredad y no de cantidades físicas o psicológicas), no de significados (el deber y la obligación aquí son fuerzas valorativas naturales); esta lucha representa un *proceso dramático* interno que jamás sale fuera de los confines del ser-dación, y no un proceso dialéctico semántico de una conciencia moral. La culpa trágica se ubica plenamente en el plano valorativo del ser-dación y es inmanente al destino del héroe; por eso la culpa puede ser sacada totalmente fuera de los límites de la conciencia y del conocimiento del héroe (una culpa moral debe ser inmanente a la conciencia, yo debo comprenderme en ella como *yo*) al pasado de su familia (el linaje es la categoría valorativa natural de la existència de la otredad); el héroe habría podido cometer la culpa sin sospechar la importancia del hecho; en todo caso, la culpa se encuentra en el ser como fuerza y no se origina por primera vez en la libre conciencia moral del héroe, que no viene a ser un libre iniciador de la culpa; dentro de este contexto, no hay salida fuera de la categoría del ser valorativo.

¿En qué fundamento de valores se constituye un carácter clásico, en qué contexto cultural de valores es posible el destino como fuerza valorativa que concluye y organiza artísticamente la vida del otro? El *valor del linaje* en tanto que categoría del ser afirmado de la otredad que me atrae también a mí en su círculo valorativo de la conclusión: ésta es la base en que crece el valor del destino (para el autor). *Yo no inicio la vida,* yo no soy iniciador valorativamente responsable de la vida, ni siquiera tengo una visión valorativa para ser iniciador *activo de la serie valora-*

ble, significativa y responsable de la vida; puedo actuar y valorar con base en una vida dada y evaluada; *la serie de actos no se origina a partir de mi persona,* yo solamente continúo la serie (actos-pensamientos, actos-sentimientos, actos-hechos); yo cargo con un indisoluble vínculo de hijo con respecto a la paternidad y maternidad de la familia (de la familia en el estrecho sentido de familia-pueblo, de género humano). En la pregunta "quién soy" suena otra: "quiénes son mis padres, de qué familia provengo". Yo sólo puedo ser aquello que ya soy esencialmente; no puedo rechazar mi esencial *ya-ser,* puesto que no es *mío* sino que pertenece a mi madre, mi padre, mi familia, mi pueblo, a la humanidad inclusive.

Mi linaje (o mi familia) no es valioso por ser *mío,* es decir, no soy yo quien lo hace valioso por *ser mío,* es decir, no soy yo quien lo hace valioso (no es el linaje el que llega a ser el momento de mi existencia valorada), sino porque yo pertenezco al linaje de la madre, del padre; valorativamente no me pertenezco; no me encuentro valorativamente en oposición a mi familia. (Yo puedo rechazar y superar valorativamente en mí solamente aquello que me pertenezca incondicionalmente, en aquello que sólo me pertenezca a mí, en aquello en que yo rompo las cualidades familiares.)

El determinismo del ser en el plano del linaje es indiscutible, se da en mí y yo no puedo oponérmele dentro de mí mismo; yo no existo valorativamente para mí fuera del linaje. Mi *yo-para-mí* moral no tiene familia (un cristiano se sentía sin linaje, la inmediatez de la paternidad celestial destruiría la autoridad de la paternidad terrenal). En este fundamento se origina la fuerza valorativa del destino para el autor. El autor y el héroe todavía pertenecen a un solo mundo en que el valor del linaje aún es importante (en una u otra forma: nación, tradición, etc.). En este momento la extraposición del autor encuentra su limitación, no se extiende hasta una extraposición con respecto a la visión y percepción del mundo del héroe; el autor y el héroe no tienen de qué discutir, pero en cambio la extraposición es sobre todo estable y fuerte (la discusión la desestabiliza). El valor del linaje convierte al destino en categoría positivamente valorable de la visión y conclusión del hombre (del cual no se requiere una iniciativa moral); allí donde el hombre inicia a partir de sí mismo una serie de actos valorativos, donde es moralmente culpable y responsable por su persona, por su determinismo —la categoría valorativa del destino le es inaplicable y no lo concluye. (Blok y su poema "Castigo"). (Sobre esta base valorativa, el arrepentimiento no puede ser pleno e impregnarme totalmente; no puede aparecer una confesión-autoinforme puro; sólo los hombres sin linaje parecen conocer la plenitud en el arrepentimento.) Éste es, fundamentalmente, el carácter clásico.

Pasemos al segundo tipo de estructuración del carácter: el romántico. A diferencia del clásico, el carácter romántico es arbitrario y posee la iniciativa valorativa. Además, el hecho de que el héroe *inicie responsablemente* la serie semántico-valorativa de su vida es de suma importancia. Es precisamente la orientación solitaria y completamente activa hacia los valores, su postura ético-cognoscitiva en el mundo la que debe ser estéticamente superada y concluída por el héroe. El valor del destino que presupone la existencia de la familia y la tradición es impropio para una conclusión artística. Entonces ¿qué es lo que confiere la unidad e integridad artística, la necesidad artística interna a todas las definiciones transgredientes del héroe romántico? Aquí conviene mejor el término "valor de la idea", que proviene de la misma estética romántica. La individualidad del héroe no se manifiesta como destino sino como idea o, más exactamente, como encarnación de una idea. El héroe que desde su interior actúa de acuerdo con los propósitos, realizando los significados temáticos y semánticos, en realidad realiza cierta idea, cierta verdad necesaria de la vida, cierta protoimagen suya, la concepción divina de su persona. Por eso la vida, los sucesos y el entorno objetual aparecen como *simbólicos*. El héroe es un vagabundo, un peregrino, un explorador (personajes de Byron, Chateaubriand; Fausto, Werther, Heinrich von Ofterdingen y otros), y todos los aspectos de sus búsquedas de valor y de sentido (él ama, quiere, considera como verdad, etc.) encuentran una definición transgrediente como ciertas etapas simbólicas del camino artístico único de realización de la idea. Los aspectos líricos en un personaje romántico ocupan inevitablemente un lugar importante (amor a una mujer, como en la lírica). La orientación de sentido que se había concentrado en un carácter romántico dejó de ser autoritaria y solamente se vivencia líricamente.

La extraposición del autor con respecto a un héroe romántico es, indudablemente, menos estable que en el tipo clásico. La debilitación de esta postura lleva a la desintegración del carácter, las fronteras empiezan a desdibujarse, el centro valorativo se transfiere de la frontera a la misma vida (a la orientación ético-cognoscitiva) del héroe. El romanticismo es una forma de *héroe infinito*: el reflejo del autor con respecto al héroe se introduce en el interior del personaje y lo reconstruye, el héroe le quita al autor todas sus definiciones transgredientes para sí mismo, para su desarrollo propio y para su autodefinición, que a consecuencia de ello se vuelve infinita. Paralelamente a ello tiene lugar la destrucción de fronteras entre áreas culturales (idea de hombre integral). Aparecen los gérmenes de locura y de ironía. Con frecuencia la unidad de la obra coincide con la unidad del héroe, los momentos transgredientes se vuelven fortuitos y dispersos y pierden su unicidad. O bien la unicidad del autor es manifestadamente convencional, *estilizada.* El autor empieza a esperar revelaciones de su héroe. El intento de la autoconciencia de forzar una revelación que sólo es posible a través del otro, el intento de arreglárselas sin Dios, sin lectores, sin autor.

Los caracteres sentimentales y realistas vienen a ser productos de desintegración del carácter clásico. Los momentos transgredientes empiezan a debilitar la independencia del personaje. Lo cual tiene lugar debido ora al reforzamiento del elemento moral de la extraposición, ora al elemento cognoscitivo (el autor hablando desde la altura de nuevas ideas y teorías empieza a examinar a su héroe errado). En el sentimentalismo, la extraposición se utiliza no sólo artísticamente sino también moralmente (en detrimento de las cualidades artísticas, por supuesto). La piedad, la conmoción, la indignación y otras reacciones éticas y valorativas que colocan al personaje fuera del marco de la obra destruyen la conclusión artística; empezamos a reaccionar respecto al héroe como si fuera una persona real (la reacción de los lectores respecto a los primeros héroes sentimentales —la pobre Lisa, Clarissa, Grandison, etc., en parte Werther— es imposible con respecto a un héroe clásico), a pesar de que artísticamente este héroe sea mucho menos vital que un personaje clásico. Las desgracias del héroe ya no son su destino sino que solamente representan algo creado adrede por la gente mala; el héroe es pasivo, apenas soporta la vida y ni siquiera perece sino que lo destruyen. El héroe sentimental es el que más encaja con las obras tendenciosas, por poder despertar una compasión social o una hostilidad social extraestética. La extraposición del autor pierde casi por completo los momentos artísticos esenciales aproximándose a la extraposición del hombre ético con respecto a sus *prójimos* (aquí nos abstraemos absolutamente del humorismo, que es una fuerza poderosa y netamente artística del sentimentalismo). En el realismo, el excedente cognoscitivo del autor rebaja el carácter hasta una simple ilustración social o alguna otra teoría del autor; sobre el ejemplo de los personajes y de sus conflictos existenciales (que no son nada teóricos), el autor resuelve sus problemas cognoscitivos (en el mejor de los casos, el autor apenas plantea el problema a propósito de los personajes). El aspecto problemático no está encarnado en el héroe, y forma parte del excedente cognoscitivo activo del mismo autor, transgrediente respecto al héroe. Todos estos momentos debilitan la independencia del héroe.

Un lugar especial pertenece a la *forma situacional,* a pesar de que a veces ésta representa el producto de desintegración del carácter. Puesto que la situación es pura, es decir, en el centro de la visión artística se encuentra únicamente el determinismo de la circunstancia temática y semántica, en abstracción de un portador determinado que es el héroe, la situación está fuera del propósito de nuestro análisis. Y cuando la situación representa tan sólo desintegración del carácter, no representa nada esencialmente nuevo. En rasgos generales, así es el carácter como forma de interrelación del héroe y del autor.

5] *El problema del tipo como forma de relación mutua entre el héroe y el autor.* Si el carácter en todas sus formas es plástico —sobre todo es plástico el carácter clásico—, el tipo es pintoresco. Si el carácter se establece con respecto a los últimos valores de la visión del mundo, se correlaciona con estos últimos valores, expresa la orientación ético-cognoscitiva en el mundo del hombre en el mundo y parece acercarse a los mismos límites de la existencia, el tipo está alejado de los confines del mundo y expresa la orientación del hombre hacia los valores concretizados y limitados por la época y el contacto de valores, hacia los *bienes,* es decir, hacia el sentido ya transformado en el ser (en el acto del carácter el sentido por primera vez se transforma en el ser). El carácter en el pasado, el tipo en el presente; el entorno del carácter es un poco simbólico, el mundo objetual alrededor del tipo es un inventario. El tipo es una postura pasiva de la personalidad colectiva. Lo esencial en esta forma de interrelación entre el héroe y el autor es lo siguiente: en el excedente del autor determinado por su extraposición, el elemento cognoscitivo tiene una importancia preponderante, aunque no se trate de un elemento cognoscitivo científico ni discursivo (sin embargo, a veces también cobra un desarrollo discursivo). Esta utilización del excedente cognoscitivo la vamos a designar como generalización intuitiva, por una parte, y como dependencia funcional intuitiva, por otra. Efectivamente, el aspecto cognoscitivo de la extraposición del autor en la estructuración del tipo se desarrolla en estas dos direcciones. Es evidente que la generalización intuitiva que fundamenta la tipicidad de la imagen del hombre presupone una extraposición firme, tranquila, segura y plenamente autoritaria con respecto al personaje. ¿Cómo se logra el autoritarismo y la firmeza de postura de un autor que está creando un tipo? Mediante su profunda no participación interna al mundo representado, debido al hecho de que este mundo parece estar muerto valorativamente para él: desde el mismo principio, este mundo existe plenamente para el autor, apenas *es* y *no significa* nada, está totalmente claro y por lo tanto carece de autoridad, no puede oponer nada valorativamente importante al autor, la orientación ético-cognoscitiva de sus personaejs es absolutamente inaceptable; y por lo tanto la tranquilidad, la fuerza y la seguridad del autor son análogas a la quietud y a la fuerza cognoscitiva de un sujeto cognoscente, y el héroe que es objeto de la actividad estética (*otro* sujeto) empieza a acercarse al objeto del conocimiento. Por supuesto, este límite no se alcanza en el tipo, y por lo tanto el tipo sigue siendo una forma artística, porque la actividad del autor siempre va dirigida al hombre y por consiguiente el acontecimiento sigue siendo estético. El momento de la generalización tipológica, desde luego, es marcadamente transgrediente; lo más imposible es tratar de tipificarse uno mismo; la tipicidad referida a uno mismo se percibe valorativamente como una injuria; en ese sentido, la tipicidad es aún más transgresiva que el destino; yo no sólo no puedo percibir valorativamente mi tipicidad, sino que tampoco puedo permitir que mis actos, hechos, palabras dirigidas a los significados de fin y de objeto (aunque se trate de los más próximos que son los bienes), realicen tan sólo cierto tipo, que estén necesariamente predeterminados por esa tipicidad mía. Este carácter casi ofensivo del transgrediente típico hace que la forma del tipo sea aceptable para una tarea satírica, que en general busca formaciones marcadas y transgredientes en la existencia de la vida humana comprendida desde el interior y llena de importancia objetiva. Pero la sátira presupone mayor resistencia del héroe, con el cual todavía hay que luchar, que la necesaria para una contemplación tranquila y segura encaminada a tipización.

Aparte del momento de generalización existe todavía el momento de la dependencia funcional detectada intuitivamente. El tipo no sólo se entreteje con el mundo circundante (entorno objetual) sino que se representa como determinado por él en todos sus momentos; el tipo es el momento necesario de cierto entorno (no es la totalidad sino apenas una parte de ésta). Aquí el momento cognoscitivo de la extraposición puede lograr una gran fuerza hasta que el autor logre encontrar los factores que determinan causalmente los actos del héroe (sus pensamientos, sentimientos, etc.). Estos factores pueden ser económicos, sociales, psicológicos e inclusive fisiológicos (el artista es un médico, el héroe es un animal enfermo). Por supuesto, éstos son los extremos de la elaboración tipológica, pero el tipo siempre se representa como algo inseparable de una determinada unidad objetual (estructura, vida cotidiana, costumbres, etc.) y como algo necesariamente definido por esta unidad, como algo engendrado por la última. El tipo presupone la supremacía del autor respecto al héroe y su total no participación en el mundo del último; de allí que el autor suela ser un crítico absoluto. La independencia del héroe es bastante baja dentro del tipo, todos los momentos problemáticos están trasladados del contexto del héroe al contexto del autor, se desarrollan a propósito del héroe y en relación con él pero no dentro de él, y es el autor el que les confiere unidad, pero no el héroe portador de la unidad ético-cognoscitiva existencial que dentro del tipo aparece sumamente disminuída. Desde luego, es absolutamente imposible la aportación al tipo de momentos líricos. Ésta es la forma del tipo desde el punto de vista de interrelación del autor con el héroe.

6] *Hagiografía.* No nos podemos detener con detalle en esta forma porque rebasa los límites de nuestro tema. La vida de una hagiografía transcurre en el mundo de Dios. Cada momento de esta vida se representa como significativo precisamente en este mundo; la vida de un santo es una vida significativa *en Dios.*

Una vida que es significativa en Dios debe adoptar formas tradicionales, la piedad del autor no da lugar a una iniciativa individual, a una elección individual de la expresión: aquí el autor se niega a sí mismo y a su actividad individual responsable; por eso la forma se vuelve tradicional y convencional (es positivamente convencional aquello que por principio no se adecua al objeto y, comprendiendo esa inadecuación, la niega; pero este notorio rechazo de la adecuación está muy lejos de la locura, porque ésta es *individual* y en ella está presente el momento de lucha con lo humano; la forma hagiográfica es tradicionalmente convencional, apoyada por una autoridad incuestionable, y admite amorosamente el *ser de la expresión* aunque éste sea inadecuado, y, por consiguiente, acepta al destinatario). Así, pues, la unidad de los momentos transgredientes de un santo no es la unidad individual del autor que aprovecha activamente su extraposición; esta extraposición es humilde y ha rechazado la iniciativa —también porque no existen momentos esencialmente transgredientes que sirvan para la conclusión—; por lo tanto acude a las formas consagradas por la tradición. Un análisis de las formas tradicionales de la hagiografía no forma parte de nuestro propósito, solamente nos vamos a permitir una observación general: la hagiografía, así como el icono, evade la transgresión limitante y demasiado concretizadora, puesto que estos momentos siempre, siempre restan peso a la autoridad; debe ser excluído todo lo típico para una época dada, para la nacionalidad dada (p. ej., la tipicidad tradicional de Cristo en el icono), de una posición social y edad determinadas, todo lo concreto en la apariencia, en la vida, los detalles y pormenores, los indicios exactos de tiempo y lugar, todo aquello que refuerza el *determinismo de la existencia* de una personalidad dada (también lo típico y lo característico e incluso lo biográficamente concreto), todo aquello que disminuye el carácter autoritario de este género (la vida de un santo parece desde un principio transcurrir en la eternidad). Hay que anotar que el tradicionalismo y convencionalismo de los momentos transgredientes de la conclusión contribuyen fuertemente a disminuir su significación limitante. En la interpretación de la hagiografía también es posible la tradición simbólica. (El problema de la representación del milagro y del acontecimiento religioso más elevado; aquí sobre todo son importantes un humilde rechazo de la adecuación y de la individualidad y una sumisión a la tradición rígida.) Cuando hay que representar y expresar cómo se halla el sentido último, es necesario reducirse hasta la tradicionalidad convencional (los románticos solían interrumpir la obra, o la concluían con hagiografías tradicionales o misterios). Así, pues, la *negación* del carácter *esencial* de la extraposición con respecto al santo y la humildad hasta aceptar el tradicionalismo puro (en la Edad Media, hasta el realismo) son rasgos principales de un autor hagiográfico (la idea de la venerabilidad en Dostoievski).

Éstas son las formas de totalidad del sentido del héroe. Por supuesto, estas formas no coinciden con las formas concretas de las obras; las hemos formulado aquí como momentos abstractos a ideales, como límites a los que tienden los momentos concretos de las obras. Es difícil encontrar una biografía pura, una lírica pura, un carácter o un tipo puros; de ordinario tenemos que ver con la conjunción de varios momentos ideales, con la acción de varios límites, entre los cuales predomina uno u otro (desde luego, no entre todas las formas es posible la unión). En ese respecto podemos decir que el acontecimiento de la interrelación entre el autor y el héroe dentro de cada obra concreta con frecuencia incluye varios actos: el héroe y el autor luchan entre sí, ora se acercan, ora se alejan bruscamente; pero la plenitud de la conclusión de la obra presupone una divergencia marcada y el triunfo del autor.

EL PROBLEMA DEL AUTOR

En el presente capítulo hemos de resumir los resultados de nuestro análisis y luego definir más exactamente al autor como participante del acontecimiento artístico.

1] Al principio de nuestra investigación nos hemos convencido de que el hombre es el centro de la visión artística, que la organiza desde el punto de vista de la forma y el contenido; además, se trata de un *hombre dado* en su existencia valorativa en el mundo. El mundo de la visión artística es un mundo organizado, ordenado y concluido aparte de la intencionalidad y el sentido, alrededor del hombre dado, siendo su entorno valorativo: podemos ver cómo en función del hombre los momentos objetivos y todas las relaciones —espaciales, temporales y semánticas— se vuelven artísticamente significativos. Esta orientación valorativa y la condensación del mundo en torno al hombre crean su realidad estética, que se diferencia de la realidad cognoscitiva y ética (realidad del acto, la realidad moral del acontecimiento unitario y único del ser), pero que no son, por supuesto, indiferentes a la última. Después nos hemos percatado de que existe una profunda y fundamental diferencia valorativa entre el *yo* y el *otro,* de carácter de acontecimiento: fuera de esta distinción no es posible ningún acto valorable. El *yo* y el *otro* son las principales *categorías de valor* que por primera vez hacen que se vuelva posible cualquier *apreciación real,* o, más exactamente, la orientación valorativa de la conciencia no sólo tiene lugar en el acto como tal, sino en toda vivencia e incluso en toda sensación más simple: vivir significa ocupar una posición valorable en cada instante de la vida, significa establecerse valorativamente. Luego hemos hecho una descripción fenomenológica de la conciencia valorativa de mí mismo y de mi conciencia del otro en el acontecimiento del ser (el acontecimiento del ser es un concepto fenomenológico, porque el ser se le presenta a una conciencia viva como un acontecimiento, el ser actúa sólo en el marco del acontecer, sólo dentro de éste se orienta y vive) y nos hemos percatado de que únicamente el otro como tal puede ser el centro valorativo de la visión artística y, por consiguiente, el héroe de una obra; sólo el otro puede ser formado y concluido esencialmente, puesto que todos los momentos de la conclusión valorativa —espacial, temporal y semántica— transgreden valorativamente la autoconciencia activa, no forman parte de la actitud valorativa hacia uno mismo: yo, permaneciendo yo mismo para mí, no puedo ser activo en el espacio y el tiempo estéticamente significativo y condensado; yo no llego a ser, ni cobro forma, ni me determino dentro de ese espacio y tiempo; en el mundo de mi autoconciencia valorativa no existe el valor estético de mi *cuerpo* y mi *alma* en su unidad orgánica dentro de un hombre *íntegro,* este tiempo-espacio no se construye dentro de mi campo de visión gracias a mi propia actividad y, por consiguiente, mi horizonte no puede encerrarse, pacificado, y abarcarme como mi entorno valorativo: yo *aún no existo* en tanto que dación tranquila e igual a sí misma, dentro de mi mundo de valores. La actitud valorativa hacia uno mismo es absolutamente improductiva, y yo para mí soy estéticamente irreal. Yo sólo puedo ser portador de la tarea de la constitución artística y de la conclusión, pero no puedo ser el objeto de esta constitución y conclusión, o sea, su héroe. La visión estética encuentra su expresión en el arte, particularmente, en la creación artística verbal; aquí aparecen un severo aislamiento, cuyas potencialidades ya estaban presentes en la visión, lo cual fue señalado por nosotros, y una tarea formal determinada y delimitada que se realiza mediante un determinado material, en este caso *verbal.* La tarea artística principal se lleva a cabo sobre la base del material verbal (que se vuelve artístico por el hecho de ser sometido a esta tarea) en determinadas formas de obra verbal y por medio de determinados procedimientos condicionados no sólo por la tarea artística principal sino también por la naturaleza del material dado, que es la palabra; este material debe ser adaptado para los fines artísticos (en este momento llegamos a los dominios de la estética especializada que toma en cuenta las particularidades del material artístico dado). (Así se cumple la transición de la visión estética al arte.) La estética especializada no debe desprenderse, por supuesto, de la actitud artística principal del autor hacia el héroe, que es la que determina la tarea artística en todo lo importante. Hemos visto que yo mismo, en tanto que determinismo, puedo llegar a ser sujeto (pero no héroe) de un solo tipo de enunciado, que es el rendimiento de cuentas confesional, cuya fuerza organizadora es la actitud valorativa hacia uno mismo, y por consiguiente es un género absolutamente extraestético.

En todas las formas estéticas, la fuerza organizadora es la categoría valorativa del *otro,* la actitud hacia el otro enriquecida por el excedente valorativo de visión para una conclusión transgrediente. El autor sólo se aproxima al héroe allí donde no existe la pureza de la autoconciencia valorativa, donde ésta está poseída por la conciencia del otro, donde se comprende a través del otro que posea autoridad (a través del amor y del interés de ese otro), y donde el excedente (el conjunto de elementos transgredientes) se reduce al mínimo y no tiene la intensidad de principio. Aquí el acontecimiento artístico se realiza entre dos almas (casi dentro de los límites de una posible conciencia valorativa), y no entre el espíritu y el alma.

Todo esto determina una obra artística no como un objeto de conocimiento puramente teórico, carente de la importancia que tiene el acontecer, carente de valor, sino como un acontecimiento artístico vivo, como momento significante del suceso único y unitario del ser. La obra debe ser comprendida y conocida en tanto que acontecimiento artístico en los principios mismos de su vida valorativa, en sus participantes vivos, sin haber sido muerta previamente y rebajada hasta la desnuda existencia empírica de una totalidad verbal (es la actitud del autor hacia el héroe, y no la actitud del autor hacia el material, lo que tiene carácter de acontecimiento y posee un significado). Es lo que determina también la posición del autor en tanto que portador del acto de la visión artística y de la creación en el acontecimiento del ser, y dentro del cual puede ser posible únicamente cualquier tipo de creación seria, importante y responsable. El autor ocupa una posición responsable en el acontecimiento del ser, tiene que ver con los momentos de este acontecimiento, y por lo tanto también la obra es un momento del acontecer.

El héroe, el autor-contemplador: éstos son los momentos vivos, los participantes del acontecer de la obra, y sólo ellos pueden ser responsables, contribuyéndole al acontecer una unidad e iniciándolo en el acontecimiento único y unitario del ser. Hemos definido lo suficiente al héroe y a su forma: su otredad valorativa, su cuerpo, su alma, su integridad. Aquí es necesario pormenorizar el problema del autor.

Todos los valores forman parte del objeto estético, pero con un coeficiente estético determinado; la postura del autor y su tarea artística deben ser emprendidas en el mundo en relación con todos estos valores. No son las palabras ni el material lo que se concluye sino el conjunto del ser vivido plenamente; la tarea artística organiza el mundo concreto: el mundo espacial con su centro que es el cuerpo vivo, el mundo temporal con el suyo que es el alma y, finalmente, el mundo del sentido; todos ellos se organizan en una unidad concreta en que se penetran mutuamente.

La actitud estéticamente creativa hacia el héroe y su mundo

es la actitud hacia algo que tiene que morir (*moriturus*), es la oposición de la conclusión redentora a su tensión semántica; para ello, hay que ver en el hombre y en su mundo precisamente aquello que él mismo por principio no puede ver en su persona, permaneciendo dentro de sí mismo y viviendo seriamente su vida; hace falta saber acercársele no desde el punto de vista de la vida, sino desde otro, que aporta una actividad fuera de lo vital. El artista es precisamente alguien que sabe ser activo fuera de la existencia cotidiana, es alguien que no sólo participa en la vida (práctica, social, política, moral, religiosa) y que la comprende desde su interior, sino alguien que también la ama desde el exterior, allí donde ella no existe para sí misma, donde ella está orientada hacia su exterior y necesita un enfoque activo desde la extraposición y más allá del sentido. La divinidad del artista consiste en su iniciación en la extraposición suprema. Pero esta extraposición al acontecer vital de la otra gente y al mundo de esta vida es, por supuesto, un aspecto específico y justificado de la participación en el acontecimiento del ser. La tarea del artista consiste en saber encontrar un enfoque esencial de la vida desde el exterior. De esta manera el artista y el arte en general crean una visión del mundo absolutamente nueva, crean la imagen del mundo, la realidad de la carne mortal del mundo, a la que no conoce ninguna otra actividad creadora cultural. Este determinismo exterior (internamente exterior) del mundo, que encuentra su suprema expresión y fijación en el arte, acompaña siempre nuestra visión emocional acerca del mundo y de la vida. La actividad estética reúne el mundo disperso en el sentido y lo condensa en una imagen terminada y autosuficiente, encuentra un equivalente emocional para lo perecedero en el mundo (para su pasado, presente, para su existencia), un equivalente que vivifica y guarda el mundo; encuentra una posición valorativa desde la cual lo perecedero del mundo cobra el valor de un acontecer, adquiere importancia y un determinismo estable. El acto estético origina el ser en un nuevo plano valorativo del mundo, aparece un nuevo hombre y un nuevo contexto valorativo: el plano del pensamiento acerca del mundo de los hombres.

El autor debe permanecer en la frontera del mundo por él creado como su creador activo, porque su intervención en este mundo destruye su estabilidad estética. Siempre podemos determinar la posición del autor con respecto al mundo representado por el hecho de cómo se describa la apariencia, si se da su imagen total transgrediente, por el hecho de qué tan vivos, estables y resistentes sean sus límites, hasta qué punto el héroe se impregne de su entorno, hasta qué punto sea plena, sincera y emocional la solución y la conclusión, hasta qué punto sea calmada y plástica la acción, hasta qué punto sean vivas las almas de los héroes (o si solamente se trata de vanos esfuerzos de un espíritu por convertirse en un alma por sus propias fuerzas). Únicamente cumpliendo con todas estas condiciones, el mundo estético se vuelve estable y autosuficiente, coincide consigo mismo en nuestra activa visión artística de este mundo.

2] *Contenido, forma, material.* El autor está orientado hacia el contenido (la tensión vital, o sea ético-cognoscitiva, del héroe), lo forma y concluye utilizando para ello un material determinado, en nuestro caso, el material verbal, sometiéndolo a su tarea artística, es decir, la tarea de solucionar la tensión ético-cognoscitiva dada. Partiendo de ello, se puede distinguir en una obra artística, o, más bien, en una tarea artística dada, tres momentos: contenido, material, forma. La forma no puede ser comprendida independientemente del contenido, pero puede ser autónoma con respecto a la naturaleza del material y a los procedimientos determinados por ella. La forma está determinada por un contenido dado, por una parte, y por la singularidad del material y los medios de su elaboración, por otra. Una tarea artística puramente material es un experimento técnico. Un procedimiento artístico no puede ser únicamente un modo de elaborar el material verbal (la dación lingüística de las palabras), sino que debe ser, ante todo, una manera de elaborar un contenido determinado, pero con la ayuda del material determinado. Sería ingenuo suponer que un artista solamente necesite la lengua y el conocimiento de los procedimientos para tratarla, y que esta lengua sea recibida por él como lengua, no más que eso, como si fuera de manos de un lingüista (porque sólo un lingüista se enfrenta a la lengua como tal); entonces resultaría que precisamente esta lengua fuese lo que inspira al artista para que éste pueda cumplir, basado en ella, toda clase de tareas artísticas sin rebasar sus límites *en tanto que lengua* únicamente: tarea semasiológica, fonética, sintáctica, etc. Efectivamente, el artista trabaja sobre la lengua, pero no en tanto que lengua; la supera en tanto que lengua, porque la lengua no debe ser percibida como tal en su determinismo lingüístico (morfológico, sintáctico, lexicológico, etc.), sino solamente en la medida en que llega a ser recurso de la expresión artística. (La palabra debe dejar de percibirse como tal.) Un poeta no crea en el mundo de la lengua, sino que tan sólo utiliza la lengua. La tarea del artista determinada por la tarea artística principal, con respecto al material puede ser expresada como *superación del material.*

No obstante, esta superación es de carácter positivo y no tiende para nada a la ilusión. En el material se supera su posible definición extraestética: el mármol debe dejar de resistirse como un determinado fenómeno físico, debe expresar plásticamente las formas del cuerpo pero sin crear la ilusión del cuerpo; todo lo físico en el material se supera precisamente en tanto que físico. ¿Acaso debemos percibir las palabras en una obra literaria precisamente como palabras, o sea en su determinismo lingüístico; acaso debemos sentir una forma morfológica justamente como tal, una forma sintáctica como sintáctica, una serie semántica como semántica? ¿Acaso la totalidad de una obra literaria en lo esencial viene a ser una totalidad verbal? Desde luego, debe ser estudiada como totalidad verbal, y es tarea del lingüista; pero la totalidad verbal percibida como tal, ya por este mismo hecho no es artística. Sin embargo, la superación de la lengua en tanto que material físico tiene un carácter absolutamente inmanente, no se supera a través de la negación sino mediante un *perfeccionamiento inmanente* en un sentido necesario determinado. (La lengua en sí misma es indiferente desde el punto de vista del valor; ella siempre es auxiliar y jamás aparece como finalidad, sirve al conocimiento, al arte, a la comunicación práctica, etc.) El pensar que también el mundo de la creación está formado por una serie de elementos científicos abstractos es la ingenuidad de los hombres que por primera vez estudian ciencias: resulta que todos nosotros hablamos en prosa sin sospecharlo. El positivismo ingenuo supone que en el mundo —es decir, en el acontecer del mundo, porque sólo dentro de éste vivimos y actuamos y creamos— nos enfrentamos con la materia, con la psique, con el número matemático, y que éstos tienen que ver con el sentido y el propósito de nuestros actos y que pueden explicar nuestro acto, nuestra creación precisamente como acto, como creación (ejemplo con Sócrates en Platón). Mientras tanto, estos conceptos solamente explican el material del mundo, el aparato técnico del acontecimiento del mundo. Este material del mundo se supera inmanentemente por el acto y por la creación. Este positivismo ingenuo hoy en día se ha manifestado también en las ciencias humanas (una comprensión ingenua de la cientificidad). Pero lo que hay que entender no es el aparato técnico, sino la *lógica inmanente a la creación* y ante todo hay que comprender la estructura axiológico-semántica, en la que transcurre y se aprecia valorativamente la creación; hay que comprender el contexto en que se llena de sentido un acto creativo. La conciencia, creadora de un autor-artista, *jamás* coincide con la conciencia lingüística, la conciencia lingüística es sólo un momento, un material totalmente dominado por la tarea puramente artística. Aquello que yo me imaginaba como camino en el mundo resulta ahora apenas una serie semántica (por supuesto, ésta también tiene lugar, pero ¿cuál es?). La serie semántica se ubica fuera de la tarea artística, fuera de la obra literaria; si no es así, la semasiología no es parte de la lingüística ni lo puede ser, dentro de cualquier enfoque de esta ciencia (siempre si se trata de una ciencia acerca de la lengua). El componer un diccionario semántico por divisiones no significa aún acercarse a la creación artística. El problema principal consiste en determinar ante todo la tarea artística y su contexto real, es decir, un mundo de valores en el que esta tarea se plantea. ¿En qué consiste el mundo en que vivimos, actuamos, creamos? ¿En materia y psiquismo? ¿De qué se compone una obra artística? ¿De palabras, oraciones, capítulos; quizá de páginas, de papel? En el contexto de valores del artista, activo y creador, todos estos momentos están lejos de ocupar el primer lugar, no lo determinan valorativamente sino que están determinados por él. Con lo cual no se quiere oponer al derecho de estudiar estos momentos, pero tales investigaciones deben ocupar su lugar correspondiente en la comprensión real de la creación como creación. Así, pues, la conciencia creativa del autor no es la conciencia lingüística en el sentido más amplio de esta palabra, sino tan sólo un elemento pasivo de la creación: un material inmanentemente superado.

3] *La sustitución del contexto axiológico del autor por el contexto literario.* De esta manera, hemos establecido que la actitud del artista hacia la palabra como tal es un momento secundario y derivado, determinado por su actitud primaria hacia el contenido, es decir, hacia la dación inmediata de la vida y del mundo de la vida, de su tensión ético-cognoscitiva. Se puede decir que el artista elabora el mundo con la ayuda de la palabra, para lo cual la palabra debería superarse inmanentemente como tal, llegar a ser la expresión del mundo de los otros y la expresión de la actitud del autor hacia el mundo. El estilo propiamente verbal (la actitud del autor hacia la lengua y los modos de operar la lengua condicionados por esta actitud) es el reflejo, en la naturaleza dada del material, de su estilo artístico (actitud hacia la vida y el mundo de la vida y el modo de representar al hombre y el mundo condicionado por dicha actitud); un estilo artístico no trabaja mediante palabras, sino con los momentos del mundo, los valores del mundo y de la vida; puede ser definido como conjunto de procedimientos para formación y conclusión del hombre y de su mundo, y este estilo determina la actitud hacia el material, la palabra, cuya naturaleza debe ser desde luego conocida para comprender esta actitud. Un artista se refiere al objeto directamente como a un momento del acontecimiento del mundo, lo cual determina luego (aquí, por supuesto, no se trata del orden cronológico sino de una jerarquía de valores) su actitud hacia el significado objetivo de la palabra en tanto que momento de un contexto puramente verbal, define la utilización del momento fonético (imagen fónica), del momento emocional (la emoción misma se relaciona valorativamente con el objeto, está dirigida a él y no a la palabra, a pesar de que el objeto puede no ser dado fuera de la palabra), del momento pictórico, etcétera.

La sustitución del contenido por la forma (o la sola tendencia a tal sustitución) elimina la tarea artística reduciéndola a un momento secundario y totalmente determinado: la actitud hacia la palabra (con lo cual se aporta, por supuesto, también el momento primario de la actitud hacia el mundo en una forma acrítica; sin esta aportación no habría nada que decir).

Pero es posible la sustitución del contexto valorativo real del autor no por un contexto verbal, lingüístico (comprendido a la luz de la lingüística), sino por uno literario, es decir, por un contexto artístico verbal —o sea por la lengua ya elaborada en función de una cierta tarea artística primaria (por supuesto, habría que suponer la existencia, en una especie del pasado absoluto, de un acto creativo primario que no transcurría en un contexto literario, que aún no existía). De acuerdo con esta concepción, el acto creador del autor se realiza en un contexto de valores puramente literario, sin abandonar sus límites por ningún motivo y cobrando su sentido únicamente dentro de él: en ese contexto se origina como valor, y también se concluye y luego muere. El autor encuentra dada la lengua literaria, las formas literarias (el mundo de la literatura y nada más); allí nace su inspiración, su impulso creador por instaurar nuevas formas o combinaciones en ese mundo literario, sin abandonar sus límites. Efectivamente, existen obras concebidas, gestadas y engendradas en un mundo estrictamente literario, pero esas obras se discuten muy raras veces a causa de su nulidad artística absoluta (por lo demás, yo no me decidiría a afirmar categóricamente que tales obras sean posibles).

El autor supera en su obra la resistencia puramente literaria de las formas literarias anticuadas, de costumbres y tradiciones (lo cual indudablemente tiene lugar), sin toparse jamás con la resistencia de otra clase (la resistencia ético-cognoscitiva del héroe y de su mundo), y su finalidad es la creación de una nueva combinación literaria basada en los elementos puramente literarios también, y el lector también debe percibir el acto creativo del autor tan sólo en el fondo de la convención literaria habitual, es decir, también sin rebasar los límites del contexto de valores y de sentidos de una literatura comprendida materialmente. El contexto real de valores que da sentido a la obra del autor no coincide absolutamente con el contexto estrictamente literario, y menos si éste es comprendido de una manera material; este contexto, con todos sus valores, por supuesto forma parte del primero, pero de ningún modo es determinante, sino determinado; el acto creador se ve obligado a determinarse activamente también en un contexto literario material, a ocupar también dentro de éste una posición valorativa, y sin duda esencial, pero esta posición se condiciona por la posición más general del autor en el acontecimiento del ser, en los valores del mundo; con respecto al héroe y a su mundo (el mundo de la vida) el autor se orienta ante todo, y esta orientación valorativa suya determina también su posición literaria material. Se podría decir: las formas de visión artística y de conclusión del mundo determinan los procedimientos literarios externos, y no al revés; la arquitectónica de un mundo artístico determina la estructura de la obra (orden, distribución y conclusión, conjunción de masas verbales), y no al revés. Hay necesidad de luchar con las formas literarias establecidas, viejas o no, utilizarlas y combinarlas o buscar apoyo en ellas, pero en la base de este movimiento está la lucha más esencial y determinante: la *lucha artística primaria* con la orientación ético-cognoscitiva de la vida y con su resistencia vital significante; aquí es el punto de la máxima tensión del acto creador (para el cual todo lo demás es apenas un medio), de todo artista en su campo, si él significativa y seriamente viene a ser el *primer artista,* es decir, se colisiona y lucha directamente con el elemento ético-cognoscitivo de la vida, con el caos (son elemento y caos desde el punto de vista estético), y solamente esta colisión logra sacar una chispa puramente artística. Cada artista en cada obra suya siempre vuelve a conquistar artísticamente [ilegible], siempre vuelve a justificar el mismo punto de vista estético como tal. El autor se encuentra directamente con el héroe y su mundo y sólo dentro de una actitud inmediatamente valorativa determina su posición como artística, y únicamente dentro de esta actitud valorativa hacia el héroe los procedimientos literarios formales cobran por primera vez su importancia, su sentido y su peso valorativo (resultan necesarios e importantes argumentalmente), y el movimiento del acontecer se aporta también a la esfera literaria material. (El contexto de revistas literarias, la lucha en las revistas, la vida y la teoría de la revista literaria.) [39]

Ni una sola conjunción de procedimientos literarios y materiales concretos (formales), y menos si se trata de los elementos lingüísticos —a saber: palabras, oraciones, símbolos, series semánticas, etc.—, puede ser entendida desde el punto de vista de la regla estrictamente estética y literaria (la regla siempre tiene un carácter reflejo, secundario, derivado), como estilo y composición (aparte de un experimento artístico intencionado), es decir, no puede ser entendida a partir del autor únicamente y de su energía puramente estética (esto se extiende a la lírica y a la música), sino que es necesario tomar en cuenta también la serie semántica, la legitimidad semántica y ético-cognoscitiva de la vida del héroe, la regla semántica de su *conciencia progresiva,* porque todo lo estéticamente significante no abarca un vacío sino una orientación resistente y legítima (inexplicable estéticamente) del sentido de una *vida progresiva.* Una obra no se desintegra en una serie de momentos estéticos, estructurales (aún menos de momentos lingüísticos: palabras-símbolo con aureola emocional, relacionadas según las reglas de asociaciones simbólicas verbales), vinculados según las leyes estético-estructurales; la totalidad artística representa una superación, y muy importante, de una totalidad necesaria del sentido (de la totalidad de una vida posible y significativa). En una obra artística existen dos poderes y dos derechos creados por los poderes mencionados, que se condicionan mutuamente; cada momento se determina en dos sistemas valorativos, y en todo momento ambos sistemas se encuentran en una interrelación esencial e intensa: se trata de dos fuerzas que crean el peso valorativo del acontecer de cada momento y de la totalidad.

Un artista jamás se inicia en tanto que artista desde un principio, o sea que desde el comienzo no puede tener que ver únicamente con los elementos estéticos. Dos son las reglas que rigen una obra artística: la regla del héroe y la del autor, la regla del contenido y la regla de la forma. Cuando un artista desde un principio tiene que ver con las magnitudes estéticas, el resultado es una obra forzada y vacía que no supera nada y que en realidad no crea nada de valor. Un personaje no puede ser creado desde principio hasta fin a partir de los elementos puramente estéticos, no se puede "hacer" al héroe, porque no será vivo, no se "sentirá" su significado estético. El autor no puede "inventar" al héroe carente de toda independencia con respecto al acto creador del autor que lo afirma y le da forma. Un autor *artista* encuentra desde *antes* al héroe como algo dado independientemente de su acto puramente artístico, no puede engendrar al héroe a partir de sí mismo: un personaje semejante no sería convincente. Por supuesto, hablamos de un héroe *posible*, es decir de uno que aún no haya llegado a ser héroe, aún no se haya formado estéticamente, porque el personaje de una *obra* ya posee una forma estéticamente significante, es decir, la dación de hombre-otro, y es ésta la que es encontrada por el autor como algo dado desde antes,* y tan sólo con respecto a esta forma el valor adquiere una conclusión estética. El acto artístico encuentra cierta realidad resistente (elástica, impenetrable), a la que no puede dejar de tomar en cuenta y a la que no puede disolver en sí totalmente. Esa realidad extraestética del personaje llegará a formar parte de la obra como algo ya constituido previamente. La realidad del héroe —de la otra conciencia— es precisamente el *objeto* de la visión artística que le aporta una *objetividad estética* a esa visión. Desde luego, no se trata de la realidad de las ciencias naturales (realidad y posibilidad, no importa si física o psíquica), a la que se le opusiese la libre fantasía creadora del autor, sino de la realidad interior de la orientación de la vida en cuanto al valor y al sentido; en ese respecto exigimos del autor una verosimilitud valorativa, un peso valorativo en sus imágenes; no es una realidad cognoscitiva o empírico-práctica sino la *realidad del acontecer* (un movimiento posible, no físicamente, sino en tanto que evento): éste puede ser un acontecimiento de la vida en el *sentido del peso valorativo,* aunque fuese absolutamente imposible e inverosímil física y psicológicamente (entendiendo la psicología como una rama de las ciencias naturales); así es como se mide la verosimilitud artística, la objetividad o fidelidad al objeto, de la orientación vital ético-cognoscitiva del hombre, la verosimilitud del argumento, del carácter, de la situación, de un motivo lírico, etc. Hemos de percibir en la obra la viva resistencia de la realidad del evento del ser; donde no existe esta resistencia, no existe salida hacia el acontecer valorativo del mundo, entonces resulta que la obra aparezca como inventada y absolutamente incapaz de convencer. Por supuesto, no existen criterios objetiva y generalmente significantes para reconocer la objetividad estética; aquí sólo se trata de una persuasión intuitiva. Detrás de los momentos transgredientes de una forma artística hemos de percibir una posible conciencia humana a la que estos momentos son transgre-

* No se trata, por supuesto, de una existencia previa empírica del héroe, en tal lugar y en tal tiempo.

sivos y a la que ellos acarician y concluyen; además de nuestra conciencia creadora o participante de la creación, hemos de sentir vivamente *otra* conciencia, hacia la que se dirige nuestra actividad creadora precisamente como a otra; el sentir esto significa sentir la forma, su capacidad de salvar, su peso valorativo o su belleza. (He dicho: sentir, y sintiendo se puede no comprender teóricamente, con una claridad cognoscitiva.) La forma no puede tener como referente a uno mismo; al hacerlo nos volvemos otros con respecto a nosotros mismos, o sea, dejamos de ser nosotros, de vivir a partir de nosotros mismos, llegamos a ser poseídos por el otro; por lo demás, una referencia semejante (no exactamente, por supuesto) en todos los dominios del arte con la excepción de algunos géneros líricos y de la música, destruye la importancia y el peso valorativo de la forma; además, de este modo no se puede profundizar y ampliar la contemplación artística: en seguida se manifiesta la falsedad, y la percepción se vuelve pasiva y decaída. En un acontecimiento artístico participan dos: uno es real pasivamente, otro es activo (el autor-contemplador); la desaparición de uno de los participantes destruye el acontecimiento artístico, y nos queda tan sólo una ilusión del acontecimiento artístico que es una falsedad (una mentira artística de uno mismo); un acontecimiento artístico resulta irreal porque no se ha cumplido verdaderamente. La objetividad artística es una *bondad*, y ésta no puede dejar de tener objeto, no puede estar suspendida en el vacío, y se le debe oponer valorativamente el otro. Algunos géneros del arte se dice que no tienen objeto (ornamento, arabesco, música); esto es correcto en el sentido de que en ellos no hay un contenido objetual *definido,* pero por supuesto existe el objeto en nuestro sentido, el objetivo que les confiere una objetividad artística. Percibimos la resistencia de una conciencia potencial puramente vital e inconclusa desde el interior en la música, y sólo por eso percibimos la fuerza y el peso valorativo de la música apreciando su avance como el triunfo y la superación; al sentir esta intensidad, imposible de concluir desde el interior, pero mortal y de carácter ético-cognoscitivo (la infinitud penitente, la posibilidad de una inquietud eterna, fundamental y recta), percibimos también el gran privilegio del acontecer: el de ser *otro,* el de encontrarse *fuera* de una otra conciencia potencial, el de su propia posibilidad que dona, resuelve y concluye, el de su propia fuerza formal realizable estéticamente; *creamos una forma musical no en un vacío valorativo ni tampoco en medio de otras formas musicales (una música entre otra música)*, sino en el *acontecer* de la vida, y sólo esta circunstancia le confiere *seriedad,* significado y peso del evento. (Un arabesco de estilo puro; detrás de un estilo siempre percibimos un alma potencial.) Así, pues, en un arte no objetual hay contenido, es decir, una intensidad resistente del acontecer de una vida potencial, pero indefinida e indiferenciada objetualmente.

De este modo, la forma no tiene un significado tan sólo dentro de un mundo de formas. El contexto de valores en que se realiza y cobra sentido una obra literaria no es sólo contexto literario. Una obra de arte debe sugerir la realidad valorativa y eventual del héroe. (La psicología viene a ser un momento igualmente técnico, falto de un carácter de acontecer.)

4] Tradición y estilo. Llamamos *estilo* a la *unidad* de procedimientos de estructuración y conclusión del héroe y su mundo y de los recursos de elaboración y adaptación (superación inmanente) del material determinados por los primeros. ¿En qué relación están el estilo y el autor como individualidad? ¿Qué relación existe entre el estilo y el contenido (el mundo concluso de los otros)? ¿Cuál es el significado de la tradición en el contexto de valores del autor contemplador?

Una unidad segura del estilo (un estilo notable y definido) sólo es posible cuando existe la unidad de la tensión ético-cognoscitiva de la vida, una tarea indiscutible que la rija; ésta es la primera condición; la segunda es una extraposición indiscutible y segura (al fin y alcabo, como lo veremos, se trata de una confianza religiosa al hecho de que la vida no esté en abandono, de que sea intensa y de que tenga un movimiento propio, pero no dentro de un vacío valorativo), que es el lugar sólido e indiscutible del arte en el mundo de la cultura. Una extraposición fortuita no puede dar la seguridad en sí mismo; el estilo no puede ser casual. Estas dos condiciones se relacionan íntimamente y se determinan recíprocamente. Un estilo grande abarca todos los dominios del arte o no existe, porque se trata precisamente del estilo de la misma visión del universo y ya después del estilo de elaboración del material. Está claro que el estilo exceptúa la novedad en la creación del contenido al apoyarse en la unidad estable del contexto ético-cognoscitivo de la vida. (Así, el clasicismo, que no aspira a crear nuevos valores ético-cognoscitivos, pone todas sus fuerzas en los momentos de la conclusión estética y en la profundización inmanente de la orientación tradicional de la vida. La novedad del contenido en el romanticismo, su actualidad en el realismo.) La intensidad y la novedad de la creación del contenido es, en la mayoría de los casos, la señal de la crisis de la actividad estética. La crisis del autor implica la revisión del mismo lugar del arte en la totalidad de la cultura, en el acontecimiento del ser; todo lugar tradicional aparece como injustificado; un artista es *algo determinado*: no se puede llegar a ser artista; no se debe superar a otros en el arte, sino el arte mismo; la no aceptación de las áreas de la cultura en su determinismo. El romanticismo y su idea de la creación integral y del hombre integral. La aspiración a actuar y a crear directamente en el acontecimiento único del ser como su único participante; el no saber conformarse con el papel de trabajador, de definir su lugar en el acontecer a través de los otros, de colocarse en fila con ellos.

La crisis de autoría puede seguir una dirección diferente. Se tambalea y se presenta como inesencial la misma intención de la extraposición, del colocarse fuera; al autor se le discute el derecho de estar fuera de la vida y de concluirla. Se inicia la desintegración de todas las formas transgresivas estables (ante todo, en la prosa, desde Dostoievski hasta Biely; para la lírica, la crisis de autoría siempre tiene una importancia menor: Annenski, etc.); la vida se vuelve comprensible y significativa tan sólo desde el interior, únicamente cuando la vivo en tanto que *yo*, en la forma de la actitud hacia mí mismo, en categorías valorativas de mi *yo-para-mí*: comprender significa vivenciar el objeto, verlo con sus mismos ojos, negar la importancia de la extraposición con respecto al objeto; todas las fuerzas que constituyen la vida desde el exterior parecen faltas de importancia y gratuitas, se desarrolla una profunda desconfianza a toda extraposición (la inmanentización de Dios relacionada con este fenómeno en la religión, la psicologización de Dios y de la religión, la incomprensión de la iglesia como institución externa, y en general la revaluación de todo lo interior). La vida aspira a ensimismarse, y trata de destruirlas porque no cree en la importancia y la bondad de una fuerza que actúe desde el exterior; la no aceptación del punto de vista desde fuera. Por supuesto, de esta manera se vuelve imposible la *cultura de los límites,* que es la condición necesaria de un estilo seguro y profundo; la vida justamente no tiene nada que hacer con las fronteras, porque todas las energías creadoras abandonan los límites dejándolos a su propio destino. Una cultura estética es cultura de los límites y por ello presupone una atmósfera de profunda confianza que abraza la vida. La creación y elaboración segura y fundamentada de las *fronteras* externas e *internas,* del hombre y de su mundo, suponen una solidez y seguridad de la postura fuera de él, de la posición en que el espíritu pueda permanecer largamente en plena posesión de sus fuerzas y actuar libremente; está claro que esto presupone una gran dosificación de la atmósfera de valores; cuando ésta no existe, cuando la extraposición resulta casual e inestable, cuando la comprensión valorativa es totalmente inmanente a lo vivenciado (la vida práctica y egoísta, la social, la moral, etc.), cuando el peso valorativo de la vida se vivencia efectivamente sólo al entrar en ella (cuando tiene lugar una empatía), adoptamos su punto de vista viviéndola en la categoría del *yo;* entonces no puede haber una permanencia valorativamente prolongada y creativa en las fronteras entre el hombre y la vida, entonces tan sólo se puede imitar al hombre y a la vida (utilizar negativamente los momentos transgredientes). La utilización negativa de los momentos transgredientes (excedente de visión, de conocimiento y de evaluación) que tiene lugar en la sátira y en lo cómico (pero, por supuesto, no en lo humorístico), se determina mayormente por la sustancia excepcional de una vida vivida valorativamente desde el interior (vida moral, social, etc.) y por la disminución de la importancia (o incluso por una completa desvalorización) de la extraposición valorativa, por la pérdida de todo aquello que fundamentaba y afirmaba la extraposición y, por consiguiente, de la apariencia de la vida fuera del sentido; esta última se vuelve absurda, es decir, se define negativamente con respecto a un sentido potencial extraestético (en una conclusión positiva, la apariencia que está más allá del sentido adquiere un valor estético), llega a ser una fuerza desenmascaradora. El momento transgrediente en la vida se organiza por la tradición (apariencia externa, maneras, etc., vida cotidiana, etiqueta, etc.); el decaimiento de la tradición pone de manifiesto su falta de sentido, la vida rompe todas las formas desde el interior. En el romanticismo, la imagen se construye con base en el oxímoron: una contradicción subrayada entre lo interior y lo exterior, entre posición social y esencia, entre un contenido infinito y la encarnación finita. No hay nada que hacer con la apariencia del hombre y de la vida, no hay posición fundamentada para su estructuración. El estilo como un cuadro unitario y concluído de la apariencia del mundo: combinación del hombre exterior, de su vestimenta y modales con el ambiente. La visión del mundo organiza los actos (desde el interior, todo puede ser comprendido como acto), le da unidad a la orientación semántica progresiva de la vida que es unidad de responsabilidad, unidad de la superación propia de la vida; el estilo confiere unidad a la apariencia transgrediente del mundo, a su reflejo hacia el exterior, a su orientación hacia afuera, a sus fronteras (elaboración y combinación de las fronteras). La visión del mundo organiza y une el campo de visión del hombre, el estilo organiza y une su entorno. Un análisis más detallado del uso negativo de los momentos transgredientes del excedente (ridiculización mediante la existencia) en la sátira y en lo cómico, así como la situación del humorismo, rebasa los límites de nuestro trabajo.

La crisis de autoría puede tener un otro sentido: la posición externa puede empezar a tender a la postura ética perdiendo su particularidad puramente estética. Se debilita el interés por el fenómeno puro, por la evidencia de la vida, por su conclusión tranquila en el presente y en el pasado; no el futuro absoluto, sino el futuro social (e incluso político) próximo, el plano forzosamente moral del futuro es lo que desintegra la estabilidad de los límites del hombre y de su mundo. La extraposición llega a ser un fenómeno morbosamente ético (los humillados y ofendidos como tales se vuelven protagonistas de una visión —desde luego, visión ya no puramente estética). No hay una extraposición segura, tranquila y rica. No existe una *paz valorativa* interior que es necesaria para esta postura (un sabio conocimiento interno de la mortalidad y una intensidad ético-cognoscitiva desesperada, pero suavizada por la confianza). No hablamos de la noción psicológica de la paz (un estado psíquico), sino de una paz fundamentada; la paz como una orientación valorativa y fundamentada de la conciencia que es condición de la creación estética; la paz como expresión de la confianza en el acontecimiento del ser, una paz responsable y tranquila. Es necesario decir algunas palabras acerca de la diferencia entre la extraposición estética y la ética (moral, social, política, cotidiana). La extraposición estética y el momento de aislamiento, la extraposición con respecto al ser; de allí que el ser se convierta en el fenómeno puro; la liberación del futuro.

La infinitud interna se abre el paso y no encuentra quietud; la intransigencia de la vida. Un estetismo cubriendo el vacío es el lado opuesto de las crisis. La pérdida del héroe; el juego con los elementos puramente estéticos. La estilización de una tendencia estética potencial. Fuera del estilo, la individualidad del creador pierde su seguridad y se percibe como irresponsable. La responsabilidad de la creación individual es sólo posible dentro del estilo, siendo fundamentada y sostenida por la tradición.

La crisis de la vida, que se opone a la crisis de la autoría pero que a menudo la acompaña, representa un intento de poblar la vida con héroes literarios, de separar la vida del futuro absoluto, de convertirla en una tragedia sin coro ni autor.

Éstas son las condiciones de la iniciación del autor en el acontecimiento del ser, de la fuerza y fundamentación de la postura de creador. Es imposible demostrar su coartada en el acontecimiento del ser. Allí donde esta coartada llega a ser la premisa de la creación y del enunciado, no puede existir nada responsable, serio ni importante. Una responsabilidad especial hace falta (dentro de un dominio cultural autónomo): no se puede crear directamente en el mundo de Dios; pero esta especialización de la responsabilidad puede fundamentarse tan sólo en una profunda confianza hacia la instancia superior que bendice la cultura, confianza en que por mi responsabilidad especializada se responsabiliza un otro superior, que yo no actúe en un vacío valorativo. Fuera de esta confianza sólo es posible una pretensión vana.

Un acto creativo real del autor (y en general todo acto) siempre se mueve en los límites (valorativos) del mundo estético, de la realidad de lo dado (la realidad de lo dado es una realidad estética), en la frontera del cuerpo, en la frontera del alma; el espíritu, mientras tanto, aún no existe; para él aún todo será; y todo aquello que ya es, para él ya fue.

Nos queda tocar brevemente el problema de la correlación entre el espectador y el autor que ya hemos tocado en los capítulos anteriores. El autor posee autoridad y el lector lo necesita no como una persona, no como otro hombre, ni como un héroe, ni como un determinismo del ser, sino como un *principio* a que hay que seguir (sólo un examen biográfico del autor lo convierte en héroe, en un hombre determinado en el ser al que se puede contemplar). La individualidad del autor como creador es creativa y de un orden especial extraestético; es una activa individualidad de visión y estructuración, y no una individualidad visible y estructurada. El autor llega a ser un individuo propiamente dicho sólo allí donde referimos a él el mundo individual de héroes creados por él o donde él es parcialmente objetivado como narrador. El autor no puede ni debe ser definido por nosotros como persona, porque nosotros estamos en él, vivenciamos su visión activa; y sólo al término de la contemplación artística, o sea cuando el autor deje de dirigir activamente nuestra visión, objetivamos nuestra actividad vivida bajo su orientación (nuestra actividad es la de él) en cierta persona, en la faz individual del autor, que a menudo colocamos gustosamente en el mundo de héroes creado por él. Pero este autor objetivado que deja de ser el principio de la visión es diferente del autor como héroe de una biografía (que es una forma que carece de principios científicos). El intento de explicar a partir de su imagen individual el determinismo de su creación, de explicar a partir del ser la actividad creadora: en qué medida es posible esto. Así se define la situación y el método de la biografía como forma científica. El autor ante todo debe ser comprendido a partir del acontecimiento de la obra como su participante, como el director autoritario del lector. Comprender al autor en el mundo histórico de su época, su lugar en la colectividad social, su situación de clase. Aquí rebasamos los límites del análisis del acontecimiento de la obra e ingresamos en los dominios de la historia; un examen netamente histórico no puede dejar de tomar en cuenta todos estos momentos. La metodología de la historia literaria está fuera de los propósitos de nuestro trabajo. Dentro de la obra, el autor es para el lector el conjunto de principios creativos que deben ser realizados, la unidad de los momentos transgredientes de la visión activamente referidos al héroe y su mundo. Su individuación en tanto que hombre es un acto creativo secundario del lector, del crítico, del historiador, independiente del autor en tanto que principio activo de la visión, que es acto que lo vuelve pasivo a él mismo.

NOTAS ACLARATORIAS

El presente trabajo no se ha conservado completo en el archivo de M.M. Bajtín: falta el manuscrito del primer capítulo (breves noticias acerca de él se encuentran al principio del capítulo "El problema del autor") y se desconoce el título que le había puesto el autor (el título que lleva en esta edición pertenece al compilador). Sin embargo, las partes principales conservadas dan una idea íntegra y plena sobre este gran trabajo de M.M.Bajtín.

El trabajo se había gestado durante la primera mitad o a mediados de los años veinte y no fue concluído. En el manuscrito, después del capítulo "El problema del autor" aparece el título del siguiente capítulo planeado: "El problema del autor y el héroe en la literatura rusa", y ahí el manuscrito se interrumpe. Es posible que el trabajo se hubiese desarrollado ya en los años que el autor había pasado en Vítebsk (1920-1924). El 20 de febrero de 1921, Bajtín escribió desde allí a su mayor amigo, el filósofo M.I.Kagan: "Últimamente he estado trabajando casi exclusivamente sobre la estética de la creación verbal." El contenido del trabajo se relaciona íntimamente con otros escritos de M.M. Bajtín durante los años veinte: el artículo "El problema del contenido, material y forma en la creación verbal" (1924) y el libro *Problemas de la obra de Dostoievski* (1929). La tesis fundamental del artículo de 1924 es la necesidad, para la estética de la creación verbal, de que se base en la estética filosófica general (ver: M.M.Bajtín, *Voprosy literatury i estetiki,* Moscú, 1975, pp. 8-10); la misma es la postura del autor en el presente trabajo. Se puede decir que en este trabajo inicial de Bajtín la estética de la creación verbal se abre hacia la estética filosófica.

El "autor" y el "héroe" están comprendidos aquí en el plano de la estética filosófica general. A Bajtín ante todo le importa el vínculo indisoluble entre el héroe y el autor en tanto que participantes del "acontecer estético", importa su correlación dentro del *acontecer* y su correlación dentro del acto estético. La categoría del *acontecimiento,* que es una de las principales en la estética bajtiniana, cobra su contenido específico en el contexto de su amplio —se podría decir universal— diálogo como acontecimiento decisivo de la comunicación humana; en el mismo sentido, en el libro sobre Dostoievski, la totalidad última de la novela polifónica está comprendida como un *acontecimiento* de interacción de conciencias equitativas que no se somete a una interpretación "pragmática y argumental común" (M.M.Bajtín, *Problemy poetiki Dostoievskogo,* Moscú, 1972, p. 9).

El acontecimiento estético no se encuentra encerrado en el marco de la obra de arte; en el trabajo acerca del autor y el héroe es importante esta amplia comprensión de la actividad estética, así como el acento puesto sobre su carácter *valorativo.* El héroe y su mundo constituyen el "centro valorativo" de la actividad estética, poseen su propia realidad independiente y "elástica", no pueden ser generados simplemente por la actividad creativa del autor, como tampoco pueden llegar a ser para él solamente objeto o material. En el trabajo se da una crítica de semejante reducción de *valores* de la vida al *material,* en la cual tiene lugar la "pérdida del héroe"; la actividad del autor sin héroe dirigida al material se convierte en una actividad meramente técnica. La polémica filosófica con la "estética material" llevada a cabo en el mencionado artículo de 1924 (y que se refería ante todo al "método formal") también se retoma en el trabajo acerca del autor y el héroe (de la manera más abierta, en el capítulo "El problema del autor").

Si los estudios formalistas del arte pierden al héroe, las concepciones de "empatía" vigentes en la estética de los fines del XIX y principios del XX, al comprender la actividad estética como "empatía" con el objeto (con el "héroe"), como vivencia participada en el proceso de su expresión propia pierden al autor completo; en ambos casos se destruye el acontecer estético.

Los vínculos entre el presente trabajo y el libro sobre Dostoievski son profundos. Pero hay que señalar que la relación entre el autor y el héroe en la novela polifónica de Dostoievski, según la comprensión de Bajtín, se caracteriza por una especie de contradicción con las condiciones comunes de la actividad estética descritas en el presente trabajo; para el investigador, esta particularidad es la que caracteriza el carácter decisivamente novedoso de la novela de Dostoievski, del "nuevo modelo del mundo" que él había creado. El héroe de Dostoievski se resiste activamente a que el autor lo concluya, y el autor rechaza su privilegio estético del fundamental "excedente" del autor (cf. la observación sobre el "héroe no expiado de Dostoievski").

En el trabajo acerca del autor y el héroe se formula una serie de conceptos principales de la estética de M.M.Bajtín; éstos son: la *extraposición* [*vnenajodímost'*] y el *excedente* de visión y de conocimiento relacionado con ella; el *horizonte* (campo de visión) del héroe y su *entorno.* Estos términos "trabajan" activamente en las obras de Bajtín de diferentes años. Si en el presente trabajo se trata de la extraposición del *yo* y del *otro* en el acontecimiento real de la comunicación, del autor y del héroe en el "acontecer estético", en un trabajo posterior ("Respuesta a la revista *Novy mir*") se habla sobre la extraposición del lector actual y del investigador con respecto a las épocas y culturas lejanas. Esta unidad de enfoque en relación con lo que sucede entre dos personas y a escala de la historia de cultura fijada por la unidad de los conceptos analíticos representa una particularidad expresa del pensamiento de Bajtín. De una manera análoga, la situación espacial-corporal investigada en el trabajo sirve para explicar la situación espiritual de la correlación entre el autor y el héroe en el mundo de Dostoievski, al decir Bajtín que Dostoievski, "objetivando el pensamiento, la idea, la vivencia, jamás llega por la espalda", "por la espalda del hombre no representa su cara"; cf. también la observación acerca de que no se puede ver "la muerte desde el interior", así como no se puede ver la propia nuca de uno sin espejo. Las situaciones más generales descritas en este trabajo primerizo, posteriormente le servirían al autor como instrumento de análisis de los fenómenos del lenguaje, literatura, cultura (sobre todo, surge a menudo el motivo del espejo). En los apuntes tardíos de 1970-1971 se renuevan directamente las reflexiones del autor sobre los temas de su trabajo juvenil.

El trabajo de Bajtín no fue preparado para publicación por el autor: algunos postulados están expuestos en forma resumida, como notas. Algunas palabras quedaron sin descifrar en el manuscrito. Los capítulos conservados se publican completos por primera vez (algunas lagunas marcadas por tres puntos aparecen en los pasajes cuya plenitud de sentido no se logró a reconstruir). El capítulo "El problema del autor" fue publicado en *Voprosy literatury* (1977, núm. 7), los capítulos "El problema de la actitud del autor hacia el héroe" y "La forma espacial del héroe" (resumido) se publicaron en la misma revista en 1978, núm. 8.

[1] Es decir, colocados fuera con respecto a la composición interior del mundo del héroe. El término proviene de la *Estética general* de Jonas Cohn (ver P.N.Medvedev, *Formalny metod v literaturovedenii. Kriticheskoie vvedenie v sotsiologicheskuiu poetiku,* Leningrado, 1928, p. 64; el texto básico del libro pertenece a M.Bajtín).

[2] Cf. la observación acerca del mundo poético de Byron en el curso de historia de la literatura rusa dado por Bajtín durante los años veinte (apuntes de R.M.Mirkina): "El rasgo principal de la obra de Byron es la marcada diferencia entre la representación del protagonista y la de otros personajes. Su vida se mueve en diversos planos. Al protagonista, Byron lo describe líricamente, desde el interior; a los personajes secundarios, épicamente; éstos viven una vida externa. El aspecto externo no puede ser conocido por uno mismo. Ante todo, se reconoce la expresividad de otros. Por eso el protagonista nos absorbe, y a los demás personajes los vemos." La relación entre la estética filosófica general y el análisis literario, características del pensamiento de Bajtín, se nota en este ejemplo.

Cf. también en el mismo curso la aproximación del mundo de Dostoievski con el mundo de la ilusión: "El mundo de nuestros sueños, cuando pensamos en nosotros mismos, es específico: simultáneamente estamos en el papel del autor y del héroe, y uno controla a otro. En la obra de Dostoievski se da una situación análoga. Siempre estamos acompañando al héroe, sus vivencias interiores nos impresionan. No contemplamos al héroe sino que lo vivenciamos empáticamente. Dostoievski nos atrae hacia el mundo del héroe, y no lo vemos desde el exterior." Y más adelante: "Es por eso por lo que los personajes de Dostoievski en la escena producen una impresión muy diferente que en la lectura. La especificidad del mundo de Dostoievski no puede ser representada en la escena por principio. [...] No existe un lugar independiente neutro para nosotros, es imposible una visión objetiva del héroe; por eso el escenario destruye la percepción correcta de la obra. Su efecto teatral es un escenario oscuro lleno de voces, nada más." Hay que apuntar que esta descripción del mundo de Dostoievski se corrigió esencialmente en el libro *Problemas de la obra de Dostoievski* (1929): la comparación con el mundo del sueño en general corresponde al mundo de un personaje, mientras que el "yo que comprende y juzga y el mundo en tanto que su objeto aquí no se dan en singular, sino en plural. Dostoievski superó el solipsismo. La conciencia idealista no la tomó para sí mismo sino que la atribuyó a sus personajes, y no a uno sino a todos. En lugar de la actitud del *yo* que comprende y juzga hacia el mundo, en el centro de su obra se plantea el problema de la relación entre estos *yo* que comprenden y juzgan entre ellos" (M.Bajtín, *Problemy poetiki Dostoievskogo,* p. 169).

[3] Cf. el concepto de *persona* (máscara) en Karl Gustav Jung, definido como "aquello que el hombre en realidad *no es,* pero lo que él mismo y otros hombres piensan de él" (C.G. Jung, *Gestaltungen des Unbewussten,* Zurich, 1950, p. 55).

[4] El *Autorretrato con Saskia,* de Rembrandt, en la Pinacoteca de Dresde.

[5] Por ejemplo en el autorretrato hecho al carbón y sanguina, de la galería Tretiakov.

[6] *Mon portrait,* el poema de Pushkin escrito en francés en sus años escolares.

[7] Cf. la máxima del Nuevo Testamento: "Llevad la carga del otro" *(Gál.* VI, 2).

[8] La noción de ironía romántica elaborada por Friedrich Schlegel supone una victoriosa liberación de un *yo* genial de todas las normas y valores, de sus propias objetivaciones y engendros, la permanente "superación" de su limitación, el ascenso lúdico por encima de sí mismo. La ironía es signo de la total arbitrariedad de cualquier estado del espíritu porque "un hombre realmente libre e ilustrado —observa Schlegel— debería saber, según su deseo, adoptar un tono ora filosófico, ora filológico, ora crítico o poético, histórico o retórico, antiguo o moderno, de una manera totalmente arbitraria, semejante a la afinación de un instrumento musical, en cualquier momento y en un tono cualquiera" *(Literaturnaia teoria nemetskogo romantisma,* Leningrado, 1934, p. 145).

[9] En el sistema de Rickert, la conciencia que representa la realidad final no se interpreta como la conciencia de individuos humanos sino como conciencia universal y suprapersonal que conserva su identidad en la mente de todos los hombres.

[10] El caos que se mueve es la reminiscencia de Tiutchev. Cf. los versos finales del poema "De qué estás gimiendo, viento nocturno": "Oh, no despiertes las tormentas dormidas,/¡debajo de ellas se mueve el caos!..."

[11] Cf. la característica de la actitud hacia lo corporal surgida independientemente en el libro de S.S.Avérintsev, *Poetika rannevizantiyskoi literatury,* Moscú, 1977, p. 62.

[12] En el momento de la elaboración del presente trabajo, la tardía aparición del culto orgiástico de Dionisos, proveniente de Tracia, a principios del siglo VI a.c., no despertaba la menor duda. Sin embargo, actualmente se han descubierto los orígenes creto-micénicos de este culto.

[13] La máxima de Epicuro: "Vive inadvertido", en la época antigua se percibía como desafío a la publicidad con la que se vincula indisolublemente la concepción de la dignidad humana surgida en la polis griega. Plutarco es autor de una pequeña obra polémica con características de libelo intitulada *¿Estará bien dicho: "vive inadvertido"?*, en la cual se dirigía a Epicuro de la siguiente manera: "Pero si tú quieres expulsar de la vida la publicidad, como en un banquete apagan la luz para poder entregarse a todo tipo de placeres en la oscuridad, entonces puedes decir: 'vive inadvertido'. Desde luego si yo tengo la intención de convivir con la hetaira Hedia o con Leoncio, si quiero 'escupir en lo bello' y ver el bien en 'las sensaciones carnales', estas cosas sí requieren el olvido y el anonimato y la oscuridad de la noche... Pero a mí me parece que la misma vida, el hecho de aparecer en el mundo y participar en el alumbramiento, se nos dan por la divinidad para que de ello se sepa... Aquel que permanece en el anonimato, se viste de tinieblas y se entierra en vida, parece que está descontento de haber nacido y rechaza la existencia" *(De latent. vivendo,* 4, 6).

[14] Este ejercicio ascético se relaciona con el nombre de Diógenes de Sinope que no fue estoico sino cínico: "Deseando templar su cuerpo, en verano se acostaba en la arena caliente y en invierno se abrazaba a las estatuas cubiertas de nieve" (Diógenes Laercio, VI, 2, 23).

[15] Cf. la mención de la compasión como estado de ánimo indeseable, junto con la envidia, la maldad, los celos, etc., en el sistema ético-psicológico del estoico Zenón de Citio (Diόg. Laercio, VII, 1, 3).

[16] La biografía de Plotino, fundador de la escuela neoplatónica, escrita por su discípulo Porfirio, se inicia con las siguientes palabras: "Plotino, el filósofo de quien hemos sido contemporáneos, parecía tener vergüenza por estar dentro de su cuerpo" (*Vita Plot.,* I). El análisis de las implicaciones éticas de la concentración del pensamiento en la idea de *unicidad,* característica de Plotino (de tal modo que lo *otro* cuanta vez se plantea resulta *único* pero no como esencialmente *otro,* sino como otro ser, como aspecto de sentido y emancipación de lo único), está llevado a cabo por el autor con gran precisión.

[17] La visión bajtiniana del problema de la génesis e ideología de la antropología cristiana tiene dos aspectos. Por una parte, esta visión está necesariamente determinada por cierta suma de nociones propias de la ciencia, la filosofía, la ensayística y, en general, la conciencia culta de principios del siglo XX. El autor menciona los nombres de algunos representantes del pensamiento de aquel entonces: al profesor de filología clásica de las universidades de San Petersburgo y de Varsovia F.F.Zelinski, y al corifeo de la teología protestante liberal alemana, el historiador de la Iglesia Adolf Harnack; la presencia de otros se sobreentiende. Éste no es el lugar para criticar aquella suma de nociones; es necesario ver plenamente la perspectiva en la que se inscribe otro aspecto original de las formulaciones del autor. Porque, por otra parte, el hilo del pensamiento que sigue consecutivamente desde antítesis entre el cuerpo "interior" y "exterior", el *yo-para-mí* y el *yo-para-el-otro,* manifiesta un acento semán-

tico específicamente bajtiniano en los pasajes donde en general se resumen de una manera diferente los resultados de una época anterior de investigaciones. Así, la correlación de la triple raíz del cristianismo, judaica, helena y "gnóstica" (al fin de cuentas, el dualismo iranio o dualismo sincrético; cf. el otrora vigente problema del mandeísmo, que en su tiempo había hipnotizado a Loisy y a Spengler) es el tema preferido de las discusiones de aquella época. Actualmente, este problema no es nada anticuado, a pesar de que, por supuesto, su enfoque está muy modificado por los nuevos datos, ante todo por los materiales de Qumran y por los desplazamientos metodológicos. En los trabajos de Harnack (entre los cuales tuvieron especial popularidad las lecciones *Esencia del cristianismo* y el compendio *Historia de los dogmas,* que aparecieron en traducción rusa en 1911), el desarrollo de la doctrina eclesiástica, del culto eclesiástico (junto con el arte relacionado con el culto) y la organización de la Iglesia se describen como una paulatina sustitución de la "pura doctrina de Cristo" por componentes de la cultura helenística. No obstante, la concepción de Harnack presupone una acentuación muy enérgica en la distinción entre el cristianismo "inicial" (aún "puro") y el cristianismo "temprano" (ya helenizado) y, por consiguiente, la oposición de la "esencia" del cristianismo a la confusión helenística de esta "esencia". Por el contrario, Zelinski percibía ya el cristianismo "inicial" (incluyendo la prédica del mismo Jesús en su misma "esencia") como un fenómeno helenístico, insistiendo sobre todo en las fuentes griegas de la idea de filiación divina (cf. F.F.Zelinski, *Iz zhizni idei,* t.4, San Petersburgo, 1922, pp. 15-16; *Religia ellinizma,* Petrogrado, 1922, p. 129).

Para comprender la lógica de las formulaciones del autor es útil hacer algunas otras observaciones. La interpretación bajtiniana de la visión del mundo en el Antiguo Testamento en pocas y exactas palabras resume toda una serie de intuiciones propias y ajenas. El autor logró superar el carácter abstracto de las viejas nociones acerca del "monoteísmo ético" que ascienden todavía al iluminismo religioso de Moses Mendelssohn, es decir en el siglo XVIII, y que posteriormente se retomó en muchas ocasiones, hasta llegar al libro del neokantiano Hermann Cohen *Die Religion der Vernunft aus den Quellen des Judentums* (1919), y vio el carácter densamente "corporal" del Antiguo Testamento (cf. el centro de la noción de *Leiblichkeit* en la interpretación de la Biblia por Martin Buber a quien Bajtín perfectamente conocía y apreciaba; ver M.Buber, *Werke, Bd. 2, Schriften zur Bibel,* Munich, 1963, *passim*), sin caer en los excesos del "machismo" sensualista característico para los hermeneutas relacionados con la filosofía de la vida, tanto fuera del judaísmo (en Rusia, V.Rozanov) como dentro de éste (ver O.Goldberg, *Die Wirklichkeit der Hebräer,* Berlín, 1925). La "corporeidad" del Antiguo Testamento se describe por excelencia como "interior", es decir, no como contemplada desde el exterior, sino como vivenciada empáticamente en el interior, en tanto que necesidad y satisfacción, y sin embargo no como la corporeidad individual de un solo hombre sino como la corporeidad colectiva de una comunidad étnico-sacral: la "unidad del organismo del pueblo". En esta relación conviene señalar que el filósofo hebreo-alemán y traductor de la Biblia Franz Rosenzweig, conocido en sus tiempos, seriamente estuvo pensando en la posibilidad de traducir la expresión del antiguo hebreo "pueblo santo" (*goj qadosh,* p. ej. en *Éxodo* XIX, 6 y XXIV, 3) con la expresión alemana *heiliger Leib,* o sea *cuerpo santo* (testimonio de M.Buber en una carta del 25 de enero de 1953; ver M.Buber, *Briefwechsel aus sieben Jahrhunderten,* Bd. 3, Heidelberg, 1975, p. 326).

[18] Se trata de la prohibición del Antiguo Testamento: "No te hagas ídolo ni imagen alguna de lo que hay arriba en el cielo, abajo en la tierra, y en las aguas debajo de la tierra" *(Éxodo* XX, 4).

[19] En el Antiguo Testamento Yavé le dice a Moisés: "...no puede verme el hombre y seguir viviendo." *(Éxodo* XXXIII, 20; cf. también *Jueces* XIII, 22: "Y dijo Manoaj a su esposa: 'Seguro que vamos a morir, porque hemos visto a Dios' "). Sin embargo, en el Nuevo Testamento, en un lugar donde según el contexto se sobreentiende la vivencia de lo divino relacionada con el Antiguo Testamento, se dice: "¡Qué cosa más espantosa es caer en las manos del Dios vivo!" *(Hebreos* X, 31).

[20] La idea que se desarrolla en las epístolas del apóstol Pablo: "...del mismo modo que el cuerpo es uno y tiene muchas partes y todas las partes del cuerpo, aun siendo muchas, forman un solo cuerpo, así también Cristo. Todos nosotros, ya seamos judíos o griegos, esclavos o libres, hemos sido bautizados en un mismo Espíritu, para formar el único cuerpo" *(I Corintios* XII, 12-13; más adelante se habla de que el cuidado necesario de las partes más bajas del cuerpo aparece como norma de relaciones cálidas en la comunidad de la iglesia, donde debe haber "más cuidado para las partes menos estimadas"). Es por eso por lo que la unión del cristiano con Cristo no es sólo espiritual sino corporal en su aspecto muy importante: "...el cuerpo no es para la inmoralidad sexual, sino para el Señor; y el Señor es para el cuerpo..., que sus cuerpos sirvan para dar gloria a Dios" (*I Cor.* VI, 13, 20). El misterio de tal unión hasta cierto punto es comparable con la apertura de la cerrazón corporal del individuo en la convivencia de esposos y en general de hombre y mujer que se convierten según la Biblia en "una sola carne" *(Génesis* II, 24); ver más adelante en Bajtín acerca de la fusión sexual en "un solo cuerpo interior". Dentro de los límites de la visión cristiana del mundo, esta confrontación no sólo no cancela sino que, al contrario, fundamenta agudamente el principio ascético de la castidad del cuerpo: "¿Acaso no saben que sus cuerpos son parte de Cristo? ¡No pueden arrebatar esa parte del cuerpo para hacerla parte de una prostituta! El que se une con una prostituta, llega a ser un solo cuerpo con ella. Pues la Escritura dice: *los dos serán una sola carne.* En cambio, el que se une al Señor, se hace con él un mismo espíritu. Deshánganse totalmente las relaciones sexuales prohibidas. Todo otro pecado que cometa el hombre es algo exterior a él. Al contrario, el que tiene relaciones sexuales prohibidas peca contra su propio cuerpo" *(I Cor.,* VI, 15-18).

[21] En uno de los textos del Nuevo Testamento *(Efesios,* V, 22-23) se habla de las relaciones entre Cristo y la Iglesia (esto es, de la comunidad de todos los creyentes) como de un paradigma ideal de las relaciones entre marido y mujer en el "gran misterio" del matrimonio. En esta perspectiva, marido y mujer son una especie de "icono" de Cristo y la Iglesia. Por otra parte, la Jerusalén Celeste, que simboliza a la Iglesia triunfante (esto es, a la comunidad de los creyentes ya en la eternidad, más allá de los conflictos terrenales), el Apocalipsis más de una vez la nombra esposa y novia del Cordero (Cristo) "...han llegado las bodas del Cordero y su esposa ya está lista" *(Apocalipsis* XIX, 7); "Entonces vi la Ciu-

dad Santa, la Nueva Jerusalén, que bajaba del cielo, del lado de Dios, embellecida como una novia engalanada en espera del prometido" (*Apocalipsis* XXI, 2).

[22] Los sermones de Bernardo de Claraval con motivo del Cantar de los Cantares, que interpretan las imágenes sensuales como la descripción de un ardiente amor espiritual a Dios, continuaron la tradición fundada ya por los primeros pensadores cristianos (sobre todo por Gregorio Niceno), y a su vez impulsaron los motivos del *Gottesminne* (amor a Dios) en la mística alemana y neerlandesa de la alta Edad Media (Hildegard de Bingen, Mechthild de Magdeburgo, Meister Eckart, Heinrich Suso, Ruisbroek y otros).

[23] El misticismo de San Francisco de Asís se caracteriza por frescura y entusiasmo popular: la naturaleza es un mundo misterioso y luminoso que clama por el amor del hombre, la astucia del demonio carece de fuerza y es digna de risa, la doctrina acerca de la predeterminación de la perdición del alma es un invento de Satanás. Personificando al sol y a la luna, al fuego y al agua, a las virtudes cristianas y a la muerte, San Francisco se les dirigía como en un cuento popular, llamándolos hermanos; la vivencia de esta hermandad de todas las criaturas de Dios que une el mundo del hombre con el de la naturaleza está expresada en el *Canto del Sol,* un profundo poema lírico en lengua vernácula. El "hermano asno" forma parte de la misma hermandad como parte de la naturaleza; es el propio cuerpo de San Francisco el que sufre el severo trato ascético, pero no se rechaza ni se maldice; "hermano Asno" es una denominación del cuerpo, llena de un suave humorismo, que aporta ciertas correcciones al entusiasmo ascético. Lo cual efectivamente está muy alejado de la atmósfera del neoplatonismo. Permaneciendo en el cauce de la percepción cristiana del mundo, San Francisco anticipa aquella necesidad de renovación para las formas de la cultura medieval por la cual fue engendrado el Renacimiento italiano. De allí la importancia de su imagen para dos precursores del Renacimiento: Giotto di Bondone y Dante Alighieri. Una fidelidad personal al recuerdo de San Francisco de Asís había sido un hecho biográfico de ambos: Giotto por ello puso a uno de sus hijos el nombre de Francisco, y a una de sus hijas, Clara (por el nombre de la partidaria de San Francisco); en cuanto a Dante, éste, por lo que parece, se hizo franciscano terciario, miembro de una hermandad laica asociada a la orden de los minoristas. El realismo de Giotto, que hizo tambalear el convencionalismo medieval, se había formado en la elaboración de un ciclo de murales con el tema de la vida de San Francisco, con episodios pintorescos y vigorosos (las pinturas de la iglesia de San Francisco en Asís). Chesterton dice en su ensayo *Giotto y San Francisco,* acerca de los postulados de la fe cristiana: "Las verdades se convertían en severos dogmas semejantes a los iconos bizantinos simples como dibujo técnico. En los sermones de Francisco y en los frescos de Giotto estas verdades se hicieron populares y vivas cual pantomima. Los hombres empezaron a representarlas como una obra teatral y no como un esquema únicamente... Lo que estoy diciendo está muy bien expresado en la leyenda sobre el muñeco de madera que hubiese revivido en manos de Francisco, lo cual está representado en uno de los murales de Giotto." Un profundo elogio a San Francisco atribuye Dante a Santo Tomás de

Aquino *(Paraíso,* XI); muchas menciones de su imagen aparecen en otros pasajes de la *Divina comedia.*

[24] *Paraíso,* XXXI-XXXII. En el texto del poema no existe un lugar determinado al cual aisladamente y fuera de contexto podrían referirse las palabras de Bajtín; más bien éstas resumen el sentido de una serie de enunciados de Dante.

[25] Ver la nota 36.

[26] El autor se refiere antes que nada a la consigna de la llamada rehabilitación de la carne, que caracteriza la ideología de la *Joven Alemania* durante el período anterior a la revolución de 1848, aunque preparada por el pensamiento del romanticismo; hay que señalar especialmente el misticismo esotérico del sexo y de la vida orgánica en Novalis *(Fragmentos),* así como la afirmación sumamente decidida, y además absolutamente seria y carente de toda frivolidad, del principio sensual, en la famosa novela de Friedrich Schlegel *Lucinda* (1799). Antes, a la sensualidad se le daba un lugar que, por muy importante que fuera (cf. las costumbres de la época rococó), siempre estaba marcado por la frivolidad, que el romanticismo destruye.

[27] Sentimiento participado, empatía *(Einfühlung),* es término que ya aparece en Herder *(Vom Erkennen und Empfinden,* 1778; *Kalligone,* 1800) y en los románticos, y más tarde se difunde ampliamente por Friedrich Theodor Viescher. Cf., p. ej., su trabajo *Das Schöne und die Kunst* (Stuttgart, 2. Aufl., 1897, pp. 69 *ss).*

[28] Cf. el razonamiento de San Agustín acerca de que la gracia (lat. *gratia)* se llama así porque se da gratis.

[29] Un análisis de la "teoría impresiva de la estética" fue dado por el autor en el libro *Formalnyi metod v literaturovedenii. Kriticheskoi vvedenie v sotsiologicheskuiu poetiku* (p. 59-76).

[30] Cf. la nota 24 de este trabajo.

[31] Los términos de la métrica antigua que señalaban la parte débil, no acentuada, y la fuerte, acentuada, del pie.

[32] Del poema de Zhukovski "Deseo" (1811; traducido de Schiller): "Cree lo que te dice el corazón;/ no hay prenda del cielo..." Las mismas líneas de Zhukovski son recordadas por el autor posteriormente en los apuntes *Hacia los fundamentos filosóficos de las ciencias humanas.*

[33] Se trata de una serie de textos evangélicos reunidos por su unidad de sentido. En primer lugar, es la parábola sobre el publicano *(Lucas* XVII, 13). En segundo lugar el episodio de la mujer cananea *(Mateo* XV, 27). En tercer lugar, la historia sobre el padre del niño poseído por el demonio, el cual exclamó: "Creo, ¡pero ayuda mi poca fe!" *(Marcos* IX, 24),

[34] Salmo 50, 9, 12.

[35] *Historia de mis calamidades,* de Abelardo, filósofo escolástico. teólogo y poeta francés del siglo XII.

[36] *Secretum;* otras variantes del título: *De contemptu mundi, De secreto conflictu curarum mearum.* Diálogo de F.Petrarca surgido en 1342-1343 y reelaborado en 1353-1358. Los participantes del diálogo son el mismo Petrarca (Francisco), la Verdad personificada, y San Agustín. El contenido del diálogo es la discusión del modo de vida de Petrarca, que se reprueba (por la Verdad y por Agustín, pero en parte por el mismo Petrarca) como pecaminoso, y se defiende o, mejor dicho, se describe acrí-

ticamente como una dación objetiva no sujeta a cambios (la apostura principal de Petrarca como participante del diálogo). Cf. el artículo de M.Gershenzon "Francesco Petrarca" en el libro: *Petrarca. Autobiografia. Ispoded'. Sonety,* San Petersburgo, 1914.

[37] El estilo poético intermedio entre el lirismo de los trovadores medievales y la lírica del Renacimiento; formado en Toscana.

[38] Como es sabido, el acontecimiento más importante de la vida de Petrarca fue su coronación en el Capitolio con una corona de laureles. El poeta quedó impresionado por la coincidencia entre el nombre de su amada y la palabra *lauro,* como símbolo de un deseo exaltado y patético de gloria.

[39] Esta observación resumida del autor se vuelve comprensible en relación con una idea análoga en el artículo "El problema del contenido, material y forma en la creación artística verbal": "Hay obras que en efecto no tienen que ver con el mundo sino tan sólo con la palabra 'mundo' en un contexto literario; obras que nacen, viven y mueren en las páginas de revistas, que no abren las páginas de las ediciones periódicas contemporáneas, que no nos hacen salir fuera de sus límites" (M.Bajtín, *Voprosy literatury i estetiki,* p. 35).

DEL LIBRO *PROBLEMAS DE LA OBRA DE DOSTOIEVSKI*

PREFACIO

El libro que ofrecemos se limita a los problemas teóricos de la obra de Dostoievski, únicamente. Hemos de excluir todos los problemas históricos. Lo cual no significa, sin embargo, que este modo de análisis lo consideremos metodológicamente correcto y normal. Al contrario, consideramos que todo problema teórico debe forzosamente recibir una orientación histórica. Entre el enfoque sincrónico y el enfoque diacrónico de una obra literaria debe establecerse una relación constante y una determinación mutua estricta. Pero esto es un ideal metodológico. En la práctica no siempre es realizable. En la práctica las consideraciones puramente técnicas a veces obligan a aislar de una manera abstracta el problema teórico, el sincrónico, y elaborarlo independientemente. Así hemos procedido. Pero el punto de vista histórico siempre se ha tomado en cuenta por nosotros; es más, este punto de vista nos sirvió de fondo sobre el cual íbamos percibiendo cada fenómeno analizado por nosotros. Pero este fondo no forma parte del libro.

Mas los problemas teóricos nada más se plantean dentro de los límites del presente libro. Es cierto que hemos tratado de señalar sus posibles soluciones, pero no nos sentimos con derecho, no obstante, de intitular nuestro libro sino *Problemas de la obra de Dostoievski.*

En la base de nuestro análisis está la convicción de que toda obra literaria tiene internamente, inmanentemente, un carácter sociológico. En ella se cruzan las fuerzas sociales vivas, y cada elemento de su forma está impregnado de valoraciones sociales vivas. Por eso también un análisis puramente formal ha de ver en cada elemento de la estructura artística el punto de refracción de las fuerzas vivas de la sociedad, cual un cristal fabricado artificialmente cuyas facetas se construyeron y se pulieron de tal manera que puedan refractar los determinados rayos de las valoraciones sociales, y refractarlos bajo un determinado ángulo.

La obra de Dostoievski, hasta la actualidad, ha sido objeto de un enfoque ideológico estrecho. Solía interesar más aquella ideología que encontró su expresión inmediata en las declaraciones de

Dostoievski (más exactamente, en las de sus héroes). Mientras que la ideología que determinó su forma artística, su estructura novelesca excepcionalmente compleja y absolutamente nueva, permanece hasta ahora totalmente oculta. El enfoque estrechamente formalista no es capaz de llegar más allá de la periferia de esta forma. Y el ideologismo cerrado que busca ante todo concepciones y profecías puramente filosóficas no logra dominar precisamente aquello que en la obra de Dostoievski pudo sobrevivir a su propia ideología filosófica y sociopolítica: sus innovaciones revolucionarias en el campo de la novela como forma literaria.

En la primera parte de nuestro libro ofrecemos la concepción general de aquel nuevo tipo de novela que Dostoievski creó. En la segunda parte detallamos nuestra tesis en los análisis concretos de la palabra y de sus funciones literarias y sociales en las obras de Dostoievski.

DEL CAPÍTULO "FUNCIONES DEL ARGUMENTO DE AVENTURAS EN LAS OBRAS DE DOSTOIEVSKI"

En Dostoievski, el argumento carece de toda clase de funciones conclusivas. Su propósito es el de situar al hombre en diversas posiciones que hacen que se descubra y se deje provocar, el de reunir y de hacer chocar entre sí a la gente, de tal manera que esta gente no permanece dentro del marco de este choque argumenticio y sale fuera de sus límites. Los vínculos auténticos se inician allí donde un argumento normal se acaba, habiendo cumplido su función auxiliar.

Shatov le dice a Stavroguin [en *Los endemoniados*] antes de iniciar su profunda plática: "Somos dos seres y nos reunimos en el infinito... por última vez en el mundo. ¡Deje su tono y adopte uno humano! Siquiera una vez hable con voz de hombre."

En realidad, todos los personajes de Dostoievski se juntan fuera del tiempo y el espacio como dos seres en el infinito.[1] Se cruzan sus conciencias y sus mundos, se cruzan sus horizontes enteros. En el punto de cruce de sus horizontes se ubican los puntos culminantes de la novela. En los mismos puntos se encuentran también las junturas de la totalidad de la novela. Son extraargumentales y no corresponden a ninguno de los esquemas de construcción de la novela europea. ¿Cómo son? Aquí no contestaremos esta pregunta principal. Los principios de combinación de voces podrán ser descubiertos sólo después de un análisis esmerado de la palabra en Dostoievski. Aquí se trata de las combinaciones de los discursos completos de los héroes sobre sí mismos y sobre el mundo, discursos propiciados por el argumento pero que no caben dentro del argumento. La parte subsiguiente de nuestro trabajo está dedicada al análisis de la palabra.

En su cuaderno de notas, Dostoievski da una extraordinaria definición de las particularidades de su creación: "Dentro de un realismo completo, encontrar al hombre dentro del hombre [...] Me llaman psicólogo: esto no es cierto, yo soy tan sólo un realista en el sentido superior, es decir, represento las profundidades del alma humana." *

"Las profundidades del alma humana", o lo que los idealistas románticos solían llamar "espíritu" a diferencia del "alma", llegan a ser, en la obra de Dostoievski, objeto de una representación objetiva, realista, sobria y prosaica. Las profundidades del alma humana en el sentido del conjunto total de los actos ideológicos superiores (cognoscitivos, éticos y religiosos) eran, en la obra literaria, únicamente objeto de una expresión patética directa, o bien determinaban esta creación como sus principios. El espíritu se presentaba como espíritu del autor mismo objetivado en la totalidad de la obra por él creada, o como la lírica del autor, como su confesión directa en categorías de su propia conciencia. En uno y en otro caso el autor aparecía como "ingenuo", y ni siquiera la misma ironía romántica pudo eliminar esta ingenuidad, porque permanecía dentro del mismo espíritu.

Dostoievski se vincula orgánica y profundamente con el romanticismo, pero aquello que un romántico enfocaba desde dentro en categorías de su propio *yo*, aquello de lo que estaba poseído, Dostoievski logró representarlo desde el exterior, y de manera tal que este enfoque objetivo no bajó ni un ápice la problemática espiritual del romanticismo, no la convirtió en psicología. Dostoievski, al objetivar el pensamiento, la idea, la vivencia, nunca llega por las espaldas, nunca ataca por detrás. Desde las primeras hasta las últimas páginas de su obra se dirigía por el principio de, para la objetivación y conclusión de la conciencia ajena, no utilizar nada que no fuese accesible a la conciencia misma, que estuviese fuera de su horizonte. Incluso en el libelo para descubrir a su héroe jamás utiliza aquello que éste no ve ni conoce (tal vez con raras excepciones); no representa, con la espalda del personaje, su cara. En las obras de Dostoievski no hay, al pie de la letra, ni una sola palabra esencial acerca del héroe la cual el héroe

* *Biografii, pis'ma i zametki iz zapisnoi knizhki F.M.Dostoievskogo,* San Petersburgo, 1883, p. 373.

mismo no hubiese podido expresar acerca de su persona por su cuenta (desde el punto de vista del contenido, no del tono). Dostoievski no es psicólogo. Pero al mismo tiempo, Dostoievski es objetivo y con pleno derecho puede llamarse realista.

Por otro lado, Dostoievski también objetiviza toda aquella subjetividad creativa de autor que matiza poderosamente el mundo representado en una novela monológica, volviendo objeto de percepción aquello que solía ser forma de percepción. Por eso aleja a su propia forma (y a la subjetividad de autor que le es inmanente) cada vez más profundamente, hasta el punto de que ésta ya no puede hallar su expresión en el estilo y en el tono. Su héroe es un ideólogo. La conciencia del ideólogo, con toda su seriedad y con todas sus escapatorias, con toda su fundamentación y profundidad y con toda su separación del ser llega tan rotundamente a formar parte del contenido de su novela que este ideologismo directo y monológico ya no es capaz de definir su forma literaria. El monologismo ideológico después de Dostoievski se vuelve "lo dostoievskiano". Por eso la propia postura monológica de Dostoievski y su valoración ideológica no llegaron a enturbiar la objetividad de su visión artística. Sus métodos artísticos de representación del hombre interior, del "hombre dentro del hombre", permanecen ejemplares para cualquier época y cualquier ideología, gracias a su objetividad.

DEL CAPÍTULO "EL DIÁLOGO EN DOSTOIEVSKI"

Concluyamos con esto nuestro análisis de los tipos de diálogo, a pesar de que estamos lejos de haberlos agotado. Es más, cada tipo tiene numerosas variaciones que no hemos tocado en absoluto. Pero el principio de estructuración siempre es el mismo. Siempre está presente la *intersección, consonancia* o *interrupción de las réplicas del diálogo abierto mediante las réplicas del diálogo interno de los héroes*. En todas partes existe un *determinado conjunto de ideas, pensamientos y palabras que se conduce a través de varias voces separadas sonando en cada una de ellas de una manera diferente*. El objeto de la intención del autor no es en absoluto este conjunto de ideas en sí mismo, como algo neutro e idéntico a sí mismo. No; el objeto de su intención es precisamente la *variación del tema en muchas* y *diversas voces*, un *polivocalismo* y *heterovocalismo* fundamental e insustituible del tema. A Dostoievski le importa la misma disposición de las voces y su interacción.

Las ideas en sentido estricto, es decir, los puntos de vista del protagonista como ideólogo, se introducen en el diálogo con base en un mismo principio. Las opiniones ideológicas, como lo hemos visto, están también dialogizadas internamente, y en un diálogo externo se combinan siempre con las réplicas internas del otro, incluso allí donde adoptan una forma terminada, extremadamente monológica de la expresión. Es así el famoso diálogo de Iván con Aliosha en la cantina y la intercalada en la "leyenda del gran inquisidor". Un análisis más minucioso de este diálogo y de la leyenda misma demostraría la profunda participación de todos los elementos de la visión del mundo de Iván en su diálogo interno que lleva consigo mismo y en su internamente polémica relación mutua con otros. La leyenda, con toda su armonía externa, está llena, sin embargo, de interrupciones; y la misma estructura del diálogo del gran inquisidor con Cristo y al mismo tiempo consigo mismo y, finalmente, el mismo carácter inesperado y ambiguo de su desenlace —todo esto habla de la interna desintegración dialógica de su núcleo ideológico. Un análisis temático de la leyenda demuestra la existencia esencial de una forma dialógica.

En Dostoievski, la idea jamás se separa de la voz. Por eso es radicalmente errónea la afirmación de que los diálogos de Dostoievski tienen carácter dialéctico. En tal caso, nos veríamos obligados a reconocer que la idea auténtica de Dostoievski representa una síntesis dialéctica de, por ejemplo, las tesis de Raskolnikov y las antítesis de Sonia [en *Crimen y castigo*], de las tesis de Aliosha y de las antítesis de Iván [en *Los hermanos Karamazov*], etc. Una semejante comprensión es profundamente absurda. Es que Iván no discute con Aliosha, sino consigo mismo ante todo, y Aliosha no discute con Iván como con una voz íntegra y única, sino que interviene en su diálogo interno, tratando de reforzar una de sus réplicas. No puede tratarse de ninguna síntesis; sólo se trata del triunfo de una u otra voz o de la combinación de voces allí donde éstas están de acuerdo. La última dación para Dostoievski no es la idea como conclusión monológica, aunque dialéctica, sino el acontecimiento de la interacción de las voces.

En eso el diálogo de Dostoievski se diferencia del diálogo de Platón. En este último, aunque él no aparece como diálogo totalmente monologizado, pedagógico, la multiplicidad de las voces siempre se apaga en la idea. La idea es pensada por Platón no como acontecer, sino como ser. Participar en la idea significa participar en su ser. Pero todas las relaciones jerárquicas entre los hombres cognoscentes creadas por el diferente grado de su participación en la idea finalmente se apagan en la plenitud de la idea misma. La misma confrontación del diálogo de Dostoievski con el de Platón nos parece en general falta de sustancia y poco productiva,[2] puesto que el diálogo en Dostoievski no tiene carácter puramente cognoscitivo y filosófico. Es más importante su confrontación con el diálogo bíblico y evangélico. La influencia del diálogo de Job y de algunos diálogos evangélicos en Dostoievski es indiscutible, mientras que los diálogos platónicos se encontraban simplemente fuera de la esfera de sus intereses. El diálogo de Job es infinito por su estructura, porque la oposición del alma a Dios (oposición beligerante o piadosa) se piensa en él como algo irremplazable y eterno. Sin embargo, el diálogo bíblico no nos acercaría a las particularidades artísticas más importantes del diálogo dostoievskiano. Antes de plantear el problema de influencias y de semejanzas estructurales, es necesario descubrir estas particularidades en el mismo material que tenemos enfrente.

El diálogo analizado por nosotros del "hombre con el hombre" representa un documento sociológico altamente interesante. Una percepción excepcionalmente aguda del otro hombre como *otro* y de su propio *yo* como un *yo* desnudo presupone que todas aquellas definiciones que revisten al *yo* y al *otro* de la carne socialmente concreta (definiciones familiares, estamentales, de clase y todas sus variaciones) perdieron su autoridad y su fuerza formativa. El hombre parece sentirse directamente dentro del mundo como dentro de una totalidad, sin ninguna clase de instancias intermedias, fuera de toda colectividad social a que pertenecer. Y la comunicación de este *yo* con el *otro* y con los *otros* sucede directamente sobre el suelo de las últimas cuestiones, saltando todas las formas intermedias y próximas.[3] Los héroes de Dostoievski son héroes de familias casuales y de colectividades fortuitas. Carecen de una comunicación real y sobreentendida, en la que se desenvolvería su vida y sus relaciones. Una comunicación semejante se convirtió para ellos, de una necesaria premisa de la vida, en un postulado, llegó a ser la finalidad utópica de sus aspiraciones. Y ciertamente, los héroes de Dostoievski son impulsados por el sueño utópico de la fundación de una especie de comunidad humana más allá de las formas sociales existentes. Crear una comunidad en el mundo, reunir a algunos hombres fuera del marco de las formas sociales existentes, representa la aspiración del príncipe Myshkin [del *Idiota*], de Aliosha, de todos los demás héroes de Dostoievski en una forma menos consciente y clara. La comunidad de muchachos que instituye Aliosha después de los funerales de Iliusha como unida tan sólo por el recuerdo del niño sacrificado,[4] y el sueño utópico de Myshkin de unir en una alianza de amor a Aglaia y a Nastasia Filipovna, la idea de la iglesia de Zósima, el sueño del siglo de oro de Versilor y el del "hombre ridículo" representan fenómenos de un mismo orden. La comunicación parece haber perdido su corporeidad real y pretende crearla arbitrariamente del material puramente humano. Todo esto representa la expresión más profunda de una desorientación social de los intelectuales de la clase media que se siente dispersa por el mundo y que se orienta en el mundo por su cuenta y de una manera solitaria. Una voz monológica firme supone un firme apoyo social, supone la existencia de un *nosotros,* independientemente de que si se trata de una sensación consciente o no. Para una criatura solitaria su propia voz se vuelve difusa, su propia unidad y acuerdo interno consigo misma llega a ser postulado.

NOTAS ACLARATORIAS

Bajtín preparaba su libro acerca de Dostoievski a lo largo de los años 20. En una carta del 18 de enero de 1922, dirigida desde Vitebsk a M.I. Kagan, se menciona un "trabajo sobre Dostoievski", y lo importante es que se menciona junto con otro trabajo que en una carta anterior se caracterizó como "introducción a mi filosofía moral": "Actualmente estoy escribiendo un trabajo sobre Dostoievski que espero poder terminar próximamente; he aplazado por lo pronto el trabajo 'El sujeto moral y el sujeto del derecho'." Por lo visto, el último trabajo era el que se mencionaba en una nota de la revista *Iskusstvo* (1921, núm. 1, marzo, p. 23), que se publicaba en Vitebsk: "M.M. Bajtín sigue trabajando sobre un libro dedicado al problema de la filosofía moral." No se sabe si aquel trabajo había sido terminado, así como nada se sabe del trabajo temprano sobre Dostoievski mencionado en la carta citada. Así pues, el trabajo sobre Dostoievski iba acompañado de una elaboración original de una filosofía moral y de una estética filosófica (el trabajo sobre el autor y el héroe publicado en la presente edición). El libro *Problemy tvorchestva Dostoievskogo* [*Problemas de la obra de Dostoievski*] vio la luz en 1929, en la editorial *Priboi* de Leningrado.

En la presente compilación se reproducen tres fragmentos del libro de 1929 que no formaron parte de la segunda edición del libro considerablemente reelaborada e intitulada *Problemy poetiki Dostoievskogo* [*Problemas de la poética de Dostoievski*] (Moscú, 1963; ver más adelante el prospecto de reelaboración del libro para la segunda edición, fechado de 1961). Estos fragmentos contienen observaciones no desarrolladas en la nueva edición del libro (acerca de la vinculación de Dostoievski con el romanticismo europeo, acerca de la dialogización interna de la "leyenda del gran inquisidor", acerca de la diferente correlación del diálogo de Dostoievski con el diálogo platónico y el bíblico, acerca del ideal utópico de "comunidad en el mundo" en los héroes de Dostoievski), y permiten entender la postura científica de Bajtín en 1929, lo cual deja adivinar el sentido de la reelaboración del libro realizada treinta años después. En el *Prefacio* aparece una clara formulación del rechazo por la poética de Bajtín tanto del "ideologismo estrecho" (la crítica filosófica del principio del siglo XX, el afán de "filosofar con" Dostoievski o, más exactamente, con sus héroes, cuya insuficiencia para la comprensión de lo más importante de la poética de Dostoievski está ampliamente demostrada en el primer capítulo del libro), como del "enfoque estrictamente formalista". El concepto de "valoración social" fundamentado en una serie de trabajos de Bajtín de la segunda mitad de los 20 (sobre todo en el libro *Formalnyi metod v literaturovedenii* [*El método formal en los estudios literarios*]) está relacionado aquí con la superación de la ruptura entre la ideología y la forma, igual que la tesis sobre el carácter inmanentemente social de la Literatura. Las categorías sociológicas en los trabajos de Bajtín de este período reciben una interpretación propia de él, porque sirven como términos de su filosofía de comunicación, del diálogo comprendido ampliamente. El concepto de "valoración social" significa el contenido actual y la "atmósfera de valores" del acto vivo de enunciado en una situación irrepetible y concreta. Esta "socialidad interna" de la palabra (enunciado) dialógicamente dirigida fue opuesta por Bajtín a la socialidad externa, "cosidad" (ver su observación posterior en la p. 212 de la presente edición). Las "valoraciones sociales" comprendidas de esta manera impregnan todo enunciado, penetran, unen y organizan por dentro todos los elementos de una obra poética como su factor constructivo. En el artículo "El problema del contenido, material y forma en la creación artística verbal", el autor practica una delimitación importante teóricamente entre un "objeto estético" como contenido de la actividad estética del artista dirigida hacia el mundo de relaciones humanas y de su valor que se encarna mediante un material determinado en una "obra externa" y, correspondientemente, entre la forma arquitectónica del objeto estético orientada valorativamente de la "obra material" (Bajtín, *Voprosy literatury i estetiki,* pp. 12-21). A nivel de esta delimitación se puede considerar que en el libro de Bajtín sobre Dostoievski se investiga precisamente el objeto estético de la obra del escritor y la forma arquitectónica de su novela dirigida hacia tales valores del mundo humano como la verdad de la autoconciencia de la personalidad (el "hombre en el hombre", según Dostoievski) y su comunicación profunda (diálogo) con otra personalidad. Esta "compenetración" valorativa y de sentido de todos los elementos de la forma de una obra recibe, en el libro de 1929, el nombre de "socialidad interna".

La observación acerca del "punto de vista histórico" como fondo necesario para un análisis teórico anuncia una amplia introducción de los problemas de la poética histórica (ante todo, la cuestión de las tradiciones genéricas de la novela de Dostoievski) en la reelaborada edición de 1963 (sobre todo, el capítulo cuarto). La reorientación de la investigación de un lenguaje de la "poética sociológica" de los años 20 al de una poética histórica es evidente en la segunda edición del libro. La elaboración en este sentido había sido preparada por el interés del autor por los problemas y métodos de la poética histórica del género, antes que nada, de la novela en los trabajos de los años 30 sobre la teoría de la novela y por los problemas contiguos de la correlación entre la literatura y el folklore carnavalesco en la investigación *Rabelais en la historia del realismo,* terminada a fines de la década de los 30.

[1] En la edición reelaborada del libro, esta irrupción, proclamada en las palabras de Shatov, del espacio y el tiempo empírico en los "encuentros decisivos del hombre con el hombre" se caracteriza por Dostoievski como "salida al espacio y tiempo del carnaval y misterio" (Bajtín, *Problemy poetiki Dostoievskogo,* pp. 307, 457).

[2] La correlación del diálogo de Dostoievski con el diálogo platónico fue repensada por el autor en la segunda edición del libro en relación con el análisis emprendido allí de los orígenes profundos del género y de la "memoria del género" que repercute y se refleja en las formas genéricas de la obra de Dostoievski. El diálogo socrático es comprendido ahora como una de las fuentes de aquella línea "dialógica" del desarrollo de la prosa europea que conduce hacia Dostoievski (Bajtín, *Problemy poetiki Dostoievskogo,* p. 183).

[3] *Cf.* un punto de vista algo corregido sobre la correlación entre las últimas cuestiones" y los "eslabones intermedios" en Dostoievski en el prospecto de elaboración del libro para la segunda edición (p. 308 de la presente edición).

[4] *Cf.* en el curso de Bajtín sobre la historia de la literatura rusa: "En la sepultura de Iliusha se crea una pequeña iglesia infantil. Y con esto se da una especie de respuesta a Iván. [...] Sólo aquella armonía que se funda en un sufrimiento vivo puede tener un alma viva. Alrededor del sufrimiento y de la muerte del niño sacrificado se crea una unión. [...] De modo que el episodio con los niños reproduce, a pequeña escala, toda la novela."

LA NOVELA DE EDUCACIÓN Y SU IMPORTANCIA EN LA HISTORIA DEL REALISMO

HACIA UNA TIPOLOGÍA HISTÓRICA DE LA NOVELA

Necesidad de un análisis histórico para el estudio del género de la novela (no un análisis estadístico formal o normativo). La heterogeneidad del género de la novela. Un intento de clasificación histórica de sus variedades. Clasificación según el principio de estructuración de la imagen del héroe: novela de vagabundeo, novelas de puesta a prueba, novela biográfica (autobiográfica), novela de educación. Ni una sola variedad histórica concreta puede sostener el principio puro, sino que se caracteriza por la predominancia de uno u otro principio de representación del protagonista. Puesto que todos los elementos se determinan mutuamente, el principio de representación del héroe se relaciona con cierto tipo de argumento, con una concepción del mundo, con una determinada composición de la novela.

1] *Novela de vagabundeo.* El protagonista es un punto que se mueve en el espacio, que carece de características importantes y que no representa por sí mismo el centro de atención artística del novelista. Su movimiento en el espacio (el vagabundeo y en parte las aventuras, que consisten principalmente en pruebas) permite al artista exponer y evidenciar la heterogeneidad espacial y social (estática) del mundo (países, ciudades, culturas, naciones, diferentes grupos sociales y las condiciones específicas de su vida). Este tipo de representación del héroe y de estructuración de la novela es el naturalismo de la antigüedad clásica (Petronio, Apuleyo, peregrinación de Encolpio y otros, viajes de Lucio el asno) y la picaresca europea: *Lazarillo de Tormes, Guzmán de Alfarache, Franción, Gil Blas* y otras. El mismo principio, pero en una forma más compleja, predomina en la picaresca de Defoe (*El capitán Singleton, Moll Flanders* y otras), en la novela de Smollet (*Roderick Random, Peregrin Pickle, Hamfry Clincker*). Finalmente, el mismo principio de representación del héroe fundamenta, en su forma más compleja, algunas variedades de la novela de aventuras del siglo XIX que continuaron la línea de la picaresca.

La novela de vagabundeo se caracteriza por una concepción puramente espacial y estadística de la heterogeneidad del mundo. El mundo es la contigüidad espacial de diferencias y contrastes; y la vida representa una alternancia de distintas situaciones contrastantes: buena o mala suerte, felicidad o desdicha, triunfos o derrotas, etcétera.

Las categorías temporales están elaboradas muy débilmente. En la novela de este tipo, el tiempo por sí mismo carece de sentido sustancial y de matiz histórico; incluso el tiempo biológico —la edad del héroe, su movimiento desde la juventud, a través de la madurez hacia la vejez— ora está ausente totalmente, ora apenas está marcado formalmente. En este tipo de novela sólo se elabora el tiempo de la aventura que consiste en la contigüidad de los momentos cercanos —instantes, horas, días— sacados de la unidad del proceso temporal. Las características temporales habituales en este tipo de novela son las siguientes: "en aquel mismo instante", "en el siguiente momento", "un segundo antes o después", "llegó tarde", "se adelantó", etc. (cuando se describe una batalla, una contienda, un motín, un saqueo, una fuga y otras aventuras), "día", "noche", "mañana" aparecen como escenario de la acción para las aventuras. El significado específico de la noche como tiempo de la aventura, etcétera.

Puesto que el tiempo histórico está ausente, sólo se ponen de relieve las diferencias y contrastes; las relaciones importantes se omiten casi totalmente; no existe la comprensión de la totalidad de tales fenómenos socioculturales como naciones, países, ciudades, grupos sociales, profesiones. De ahí deriva la típica visión de grupos sociales, naciones, países, vida cotidiana ajena como de algo exótico, es decir, éstos se presentan como diferencias, contrastes, como lo ajeno. De ahí también el carácter naturalista de esta subespecie del género de la novela: la fragmentación del mundo en cosas, fenómenos, acontecimientos aislados, que o bien se presentan como contiguos, o bien se alternan. En este tipo de novela la imagen del hombre, apenas apuntada, es tan estática como el mundo que lo rodea. Este tipo de novela no conoce la transformación y el desarrollo del hombre. Si la situación del hombre cambia bruscamente (en la picaresca, el mendigo se convierte en rico, un vagabundo sin nombre se transforma en noble), el hombre mismo sigue siendo igual.

2] *Novela de pruebas.* La novela de este segundo tipo se constituye como una serie de pruebas por las que pasan los protagonistas: pruebas de fidelidad, valor, valentía, virtud, nobleza, santidad, etc. Ésta es la variedad del género novelístico más difundida en la literatura europea. Incluye a la mayor parte de toda la producción novelística. El mundo de esta novela es arena de lucha y de pruebas que sufre el héroe: los acontecimientos, las aventuras vienen a ser piedra de toque para el último. El héroe siempre se representa como un ente concluido e invariable. Todas sus cualidades se presentan desde el principio, y a lo largo de la novela únicamente se comprueban.

La novela de pruebas también surge en la antigüedad clásica, en sus variedades principales. La primera está representada por la novela bizantina (*Etiópica,* de Heliodoro, *Leucipa y Clitofonte* de Aquiles Tacio, etc.). La segunda abarca los géneros hagiográficos de los primeros siglos del cristianismo (sobre todo se trata de las vidas de mártires).

La primera variedad, que es la novela bizantina, se constituye sobre una puesta a prueba de la fidelidad y constancia de unos protagonistas idealizados. Casi todas las aventuras se organizan como atentados a la inocencia, pureza y mutua lealtad de los héroes. Los caracteres estáticos e inmutables y la idealidad abstracta de ellos excluyen toda transformación o desarrollo, toda aplicación de lo sucedido, visto o vivido como de una experiencia vital que cambie y forme a los héroes.

En este tipo de novela, a diferencia de la novela de vagabundeo, se ofrece una imagen desarrollada y compleja del hombre, la cual tuvo una enorme influencia en la historia ulterior de la novela. Esta imagen es básicamente unitaria, pero su unidad es específica, estática y sustancial. La novela bizantina, que surgió a partir de la segunda sofística, y que asimiló la casuística de la retórica, creó básicamente una concepción retórico-jurídica del hombre. Ya en este tipo de novela la imagen del hombre se impregnó de aquellas categorías judiciales y retóricas y de nociones de culpabilidad/inocencia, juicio/absolución, incriminación, delito, virtud, mérito, etc., que durante tanto tiempo predominarían en la novela, determinarían el planteamiento de la figura del héroe como acusado o cliente y que convertirían la novela en una especie de juicio sobre el protagonista. En la novela bizantina estas categorías tienen aún un carácter formal, pero ya desde entonces crean una específica *unidad* del hombre como sujeto del juicio, de la defensa o de la acusación, como portador de crímenes o de méritos. Las categorías jurídicas, judiciales y retóricas a menudo se transfieren, en la novela bizantina, hacia el mundo mismo, transformando los acontecimientos en casos, cosas en pruebas, etc. Todas estas situaciones se ponen en evidencia en el análisis del material concreto de la novela bizantina.

Dentro de la segunda variedad de la novela de pruebas, que también surge durante la antigüedad clásica, se combinan esencialmente tanto el contenido ideológico de la imagen del hombre como el de la idea misma de la prueba. Esta ramificación de la novela se iba preparando en las hagiografías de los mártires y otros santos del primer cristianismo (Dion Crisóstomo, leyendas del ciclo clementino,* etc.). Sus elementos ya estaban presentes en la *Metamorfosis (El asno de oro)* de Apuleyo. Este tipo de novela se fundamenta en la idea de la puesta a prueba de un santo mediante sufrimientos o tentaciones. La idea de prueba no tiene carácter externo y formal, como en la novela bizantina. La vida interior del héroe, sus costumbres, llegan a ser un elemento importante de su imagen. El carácter mismo de la prueba se profundiza y se afina ideológicamente, sobre todo allí donde se representa la puesta a prueba de la fe por medio de la duda. En general, este tipo de la novela de pruebas se caracteriza por la conjunción de la aventura con problemas psicológicos. Sin embargo, en ella también la prueba se realiza desde el punto de vista de un ideal preconcebido y dogmáticamente asumido. El ideal carece de movimiento y de desarrollo. Incluso el protagonista de la prueba está concluido y preconcebido, de modo que las pruebas (sufrimientos, tentaciones, dudas) no llegan a ser para él una experiencia formativa, no lo cambian, y su rasgo más importante es precisamente esta constancia.

Otra variedad de la novela de pruebas es el libro de caballerías medieval (en su mayor y más importante parte), el cual, desde luego, sufrió una influencia significativa por parte de la novela de la antigüedad clásica. La gran heterogeneidad de los libros de caballerías se determina por los matices del contenido ideológico de la idea de la puesta a prueba (la predominancia de los motivos del amor cortés, o de los motivos eclesiásticos cristianos, o místicos). Un breve análisis de los tipos principales de estructuración de la novela caballeresca versificada de los siglos XII y XIII y de los libros de caballerías de los siglos XIII y XIV y posteriores (hasta el *Amadís* y los *Palmerines*).

Finalmente, la variedad más importante y de mayor trascendencia histórica de la novela de pruebas fue la novela barroca (d'Urfé, Scudéry, Calprénède, Lohenstein y otros). La novela barroca supo extraer de la idea de la puesta a prueba todas sus posibilidades argumenticias para poder estructurar una grande. Por

* *Clementinae,* obra hagiográfica del s.III, próxima a las formas literarias de la novela de la antigüedad clásica; una de las fuentes del *Libro popular del doctor Johann Faustus,* del s.XVI.

esc la novela barroca descubre mejor que cualquier otra las posibilidades organizativas de la idea de prueba y, al mismo tiempo, la limitación y la estrechez de su alcance realista. La novela barroca representa el tipo más puro y consecuente de *novela heroica* que pone de manifiesto la particularidad de la *heroización novelesca* frente a la heroización épica. El barroco no tolera ningún término medio, nada normal, típico, habitual; en la novela barroca todo alcanza la escala de lo grandioso. El *pathos* retórico-judicial se expresa en este tipo de novela también de un modo muy consecuente y claro. La organización de la imagen del hombre, la selección de rasgos y su correlación, la manera de vincular los actos con los acontecimientos y con la imagen del héroe ("destino") se determinan mediante su defensa (apología), justificación, glorificación o, por el contrario, mediante una acusación o desenmascaramiento.

La novela barroca de puesta a prueba se bifurcó durante los siglos subsiguientes en dos ramificaciones: *a*] novela heroica de aventuras (Lewis, Radcliffe, Walpole, etc.); *b*] novela sentimental patético-psicologista (Richardson, Rousseau). Las características de las novelas de puesta a prueba varían considerablemente, sobre todo en lo que es la segunda ramificación, en la que aparece una peculiar heroización del personaje débil, del "hombre pequeño".

A pesar de todas las diferencias históricamente determinadas de la novela de pruebas, todas sus variedades poseen un cierto conjunto de rasgos comunes significativos que motivan la importancia de este tipo en la historia de la novela europea.

a] *El argumento.* En la novela de pruebas el argumento siempre se constituye sobre las desviaciones del curso normal de la vida de los personajes, sobre acontecimientos y situaciones tan excepcionales que no pueden existir en una biografía típica, normal, habitual. Así, en la novela bizantina se representan, principalmente, los sucesos que transcurren entre el desposorio y la boda o entre la boda y la primera noche nupcial, etc., es decir, son sucesos que en realidad no deberían tener lugar, que solamente separan dos momentos contiguos de una biografía, que frenan el curso normal de la vida pero no la cambian: los amantes siempre se reúnen y se casan, y la vida por fin entra en su cauce normal, lo cual queda fuera de los límites de la novela. Con esto se determina también el carácter específico del tiempo en la novela: el tiempo carece de una duración biográfica real. De ahí el papel extraordinario de la casualidad tanto en la novela bizantina como, sobre todo, en la novela barroca. Los acontecimientos de la novela barroca, organizados como aventura, carecen de todo significado o de tipicidad biográfica o social, son inesperados, no tienen precedente, son excepcionales. De ahí también deriva el papel de los crímenes y de toda clase de anomalías en el argumento de la novela barroca, de ahí su carácter sangriento y a menudo perverso (este último rasgo es hasta ahora característico de la línea de la novela de aventuras que a través de Lewis, Walpole y Radcliffe —la novela negra o gótica— se conecta con la novela barroca).

La novela de pruebas siempre se inicia allí donde hay una desviación del curso social y biográfico normal de una vida y termina cuando la vida vuelve al carril de la normalidad. Por eso los acontecimientos de una novela de pruebas, sean lo que fueren, no plantean un nuevo tipo de vida, una biografía nueva que esté determinada por las condiciones transformadas de la existencia. Fuera de los límites de la novela, la biografía y la vida social siguen siendo normales e invariables.

b] *El tiempo.* (Lo ilimitado, lo infinito del tiempo de la aventura, las aventuras en sarta.) Ante todo, en la novela de pruebas encontramos una consecuente elaboración y pormenorización del *tiempo de la aventura* (que está separado de la historia y de la biografía). Además, en este tipo de novela, sobre todo en los libros de caballerías, aparece el *tiempo fabuloso* (bajo la influencia del Oriente). Esta temporalidad se caracteriza precisamente por la violación de las nociones del tiempo: p. ej. en una sola noche se realiza el trabajo de varios años o, por el contrario, los años transcurren en un solo instante (motivo del sueño encantado).

Las particularidades del argumento, que se constituye sobre las desviaciones del curso histórico y biográfico, determinan el rasgo general de la temporalidad en la novela de pruebas: el tiempo carece de parámetros reales (históricos o biográficos), le falta una ubicación histórica, es decir, fijación en una determinada época histórica, relación con sucesos y condiciones históricas. El problema mismo de la ubicación histórica aún no existía para la novela de pruebas.

Es verdad que el barroco creó también la novela de pruebas de carácter histórico (p. ej., *Ciro* de Scudery, *Arminio y Tusnelda* de Lohenstein), pero en este caso se trata de las novelas cuasihistóricas, y su temporalidad es también cuasihistórica.

Un logro considerable de la novela de pruebas en la elaboración de la categoría del tiempo es el *tiempo psicológico* (sobre todo tratándose de la novela barroca). Esta temporalidad se caracteriza por su efecto sensible y por su duración (en la representación del peligro, de largas esperas, de pasiones insatisfechas, etc.) Pero esta temporalidad, matizada psicológicamente y concretizada, carece de localización inclusive dentro de la totalidad del proceso vital del individuo.

c] *Representación del mundo.* La novela de pruebas, a diferencia de la novela de vagabundeo, se concentra en el héroe; el mundo que lo rodea y los personajes secundarios se convierten, en la mayoría de los casos, en un fondo para el héroe, en un decorado, en un mobiliario. Sin embargo, la ambientación ocupa un lugar importante en esta clase de novela (sobre todo en lo que se refiere a la novela barroca). Pero el mundo exterior, fijado al héroe estático como si fuera un fondo para éste, carece de autonomía y de historicidad. Además, a diferencia de la novela de vagabundeo, aquí el exotismo geográfico predomina sobre el social. La vida cotidiana que ocupa un lugar importante en la novela de vagabundeo está aquí ausente casi por completo (esto sucede si lo cotidiano carece de matiz exótico). Entre el héroe y el mundo no hay una interacción verdadera: el mundo no es capaz de hacer cambiar al héroe, solamente lo pone a prueba; tampoco el héroe actúa sobre el mundo ni cambia su faz; al pasar por las pruebas, al eliminar a sus enemigos, etc., el héroe permite que todo quede en su lugar en el mundo; no transforma la imagen social del mundo, no lo reconstruye, ni siquiera pretende hacerlo. El problema de interacción entre el sujeto y el objeto, entre el hombre y el mundo, no se planteó en esta clase de novela. De lo cual deriva el carácter estéril y falto de creatividad del heroísmo en la novela de pruebas (aun en aquellas en que se representan héroes históricos).

Luego de llegar a su máximo florecimiento durante la época del barroco, la novela de pruebas perdió su pureza en los siglos XVIII y XIX, pero la manera de constituir una novela sobre la idea de someter a pruebas sigue existiendo, por supuesto en una forma mucho más complicada, al asumir todo lo incluido por la novela biográfica y la de educación. La fuerza constitutiva de la idea de la puesta a prueba, que permite organizar a fondo el material heterogéneo alrededor de la figura del héroe, que hace conjuntar un argumento de aventuras con una profunda problemática y un complejo psicologismo, determina la importancia de esta idea en la historia posterior de la novela. Así, la idea del poner a prueba, aunque muy complicada y enriquecida con los logros de la novela biográfica y, sobre todo, con los de la novela de educación, fundamentó la novela del realismo francés. Las novelas de Stendhal y de Balzac son, de acuerdo con el tipo de estructuración, novelas de pruebas (la tradición barroca está especialmente arraigada en Balzac). Entre otros fenómenos importantes del siglo XIX hay que mencionar a Dostoievski, cuyas novelas, por su estructura, son novelas de pruebas.

La idea misma de prueba se llena de los contenidos ideológicos más variados durante las épocas posteriores; p. ej., en el romanticismo tardío aparece la vocación puesta a prueba o la genialidad, o el hecho de que una persona sea la "señalada"; otra variedad es la prueba de los *parvenus* napoleónicos en la novela francesa, la de la salud biológica y la adaptación a la vida (Zola), la prueba de la genialidad artística y paralelamente la de la aptitud vital de un artista (*Künstlerroman*), y, finalmente, la prueba de un reformador liberal, de un seguidor de Nietzsche, de una persona amoral, de una mujer emancipada y toda una serie de otras posibilidades en la producción novelística de tercera que se dio durante la segunda mitad del siglo pasado. Una variedad especial de la novela de pruebas es la novela rusa, en la cual se prueba a un personaje en cuanto a su aptitud social y valor (tema del "hombre inútil").

3] *Novela biográfica.* La novela biográfica también se prepara ya desde la antigüedad clásica en forma de biografías, autobiografías y géneros confesionales del primer cristianismo (concluyendo en San Agustín). En aquel entonces, sin embargo, no se trataba sino de preparar apenas el terreno. Además, nunca ha existido una novela biográfica pura. Lo que ha existido es el principio de constitución biográfica (o autobiográfica) del héroe novelístico y una correspondiente estructuración de los aspectos relacionados con éste.

En la novela, la forma biográfica aparece en las siguientes variedades; la antigua forma ingenua: suerte/fracaso; trabajos y gestas; la forma confesional (biografía-confesión), géneros hagiográficos; y, finalmente, en el siglo XVIII se constituye la variedad más importante, que es la novela biográfica familiar.

Todas estas variedades de la estructura biográfica, incluyendo las más primitivas de todas, constituidas según una lista de éxitos y fracasos, se caracterizan por una serie de rasgos específicos de gran importancia.

a] *El argumento* de una forma biográfica, a diferencia de la novela de vagabundeo y de la de pruebas, no se basa en las desviaciones del curso normal y típico de la vida, sino en los momentos principales y típicos de cualquier vida: nacimiento, infancia, años de estudio, matrimonio, organización de la vida, trabajos y logros, muerte, etc., o sea que se concentra precisamente en aquelllos momentos que se sitúan antes del comienzo o después del final de lo que abarca una novela de pruebas.

b] A pesar de que representa la vida del protagonista, su imagen en la novela eminentemente biográfica carece de una formación, de un desarrollo verdadero; cambia, se transforma y se construye la vida del héroe, su destino, pero él mismo permanece invariablemente en su esencia. La atención se concentra o bien en las acciones, hazañas, méritos, creaciones, o bien en la organización de su destino, de su fidelidad, etc. El único cambio significativo que conoce la novela biográfica (sobre todo la autobiográfica y la confesional), es la crisis y la regeneración del héroe (las hagiografías de crisis, las *Confesiones* de San Agustín y otras). El concepto (idea) de la vida que está en el fondo de toda novela biográfica se determina ora por sus resultados objetivos (obras, méritos, acciones, hazañas), ora por la categoría de dicha/desdicha (con todas sus variantes).

c] Un rasgo importante en la novela biográfica es la aparición en ella del tiempo biográfico. A diferencia de la temporalidad de la aventura y del tiempo fabuloso, el tiempo biográfico es totalmente realista, todos sus momentos están relacionados con la totalidad de la vida como proceso, lo caracterizan como proceso, limitado, irrepetible e irreversible. Cada acontecimiento está localizado en la totalidad del proceso vital y por lo tanto deja de ser aventura. Instantes, día, noche, la contigüidad inmediata de los breves momentos pierden casi totalmente su importancia en la novela biográfica, que opera con períodos prolongados, con partes orgánicas de la totalidad de una vida (edades, etc.). Por supuesto, sobre el fondo de esta temporalidad básica de la novela biográfica se proyecta la representación de acontecimientos aislados y de aventuras en primer plano, pero los instantes, horas y días de este plano no tienen carácter de aventura y se subordinan al tiempo biográfico, están sumidos en él y en él cobran realidad.

El tiempo biográfico como tiempo realista no puede dejar de ser incluido (de participar) en un proceso más amplio del tiempo histórico, que es, sin embargo histórico de una manera incipiente. La vida como biografía es imposible de concebir fuera de una época cuya duración, que rebasa los límites de una vida aislada, se representa, ante todo, mediante *generaciones*. Las generaciones como tales no aparecen como objeto específico de representación ni en la novela de vagabundeo, ni en la de pruebas. La representación de las generaciones aporta un momento nuevo y muy importante a la representación del mundo. Este momento consiste en el contacto entre vidas que abarcan diferentes períodos de tiempo (la correlación entre las generaciones y el *encuentro* de la novela de aventuras). Con lo cual se da una salida hacia la duración histórica. Sin embargo, la novela biográfica en sí no conoce la temporalidad verdaderamente histórica.

d] De acuerdo con los rasgos analizados, el mundo en la novela biográfica adquiere un carácter específico. Ya no es únicamente un fondo sobre el cual se representa el héroe. Los contactos y relaciones del héroe con el mundo se organizan no como encuentros casuales en el camino real (y no como instrumentos de poner a prueba para el héroe). Los personajes secundarios, los países, las ciudades, las casas, etc., entran en la novela biográfica por vías significativas y adquieren una relación importante con la totalidad vital del protagonista. Con lo cual, en la representación del mundo se supera tanto el naturalismo disparejo de la novela de vagabundeo como el exotismo y la abstracta idealización de la novela de pruebas. Gracias al vínculo iniciado con la temporalidad histórica, con la época, se vuelve posible un reflejo más profundo de la realidad. (Situación, profesión, parentesco eran apenas unas máscaras en la novela de vagabundeo, p. ej. en la picaresca; en la novela biográfica adquieren una materialidad que determina la vida. Las relaciones con personajes secundarios, instituciones, países, etc., ya no tienen un carácter de aventura superficial.) Lo cual se manifiesta con mucha claridad especialmente en la novela biográfica familiar (como *Tom Jones* de Fielding).

e] La constitución de la imagen del protagonista en la novela biográfica. Aquí casi no cabe ya la heroización (se conserva parcialmente y de una manera transformada en las hagiografías). El héroe aquí tampoco es un punto que se mueve en el espacio, como en la novela de peregrinación, donde carece de características importantes. En lugar de una heroización consecuente y abstracta, como sucede en la novela de pruebas, aquí el héroe se caracteriza tanto por los rasgos positivos como por los negativos (no se le pone a prueba: el héroe busca resultados reales). Pero estos rasgos tienen un carácter firme y preconcebido, se dan como tales desde el principio, y en el transcurso de la novela el hombre permanece igual a sí mismo (no cambia) Los acontecimientos no forjan al hombre, sino su destino (aunque se trate de un destino creativo).

Éstos son los principios fundamentales sobre los cuales se constituye la imagen del héroe en la novela, tal como se formaron y como existieron antes de la segunda mitad del siglo XVIII, es decir antes del período en que aparece la novela de educación. Todos estos principios constitutivos prepararon el desarrollo de las formas sintéticas de la novela que se dio en el siglo XIX (antes que nada, se trata de la novela realista: Stendhal, Balzac, Flaubert, Dickens, Thackeray). Para comprender la novela del siglo XIX es necesario conocer bien y evaluar estos principios de representación del héroe que participan, en mayor o menor medida, en la estructuración de este tipo de novela. Pero la novela de educación que surge en Alemania en la segunda mitad del XVIII tiene una importancia muy especial para el desarrollo de la novela del realismo (y en parte, para el de la novela histórica).

EL PLANTEAMIENTO DEL PROBLEMA; LA NOVELA DE EDUCACIÓN

El tema principal de nuestro trabajo es el tiempo-espacio y la imagen del hombre en la novela. Nuestro criterio es la asimilación del tiempo histórico real y del hombre histórico por la novela. Esta tarea es principalmente de carácter histórico-literario. Pero todo problema teórico puede solucionarse únicamente en relación con un material histórico concreto. Además, la tarea en sí es demasiado amplia y precisa de cierta delimitación, tanto desde el punto de vista teórico como desde el histórico. De lo cual deriva nuestro tema más concreto y específico: la imagen del *hombre en proceso de desarrollo* en la novela.

Pero este tema particular debe, a su vez, delimitarse y precisarse.

Existe una subespecie del género novelístico que se llama "novela de educación" (*Erziehungsroman* o *Bildungsroman*). De ordinario, con esta variedad se relacionan (por orden cronológico) los siguientes ejemplos de esta subespecie: *Ciropedia* de Jenofonte (antigüedad clásica), *Parsifal* de Wolfram von Eschenbach (medievo), *Gargantúa y Pantagruel* de Rabelais, *Simplicissimus* de Grimmelshausen (renacimiento), *Telémaco* de Fenélon (neoclasicismo), *Emilio* de Rousseau (porque en este tratado pedagógico están presentes elementos novelescos), *Agatón* de Wieland, *Tobías Knaut* de Wetzel, *Biografías en línea ascendente* de Hippel, *Wilhelm Meister* de Goethe (las dos novelas), *El Titán* de Jean Paul Richter (y algunas otras de sus novelas), *El pastor de una parroquia hambrienta* de Raabe, *David Copperfield* de Dickens, *El verde Heinrich* de Gottfried Keller, *El feliz Peer* de Pontoppidan, *Infancia, Adolescencia* y *Juventud* de Tolstoi, *Una historia ordinaria* y *Oblómov* de Goncharov, *Juan Cristóbal* de Romain Rolland, *Los Buddenbrook* y *La montaña mágica* de Thomas Mann, etcétera.

Algunos investigadores llevados por principios puramente estructurales (concentración de todo el argumento en el proceso de educación del héroe) limitan esta serie de una manera considerable (p. ej. se excluye a Rabelais). Otros, por el contrario, al exigir que en la novela tan sólo esté presente el proceso de desarrollo, de generación del héroe, amplían exageradamente la serie, incluyendo p. ej. en ella tales obras como *Tom Jones* de Fielding, *La feria de vanidades* de Thackeray, etcétera.

Ya en un primer análisis de la serie mencionada resulta claro que ésta contiene fenómenos demasiado heterogéneos tanto desde el punto de vista teórico como, y sobre todo, desde el histórico. Algunas de estas novelas tienen un carácter esencialmente biográfico o autobiográfico, y otras no lo tienen; en unas, el principio organizador es la idea puramente pedagógica acerca de la formación de un hombre, y otras no la contienen en absoluto; unas se estructuran por el orden cronológico del desarrollo y educación del protagonista y carecen casi de argumento y otras, por el contrario, poseen un complicado argumento lleno de aventuras; las diferencias que tienen que ver con la relación que existe entre estas novelas y el realismo y, particularmente, con el tiempo histórico real, son aún más considerables.

Todo lo mencionado nos obliga a desmembrar de una manera diferente no tan sólo la serie citada sino todo el problema de la llamada novela de educación.

Ante todo, hay que aislar rigurosamente el aspecto del *crecimiento esencial del hombre*. La enorme mayoría de las novelas (y de sus variedades) conoce tan sólo la imagen *preestablecida* del héroe. Todo el movimiento de la novela, todos los acontecimientos representados en ella y todas las aventuras trasladan al héroe en el espacio, lo mueven en la escala de la jerarquía social: de mendigo, se convierte en hombre rico, de vagabundo en noble; el héroe bien se aleja, bien se acerca a su objetivo: la novia, el triunfo, la riqueza, etc. Los acontecimientos truecan su destino, cambian su posición en la vida y en la sociedad, pero el héroe mismo permanece sin cambios, igual a sí mismo.

En la mayoría de las variedades del género novelístico, el argumento, la composición y toda la estructura interna de la novela postulan esta invariabilidad, la firmeza en la imagen del protagonista, lo estático de su unicidad. El héroe es una *constante* en la fórmula de la novela; todas las demás magnitudes —la ambientación, la posición social, la fortuna, en fin, todos los momentos de la vida y del destino del héroe— pueden ser *variables.*

El contenido mismo de esta constante (que es el héroe preestablecido e invariable) y los propios indicios de su unicidad, constancia y autoidentidad pueden ser muy variados: comenzando por la identidad del nombre vacío del protagonista (en algunas novelas de aventuras) y terminando por un carácter complejo, cuyos aspectos aislados se revelan gradualmente, a lo largo de toda la novela. Puede ser diferente el principio esencial que rige la selección de rasgos, y diferente el principio de su relación mutua y de su unificación en la totalidad de la imagen del héroe. También pueden ser diversos los modos de manifestación estructural de esta imagen.

Pero, con todas estas diferencias en la constitución de la propia imagen del héroe, no hay movimiento de generación. El protagonista viene a ser un punto inamovible y fijo alrededor del cual se lleva a cabo toda clase de movimientos en la novela. La constancia y la inmovilidad interna del protagonista es el punto de partida del movimiento de la novela. El análisis de los argumentos novelescos demuestra que éstos implican a un héroe preconcebido e invariable, que establecen la unidad estática del protagonista. El movimiento del destino y de la vida de este héroe preestablecido es lo que constituye el contenido del argumento; mientras que el carácter mismo del hombre, su cambio y su desarrollo no llegan a ser argumento. Éste es el tipo predominante de la novela.

Al lado de este tipo preponderante, masivo, aparece otro, incomparablemente más raro, que ofrece una imagen del hombre en proceso de desarrollo. En oposición a la unidad estática, en este tipo de novela se propone una unidad dinámica de la imagen del protagonista. El héroe mismo y su carácter llegan a ser una *variable* dentro de la fórmula de la novela. La transformación del propio héroe adquiere una importancia para el argumento, y en esta relación se reevalúa y se reconstruye todo el argumento de la novela. El tiempo penetra en el interior del hombre, forma parte de su imagen cambiando considerablemente la importancia de todos los momentos de su vida y su destino. Este tipo de novela puede ser denominado, en un sentido muy general, *novela de desarrollo del hombre.*

La transformación del hombre, sin embargo, puede presentarse de una manera muy variada. Todo depende del dominio de la temporalidad real de la historia.

En la temporalidad de la aventura, el desarrollo humano es, desde luego, imposible (aún volveremos a este punto). Pero es totalmente concebible dentro del tiempo cíclico. Por ej., en el tiempo del idilio puede representarse el camino del hombre desde la infancia y madurez hacia la vejez mostrando todos aquellos cambios internos esenciales en el carácter y los puntos de vista que se realizan con la sucesión de las edades. Este tipo de desarrollo (transformación) del hombre tiene un carácter cíclico, al repetirse en todas las vidas. Nunca hubo un tipo puro de novela que hubiese representado un tiempo cíclico (tiempo de edades) únicamente, pero sus elementos se encuentran dispersos en las obras de los escritores idílicos del siglo XVIII, así como en las de los representantes del regionalismo y del *Heimatkunst* del siglo XIX. Además, en la *rama humorística* de la novela de educación (en el sentido estricto del término), representada por Hippel y Jean Paul (en parte por Sterne), el elemento cíclico e idílico tiene una enorme importancia. En mayor o menor grado, también está presente en otras novelas de desarrollo (es muy fuerte en Tolstoi, quien se vincula en este sentido con las tradiciones del siglo XVIII).

Otro tipo de transformación cíclica que conserva su relación (aunque no muy estrecha) con las edades, es representado por un cierto camino del desarrollo humano desde un idealismo juvenil e iluso hacia la madurez sobria y práctica. Este camino puede complicarse en el final por diferentes grados de escepticismo y resignación. A este tipo de novela lo caracteriza la representación de la vida y del mundo como *experiencia* y *escuela* que debe pasar todo hombre sacando de ella una misma lección de sensatez y resignación. Esta novela, en su tipo más puro, se ejemplifica por la clásica novela de educación de la segunda mitad del siglo XVIII, ante todo por Wieland y Wetzel. *El verde Heinrich* de Keller pertenece en gran medida al mismo tipo de novela. Los mismos elementos aparecen también en Hippel, Jean Paul y, desde luego, en Goethe.

El tercer tipo de novela de desarrollo es el biográfico (y autobiográfico). En él ya está ausente el elemento cíclico. La transformación transcurre dentro del tiempo biográfico, salvando etapas irrepetibles e individuales. Puede ser tipificado, pero la tipicidad de este tiempo ya no es cíclica. El desarrollo viene a ser resultado de todo un conjunto de condiciones de vida fluctuantes y de acontecimientos varios, de las acciones y del trabajo. Se está creando el destino humano, y a la vez se está forjando el hombre mismo y su carácter. La generación de una vida y de un destino se funde con el desarrollo del hombre. Así son *Tom Jones* de Fielding, *David Copperfield* de Dickens.

El cuarto tipo de la novela de desarrollo es la novela didáctico-pedagógica. La fundamenta alguna idea pedagógica planteada de una manera más o menos abierta. Este tipo de novela muestra un proceso educativo en el sentido propio de la palabra. Abarca obras como *Ciropedia* de Jenofonte, *Telémaco* de Fenélon, *Emilio* de Rousseau. Pero los elementos del mismo tipo de novela aparecen en otras novelas de desarrollo, particularmente en Goethe, en Rabelais.

El quinto y último tipo de la novela de desarrollo es el más importante. En él, el desarrollo humano se concibe en una relación indisoluble con el devenir histórico. La transformación del hombre se realiza dentro del tiempo histórico real, con su carácter de necesidad, completo, con su futuro y también con su aspecto cronotópico. En los cuatro tipos arriba mencionados, el desarrollo del hombre transcurría sobre el fondo de un mundo inmóvil, acabado y más o menos sólido. Si en aquel mundo sucedía algún cambio, era un cambio secundario que no afectaba sus fundamentos principales. El hombre allí avanzaba desarrollándose, cambiando dentro de los límites de una sola época. El mundo existente y estable en su existencia exigía que el hombre se adaptara a él en cierta medida, que conociera las leyes de la vida y se sometiera a ellas. El hombre se iba desarrollando, el mundo no; el mundo, por el contrario, era un inmóvil punto de referencia para el hombre en proceso de desarrollo. La transformación del hombre era, por decirlo así, su asunto particular, y los frutos de este desarrollo eran también de orden biográfico particular; en el mundo todo solía permanecer en su lugar. La concepción misma del mundo como experiencia fue muy productiva para la novela de educación porque permitía ver el mundo desde un punto de vista que anteriormente no había sido tocado por la novela, lo cual llevó a una reevaluación radical de los elementos del argumento novelesco y abrió la novela a los nuevos y realísticamente productivos puntos de vista acerca del mundo. Pero el mundo como experiencia y escuela por lo general seguía siendo algo inmóvil y dado: el mundo cambiaba tan sólo para el estudiante en el proceso de aprendizaje (en la mayoría de los casos, al final el mundo resultaba ser más pobre y seco de lo que parecía desde un principio).

Pero en las novelas como *Gargantúa y Pantagruel*, *Simplicissimus* y *Wilhelm Meister*, el desarrollo del hombre tiene un carácter diferente. El desarrollo no viene a ser su asunto particular. El hombre se transforma *junto con el mundo*, refleja en sí el desarrollo histórico del mundo. El hombre no se ubica dentro de una época, sino sobre el límite entre dos épocas, en el punto de transición entre ambas. La transición se da dentro del hombre y **a través del hombre.** El héroe se ve obligado a ser un nuevo tipo de hombre, antes inexistente. Se trata precisamente del desarrollo de un hombre; la fuerza organizadora del futuro es aquí, por lo tanto, muy grande (se trata de un futuro histórico, no de un futuro biográfico privado). Se están cambiando precisamente los *fundamentos* del mundo, y el hombre es forzado a transformarse junto con ellos. Está claro que en una novela semejante aparecerán, en toda su dimensión, los problemas de la realidad y de las posibilidades del hombre, los problemas de la libertad y de la necesidad y el de la iniciativa creadora. La imagen del hombre en el proceso de desarrollo empieza a superar su carácter privado (desde luego, sólo hasta ciertos límites) y trasciende hacia una esfera totalmente distinta, hacia el espacio de la existencia histórica. Éste es el último tipo de la novela de desarrollo, el tipo realista.

Los momentos de este desarrollo histórico del hombre están presentes casi en todas las grandes novelas del realismo, o sea, existen, por consiguiente, allí donde se introduce el concepto del tiempo histórico real.

Este último tipo de la novela realista de desarrollo es, precisamente, el tema de nuestro libro. El propósito teórico de nuestro trabajo —la asimilación del tiempo histórico por la novela, en todos sus aspectos esenciales— se aclara y se plantea mejor en relación con el material concreto de este tipo de novela.

Pero por supuesto que la novela de desarrollo de este último tipo no puede ser comprendida ni estudiada fuera de su vínculo con los demás tipos de novela de desarrollo. Esto sobre todo concierne al segundo tipo, a la novela de educación en sentido exacto (Wieland como su fundador), la que directamente preparó el terreno para la aparición de la novela de Goethe. Este tipo de novela es el más característico del Siglo de las Luces alemán. Ya entonces se plantearon, en una forma incipiente, el problema de las posibilidades humanas frente a la realidad y el de la iniciativa creadora. Por otra parte, este tipo de la novela de educación se relaciona directamente con la incipiente variedad de la novela de desarrollo, a saber: con *Tom Jones* de Fielding (Wieland, desde las primeras palabras de su famoso prefacio, vincula a su *Agatón* con aquel tipo de novela, o más bien, con aquel tipo de héroe que fue inaugurado por *Tom Jones*). Para comprender el problema de la asimilación del tiempo del desarrollo humano, tiene también una gran importancia el tipo del desarrollo cíclico e idílico tal como se representa en Hippel y en Jean Paul (en relación con los elementos de desarrollo más importantes vinculados con la influencia de Wieland y Goethe). Finalmente, para la comprensión de la imagen del hombre en proceso de desarrollo en Goethe, tiene una gran importancia la idea de la educación tal como se solía plantear durante la época de la Ilustración, sobre todo tratándose de aquella su variedad específica que encontramos sobre el terreno alemán en la idea de la "educación del género humano", en Lessing y Herder.

De esta manera, al reducir nuestro propósito al quinto tipo de novela de desarrollo, nosotros, sin embargo, nos vemos obligados a ocuparnos de todos los demás tipos. Con todo esto, no buscamos un enfoque histórico exhaustivo del material (nuestro objetivo principal es de carácter teórico), no queremos establecer todos los nexos y correlaciones históricas principales. Nuestro trabajo no tiene pretensión alguna de dar un panorama histórico completo del problema mencionado.

Para la novela de desarrollo realista tiene una importancia especial Rabelais (y en parte Grimmelshausen). La novela de Rabelais representa un grandioso intento de construir la imagen del hombre en el proceso de su desarrollo dentro de la *temporalidad histórico-popular* del folklore. De ahí todo el valor de Rabelais tanto para el análisis del problema de asimilación del tiempo en la novela como para la comprensión de la imagen del hombre en el proceso de desarrollo. Por eso en nuestro trabajo un espacio especial está dedicado a Rabelais, junto con Goethe.

TIEMPO Y ESPACIO EN LAS NOVELAS DE GOETHE

Saber *ver el tiempo,* saber *leer el tiempo* en la totalidad espacial del mundo y, por otra parte, percibir de qué manera el espacio se llena no como un fondo inmóvil, como algo dado de una vez y para siempre, sino como una totalidad en el proceso de generación, como un acontecimiento: se trata de saber leer los indicios del transcurso del tiempo en todo, comenzando por la naturaleza y terminando por las costumbres e ideas de los hombres (hasta llegar a los conceptos abstractos). El tiempo se manifiesta ante todo en la naturaleza: el movimiento del sol y de las estrellas, el canto de los gallos, las señales sensibles y accesibles a la vista de las estaciones del año; todo esto en su relación indisoluble con los momentos que corresponden a la vida humana, a su existencia práctica (trabajo), con el tiempo cíclico de diversos grados de intensidad. El crecimiento de los árboles y del ganado, las edades de los hombres son indicios visibles de períodos más largos. Luego, los complejos indicios del tiempo histórico propiamente dicho: las huellas visibles de la creatividad humana, las huellas dejadas por las manos y la razón del hombre: ciudades, calles, edificios, obras de arte y de técnica, instituciones sociales, etc. Un artista lee en estas señales las ideas más complejas de los hombres, de las generaciones, de las épocas, de las naciones, de los grupos y las clases sociales. El trabajo del ojo que ve se combina aquí con un proceso muy complejo del pensamiento. Pero por más que estos procesos cognoscitivos fuesen profundos y llenos de generalizaciones más amplias, no pueden separarse de una manera definitiva del trabajo del ojo, de las señales sensibles y concretas y de la palabra viva e imaginativa. Por fin, las contradicciones socioeconómicas que son las fuerzas motrices del desarrollo: desde los contrastes elementales vistos de un modo inmediato (la heterogeneidad social de la patria vista desde la carretera) hasta sus manifestaciones más profundas y finas en las ideas y relaciones de los hombres. Estas contradicciones necesariamente abren el tiempo visible hacia el futuro. Cuanto más profundamente se manifiestan, tanto más importante y amplia es la plenitud del tiempo en las imágenes que ofrece el novelista.

Una de las cumbres de la visión del tiempo histórico fue alcanzada, en la literatura universal, por Goethe.

La visión y la representación del tiempo histórico se inician durante la época de la Ilustración (esta época ha sido muy menospreciada en relación con el aspecto mencionado). Durante la Ilustración se elaboran los indicios y categorías de los tiempos cíclicos: el de la naturaleza, el de la vida cotidiana, así como el tiempo idílico del trabajo campesino (por supuesto, el proceso había sido preparado por el Renacimiento y por todo el siglo XVIII así como también sufrió influencia de la tradición de la antigüedad clásica). Los temas de "estaciones del año", de "ciclos agrícolas" de "edades del hombre" perduran a lo largo de todo el siglo XVIII y tienen mucha importancia en su producción poética. Al mismo tiempo estos temas no se mantuvieron de una manera restringida sino que adquirieron una importancia estructurante y organizadora (en Thomson, Gessner y otros poetas idílicos). La supuesta ahistoricidad de la Ilustración debe ser replanteada radicalmente. En primer lugar, aquella historicidad del primer tercio del siglo XIX que altaneramente atribuyó a la Ilustración una falta de historicidad, fue preparada por los iluministas; en segundo lugar, el siglo XVIII debe ser analizado no desde este punto de vista de la historicidad tardía (que fue preparada, reiteramos, por el mismo XVIII), sino en comparación con las épocas anteriores. De este modo, el siglo XVIII se manifestará como época del *gran despertar de la sensación del tiempo,* ante todo, de la sensación del tiempo en la naturaleza y en la vida humana. Hasta el último tercio del siglo predominan los tiempos cíclicos, pero inclusive estas concepciones del tiempo, con toda su limitación, remueven, con su arado de temporalidad, el mundo inamovible de las épocas anteriores. Y en este terreno labrado por las concepciones cíclicas del tiempo empiezan a manifestarse los indicios de la temporalidad histórica. Las contradicciones de la vida actual, perdiendo su carácter absoluto, eterno, dado por Dios, ponen de relieve, en la vida actual, una heterogeneidad histórico-temporal: los vestigios del pasado y los gérmenes, las tendencias del futuro. Simultáneamente, el tema de las edades del hombre, convirtiéndose en el tema de las generaciones, empieza a perder su carácter cíclico y prepara las perspectivas históricas. Este proceso de preparación del terreno para la manifestación del tiempo histórico en la *creación literaria* se llevó a cabo de una manera más rápida, completa y profunda que en los puntos de vista abstractamente filosóficos e histórico-ideológicos de los iluministas.

En Goethe, quien en este sentido fue heredero directo y conclusión de la época de la Ilustración, la visión artística del tiempo histórico, como ya hemos dicho, alcanza una de sus cumbres (en algunos aspectos, como lo veremos, esta cumbre no ha sido superada).

El problema del tiempo y del desarrollo histórico en la obra de Goethe (y sobre todo la imagen del hombre en el proceso de desarrollo) lo expondremos en toda su plenitud en la segunda parte del libro. Por lo pronto nos ocuparemos apenas de algunos aspectos y particularidades de la sensación del tiempo en Goethe, para aclarar nuestras deliberaciones acerca del cronotopo y de la asimilación del tiempo en la literatura.

Ante todo, subrayemos la importancia excepcional de la *visión* para Goethe (este punto es de dominio común). Todos los demás sentidos externos, las vivencias internas, las reflexiones y los conceptos abstractos se reunían alrededor del *ojo que ve,* como centro, como instancia primera y última. Todo aquello que es importante puede y debe ser visto; todo lo que no se ve es insignificante. Es conocida la importancia que atribuía Goethe a la *cultura del ojo* y cuán profundamente entendía él este concepto. En su concepción del *ojo* y de lo *visible* se alejaba igualmente tanto del grosero sensualismo como de un estrecho esteticismo. Lo visible fue para él no sólo la primera, sino también la última instancia, donde la visibilidad ya se haya enriquecido y saturado con toda la complejidad del significado y del conocimiento.

Goethe detestaba las palabras que no reflejaban una experiencia propia de lo visto. Después de visitar Venecia exclama: "Por fin, gracias a Dios, Venecia ya no es para mí una simple palabra, no un nombre vacío que tantas veces me asustó, siendo como soy enemigo de sonidos sin sentido" (*Viaje a Italia*).

Los conceptos e ideas más complejos e importantes siempre pueden, según Goethe, representarse en *forma visible,* pueden *mostrarse* mediante un dibujo esquemático o simbólico, mediante un modelo o diseño. Todas las ideas y construcciones propiamente científicas de Goethe están expresadas en formas de esquemas exactos, diseños y dibujos, así como las construcciones de los otros que posteriormente asimilaría aparecerán en forma visible. En la primera noche de su acercamiento a Schiller y al mostrarle a éste su *Metamorfosis de las plantas,* Goethe hace surgir, mediante algunos trazos característicos de pluma, una flor simbólica frente a los ojos de su interlocutor (*Anales*).* Durante sus reflexiones posteriores, hechas conjuntamente acerca de "la naturaleza, el arte y las costumbres", Goethe y Schiller sienten una necesidad viva de recurrir a la ayuda de tablas y dibujos simbólicos (*die Notwendigkeit von tabellarischer und symbolischer Behandlung*). Representan una "rosa de temperamentos", una tabla de influencias buenas y malas del diletantismo; trazan esquemas de la teoría de colores inventada por Goethe: *Farbenlehre* (*Anales,* p. 64).

Inclusive la base misma de una visión filosófica del mundo puede ser representada en una imagen sencilla y concisa. Cuando Goethe, durante su viaje marítimo de Nápoles a Sicilia, se vio por primera vez en alta mar, y la línea del horizonte se cerró a su rededor, dijo: "Quien no se haya visto rodeado de mar por todos lados, no tiene idea de lo que es el mundo ni de su relación con el mundo" (XI, p. 248).

La *palabra* para Goethe se conmensuraba con la visibilidad más clara. En *Poesía y verdad* nos habla de un "procedimiento bastante raro" al que recurría a menudo. Un objeto o una localidad que eran interesantes para él, los solía esbozar sobre un papel

* Goethe, *Sämtliche Werke,* Jubiläums-Ausg., Bd. 30, Stuttgart-Berlín, 1930, p. 391.

mediante unos pocos trazos, y los detalles los completaba con *palabras* que inscribía allí mismo sobre el dibujo. Aquellos asombrosos híbridos artísticos le permitían reconstruir en la memoria, de una manera exacta, cualquier paisaje (*Localität*) que le habría podido servir para un poema o una narración (x, p. 309).

De este modo, Goethe todo lo quería y podía ver con ojos. Lo invisible no existía para él. Al mismo tiempo, su ojo no quería (ni podía) ver nada *terminado* e *inmóvil*. Su ojo no admitía una simple contigüidad espacial, una simple coexistencia de cosas y fenómenos. Detrás de cualquier heterogeneidad estática Goethe veía diferentes tiempos: lo diverso se disponía, para él, según diferentes escalones (épocas) de desarrollo, es decir, todo adquiría un sentido temporal. En la pequeña nota intitulada *Acerca de mis relaciones posteriores con Schiller,* Goethe define esta particularidad suya de la siguiente manera: "Yo poseía un método evolutivo que revelaba el desarrollo [*die entwickelnde entfaltende Methode*], pero no un método que ordenara mediante comparación; yo no supe qué hacer con los fenómenos contiguos, más bien, por el contrario, yo podía enfrentarme a la filiación de estos fenómenos" (*Anales,* p. 393).

La simple contigüidad espacial (*neben einander*) de los fenómenos le era profundamente ajena a Goethe; él solía llenarla, penetrarla con el *tiempo,* descubría en ella el proceso de formación, el desarrollo, distribuía las cosas que se encuentran juntas en el *espacio* según los eslabones temporales, según las épocas de generación. Para él, lo contemporáneo, tanto en la naturaleza como en la vida humana, se manifiesta como una diacronía esencial: o bien como residuos o reliquias de diversos grados de desarrollo y de las formaciones del pasado, o bien como gérmenes de un futuro más o menos lejano.

Bien se conoce la titánica lucha que libró Goethe por introducir la idea de proceso de formación, de desarrollo, en las ciencias naturales. Éste no es el lugar apropiado para analizar sus trabajos científicos. Sólo señalemos que también en estos trabajos lo visible concreto carece de estatismo y se correlaciona con el tiempo. *El ojo que ve* en todas partes busca y encuentra *tiempo,* o sea desarrollo, formación, historia. Detrás de lo concluído, el ojo distingue aquello que está en proceso de formación y en preparación, con una evidencia excepcional. Al atravesar los Alpes, Goethe observa el movimiento de las nubes y de la atmósfera alrededor de las montañas y crea su teoría de la formación del clima. Los habitantes de las planicies reciben el bueno o el mal tiempo como algo ya *formado previamente,* mientras que los habitantes de las zonas montañosas presencian su proceso de formación.

He aquí una pequeña ilustración de esta "visión formativa" que proviene del *Viaje a Italia*: "Al observar los montes desde cerca o desde lejos, al ver sus cumbres que ora brillan bajo el sol, ora aparecen cubiertas de niebla, o bien entre amenazantes nubes tormentosas, bajo los golpes de la lluvia, o bajo la nieve, solemos atribuir todo esto a la influencia de la atmósfera, porque sus movimientos y cambios los podemos notar y los distinguimos a simple vista. Por el contrario, los montes mismos permanecen, para nuestros sentidos externos, inmóviles en su aspecto primordial. Los consideramos muertos, mientras que apenas permanecen inmóviles; los creemos inactivos por el hecho de que están quietos. Pero ya desde hace mucho tiempo no puedo dejar de atribuir la mayor parte de los cambios atmosféricos precisamente a su acción interna, silenciosa y secreta" (XI, p. 28).

Más adelante, Goethe desarrolla su hipótesis acerca de que la gravitación de la masa de la Tierra, y sobre todo de sus partes sobresalientes (las cordilleras), no es algo constante e invariable, sino que, por el contrario, bajo la influencia de diferentes causas ora disminuye, ora aumenta, está en constante *pulsación*. Y esta pulsación de la misma masa de los montes influye considerablemente en los cambios atmosféricos. Según Goethe, el resultado de esta actividad interna de los montes es el clima que reciben como algo dado los habitantes de las planicies.

Aquí no nos importa en absoluto la inconsistencia científica de esta hipótesis. Lo que importa aquí es la característica visión de Goethe que se manifiesta en ella. Porque los montes son, para un observador común, la estaticidad misma, imagen de la inmovilidad y de la invariabilidad. Pero en la realidad los montes no están muertos en absoluto, sino que permanecen quietos; no son inactivos, sino que tan sólo lo aparentan, porque están en paz, porque descansan (*sie ruhen*); y las mismas fuerzas de gravedad de la masa no representan una constante, una magnitud siempre igual a sí misma, sino algo que cambia, pulsa, oscila; por eso los montes, que son algo así como cúmulo de estas fuerzas, se vuelven internamente cambiantes, activos, creadores del clima.

Como resultado, el cuadro inicial presentado por Goethe cambió brusca y *profundamente*. Porque al principio se representan los cambios atmosféricos rotundos (brillo bajo el sol, nieblas, nubarrones, lluvias violentas, nieve) sobre el inmóvil fondo de los montes eternamente incambiables; pero al final *ya no existe* este fondo inmóvil e invariable, este fondo manifestó un movimiento más importante y más profundo que el movimiento evidente pero secundario de la atmósfera, este fondo se ha vuelto activo, es más, el movimiento auténtico y la actividad se trasladaron precisamente a este fondo.

Esta particularidad de la visión de Goethe que se revela en nuestro pequeño ejemplo, se manifiesta en todas partes en una u otra forma (según el material), con diferentes grados de evidencia. En todas partes, todo aquello que, antes de Goethe, servía, representaba un fondo sólido e invariable para toda clase de movimientos y cambios, para Goethe resultaba incorporado en el proceso de formación, se compenetraba del tiempo hasta el límite e inclusive llegaba a ser la movilidad más importante y creativa. Más adelante, en el análisis de *Wilhelm Meister,* veremos de qué modo todo aquello que solía servir de fondo sólido a la novela, que aparecía como una constante, como una premisa inmóvil del movimiento argumental, precisamente se vuelve portador básico del movimiento, su iniciador, gracias a lo cual se modifica radicalmente el argumento mismo de la novela. Para el "gran genio" de Goethe, el movimiento esencial se manifestó precisamente en aquel inmóvil fondo de fundamentos universales (socioeconómicos, políticos y morales), los cuales habían sido proclamados a menudo como invariables y eternos por el Goethe "filisteo limitado". En *Wilhelm Meister,* este fondo de fundamentos universales inicia su pulsación, como las cordilleras en el ejemplo citado, y esta pulsación determina el movimiento y el cambio de los destinos y de las opiniones humanas, que son variaciones más superficiales.

Así, pues, nos acercamos a la sorprendente particularidad de Goethe que le permitía ver el tiempo en el espacio. Es una visión excepcionalmente fresca e impresionante del tiempo (lo cual, por lo demás, es característico de los escritores del siglo XVIII, para los cuales el tiempo apenas empezaba a manifestarse); estas cualidades podrían, en parte, atribuirse a la relativa sencillez de esta visión y, por lo tanto, a su mayor ejemplaridad sensorial. Goethe poseía una visión muy aguda para captar todas las señas e indicios visibles del tiempo en la naturaleza: por ejemplo, sabía determinar rápidamente y a simple vista las edades de los árboles, conocía el ritmo del crecimiento de diferentes especies de éstos, veía épocas y edades. Tenía una visión excepcionalmente aguda para todos los indicios visibles de la vida humana: desde el tiempo cotidiano de la existencia medida por el movimiento del sol y por el orden diario de la actividad humana, hasta la totalidad del tiempo de una vida humana marcada por edades y épocas del proceso de formación del hombre. Las propias autobiografías de Goethe (los trabajos biográficos que representan un enorme porcentaje dentro de su obra) y el constante interés hacia la literatura autobiográfica y biográfica, que era característico de su época (los métodos autobiográficos empleados por Goethe forman parte de nuestra preocupación especial),[1] todo esto atestigua la importancia para Goethe de la noción del *tiempo biográfico.*

En cuanto al tiempo de la vida cotidiana en Goethe, recordemos con qué amor y precisión analiza y representa el tiempo cotidiano de los italianos en su *Viaje a Italia.*

> En el país donde uno disfruta del día, pero aún más goza de la noche, el término de la tarde siempre es significativo. Entonces cesa el trabajo, entonces los paseantes regresan, el padre quiere ver en casa a su hija, el día se acabó; pero ¿sabemos nosotros, los cimerios, qué cosa es el día? Entre eternas brumas y niebla, nos son indiferentes el día y la noche: y de veras, ¿acaso es mucho el tiempo que nos toca para pasear y disfrutar del aire libre? Mientras que cuando aquí llega la noche, el día, que se conforma por la mañana y la tarde, ya pasó definitivamente, ya se vivieron veinticuatro horas; comienza la nueva cuenta del tiempo, las campanas tocan, se lee la oración nocturna, la criada entra en la habitación con la lámpara encendida y dice: —*Felicissima notte!* Este momento varía según las estaciones del año, y una persona que vive aquí una vida plena no puede equivocarse, porque cada bien de su existencia no se mide por una determinada hora, sino por la parte del día. Si este pueblo se viera obligado a usar las cuentas del tiempo de los alemanes, se sentiría confundido, porque su propio cálculo del tiempo está relacionado de una manera más estrecha con la naturaleza circundante. Una hora o una hora y media antes de la llegada de la noche empieza a salir la nobleza... (XI, pp. 58, 60).

Luego Goethe desarrolla minuciosamente su modo de traducir el tiempo orgánico italiano al tiempo alemán, es decir, tiempo común, y anexa un dibujo donde con la ayuda de círculos concéntricos se ofrece la correlación visual de los tiempos (XI, p. 59).

Este tiempo orgánico italiano (el cálculo del tiempo comienza a partir del momento de la puesta del sol, que corresponde, por supuesto, en diferentes épocas del año a diferentes horas), que está ligado indisolublemente a la vida cotidiana de los italianos, en lo sucesivo más de una vez atrae la atención de Goethe. Todas sus descripciones de la cotidianidad italiana están compenetradas de la sensación del tiempo diario medido por los placeres y por el trabajo de la vida humana. Este mismo sentimiento aparece en la famosa descripción del carnaval de Roma (XI, pp. 510-542).

Sobre el fondo de estos tiempos de la naturaleza, de la vida cotidiana, que en una u otra medida son aún tiempos cíclicos, para Goethe se manifiestan, entrelazándose con los últimos, los indicios del tiempo histórico, que son las huellas de las manos y de la inteligencia del hombre que transforma la naturaleza, así como el reflejo contrario de la actividad del hombre y de todo lo que él crea hacia sus propias costumbres y puntos de vista. Goethe ante todo busca y encuentra un *movimiento visible del tiempo histórico,* inseparable del ambiente natural (*Localität*) y de todo el conjunto de objetos creados por el hombre y relacionados con el ambiente natural. Aquí también Goethe revela una excepcional agudeza de la visión y su carácter *concreto.*

He aquí uno de los ejemplos de aplicación eventual de la agudeza visual histórica tan propia de Goethe. Pasando, camino hacia Pyrmont, por el pueblo de Einbeck, Goethe *vio* en seguida que hace unos treinta años el pueblo tuvo un excelente alcalde (*Anales,* p. 76).

¿Qué fue lo que vio especialmente? Vio muchos espacios verdes, árboles, vio su carácter no casual, vio en ellos la *huella de una voluntad humana que actuó de acuerdo con un plan,* y por la *edad* de los árboles que determinó aproximadamente a simple vista, se percató de la época cuando había actuado aquella voluntad planificadora.

A pesar de que el caso citado de la visión histórica en sí es fortuito, a pesar de su dimensión microscópica y de su carácter elemental, en él se manifiesta con mucha claridad y precisión la misma estructura de esta visión. Analicémosla.

Lo que importa aquí y ante todo es la huella *palpable y viva* del pasado en el presente. Hay que subrayar eso de palpable y viva, porque aquí no se trata de unas ruinas muertas, aunque pintorescas, que no tengan ninguna relación esencial con la viva actualidad circundante y que carezcan de toda influencia sobre la realidad. Goethe aborrecía las ruinas, esas envolturas externas de un pasado desnudo propias de un museo o de una tienda de antigüedades; las llamaba fantasmas (*Gespenster*) y las rechazaba.* Las ruinas irrumpían, para él, en el presente como un cuerpo ajeno, no hacían falta ni eran comprensibles en el presente. Una mezcla mecánica del presente con el pasado carente de un verdadero vínculo entre los tiempos le inspiraba una gran antipatía.

* Es la actitud de Goethe hacia las aficiones anticuarias y arqueológicas de su época. Recordemos el enorme éxito mundial de la novela "arqueológica" de Barthelemy, *Viaje del joven Anacarsis por Grecia* (1788), que inauguró el género de la novela arqueológica.

Por eso a Goethe le gustaban tan poco las ociosas remembranzas históricas a propósito de los lugares históricos que son tan propias de los turistas que visitan estos lugares; Goethe odiaba las narraciones de los guías acerca de los acontecimientos históricos que habían tenido lugar en aquellas localidades. Todo aquello se le presentaba como algo fantasmático y carente de una relación *necesaria* y visible con la realidad circundante y viva.

Una vez, en Sicilia, cerca de Palermo, en un espléndido valle sumamente fecundo, un guía le platicaba minuciosamente a Goethe sobre las espantosas batallas y extraordinarias hazañas que antaño había librado allí Aníbal. "Le prohibí estrictamente —dice Goethe— aquella fatal evocación de los fantasmas desaparecidos [*das fatale Hervorrufen solcher abgeschiedenen Gespenster*]". Y en efecto, ¿qué nexo necesario y creativo (históricamente productivo) podía manifestarse entre aquellos campos labrados y fértiles y el recuerdo de los elefantes y caballos de Aníbal pisando los sembradíos?

El guía quedó sorprendido de aquella indiferencia de Goethe hacia los recuerdos clásicos. "Y no pude explicarle qué fue lo que sentía con la *mezcla del pasado con el presente.*"

El guía se sorprendió aún más cuando Goethe, "tan indiferente hacia los recuerdos clásicos", se puso a juntar piedrecitas en la orilla del río. "No logré explicarle que la mejor manera de conocer una región montañosa consiste en el estudio de los minerales llevados por los arroyos, y que la tarea es formarse una noción acerca aquellas cumbres siempre clásicas del período antiguo de la existencia de la tierra analizando pedazos aislados" (XI, pp. 250-251).

La cita anterior es muy característica. Lo importante en ella, para nosotros, no es la presencia de una cierta influencia del pensamiento de Rousseau (la contraposición del tiempo de la naturaleza y de la creatividad —"las siempre clásicas cumbres del período antiguo de la existencia de la tierra" y un valle fértil— a la historia humana con sus guerras y devastaciones). Lo que importa es otra cosa. Aquí, en primer lugar, se manifiesta el repudio característico que sentía Goethe en relación con un pasado *enajenado*, pasado en sí y para sí, o sea aquel pasado que sería el tema predilecto de los románticos. Goethe quiere ver los *vínculos necesarios* del pasado con un presente vivo, quiere comprender el *lugar necesario* que ocupa el pasado en el *proceso permanente del desarrollo histórico.* Un pedazo aislado y enajenado del pasado es para Goethe un "fantasma" profundamente repulsivo y horrible. Es por eso por lo que él opone a esa clase de "fantasmas desaparecidos" los pedacitos de piedras de la orilla del arroyo, porque los pedacitos son capaces de dar razón del carácter de toda la región montañosa y del pasado necesario de la tierra. Se le presenta con claridad todo aquel proceso prolongado cuyo resultado apareció como algo necesario en forma de los guijarros *hic et hoc* en la orilla del arroyo, el origen de los guijarros es claro, es clara su edad geológica, se determina su lugar en el desarrollo ininterrumpido de la tierra. Ya no existe la mezcla mecánica y fortuita del pasado con el presente: todo tiene un lugar *fijo* y *necesario* en el *tiempo.*

En segundo lugar (y éste viene a ser un rasgo muy importante en la visión del tiempo histórico propia de Goethe), el pasado mismo ha de ser *creativo,* ha de ser *actual* dentro del presente (aunque sea en un sentido negativo, indeseable). Un pasado creativamente actual, que determine el presente, diseña, junto con el presente, el futuro, define en cierta medida el futuro. Así se logra la *plenitud del tiempo,* una plenitud evidente y visible. Esta clase de futuro, pero a escala microscópica, fue vista por Goethe cerca del pueblo de Einbeck. Este pasado, en forma de plantaciones de árboles, seguía viviendo en el presente (en este caso concreto, aun al pie de la letra, porque los árboles plantados seguían viviendo y creciendo, determinando el presente, dando un aspecto determinado al pueblo de Einbeck y, desde luego, a escala microscópica influían sobre el futuro).

Vamos a poner de relieve otro aspecto en nuestro ejemplo. La visión histórica de Goethe siempre va apoyada en una percepción profunda, minuciosa y concreta de la región (*Localität*). El pasado creativo debe manifestarse como necesario y productivo en las condiciones de una región determinada como una humanización creadora de la región que había convertido un pedazo de espacio terrestre en el lugar de la vida histórica de los hombres, en una parcela del mundo histórico.

Una región, un paisaje que no tengan lugar para el hombre y para su actividad creadora, que no puedan ser poblados y edificados, y tampoco pueden ser arena de la historia humana a Goethe le resultan ser ajenos y antipáticos.

En su época, como es sabido, fue una afición común la naturaleza salvaje, el paisaje virgen e inaccesible al hombre, predilección tanto literaria como pictórica. Goethe sentía una profunda antipatía hacia todo aquello. También en sus épocas posteriores Goethe manifestaba una actitud negativa hacia las tendencias análogas que aparecían también en un contexto realista.

En 1820, Friedrich Gmelin envió a Weimar sus grabados

en cobre destinados a una lujosa edición de la *Eneida* de Virgilio traducida (en el siglo XVI) por Annibale Caro. El artista representó, de una manera realista, las regiones solitarias y pantanosas de la campiña romana. Al apreciar justamente el talento del artista, Goethe, sin embargo, le critica su enfoque: "¿Puede haber algo más triste —dice— que unos intentos de ayudarle al poeta [Virgilio] mediante representación de ***localidades desérticas,*** que la imaginación más viva resulta ser incapaz de edificar y poblar?" (*Anales,* p. 340).

La imaginación creadora de Goethe solía, ante todo, edificar y poblar cualquier localidad. Bajo el ángulo de la edificación y población, por decirlo así, Goethe consideraba cualquier región. Una localidad alejada del hombre, de sus necesidades y de su trabajo, perdía para él todo sentido visible y toda la importancia, porque todos los criterios de evaluación, todas las medidas y todas las escalas vivas y humanas sólo pueden ser comprendidas desde el punto de vista del *hombre constructor,* desde el punto de vista de la conversión de esta localidad en una zona de la vida histórica. Vamos a observar una aplicación bastante consecuente de este punto de vista en el análisis de *Wilhelm Meister.*

Éstos son los aspectos estructurales de la visión del tiempo histórico que caracteriza a Goethe, tal como se manifiestan en el ejemplo citado aquí. Concretemos y ahondemos nuestras opiniones mediante materiales más complejos.

En *Poesía y verdad* Goethe hace una observación muy importante en relación con el aspecto mencionado:

> Un sentimiento, que adoptaba formas sumamente extrañas, me poseía por completo: el sentimiento de la fusión del pasado y del presente en un todo, y este punto de vista aportaba algo fantasmal al presente. Expresé este sentimiento en muchos trabajos míos, grandes y pequeños, y en la poesía siempre actúa favorablemente, a pesar de que en el momento en que se había expresado en la vida misma debió parecer extraño, inexplicable, tal vez hasta desagradable.
>
> Colonia es precisamente un lugar donde la antigüedad pudiera dejar en mí una impresión semejante que no se somete al registro. Las ruinas de la catedral (porque un edificio sin terminar equivale a uno destruido) despertaron en mí sentimientos a los que me había acostumbrado desde Estrasburgo (X, p. 184).

Esta extraordinaria confesión aporta corrección en relación con aquella aversión que Goethe experimentaba hacia el sentimiento romántico del pasado, hacia los "fantasmas del pasado" que enturbian el presente. Resulta que él mismo también conoció este sentimiento.

El sentimiento de fusión entre el pasado y el presente en un todo del que habla Goethe en la confesión citada era un sentimiento *complejo.* Implicaba una componente romántica (vamos a designarla así por lo pronto) y una componente "fantasmal". En las épocas tempranas de la obra de Goethe (ante todo, en el período de Estrasburgo), este elemento había sido más fuerte y marcaba el todo de la totalidad del sentimiento. Lo cual determinó cierto carácter romántico de las correspondientes obras de Goethe (generalmente pequeñas y exclusivamente en verso)

Pero junto con este elemento convencionalmente romántico, en el sentimiento de fusión del pasado con el futuro existió desde el principio un elemento *realista* (lo designaremos así también de un modo convencional). Precisamente gracias al hecho de que el elemento realista existió *desde el principio,* jamás encontramos en Goethe una percepción del tiempo puramente romántica. En el desarrollo posterior de Goethe el elemento realista se refuerza cada vez más, desplaza el elemento romántico, y ya en el primer período de Weimar casi predomina. Ya entonces se manifiesta la profunda aversión de Goethe hacia el elemento romántico que alcanza una intensidad especial durante el viaje a Italia. Se podría observar la evolución del sentimiento del tiempo en Goethe, que se reduce a una consecutiva superación del elemento romántico y a un total triunfo del elemento realista, en aquellas obras que pasaron del período inicial al tardío, ante todo en el *Fausto* y, en parte, en *Egmont.*

En el proceso de este desarrollo del sentimiento del tiempo, Goethe supera aquellos momentos de lo fantasmal (*Gespenstermässiges*), de lo horroroso (*Unerfreuliches*) y de lo indefinido o inconsciente (*Unzuberechnendes*) que eran tan fuertes en su sentimiento inicial de la fusión del pasado y del presente en un todo. Pero el sentimiento mismo de la fusión de los tiempos permaneció con toda su fuerza completa e imperecedera hasta el fin de su vida, llegando a una verdadera plenitud del tiempo. Lo fantasmal, lo horroroso y lo indefinido se superaba en Goethe mediante los elementos estructurales de la visión del tiempo ya mencionados por nosotros: elemento del *nexo esencial* entre el pasado y el presente, elemento de la *necesariedad* del pasado y de la necesidad de su ubicación en la línea del desarrollo continuo, elemento de la *actualidad creadora* del pasado y, en fin, elemento de la relación de pasado y presente con un *futuro necesario.*

El fresco viento del futuro penetra con una fuerza cada vez mayor en el sentimiento del tiempo de Goethe, purificándolo de todo lo oscuro, fantasmal y vago; tal vez percibimos mejor el soplo de este viento en *Años de peregrinaje de Wilhelm Meister* (y en las últimas escenas de la segunda parte del *Fausto*). Así pues, en Goethe, de un mismo sentimiento vago y temible, para él, de fusión del pasado con el presente, nació un sentimiento realista del tiempo, muy nítido y fuerte, excepcional en la literatura universal.

Detengámonos en el carácter cronotópico de la visión de una localidad, un paisaje en Goethe. Su ojo que ve impregna la localidad de tiempo creativo e históricamente productivo. Como ya hemos dicho, el punto de vista del *hombre constructor* es el que determina la contemplación y la comprensión del paisaje por Goethe. Su imaginación creadora, con esto, se está frenando, se somete a la *necesidad* de la región dada, a la férrea lógica de su existencia histórica y geográfica.

Goethe ante todo quiere penetrar en esta lógica histórica y geológica de la existencia de la región, y para él esta lógica debe ser desde un principio *visible,* evidente y llena de sentido. Para eso elaboró su propio modo de orientación inicial.

En *Poesía y verdad,* cuenta lo siguiente en relación con su viaje por Alsacia: "Durante mis aún poco numerosas peregrinaciones por el mundo logré cerciorarme de lo importante que es que uno durante los viajes se informe acerca del curso de las aguas, que pregunte incluso hacia dónde corre el arroyo más pequeño. Gracias a lo cual obtenemos una visión general de la cuenca fluvial en que nos encontramos, adquirimos noción acerca de la correlación entre las alturas y las depresiones y mediante este hilo conductor que ayuda tanto a la vista como a la memoria, nos liberamos con mayor facilidad de la mezcolanza geológica y política de los territorios" (IX, p. 437). Y en el comienzo mismo del *Viaje a Italia* dice: "La zona se va elevando hasta el mismo Tierschenreith. Las aguas fluyen a nuestro encuentro, en dirección hacia el Eger y el Elba. A partir de Tierschenreith empieza el descenso hacia el sur, y las aguas se precipitan hacia el Danubio. Me oriento muy rápidamente en cualquier localidad apenas logro establecer hacia dónde fluye el más mínimo arroyo o la cuenca fluvial a la cual pertenece. De esta manera se establece mentalmente la relación entre los montes y los valles incluso en las localidades que no pueden abarcarse con la vista" (XI, p. 20). El mismo método para observar regiones está mencionado por Goethe también en los *Anales* (véase, p. ej., p. 161).

El indicio vivo y dinámico de las corrientes de los ríos y arroyos da una noción visible acerca de las cuencas acuíferas del país, acerca de su relieve, acerca de sus fronteras naturales y nexos naturales, acerca de sus vías acuáticas y terrestres, acerca de los lugares fértiles o estériles, etc. No se trata de un paisaje geológico y geográfico abstracto, sino que en este paisaje, para Goethe, se manifiestan las potencias de la vida histórica; se trata de la arena del acontecimiento histórico, es la firmemente trazada frontera de aquel cauce espacial que abrigaría a la corriente del tiempo histórico. Dentro del sistema evidente y visible de aguas, montes, valles, fronteras y caminos se ubica el hombre históricamente activo: construye, avena pantanos, traza caminos a través de los montes y los ríos, extrae minerales, labra los valles fértiles, etc. Está asegurado el carácter *esencial* y *necesario* de la actividad histórica del hombre. Y si el hombre emprende guerras, se comprenderá *de qué modo* las va a llevar (es decir, en este caso también estará presente la necesidad).

En los *Anales* de 1817 Goethe relata: "La gran claridad que tengo en relación con la geología y la geografía la debo al mapa del relieve de Europa compuesto por Sorriot. Así pues, para mí fue claro desde el principio qué suelo tan traicionero posee España para un jefe militar con ejército regular y qué favorablemente es el mismo suelo para las guerrillas. Tracé en mi mapa de España la línea divisoria de las aguas, y en seguida entendí cada ruta, cada campaña militar, cada empresa de carácter regular o irregular" (*Anales*, p. 303).

Goethe no quiere y no puede ver y concebir alguna región, algún paisaje de una manera abstracta, es decir, por su naturalidad intrínseca; al paisaje lo debe iluminar la actividad del hombre y los sucesos históricos; el pedazo del espacio terrestre ha de ser incluido en la historia de la humanidad, fuera de la cual resulta muerto e incomprensible, fuera de la cual no hay nada que hacer con él. Pero, por otra parte, tampoco hay nada que hacer con un suceso histórico, con un recuerdo histórico abstracto si no se le ubica en el espacio terrestre, si no es comprendida (si no es vista) la *necesidad* de su cumplimiento en un tiempo y un lugar determinados.

Goethe precisamente quiere poner de relieve esta *necesidad visible* y concreta de la creatividad humana y del acontecimiento histórico. Toda fantasía, toda invención, todo recuerdo soñador deben ser frenados, reprimidos, eliminados, deben ceder lugar al trabajo del ojo que contempla la necesidad de la realización y la creación en un *determinado lugar* y asimismo en un *determinado tiempo*. "Yo sólo abro mucho los ojos y memorizo bien los objetos. Me gustaría dejar de reflexionar totalmente, si esto fuera posible" (XI, p. 133). Y un poco más abajo, al apuntar lo difícil que es el hacerse la idea acerca de las antigüedades clásicas según las ruinas conservadas, añade: "La cosa es distinta con aquello que se suele llamar suelo clásico. Si no se le acerca uno de un modo fantástico, sino que se lo toma de una manera muy real, si se ve tal como es, en todo caso se trata del escenario que determinó decisivamente las grandes hazañas; por eso yo siempre aplico el punto de vista geológico y geográfico, para suprimir la fuerza de la imaginación y del sentimiento inmediato y adquirir una visión libre y clara sobre la localidad. Entonces inesperadamente se levanta a su lado la *historia* viva, y uno no puede entender qué es lo que le pasa, y ahora yo tengo un deseo muy vivo de leer a Tácito en Roma" (XI, p. 134).

De este modo se revela la visible necesariedad interna de la historia (o sea la necesariedad de un determinado proceso histórico, de los acontecimientos) dentro de un espacio visto objetivamente (sin una mezcla de fantasía y sentimentalismo).

Para Goethe, la actividad creadora de los pueblos de la antigüedad clásica tiene un carácter igualmente necesario. "He subido hasta Espoleto y estuve en el acueducto que al mismo tiempo sirve de puente entre dos montes... Es la tercera obra de los antiguos que estoy viendo, y en todas partes existe la misma gran idea. Su arquitectura es la *segunda naturaleza* sometida a los fines cívicos; así son el anfiteatro, el templo, el acueducto. Apenas ahora siento lo justo que ha sido el odio que me inspira todo lo *arbitrario,* por ejemplo, la caja de invierno en Weissenstein, la *nulidad absoluta,* un gran adorno para dulces, y así son miles de objetos semejantes. Todo esto nace muerto, pues no posee una existencia interna auténtica, carece de vida, no puede ser, ni llegar a ser grande" (XI, p. 133).

La creación humana posee un carácter de ley interior, debe ser humana (y cívicamente útil), pero también debe ser *necesaria,* consecuente y auténtica como la naturaleza. Cualquier arbitrariedad, invención, fantasía abstracta, a Goethe le repugna.

Lo que le importaba a Goethe no era una razón moral abstracta (una justicia abstracta, un contenido ideológico), sino la *necesariedad* de la creación y de todo quehacer histórico. Es lo que marca una línea divisoria entre él y Schiller, entre él y la mayor parte de los ilustradores, con sus criterios moralmente abstractos o abstractamente razonables.

La necesariedad, como ya lo hemos señalado, llegó a ser el centro organizador en la percepción del tiempo por Goethe. Goethe quería juntar y ligar el presente, el pasado y el futuro en un círculo de la necesidad. La necesariedad de Goethe, sin embargo, estaba muy lejos tanto de la necesariedad del destino como de la necesariedad natural mecanicista (en el sentido naturalista). La necesariedad de Goethe era visible, concreta, material, pero materialmente creadora, era una necesidad histórica.

Una verdadera huella es indicio de la historia y es humana y necesaria, en ella el espacio y el tiempo están unidos en un nudo indisoluble. El espacio terrestre y la historia humana son inseparables uno del otro dentro de la visión total y concreta de Goethe. Lo cual convierte el tiempo histórico de su obra en algo muy denso y materializado, y el espacio en algo tan humanamente razonado e intenso.

Así es la necesariedad en la creación artística. Goethe dice lo siguiente en relación con las cartas italianas de Winckelmann: "Aparte de las criaturas de la naturaleza, que es verdadera y consecuente en todas sus partes, no hay nada que hable tan convincentemente como la herencia de un hombre bueno y razonable, como el arte auténtico, que no es menos consecuente que la naturaleza. Aquí, en Roma, donde había reinado la arbitrariedad más encarnizada, donde el poder y el dinero eternizaron tantos disparates, esto se siente con una claridad especial" (XI, p. 161).

Es precisamente en Roma donde Goethe percibe tan agudamente esta extraordinaria densidad del tiempo histórico, su unión con el espacio terrestre:

> Es sobre todo la historia la que se lee aquí de un modo muy diferente en comparación con cualquier otro lugar del globo. En otros lugares llega uno hacia lo leído como desde afuera; aquí parece que se lee desde adentro: todo esto se extiende en torno de nosotros y al mismo tiempo parece que proviene de nosotros mismos. Y esto no tan sólo se refiere a la historia romana, sino también a la historia universal. Porque desde aquí yo puedo acompañar a los conquistadores hasta el Weser y hasta el Éufrates... (XI, p. 166).

U observa lo siguiente: "Me pasa lo mismo que había sucedido en relación con las ciencias naturales, porque con este lugar se vincula toda la historia universal, y el día en que yo entré a Roma lo considero como mi nuevo cumpleaños, como un verdadero renacimiento" (XI, p. 160).

En otro lugar, al justificar su intención de visitar Sicilia, dice: "Sicilia me señala el Asia y el África; no es bagatela la posibilidad de estar en el punto mágico sobre el cual convergen tantos radios de la historia universal" (XI, p. 239).

La esencia del tiempo histórico en un pequeño terreno de

Roma, la coexistencia *visible* de diferentes épocas convierte al espectador en una especie de participante de los destinos universales. Roma es el cronotopo de la historia humana: "Cuando ves frente a ti la vida que continúa ya más de dos mil años y que durante los cambios de épocas muchas veces ha cambiado fundamentalmente, resulta, sin embargo, que hasta ahora tenemos enfrente el mismo suelo, el mismo monte, a menudo el mismo muro o la misma columna, y en el pueblo como antes se conservan las huellas de su antiguo carácter; entonces llegamos a ser participantes de grandes decisiones del destino y, al principio, al observador le resulta difícil discernir de qué manera una Roma sustituye a otra Roma, y no solamente la nueva tras la antigua, sino cómo se relacionan las diversas épocas de la nueva y de la antigua una tras otra" (XI, p. 143).

La sincronía, la coexistencia de los tiempos en un solo punto del espacio, descubre para Goethe la "plenitud del tiempo" tal como la percibía él durante su período clásico (el viaje a Italia es el punto culminante de este período):

> Sea como sea, cada quién ha de tener una libertad completa para percibir a su modo las obras de arte. Durante nuestro trayecto me llegó un sentimiento, una noción, una concepción concreta acerca de aquello que podría ser llamado, en un sentido superior, la presencia del suelo clásico. Yo lo llamo convicción *sensorial y suprasensorial* de que aquí *hubo, hay y habrá cosas grandes*. El hecho de que lo más grande y lo más bello sea perecedero está en la naturaleza del tiempo y de los elementos morales y físicos permanentemente antagónicos. Durante nuestra breve revista no experimentamos sentimiento de tristeza al pasar cerca de las ruinas, más bien nos daba alegría al pensar que tanto se ha conservado, tanto se ha reconstruido en forma aún más lujosa y grandiosa de lo que había sido antaño.
>
> La idea realizada en la catedral de San Pedro ha sido, sin lugar a dudas, de esta envergadura grandiosa, más majestuosa y atrevida que todos los templos de la antigüedad, y frente a nuestros ojos estaba no solamente aquello que había sido aniquilado por dos milenios, sino que aparecía al mismo tiempo aquello que pudo haber hecho surgir una cultura más elevada.
>
> La misma oscilación del gusto artístico, la búsqueda de una sencillez majestuosa, el regreso a una mezquindad exagerada; todo aquello señalaba a la vida y al movimiento; la historia del arte y de la humanidad se encontraba sincrónicamente delante de nuestros ojos.
>
> No nos debe entristecer la inevitable deducción de que todo lo grande es perecedero; por el contrario, si consideramos que el pasado fue majestuoso, esto nos debe incitar a la creación de algo significativo, algo que posteriormente, incluso convertido en ruinas, aún seguiría incitando a

nuestros descendientes a una actividad generosa, igual como lo supieron hacer en su tiempo nuestros antepasados (XI, pp. 481-482).

Hemos transcrito esta larga cita para concluir con ella toda una serie de pasajes. Lamentablemente, en este resumen de las impresiones romanas Goethe no repitió el motivo de la necesariedad que funcionó para él como un verdadero eslabón de enlace en la cadena del tiempo. Por eso el pasaje conclusivo de la cita que introduce el motivo de las generaciones históricas (el cual encontraremos tratado profundamente en *Wilhelm Meister*) simplifica y baja la visión histórica de Goethe (al estilo de *Ideas* * de Herder).

Hagamos un resumen de nuestro análisis previo de la visión del tiempo en Goethe. Los rasgos principales de esta visión son los siguientes: la fusión de los tiempos (del pasado con el presente), la plenitud y la claridad de los signos visibles del tiempo en el espacio, la imposibilidad de separar el tiempo del suceso del lugar concreto donde tuvo lugar (*Localität und Geschichte*), la relación visible y *esencial* entre los tiempos (el pasado en el presente), el carácter creativamente activo del tiempo (del pasado en el presente y del presente mismo), la necesariedad que caracteriza al tiempo, que liga el tiempo al espacio y a los tiempos entre sí y, finalmente, la inclusión del futuro que concluye la plenitud del tiempo en las imágenes de Goethe, con base en la necesariedad que compenetra el tiempo localizado.

Es necesario subrayar y poner de relieve los momentos de *necesariedad* y de *plenitud del tiempo*. Goethe, muy apegado al *sentimiento del tiempo* que surgió en el siglo XVIII y que en Alemania alcanzó su cumbre en Lessing, Winckelmann y Herder, supera en estos dos momentos las limitaciones de la época de las Luces, su abstracta moralidad, su racionalismo y utopismo. Por otra parte, la comprensión de la necesariedad como de una necesidad humanamente creativa e histórica (la "segunda naturaleza": el acueducto que sirve de puente entre dos montes; véase XI, p. 133) lo separa del materialismo mecanicista de Holbach y otros (véase su reseña del *Sistema de la naturaleza* en el onceavo libro de *Poesía y verdad;* X, pp. 48-49). Los mismos momentos marcan también la línea divisoria que separa a Goethe de la historicidad romántica posterior.

Todo lo mencionado pone de manifiesto el carácter excepcionalmente cronotópico de la visión y del pensamiento de Goethe en todas las esferas de su heterogénea actividad. Todo lo que

* Goethe conoce sus partes correspondientes precisamente en Italia.

Goethe veía, no lo percibía *sub specie aeternitatis* como su maestro Spinoza, sino en el tiempo y *bajo el poder del tiempo.* Pero el poder de este tiempo es un poder productivo y creador. Todas las cosas, desde la idea más abstracta hasta un guijarro en la orilla del arroyo, llevan en sí un sello del tiempo, están saturadas de tiempo y en el tiempo cobran su forma y su sentido. Por eso en el mundo de Goethe todo sucede muy intensamente: allí no hay lugares muertos, inmóviles, congelados, no existe un fondo invariable, no hay decorado ni ambientación que no participen en la acción y en el proceso (de los acontecimientos). Por otro lado, este tiempo, en todos sus momentos importantes, se localiza en un espacio concreto, se encuentra impreso en él; en el mundo de Goethe no hay sucesos, argumentos, motivos temporales que sean indiferentes en relación con el determinado lugar espacial donde tienen lugar; no hay sucesos que podrían cumplirse en todas partes o en ninguna. En el mundo de Goethe todo es *tiempo-espacio,* el auténtico *cronotopo.*

De ahí, el irrepetiblemente concreto y visible mundo del espacio humano y de la historia humana, a los cuales se refieren todas las imágenes de la imaginación creadora de Goethe; este mundo es el fondo móvil y la fuente inagotable de la visión artística y de la representación. Todo es visible, todo es concreto, todo es corporal, todo es material en este mundo, y al mismo tiempo todo es intensivo, razonado y creativamente necesario.

Una gran forma épica (epopeya grande), incluyendo la novela, debe ofrecer una imagen totalizadora del mundo y de la vida, debe reflejar *todo* el mundo y *toda* la vida. En la novela, todo el mundo y toda la vida se representan bajo el ángulo de la *totalidad de una época.* Los acontecimientos representados en la novela de alguna manera han de *sustituir* toda la vida de una época. En esta capacidad de sustituir una totalidad real consiste su esencia artística. Las novelas pueden ser muy diferentes de acuerdo con el grado de esta esencia y, por consiguiente, de acuerdo con su importancia artística. Ésta depende ante todo del grado de penetración realista en la totalidad real del mundo, de la cual se abstrae la esencialidad a la que da forma la totalidad de la novela. El "mundo entero" y su historia, en tanto que realidad que se oponía al novelista, habían cambiado profunda y significativamente hacia el período en que trabajó Goethe. Hacía apenas trescientos años que el "mundo entero" había sido una especie de símbolo que no podía ser representado adecuadamente mediante ningún modelo, mapa o globo. En este símbolo, lo visible y lo conocido, lo densamente real era un pequeño y discontinuo pedazo del espacio terrestre y un período del tiempo real igualmente pequeño y discontinuo; lo demás era vago y se perdía en la niebla, se mezclaba con el más allá, con lo abstractamente ideal, lo fantástico y lo utópico. Y lo importante no era únicamente el hecho de que el más allá y lo fantástico completaban la pobre realidad y unificaban y redondeaban en un todo mitológico los trozos de la realidad. El más allá desorganizó y desangró a la realidad existente. La compacidad real del mundo se corrompía por la mezcla del otro mundo, la que no dejaba que en el mundo real y la historia real se conformaran y se redondearan en una totalidad única, compacta y completa. El futuro que esperaba en el más allá, separado de la línea horizontal del espacio y el tiempo terrestre, se elevaba como una línea vertical del otro mundo en relación con la corriente del tiempo real, agotando el futuro real y el espacio terrestre como arena de ese futuro real, dándole a todo un significado simbólico, desvalorizando y eliminando todo aquello que no se sometía a una interpretación simbólica.

Durante la época del Renacimiento el "mundo entero" comenzó a completarse en un todo real y compacto. La Tierra cobró su forma esférica y ocupó un lugar determinado en el espacio real del universo, y ella misma empezó a adquirir una determinación geográfica (que era aún muy incompleta) y un sentido histórico (todavía menos completo). Y he aquí que en Rabelais y en Cervantes vemos una densificación esencial de la realidad que no aparece desangrada por su complementación con el más allá; pero tal realidad se eleva aún sobre el fondo muy movedizo y nebuloso del mundo entero y de la historia del hombre.

El proceso de la complementación y de la totalización del mundo real logró su primera conclusión en el siglo XVIII, precisamente en la época de Goethe. Se definió la ubicación del globo terrestre dentro del sistema solar y su relación con otros mundos de este sistema, se precisó su dimensión, sus mares y continentes, su geología, sus países, sus minerales, sus vías de comunicación, etc.; el globo adquirió un sentido preciso dentro de la realidad histórica. No se trata de la cantidad de grandes descubrimientos, de nuevos viajes, de conocimientos adquiridos, sino de la *calidad* de la concepción del mundo real que apareció como resultado de todo aquello: la unidad y la totalidad nueva y real del mundo se convirtió, del hecho de una conciencia abstracta, de constructos teóricos y de *raros libros,* en el hecho de la conciencia concreta (común) y de la orientación práctica, en el hecho proveniente de libros accesibles y de las reflexiones cotidianas; esta unidad y totalidad del mundo se relacionó con imágenes visuales familiarizadas, formando una unidad evidente y visible; aquello que no podía ser visible de una manera inmediata podía apreciarse de acuerdo con equivalencias visuales. En esta concretización y visualización tuvo un papel importantísimo el contacto material, real, enormemente crecido (contacto económico y, como su derivación, cultural) con casi todo el mundo geográfico, así como el contacto técnico con los complejos elementos de la naturaleza (el efecto visible de la aplicación de estas fuerzas naturales). Una cosa como la ley de gravedad descubierta por Newton, aparte de su importancia directa para las ciencias naturales y la filosofía, influyó de una manera excepcional en la visualización del mundo, porque contribuyó a hacer casi visible, palpable y sensible la unidad del mundo real, su nuevo carácter de ley natural.

El siglo XVIII que se considera como el más abstracto y ahistórico, en realidad fue época de concretización y visualización del nuevo mundo real y de su historia. El mundo se convirtió, de una concepción del sabio y del científico, en un mundo de la conciencia cotidiana laboral del hombre avanzado.

La lucha filosófica y publicística de los iluministas contra todo aquello que se fundaba en el más allá y en la autoridad, que había impregnado las opiniones, el arte, la vida cotidiana, las estructuras sociales, etc., tuvo un papel de gran importancia en el proceso de la densificación y purificación de la realidad. A primera vista, después de tal crítica el mundo parecía cualitativamente más pobre, en él había mucho menor cantidad de cosas verdaderamente reales en comparación con lo que se había pensado antes, la masa absoluta de lo real, del ser verdadero, de repente pareció disminuida y encogida; el mundo se hizo más pobre y más seco.[2] Pero la crítica abstracta y negativa de los iluministas, al disipar los residuos de las junturas del más allá que consolidaban la unidad mítica, contribuyó a que la realidad se concentrara en la unidad visible de un mundo nuevo. En la realidad concentrada aparecían nuevos aspectos y perspectivas infinitas. Este carácter productivo y positivo de la Ilustración alcanza una de sus cumbres en la obra de Goethe.

El proceso de la concreción y totalización del mundo real puede ser apreciado en la biografía del Goethe creador. Éste no es el lugar para analizar este proceso de una manera más o menos detallada. Un buen mapa del relieve de Europa aún era para Goethe un acontecimiento. El porcentaje de los libros de viajes, de geografía (ya desde la biblioteca del padre de Goethe), de arqueología e historia (sobre todo historia del arte) en la biblioteca de *trabajo* de Goethe fue sumamente alto.

Reiteramos que el proceso de concretización, visualización y totalización en aquel entonces apenas se estaba llevando a cabo. De este hecho proviene la increíble espontaneidad y el carácter palpable de todo aquello en Goethe. Los "radios históricos" que salían de Roma y Sicilia eran algo muy novedoso, así como la misma sensación de la plenitud de la historia *universal* (Herder).

Por primera vez en las novelas de Goethe (*Años de aprendizaje* y *Años de peregrinación*), la totalidad del mundo y de la vida dentro del corte de una época está relacionada con el mundo nuevo, real, concreto, visible y total. Detrás de la totalidad de la novela está la gran totalidad del mundo y de la historia. Cualquier novela grande, en todas las épocas del desarrollo del género, ha sido enciclopédica. Un caracter enciclopédico poseen *Gargantúa y Pantagruel, Don Quijote,* así como las grandes novelas de la época barroca (sin hablar del *Amadís* y de los *Palmerines*). Pero en las novelas de la época del Renacimiento, en los tardíos libros de caballerías (*Amadís*) y en las novelas barrocas se trata precisamente de lo enciclopédico con un carácter abstracto y libresco, detrás del cual no había un *modelo* de la totalidad del universo.

Por eso la selección de lo esencial y su introducción en la totalidad de la novela tenían antes de mediados del XVIII (antes de Fielding, Sterne, Goethe) un carácter distinto.

Desde luego que la densificación esencial de la totalidad de la vida que debe representar la novela (y en general la epopeya grande) no es en absoluto una relación sinóptica de aquella totalidad ni resumen de todas sus partes. De ninguna manera. Por supuesto tampoco lo encontraremos en las novelas de Goethe. La acción sucede en ellas en un pedazo limitado del espacio terrestre y abarca un tramo muy breve del tiempo histórico. Sin embargo, detrás del mundo de la novela siempre se percibe el mundo nuevo y totalizado; este mundo envía a la novela sus representantes y sustitutos que reflejan su nueva plenitud real y su carácter concreto (lo geográfico y lo histórico en el sentido más amplio de estas palabras). No todo se menciona en la novela, pero la totalidad compacta del mundo real se percibe detrás de cada imagen de la obra, porque cada imagen vive y cobra su forma precisamente dentro del mundo. La plenitud real del mundo determina el mismo tipo de lo esencial. La novela ciertamente incluye aún elementos utópicos y simbólicos, pero el carácter y las funciones de éstos adquirieron matices muy diferentes. Todo el carácter de las imágenes de la novela se determina por la nueva relación que entablaron con la nueva y real totalidad del mundo.

Analicemos brevemente esta nueva relación con el nuevo mundo sobre la base del material de las ideas de Goethe acerca de obras no realizadas (el análisis de sus novelas aparecerá más adelante).

En sus obras autobiográficas (*Poesía y verdad*, *Viaje a Italia*, *Anales*), Goethe cuenta de una manera detallada una serie de sus propósitos artísticos que o bien no se realizarían jamás, o bien se realizarían de una manera fragmentaria. Se trata de *Mahoma*, *El judío errante*, *Nausicaa*, *Tell*, *Pyrmont* (según el título convencional que le adjudicamos) y, finalmente, el cuento para niños *El nuevo París* y la novela epistolar, también para niños, que se realizaría en varios idiomas. Nos detendremos en algunos de aquellos propósitos como en algo muy característico de la imaginación cronotópica de Goethe.

El cuento para niños *El nuevo París* es algo muy típico según un rasgo que contiene (ver *Poesía y verdad*, parte II). Este rasgo es la definición exacta del lugar real donde supuestamente había sucedido el suceso fabuloso representado en el cuento: se trata de la parte del muro de la ciudad de Frankfort que llevaba nombre del "muro maligno"; en aquel lugar efectivamente se encontraba un nicho con una fuente, una tabla con una inscripción empotrada en la pared; detrás del muro había viejos nogales. El cuento añadía a aquellas señales reales una puerta misteriosa y vinculaba el nicho con la fuente, los nogales y la tabla. Posteriormente, estos objetos, en el cuento, se trasladaban, ora acercándose uno al otro, ora alejándose. Aquella mezcla de indicios del espacio real con el fabuloso constituía el encanto especial del cuento: el argumento imaginario entraba en la realidad visible, surgiendo directamente, de alguna manera, de aquel "muro maligno" rodeado de leyenda, con su fuente en el profundo nicho, con sus viejos nogales y la tabla con inscripción. Y aquel rasgo del cuento tuvo un efecto muy especial sobre los pequeños oyentes de Goethe: cada uno de ellos realizaba una peregrinación hacia el "muro maligno" y observaba las señales reales: el nicho, la fuente, los nogales. Con aquel cuento Goethe había logrado crear una especie de leyenda local que fue base para un pequeño "culto local" (peregrinación hacia el "muro maligno").

El cuento fue compuesto por Goethe en 1757-1758. En aquellos años fue creado un "culto local" semejante, pero ya a gran escala, en las orillas del lago de Ginebra, lugar de acción de la *Nueva Eloísa* de Rousseau. Un "culto local" análogo había sido creado anteriormente gracias a *Clarissa Harlow* de Richardson, más tarde se crearía el "culto local" de Werther; en Rusia un culto semejante estuvo relacionado con *La pobre Lisa* de Karamzín.

Aquellos peculiares "cultos locales" generados por obras literarias eran algo muy característico de la segunda mitad del XVIII, constituían un rasgo que revelaba cierta reorientación de la imagen artística en relación con la realidad. En la imagen artística surgió una especie de necesidad de fijarse en un tiempo determinado y sobre todo en un lugar determinado, concreto y visible del espacio. En este caso no se trata del carácter realista externo de la imagen en sí (el cual por cierto no exige una definición geográfica exacta, un carácter "no inventado" del lugar de acción). A la época señalada la caracteriza precisamente esta realidad geográfica directa de la imagen, y no tanto su veracidad interna como su representación de algo que dizque realmente existió, como si fuese un acontecimiento que realmente hubiese tenido lugar dentro del *tiempo real* (de lo cual, ciertamente, deriva la típica actitud del sentimentalismo hacia la imagen artística como si fuese una persona real, que era un "realismo ingenuo" artísticamente intencionado que contaba con la percepción del público). La relación que se establecía entre la imagen artística y el mundo nuevo, geográfica e históricamente concreto y perceptible, se manifiesta aquí en su forma elemental, pero por lo mismo muy clara y evidente. Aquellos cultos locales atestiguan una *percepción totalmente nueva del tiempo y espacio* en una obra literaria.

La tendencia hacia una localización geográfica concreta se manifiesta ya en aquella novela infantil polilingüe en la cual Goethe trabajó algo más tarde (ver *Poesía y verdad,* libro IV). "Para aquella forma extravagante encontré un contenido después de haber estudiado la geografía de las localidades que habitaban mis héroes, y para animar la seca descripción del ambiente inventé unas relaciones humanas que corresponderían al carácter de los personajes y a sus ocupaciones" (IX, p. 139). Aquí también, como se puede ver, se revela la característica humanización de localidades geográficas concretas.

En el *Viaje a Italia* Goethe relata cómo había surgido la idea del drama *Nausicaa.* El propósito se conformó en Sicilia, donde las imágenes de la *Odisea* aparecían para Goethe en relación con el paisaje marítimo e isleño de aquel país. "El sencillo argumento iba a ser animado por un gran número de motivos secundarios, con un plano y un ambiente especial de la acción que se desarrollaba sobre el fondo del mar y de islas" (XI, p. 318). Y un poco más adelante: "Ahora, cuando en mis pensamientos se me presentan todos estos montes y playas, golfos y bahías, islas y cabos, peñas y arenales, colinas cubiertas de arbustos, suaves dehesas, fértiles campos, abigarrados jardines, cuidados árboles, viñas suspendidas, cumbres cubiertas de nubes y los valles siempre alegres, las piedras y orillas, todo esto rodeado de un mar cambiante y siempre diferente —sólo ahora la *Odisea* se ha convertido para mí en palabra viva" (XI, pp. 342-343).

La concepción de *Wilhelm Tell* es aún más reveladora en este sentido. Las imágenes de esta concepción surgieron directamente de la observación de las correspondientes regiones históricas de Suiza. En los *Anales* Goethe cuenta: "Cuando durante la ida y la vuelta [el viaje por Suiza, 1797] volví a ver, con mirada abierta y libre, el lago de Vierwaldstadt, Schwiz, Fluelen y Altdorf, todo aquello impulsó mi imaginación a poblar con personajes las localidades que representan un paisaje tan grandioso [*ungeheure*]. ¿Y qué otras imágenes hubiesen podido aparecer en mi imaginación antes que la de Tell y sus valientes coetáneos?" (*Anales*, pp. 141-142). El mismo Tell se le presentaba a Goethe como encarnación del pueblo (*eine Art von Demos*), en la imagen de un cargador de fuerza descomunal que toda la vida se dedicaba al transporte de pesadas pieles y de otras mercancías a través de sus montes natales.

Finalmente, analicemos la idea que surgió en Goethe durante su estancia en Pyrmont, al noroeste de Alemania.

El paisaje de Pyrmont está saturado de tiempo histórico. La región fue mencionada por los escritores romanos. Hasta allí llegaban las avanzadas de Roma; por allí pasaba uno de aquellos radios de la historia universal que Goethe había observado desde Roma. Aún se conservan antiguos baluartes; los cerros y los valles hablan de las batallas que allí se dieron; los residuos de lo antiguo se conservan en la etimología toponímica de diferentes montañas y localidades y en las costumbres de la gente; en todas partes están presentes indicios de un pasado histórico que penetra el espacio. "Aquí uno se siente como encerrado en un círculo mágico —dice Goethe—, identificando el pasado con el presente, observando la espacialidad universal a través del prisma de un entorno espacial más cercano y, finalmente, empieza a sentirse uno en un estado agradable, porque por un momento empieza a parecer que lo más inasible llega a ser objeto de una observación directa" (*Anales*, p. 81).

Es allí, en aquellas condiciones específicas, donde surge la idea de una obra que iba a ser escrita en el estilo de fines del siglo XVI. Todo el esquema del argumento trazado por Goethe se relaciona de un modo muy sutil con los motivos de la localidad y con su transformación histórica, por decirlo así. Se representa el incontrolable movimiento del pueblo hacia la fuente milagrosa de Pyrmont. Un caballero encabeza el movimiento, lo organiza y lleva al pueblo hasta Pyrmont. Se representa la heterogeneidad social y caracterológica de las masas populares. El momento importante era la construcción de un nuevo poblado y, paralelamente a ella, la diferenciación social y la aparición de los "nobles". El tema principal era el trabajo organizado por la voluntad de creación humana aplicada al movimiento espontáneo de las masas. Como resultado aparecía una nueva ciudad en el antiguo lugar histórico de Pyrmont. Como conclusión se introducía el motivo de la futura grandeza de Pyrmont en forma de una profecía por parte de tres extraños recién llegados: un joven, un hombre maduro y un anciano (símbolo de generaciones históricas). La idea de Goethe precisamente era un intento de convertir en argumento la voluntad histórica de la creación: la voluntad espontánea del pueblo frente a la voluntad de organización de los jefes, cuya huella conjunta y visible era Pyrmont; es decir, Goethe pretendía captar y fijar la "inasible" corriente del tiempo histórico por medio de la "observación directa".

Tales fueron los propósitos no realizados de Goethe. Todos ellos tienen un carácter profundamente cronotópico. El tiempo y el espacio se funden allí en una unidad indisoluble tanto en el argumento mismo como en las imágenes aisladas. En la mayoría de los casos, el punto de partida para la imaginación creadora era una localidad determinada y absolutamente concreta. Y no se trataba de un paisaje abstracto impregnado del estado del ánimo del observador, sino de un pedazo de historia de la humanidad, era el tiempo histórico concentrado en el espacio. Por eso el argumento (el conjunto de sucesos representados) y los personajes no llegan al paisaje desde afuera, no se inventan dentro del paisaje sino que se manifiestan en él como personas que estuvieron presentes dentro del paisaje desde el principio, igual que las fuerzas creativas que formaron y humanizaron el paisaje, que lo convirtieron en huella elocuente del movimiento de la historia (del tiempo histórico) y que hasta cierto punto predeterminaron el curso posterior de la historia; o bien como fuerzas creadoras que necesitaba la localidad determinada para organizar y continuar el proceso histórico representado por ella.

Una visión semejante de la localidad y de la historia, su unidad indisoluble y su mutua compenetración, se volvió posible tan sólo porque la localidad dejó de ser parte de una naturaleza abstracta y parte de un mundo indefinido, discontinuo y totalizado apenas simbólicamente, y porque el acontecimiento dejó de ser un período de un tiempo igualmente indeterminado, siempre igual a sí mismo, reversible y simbólicamente pleno. La localidad se convirtió en una parte irremplazable de un mundo definido geográfica e históricamente, de *este* mundo absolutamente real y por principio visible, del mundo de la historia humana, mientras que el acontecimiento llegó a ser el momento esencial y no transferible en el tiempo, de la historia de la humanidad, momento que se cumple en este y sólo en este mundo geográficamente determinado y humano. Como resultado de este proceso de mutua concretización y compenetración, el mundo y la historia no se hicieron más pobres ni más pequeños; al contrario, se concentraron, se densificaron y se llenaron de posibilidades creativas dentro de un proceso posterior e infinito de la formación y desarrollo *reales*. El mundo de Goethe es una *semilla germinada,* real hasta el fin, existente y visible y al mismo tiempo preñada de un futuro real que crece de ella.

Aquella nueva percepción del espacio y el tiempo llevó a un cambio drástico en la orientación de la imagen literaria: ésta empezó a gravitar hacia el lugar y el tiempo determinado dentro de un mundo que también se definió y se hizo real. La nueva orientación se manifiesta tanto en la forma elemental (si bien clara) de los "cultos locales", ingenuamente realistas, como en la forma más profunda y compleja de las obras de tipo de *Wilhelm Meister* que se ubican en el límite entre la novela y la nueva gran epopeya.

Ahora hablemos de una fase anterior de la percepción del tiempo en el siglo XVIII, tal como está representada en J.J.Rousseau.

La imaginación artística de Rousseau también era de carácter cronotópico. Fue Rousseau quien descubrió para la literatura (y más exactamente para la novela) un cronotopo específico y muy importante: la "naturaleza" (aunque, por cierto, este descubrimiento, igual que cualquier descubrimiento verdadero, había sido preparado durante los siglos del desarrollo anterior). Rousseau percibía muy bien el tiempo dentro de la naturaleza. El tiempo de la naturaleza y el tiempo de la vida humana están, en la obra de Rousseau, en interacción e interpenetración muy estrechas. Pero el elemento de la historicidad real del tiempo aún era muy débil. En Rousseau, del fondo cíclico del tiempo de la naturaleza se separaron únicamente el tiempo idílico (también cíclico) y el biográfico, que ya iba superando el carácter cíclico pero que aún no se integraba plenamente el tiempo histórico real. Por eso el momento de la necesariedad creativa e histórica era casi totalmente ajeno a Rousseau.

Al observar el paisaje, Rousseau, igual que Goethe, lo suele poblar de imágenes de hombres que lo humanizan. Pero los hombres para él no son creadores y constructores sino personajes de la vida idílica o de la vida biográfica individual. Por eso el aspecto argumental es tan pobre en este escritor (generalmente trata el tema del amor con sus sufrimientos y alegrías o el tema del trabajo idílico), y el futuro lo concibe como el utópico "siglo de oro" (inversión histórica), carente de la necesidad creadora.

Durante su viaje a Turín (realizado a pie) Rousseau admira el paisaje rural y lo puebla de imágenes: "Yo me imaginaba —dice en *Las Confesiones*— las cenas campestres en las chozas, los juegos alegres en los prados, baños en el agua, paseos, pesca, hermosos frutos en los árboles, apasionadas citas a su sombra, en los cerros, cubas llenas de leche y nata, adorable ocio, paz, sencillez, el placer de caminar sin saber hacia dónde" (parte I, libro 2).

En carta a Malesherbes (de enero 26, 1762), el momento utopista de la imaginación artística de Rousseau aparece de un modo aún más manifiesto: "La he poblado [a la bella naturaleza] muy pronto de seres que me eran agradables [. . .] y trasladé hacia los refugios de la naturaleza a los hombres dignos de habitarla. Me formé una adorable sociedad [. . .], mi fantasía hizo renacer el siglo de oro y, al llenar aquellos días felices con escenas de mi propia vida que me habían dejado un dulce recuerdo, así como de aquellas que mi corazón aún hubiese deseado, me sentí conmovido hasta llorar pensando en los verdaderos placeres de la humanidad, placeres bellos y puros que actualmente están tan lejos de la gente." *

Estas confesiones de Rousseau ya de por sí son muy significativas, pero se vuelven aún más claras comparándolas con las correspondientes observaciones de Goethe que hemos citado arriba. Aquí, en vez del hombre creador y hacedor, aparece el hombre idílico del placer, del juego y del amor. La naturaleza, dejando de lado a la historia con su pasado y su presente, ofrece directamente un lugar al "siglo de oro", es decir, a un pasado utópico proyectado hacia un futuro utópico. La naturaleza pura y bendita ofrece lugar a la gente pura y bienaventurada. Lo deseado e ideal está separado aquí del tiempo real y de la necesariedad: no tiene el carácter de lo necesario, sino apenas de lo de-

* Citado por M.N.Rozanov.

seable. Por eso el tiempo de todas estas cenas campestres, juegos, citas apasionadas etc., carece de una duración real y de irreversibilidad. Si durante un día idílico existen mañana, tarde y noche, sin embargo todos los días idílicos se parecen y se repiten. También se sobreentiende que una semejante contemplación no impide en absoluto que dentro de lo contemplado aparezcan deseos subjetivos, emociones, recuerdos personales, fantasías, es decir, todo aquello que Goethe solía frenar y reprimir en su contemplación tratando de ver la necesidad del cumplimiento independiente de sus propios deseos y sentimientos.

Desde luego, la particularidad de la percepción del tiempo, e incluso del tiempo de la naturaleza, no se limita en Rousseau a aquello que acabamos de mostrar. En su novela y en sus obras autobiográficas se manifiestan otros aspectos de la percepción del tiempo, más profundos e importantes: Rousseau conocía también el tiempo del trabajo idílico, el tiempo biográfico, aportaba detalles nuevos y esenciales a la noción de las edades del hombre, etc. Más adelante hablaremos más de todos estos aspectos.

La segunda mitad del siglo XVIII en Inglaterra y Alemania se caracterizan, como es sabido, por un gran interés hacia el folklore; con cierto derecho se puede hablar inclusive del *descubrimiento del folklore* para la literatura, que tuvo lugar en aquel entonces. Antes que nada se trataba del folklore nacional y local (dentro de los límites de lo nacional). La canción popular, el cuento, la leyenda heroica e histórica y la saga llegaron a ser, ante todo, un medio nuevo y poderoso de humanización e intensificación del espacio nativo. Con el folklore llegó a la literatura la nueva, fuerte y especialmente productiva ola del *tiempo histórico-popular,* que tuvo una enorme influencia sobre el desarrollo de la visión del mundo histórico en general y, particularmente, sobre el desarrollo de la novela histórica.

El folklore en general está saturado del tiempo; todas sus imágenes son profundamente cronotópicas. El tiempo en el folklore, la plenitud del tiempo en el folklore, el futuro folklórico, los indicios folklóricos de la medición del tiempo humano, son problemas muy importantes y vitales. Aquí, desde luego, no los podemos tocar, a pesar de que el tiempo del folklore tuvo una influencia enorme y productiva sobre la literatura.

Aquí nos interesa otro aspecto: la utilización del folklore local, particularmente de la leyenda heroica e histórica y de la saga, para intensificar la percepción del suelo patrio durante el proceso de preparación de la novela histórica. El folklore local llena de sentido y satura de tiempo el espacio, arrastrándolo hacia la historia.

En esta relación, en la antigüedad clásica fue muy característica la utilización de la mitología local por Píndaro. Mediante un complejo y hábil entrelazamiento de los mitos locales con los mitos del patrimonio helénico común, Píndaro introducía cada rincón de Grecia en la *unidad* del mundo griego, conservando al mismo tiempo toda la riqueza de lo local. Cada fuente, cerro, bosque, ensenada tenían su leyenda, su recuerdo, su acontecimiento, su héroe. Píndaro solía entretejer aquellos mitos locales con los mitos helénicos generales por medio de efectivas asociaciones, correspondencias metafóricas, relaciones genealógicas,* creando como resultado una materia única y densa que abarcaba todo el país y ofrecía una especie es sustituto poético y popular de la unidad política faltante.

Un uso semejante del folklore local, aunque dentro de condiciones históricas distintas y con otros fines, lo encontramos en Walter Scott.

A Walter Scott lo caracteriza precisamente la tendencia al folklore local. Recorrió a pie toda su Escocia natal, especialmente las regiones fronterizas con Inglaterra, conocía cada meandro del Tweed, cualquier ruina de castillo, y todo aquello estuvo consagrado para él por una leyenda, una canción, una balada. Cada terreno lo sentía impregnado de determinados acontecimientos de las leyendas locales, lo percibía intensamente saturado de tiempo legendario, y, por otra parte, cada suceso estaba rigurosamente localizado, densificado en los indicios espaciales. Su ojo sabía ver el tiempo dentro del espacio.

Pero en Walter Scott el tiempo durante el primer período de su creación literaria cuando escribía sus *Canciones de la frontera escocesa* y sus poemas (*El canto del menestral, La noche de San Juan, La dama del lago,* etc.) tenía aún el carácter de un *pasado* cerrado. En esto consiste su radical diferencia con Goethe. Aquel pasado que leía Walter Scott en las ruinas y en varios detalles del paisaje escocés no era actual dentro del presente, era autosuficiente, estaba cerrado en el mundo específico de lo pasado; el presente visible apenas evocaba un *recuerdo* del pasado, no era depósito del pasado mismo en su forma aún viva y actual, sino apenas depósito de recuerdos. Por eso la *plenitud temporal* es

* El punto central o tronco del cual irradiaban los hilos de asociaciones y relaciones de los epinicios de Píndaro era el mismo héroe celebrado, vencedor en los juegos, su nombre, su tribu, su ciudad.

mínima inclusive en los mejores poemas folklóricos de Walter Scott.

Posteriormente, durante su período "novelístico", Walter Scott supera aquella limitación (aunque no por completo). Del período anterior se conserva el carácter profundamente cronotópico de su pensamiento artístico, el saber leer el tiempo en el espacio; permanecen los elementos del matiz folklórico del tiempo (tiempo histórico popular); todos estos aspectos resultaron ser sumamente productivos para la novela histórica. Al mismo tiempo tiene lugar la asimilación de los subgéneros novelísticos desarrollados previamente dentro del género y, finalmente, se asimila el drama histórico. Así se supera el carácter cerrado del pasado y se logra la plenitud del tiempo que precisa la novela histórica.

Hemos diseñado brevemente un esbozo de una de las etapas más importantes para la asimilación del tiempo histórico real por la literatura, etapa representada ante todo por la titánica figura de Goethe. Al mismo tiempo confiamos en que se haya aclarado la excepcional importancia del problema mismo de la asimilación del tiempo en la literatura y sobre todo en la novela.

EL PROBLEMA DE LOS GÉNEROS DISCURSIVOS

1. PLANTEAMIENTO DEL PROBLEMA Y DEFINICIÓN DE LOS GÉNEROS DISCURSIVOS

Las diversas esferas de la actividad humana están todas relacionadas con el uso de la lengua. Por eso está claro que el carácter y las formas de su uso son tan multiformes como las esferas de la actividad humana, lo cual, desde luego, en nada contradice a la unidad nacional de la lengua. El uso de la lengua se lleva a cabo en forma de enunciados (orales y escritos) concretos y singulares que pertenecen a los participantes de una u otra esfera de la praxis humana. Estos enunciados reflejan las condiciones específicas y el objeto de cada una de las esferas no sólo por su contenido (temático) y por su estilo verbal, o sea por la selección de los recursos léxicos, fraseológicos y gramaticales de la lengua, sino, ante todo, por su composición o estructuración. Los tres momentos mencionados —el contenido temático, el estilo y la composición— están vinculados indisolublemente en la *totalidad* del enunciado y se determinan, de un modo semejante, por la especificidad de una esfera dada de comunicación. Cada enunciado separado es, por supuesto, individual, pero cada esfera del uso de la lengua elabora sus tipos relativamente estables de enunciados, a los que denominamos *géneros discursivos.*

La riqueza y diversidad de los géneros discursivos es inmensa, porque las posibilidades de la actividad humana son inagotables y porque en cada esfera de la praxis existe todo un repertorio de géneros discursivos que se diferencia y crece a medida de que se desarrolla y se complica la esfera misma. Aparte hay que poner de relieve una extrema *heterogeneidad* de los géneros discursivos (orales y escritos). Efectivamente, debemos incluir en los géneros discursivos tanto las breves réplicas de un diálogo cotidiano (tomando en cuenta el hecho de que es muy grande la diversidad de los tipos del diálogo cotidiano según el tema, situación, número de participantes, etc.) como un relato (relación) cotidiano, tanto una carta (en todas sus diferentes formas) como una orden militar, breve y estandarizada; asimismo, allí entrarían un decreto extenso y detallado, el repertorio bastante variado de los oficios burocráticos (formulados generalmente de acuerdo a un estándar), todo un universo de declaraciones públicas (en un sentido amplio: las sociales, las políticas); pero además tendremos que incluir las múltiples manifestaciones científicas, así como todos los géneros literarios (desde un dicho hasta una novela en varios tomos). Podría parecer que la diversidad de los géneros discursivos es tan grande que no hay ni puede haber un solo enfoque para su estudio, porque desde un mismo ángulo se estudiarían fenómenos tan heterogéneos como las réplicas cotidianas constituidas por una sola palabra y como una novela en muchos tomos, elaborada artísticamente, o bien una orden militar, estandarizada y obligatoria hasta por su entonación, y una obra lírica, profundamente individualizada, etc. Se podría creer que la diversidad funcional convierte los rasgos comunes de los géneros discursivos en algo abstracto y vacío de significado. Probablemente con esto se explica el hecho de que el problema general de los géneros discursivos jamás se haya planteado. Se han estudiado, principalmente, los géneros literarios. Pero desde la antigüedad clásica hasta nuestros días estos géneros se han examinado dentro de su especificidad literaria y artística, en relación con sus diferencias dentro de los límites de lo literario, y no como determinados tipos de enunciados que se distinguen de otros tipos pero que tienen una naturaleza *verbal* (lingüística) *común.* El problema lingüístico general del enunciado y de sus tipos casi no se ha tomado en cuenta. A A partir de la antigüedad se han estudiado también los géneros retóricos (y las épocas ulteriores, por cierto, agregaron poco a la teoría clásica); en este campo ya se ha prestado mayor atención a la naturaleza verbal de estos géneros en tanto que enunciados, a tales momentos como, por ejemplo, la actitud con respecto al oyente y su influencia en el enunciado, a la conclusión verbal específica del enunciado (a diferencia de la conclusión de un pensamiento), etc. Pero allí también la especificidad de los géneros retóricos (judiciales, políticos) encubría su naturaleza lingüística común. Se han estudiado, finalmente, los géneros discursivos (evidentemente las réplicas del diálogo cotidiano), y, además, precisamente desde el punto de vista de la lingüística general (en la escuela saussureana,[1] entre sus seguidores actuales, los estructuralistas, entre los behavioristas [2] norteamericanos y entre los seguidores de K. Vossler,[3] sobre una fundamentación lingüística absolutamente diferente). Pero aquellos estudios tampoco han podido conducir a una definición correcta de la naturaleza lingüística común del enunciado, porque esta definición se limitó a la especificidad del habla cotidiana, tomando por modelo a veces los enunciados intencionadamente primitivos (los behavioristas norteamericanos).

De ninguna manera se debe subestimar la extrema heterogeneidad de los géneros discursivos y la consiguiente dificultad de definición de la naturaleza común de los enunciados. Sobre todo hay que prestar atención a la diferencia, sumamente importante, entre géneros discursivos primarios (simples) y secundarios (complejos); tal diferencia no es funcional. Los géneros discursivos secundarios (complejos) —a saber, novelas, dramas, investigaciones científicas de toda clase, grandes géneros periodísticos, etc.— surgen en condiciones de la comunicación cultural más compleja, relativamente más desarrollada y organizada, principalmente escrita: comunicación artística, científica, sociopolítica, etc. En el proceso de su formación estos géneros absorben y reelaboran diversos géneros primarios (simples) constituidos en la comunicación discursiva inmediata. Los géneros primarios que forman parte de los géneros complejos se transforman dentro de estos últimos y adquieren un carácter especial: pierden su relación inmediata con la realidad y con los enunciados reales de otros, por ejemplo, las réplicas de un diálogo cotidiano o las cartas dentro de una novela, conservando su forma y su importancia cotidiana tan sólo como partes del contenido de la novela, participan de la realidad tan sólo a través de la totalidad de la novela, es decir, como acontecimiento artístico y no como suceso de la vida cotidiana. La novela en su totalidad es un enunciado, igual que las réplicas de un diálogo cotidiano o una carta particular (todos poseen una naturaleza común), pero, a diferencia de éstas, aquello es un enunciado secundario (complejo).

La diferencia entre los géneros primarios y los secundarios (ideológicos) es extremadamente grande y es de fondo; sin embargo, por lo mismo la naturaleza del enunciado debe ser descubierta y determinada mediante un análisis de ambos tipos; únicamente bajo esta condición la definición se adecuaría a la naturaleza complicada y profunda del enunciado y abarcaría sus aspectos más importantes. La orientación unilateral hacia los géneros primarios lleva ineludiblemente a una vulgarización de todo el problema (el caso extremo de tal vulgarización es la lingüística behaviorista). La misma correlación entre los géneros primarios y secundarios, y el proceso de la formación histórica de éstos, proyectan luz sobre la naturaleza del enunciado (y ante todo sobre el complejo problema de la relación mutua entre el lenguaje y la ideología o visión del mundo).

El estudio de la naturaleza del enunciado y de la diversidad de las formas genéricas de los enunciados en diferentes esferas de la actividad humana tiene una enorme importancia para casi todas las esferas de la lingüística y la filología. Porque toda investigación acerca de un material lingüístico concreto (historia de la lengua, gramática normativa, composición de toda clase de diccionarios, estilística, etc.) inevitablemente tiene que ver con enunciados concretos (escritos y orales) relacionados con diferentes esferas de la actividad humana y de la comunicación; estos enunciados pueden ser crónicas, contratos, textos legislativos, oficios burocráticos, diversos géneros literarios, científicos o periodísticos, cartas particulares y oficiales, réplicas de un diálogo cotidiano (en sus múltiples manifestaciones), etc., y de allí los investigadores obtienen los hechos lingüísticos necesarios. Una noción clara acerca de la naturaleza del enunciado en general y de las particularidades de diversos tipos de enunciados, tanto primarios como secundarios, o sea de diferentes géneros discursivos, es necesaria, según nuestra opinión, en cualquiera orientación específica del enunciado. El menosprecio de la naturaleza del enunciado y la indiferencia frente a los detalles de los aspectos genéricos del discurso llevan, en cualquier esfera de la investigación lingüística, al formalismo y a una abstracción excesiva, desvirtúan el carácter histórico de la investigación, debilitan el vínculo del lenguaje con la vida. Porque el lenguaje participa en la vida a través de los enunciados concretos que lo realizan, así como la vida participa del lenguaje a través de los enunciados. El enunciado es núcleo problemático de extrema importancia. Analicemos por este lado algunas esferas y problemas de la lingüística.

Ante todo, la estilística. Todo estilo está indisolublemente vinculado con el enunciado y con las formas típicas de enunciados, es decir, con los géneros discursivos. Todo enunciado, oral o escrito, primario o secundario, en cualquier esfera de la comunicación discursiva, es individual y por lo tanto puede reflejar la individualidad del hablante (o del escritor), es decir puede poseer un estilo individual. Pero no todos los géneros son igualmente susceptibles a semejante reflejo de la individualidad del hablante en el lenguaje del enunciado, es decir, no todos se prestan a absorber un estilo individual. Los más productivos en este sentido son los géneros literarios: en ellos, un estilo individual forma parte del propósito mismo del enunciado, es una de las finalidades principales de éste; sin embargo, también dentro del marco de la literatura los diversos géneros ofrecen diferentes posibilidades para expresar lo individual del lenguaje y varios aspectos de la individualidad. Las condiciones menos favorecedoras para el reflejo de lo individual en el lenguaje existen en aquellos géneros discursivos que requieren formas estandarizadas, por ejemplo, en muchos tipos de documentos oficiales, en las órdenes militares, en las señales verbales, en el trabajo, etc. En tales géneros sólo pueden reflejarse los aspectos más superficiales, casi biológicos, de la individualidad (y ordinariamente, en su realización oral de estos géneros estandarizados). En la gran mayoría de los géneros discursivos (salvo los literarios) un estilo individual no forma parte de la intención del enunciado, no es su finalidad única sino que resulta ser, por decirlo así, un epifenómeno del enunciado, un producto complementario de éste. En diferentes géneros pueden aparecer diferentes estratos y aspectos de la personalidad, un estilo individual puede relacionarse de diferentes maneras con la lengua nacional. El problema mismo de lo nacional y lo individual en la lengua es, en su fundamento, el problema del enunciado (porque tan sólo dentro del enunciado la lengua nacional encuentra su forma individual). La definición misma del estilo en general y de un estilo individual en particular requiere de un estudio más profundo tanto de la naturaleza del enunciado como de la diversidad de los géneros discursivos.

El vínculo orgánico e indisoluble entre el estilo y el género se revela claramente en el problema de los estilos lingüísticos o funcionales. En realidad los estilos lingüísticos o funcionales no son sino estilos genéricos de determinadas esferas de la actividad y comunicación humana. En cualquier esfera existen y se aplican sus propios géneros, que responden a las condiciones específicas de una esfera dada; a los géneros les corresponden diferentes estilos. Una función determinada (científica, técnica, periodística, oficial, cotidiana) y unas condiciones determinadas, específicas para cada esfera de la comunicación discursiva, generan determinados géneros, es decir, unos tipos temáticos, composicionales y estilísticos de enunciados determinados y relativamente estables. El estilo está indisolublemente vinculado a determinadas unidades temáticas y, lo que es más importante, a determinadas unidades composicionales; el estilo tiene que ser con determinados tipos de estructuración de una totalidad, con los tipos de su conclusión, con los tipos de la relación que se establece entre el hablante y otros participantes de la comunicación discursiva (los oyentes o lectores, los compañeros, el discurso ajeno, etc.). El estilo entra como elemento en la unidad genérica del enunciado. Lo cual no significa, desde luego, que un estilo lingüístico no pueda ser objeto de un estudio específico e independiente. Tal estudio, o sea la estilística del lenguaje como disciplina independiente, es posible y necesario. Pero este estudio sólo sería correcto y productivo fundado en una constante consideración de la naturaleza genérica de los estilos de la lengua, así como en un estudio preliminar de las clases de géneros discursivos. Hasta el momento la estilística de la lengua carece de esta base. De ahí su debilidad. No existe una clasificación generalmente reconocida de los estilos de la lengua. Los autores de las clasificaciones infringen a menudo el requerimiento lógico principal de la clasificación: la unidad de fundamento. Las clasificaciones resultan ser extremadamente pobres e indiferenciadas. Por ejemplo, en la recién publicada gramática académica de la lengua rusa se encuentran especies estilísticas del ruso como: discurso libresco, discurso popular, científico abstracto, científico técnico, periodístico, oficial, cotidiano familiar, lenguaje popular vulgar. Junto con estos estilos de la lengua figuran, como subespecies estilísticas, las palabras dialectales, las anticuadas, las expresiones profesionales. Semejante clasificación de estilos es absolutamente casual, y en su base están diferentes principios y fundamentos de la división por estilos. Además, esta clasificación es pobre y poco diferenciada.* Todo esto resulta de una falta de comprensión de la naturaleza genérica de los estilos. También influye la ausencia de una clasificación bien pensada de los géneros discursivos según las esferas de la praxis, así como de la distinción, muy importante para la estilística, entre géneros primarios y secundarios.

La separación entre los estilos y los géneros se pone de manifiesto de una manera especialmente nefasta en la elaboración de una serie de problemas históricos.

Los cambios históricos en los estilos de la lengua están indisolublemente vinculados a los cambios de los géneros discursivos. La lengua literaria representa un sistema complejo y dinámico de estilos; su peso específico y sus interrelaciones dentro del sistema de la lengua literaria se hallan en un cambio permanente. La lengua de la literatura, que incluye también los estilos de la lengua no literaria, representa un sistema aún más complejo y organizado sobre otros fundamentos. Para comprender la compleja dinámica histórica de estos sistemas, para pasar de

* A.N.Gvozdev, en sus *Ocherki po stilistike russkogo iazika* (Moscú, 1952, pp. 13-15), ofrece unos fundamentos para clasificación de estilos igualmente pobres y faltos de precisión. En la base de todas estas clasificaciones está una asimilación acrítica de las nociones tradicionales acerca de los estilos de la lengua.

una simple (y generalmente superficial) descripción de los estilos existentes e intercambiables a una explicación histórica de tales cambios, hace falta una elaboración especial de la historia de los géneros discursivos (y no sólo de los géneros secundarios, sino también de los primarios), los que reflejan de una manera más inmediata, atenta y flexible todas las transformaciones de la vida social. Los enunciados y sus tipos, es decir, los géneros discursivos, son correas de transmisión entre la historia de la sociedad y la historia de la lengua. Ni un solo fenómeno nuevo (fonético, léxico, de gramática) puede ser incluido en el sistema de la lengua sin pasar la larga y compleja vía de la prueba de elaboración genérica.*

En cada época del desarrollo de la lengua literaria, son determinados géneros los que dan el tono, y éstos no sólo son géneros secundarios (literarios, periodísticos, científicos), sino también los primarios (ciertos tipos del diálogo oral: diálogos de salón, íntimos, de círculo, cotidianos y familiares, sociopolíticos, filosóficos, etc.). Cualquier extensión literaria por cuenta de diferentes estratos extraliterarios de la lengua nacional está relacionada inevitablemente con la penetración, en todos los géneros, de la lengua literaria (géneros literarios, científicos, periodísticos, de conversación), de los nuevos procedimientos genéricos para estructurar una totalidad discursiva, para concluirla, para tomar en cuenta al oyente o participante, etc., todo lo cual lleva a una mayor o menor restructuración y renovación de los géneros discursivos. Al acudir a los correspondientes estratos no literarios de la lengua nacional, se recurre inevitablemente a los géneros discursivos en los que se realizan los estratos. En su mayoría, éstos son diferentes tipos de géneros dialógico-coloquiales; de ahí resulta una dialogización, más o menos marcada, de los géneros secundarios, una debilitación de su composición monológica, una nueva percepción del oyente como participante de la plática, así como aparecen nuevas formas de concluir la totalidad, etc. Donde existe un estilo, existe un género. La transición de un estilo de un género a otro no sólo cambia la entonación del estilo en las condiciones de un género que no le es propio, sino que destruye o renueva el género mismo.

Así, pues, tanto los estilos individuales como aquellos que pertenecen a la lengua tienden hacia los géneros discursivos. Un

* Esta tesis nuestra nada tiene que ver con la vossleriana acerca de la primacía de lo estilístico sobre lo gramatical. Lo cual se manifestará con toda claridad en el curso de nuestra exposición.

estudio más o menos profundo y extenso de los géneros discursivos es absolutamente indispensable para una elaboración productiva de todos los problemas de la estilística.

Sin embargo, la cuestión metodológica general, que es de fondo, acerca de las relaciones que se establecen entre el léxico y la gramática, por un lado, y entre el léxico y la estilística, por otro, desemboca en el mismo problema del enunciado y de los géneros discursivos.

La gramática (y la lexicología) difiere considerablemente de la estilística (algunos inclusive llegan a oponerla a la estilística), pero al mismo tiempo ninguna investigación acerca de la gramática (y aún más la gramática normativa) puede prescindir de las observaciones y digresiones estilísticas. En muchos casos, la frontera entre la gramática y la estilística casi se borra. Existen fenómenos a los que unos investigadores relacionan con la gramática y otros con la estilística, por ejemplo el sintagma.

Se puede decir que la gramática y la estilística convergen y se bifurcan dentro de cualquier fenómeno lingüístico concreto: si se analiza tan sólo dentro del sistema de la lengua, se trata de un fenómeno gramatical, pero si se analiza dentro de la totalidad de un enunciado individual o de un género discursivo, es un fenómeno de estilo. La misma selección de una forma gramatical determinada por el hablante es un acto de estilística. Pero estos dos puntos de vista sobre un mismo fenómeno concreto de la lengua no deben ser mutuamente impenetrables y no han de sustituir uno al otro de una manera mecánica, sino que deben combinarse orgánicamente (a pesar de una escisión metodológica muy clara entre ambos) sobre la base de la unidad real del fenómeno lingüístico. Tan sólo una profunda comprensión de la naturaleza del enunciado y de las características de los géneros discursivos podría asegurar una solución correcta de este complejo problema metodológico.

El estudio de la naturaleza del enunciado y de los géneros discursivos tiene, a nuestro parecer, una importancia fundamental para rebasar las nociones simplificadas acerca de la vida discursiva, acerca de la llamada "corriente del discurso", acerca de la comunicación, etc., que persisten aún en la lingüística soviética. Es más, el estudio del enunciado como de una *unidad real de la comunicación discursiva* permitirá comprender de una manera más correcta la naturaleza de las *unidades de la lengua* (como sistema), que son la palabra y la oración.

Pasemos a este problema más general.

2. EL ENUNCIADO COMO UNIDAD DE LA COMUNICACIÓN DISCURSIVA. DIFERENCIA ENTRE ESTA UNIDAD Y LAS UNIDADES DE LA LENGUA (PALABRA Y ORACIÓN)

La lingüística del siglo XIX, comenzando por Wilhelm von Humboldt, sin negar la función comunicativa de la lengua, la dejaba de lado como algo accesorio; en el primer plano estaba la función de la generación del pensamiento *independientemente de la comunicación.* Una famosa fórmula de Humboldt reza así: "Sin tocar la necesidad de la comunicación entre la humanidad, la lengua hubiese sido una condición necesaria del pensamiento del hombre, incluso en su eterna soledad".* Otros investigadores, por ejemplo, los seguidores de Vossler, dieron la principal importancia a la llamada función expresiva. A pesar de las diferencias en el enfoque de esta función entre varios teóricos, su esencia se reduce a la expresión del mundo individual del hablante. El lenguaje se deduce de la necesidad del hombre de expresarse y objetivarse a sí mismo. La esencia del lenguaje, en una u otra forma, por una u otra vía, se restringe a la creatividad espiritual del individuo. Se propusieron y continúan proponiéndose otros enfoques de las funciones del lenguaje, pero lo más característico de todos sigue siendo el hecho de que se subestima, si no se desvaloriza por completo, la función comunicativa de la lengua que se analiza desde el punto de vista del hablante, como si hablase *solo* sin una *forzosa* relación con *otros* participantes de la comunicación discursiva. Si el papel del otro se ha tomado en cuenta ha sido únicamente en función de ser un oyente pasivo a quien tan sólo se le asigna el papel de comprender al hablante. Desde este punto de vista, el enunciado tiende hacia su objeto (es decir, hacia su contenido y hacia el enunciado mismo). La lengua, en realidad, tan sólo requiere al hablante —un hablante— y al objeto de su discurso, y si la lengua simultáneamente puede utilizarse como medio de comunicación, ésta es su función accesoria que no toca su esencia. La colectividad lingüística, la pluralidad de los hablantes no puede, por supuesto, ser ignorada, pero en la definición de la esencia de la lengua esta realidad resulta ser innecesaria y no determina la naturaleza de lenguaje. A veces, la colectividad lingüística se contempla como una especie de personalidad colectiva, "espíritu del pueblo", etc. y se le atribuye una enorme importancia (por ejemplo, entre los adeptos de la "psicología de los pue-

* W. Humboldt, *O razlichii organizmov chelovecheskogo iazyka*, San Petersburgo, 1859, p. 51.

blos"), pero inclusive en este caso la pluralidad de los hablantes que son otros en relación con cada hablante determinado, carece de importancia.

En la lingüística hasta ahora persisten tales ficciones como el "oyente" y "el que comprende" (los compañeros del "hablante"), la "corriente discursiva única", etc. Estas ficciones dan un concepto absolutamente distorsionado del proceso complejo, multilateral y activo de la comunicación discursiva. En los cursos de lingüística general (inclusive en trabajos tan serios como el de Saussure),[4] a menudo se presentan esquemáticamente los dos compañeros de la comunicación discursiva, el hablante y el oyente, se ofrece un esquema de los procesos activos del discurso en cuanto al hablante y de los procesos pasivos de recepción y comprensión del discurso en cuanto al oyente. No se puede decir que tales esquemas sean falsos y no correspondan a determinados momentos de la realidad, pero, cuando tales momentos se presentan como la totalidad real de la comunicación discursiva, se convierten en una ficción científica. En efecto, el oyente, al percibir y comprender el significado (lingüístico) del discurso, simultáneamente toma con respecto a éste una activa postura de respuesta: está o no está de acuerdo con el discurso (total o parcialmente), lo completa, lo aplica, se prepara para una acción, etc.; y la postura de respuesta del oyente está en formación a lo largo de todo el proceso de audición y comprensión desde el principio, a veces, a partir de las primeras palabras del hablante. Toda comprensión de un discurso vivo, de un enunciado viviente, tiene un carácter de respuesta (a pesar de que el grado de participación puede ser muy variado); toda comprensión está preñada de respuesta y de una u otra manera la genera: el oyente se convierte en hablante. Una comprensión pasiva del discurso percibido es tan sólo un momento abstracto de la comprensión total y activa que implica una respuesta, y se actualiza en la consiguiente respuesta en voz alta. Claro, no siempre tiene lugar una respuesta inmediata en voz alta; la comprensión activa del oyente puede traducirse en una acción inmediata (en el caso de una orden, podría tratarse del cumplimiento), puede asimismo quedar por un tiempo como una comprensión silenciosa (algunos de los géneros discursivos están orientados precisamente hacia este tipo de comprensión, por ejemplo los géneros líricos), pero ésta, por decirlo así, es una comprensión de respuesta de acción retardada: tarde o temprano lo escuchado y lo comprendido activamente resurgirá en los discursos posteriores o en la conducta del oyente. Los géneros de la compleja comunicación cultural cuentan precisamente con esta activa comprensión de respuesta de acción retardada. Todo lo que estamos exponiendo aquí se refiere, con las correspondientes variaciones y complementaciones, al discurso escrito y leído.

Así, pues, toda comprensión real y total tiene un carácter de respuesta activa y no es sino una fase inicial y preparativa de la respuesta (cualquiera que sea su forma). También el hablante mismo cuenta con esta activa comprensión preñada de respuesta: no espera una comprensión pasiva, que tan sólo reproduzca su idea en la cabeza ajena, sino que quiere una contestación, consentimiento, participación, objeción, cumplimento, etc. (los diversos géneros discursivos presuponen diferentes orientaciones etiológicas, varios objetivos discursivos en los que hablan o escriben). El deseo de hacer comprensible su discurso es tan sólo un momento abstracto del concreto y total proyecto discursivo del hablante. Es más, todo hablante es de por sí un contestatario, en mayor o menor medida: él no es un primer hablante, quien haya interrumpido por vez primera el eterno silencio del universo, y él no únicamente presupone la existencia del sistema de la lengua que utiliza, sino que cuenta con la presencia de ciertos enunciados anteriores, suyos y ajenos, con las cuales su enunciado determinado establece toda suerte de relaciones (se apoya en ellos, problemiza con ellos, o simplemente los supone conocidos por su oyente.) Todo enunciado es un eslabón en la cadena, muy complejamente organizada, de otros enunciados.

De este modo, aquel oyente que, con su pasiva comprensión, se representa como pareja del hablante en los esquemas de los cursos de lingüística general, no corresponde al participante real de la comunicación discursiva. Lo que representa el esquema es tan sólo un momento abstracto de un acto real y total de la comprensión activa que genera una respuesta (con la que cuenta el hablante). Este tipo de abstracción científica es en sí absolutamente justificada, pero con una condición: debe ser comprendida conscientemente como una abstracción y no ha de presentarse como la totalidad concreta del fenómeno; en el caso contrario, puede convertirse en una ficción. Lo último precisamente sucede en la lingüística, porque semejantes esquemas abstractos, aunque no se presenten como un reflejo de la comunicación discursiva real, tampoco se completan con un señalamiento acerca de una mejor complejidad del fenómeno real. Como resultado de esto, el esquema falsea el cuadro efectivo de la comunicación discursiva, eliminando de ella los momentos más importantes. El papel activo del *otro* en el proceso de la comunicación discursiva se debilita de este modo hasta el límite.

El mismo menosprecio del papel activo del otro en el proceso de la comunicación discursiva, así como la tendencia de dejar de lado este proceso, se manifiestan en el uso poco claro y ambiguo de tales términos como "discurso" o "corriente discursiva", estos términos intencionalmente indefinidos suelen designar aquello que está sujeto a una división en unidades de lengua, que se piensan como sus fracciones: fónicas (fonema, sílaba, período rítmico del discurso) y significantes (oración y palabra). "La corriente discursiva se subdivide" o "nuestro discurso comprende...": así suelen inicarse, en los manuales de lingüística y gramática, así como en los estudios especiales de fonética o lexicología, los capítulos de gramática dedicados al análisis de las unidades correspondientes a la lengua. Por desgracia, también la recién aparecida gramática de la academia rusa utiliza el mismo indefinido y ambiguo término: "nuestro discurso". He aquí el inicio de la introducción al capítulo dedicado a la fonética: "Nuestro discurso, ante todo, se subdivide en oraciones, que a su vez pueden subdividirse en combinaciones de palabras y palabras. Las palabras se separan claramente en pequeñas unidades fónicas que son sílabas... Las sílabas se fraccionan en sonidos del discurso, o fonemas..." *

¿De qué "corriente discursiva" se trata, qué cosa es "nuestro discurso"? ¿Cuál es su extensión? ¿Tienen un principio y un fin? Si poseen una extensión indeterminada, ¿cuál es la fracción que tomamos para dividirla en unidades? Con respecto a todas estas interrogantes, predominan una falta de definición y una vaguedad absolutas. La vaga palabra "discurso", que puede designar tanto a la lengua como al proceso o discurso, es decir, al habla, tanto a un enunciado separado como a toda una serie indeterminada de enunciados, y asimismo a todo un género discursivo ("pronunciar un discurso"), hasta el momento no ha sido convertida, por parte de los lingüistas, en un término estricto en cuanto a su significado y bien determinado (en otras lenguas tienen lugar fenómenos análogos). Lo cual se explica por el hecho de que el problema del enunciado y de los géneros discursivos (y, por consiguiente, el de la comunicación discursiva) está muy poco elaborado. Casi siempre tiene lugar un enredado juego con todos los significados mencionados (a excepción del último). Generalmente, a cualquier

* *Grammatika russkogo iazyka,* tomo 1, Moscú, 1952, p. 51.

enunciado de cualquier persona se le aplica la expresión "nuestro discurso"; pero esta acepción jamás se sostiene hasta el final.*

Sin embargo, si falta definición y claridad en aquello que suelen subdividir en unidades de la lengua, en la definición de estas últimas también se introduce confusión.

La falta de una definición terminológica y la confusión que reinan en un punto tan importante, desde el punto de vista metodológico, para el pensamiento lingüístico, son resultado de un menosprecio hacia la *unidad real* de la comunicación discursiva que es el enunciado. Porque el discurso puede existir en la realidad tan sólo en forma de enunciados concretos pertenecientes a los hablantes o sujetos del discurso. El discurso siempre está vertido en la forma del enunciado que pertenece a un sujeto discursivo determinado y no puede existir fuera de esta forma. Por más variados que sean los enunciados según su extensión, contenido, composición, todos poseen, en tanto que son unidades de la comunicación discursiva, unos rasgos estructurales comunes, y, ante todo, tienen *fronteras* muy bien definidas. Es necesario describir estas fronteras que tienen un carácter esencial y de fondo.

Las fronteras de cada enunciado como unidad de la comunicación discursiva se determinan por *el cambio de los sujetos discursivos,* es decir, por la alternación de los hablantes. Todo enunciado, desde una breve réplica del diálogo cotidiano hasta una novela grande o un tratado científico, posee, por decirlo así, un principio absoluto y un final absoluto; antes del comienzo están los enunciados de otros, después del final están los enunciados respuestas de otros (o siquiera una comprensión silenciosa y activa del otro, o, finalmente, una acción respuesta basada en tal tipo de comprensión). Un hablante termina su enunciado para ceder la palabra al otro o para dar lugar a su comprensión activa como respuesta. El enunciado no es una unidad convencional sino real, delimitada con precisión por el cambio de los sujetos discursivos,

* Por cierto que no puede ser sostenida hasta el final. Por ejemplo, un enunciado como "¿Eh?" (réplica en un diálogo) no puede ser dividido en oraciones, combinaciones de palabras o sílabas. Por consiguiente, no puede tratarse de cualquier enunciado. Luego, fraccionan el enunciado (discurso) y obtienen unidades de la lengua. Después, en muchas ocasiones definen la oración como un enunciado elemental y, por lo tanto, la oración ya no puede ser unidad de enunciado. Se sobreentiende, implícitamente, que se trata del discurso de un solo hablante; los matices dialógicos se dejan de lado.

En comparación con las fronteras de los enunciados, todas las demás fronteras (entre oraciones, combinaciones de palabras, sintagmas, palabras) son relativas y convencionales.

y que termina con el hecho de ceder la palabra al otro, una especie de un *dixi* silencioso que se percibe por los oyentes [como señal] de que el hablante haya concluido.

Esta alteración de los sujetos discursivos, que constituye las fronteras precisas del enunciado, adopta, en diversas esferas de la praxis humana y de la vida cotidiana, formas variadas según distintas funciones del lenguaje, diferentes condiciones y situación de la comunicación. Este cambio de sujetos discursivos se observa de una manera más simple y obvia en un diálogo real, donde los enunciados de los interlocutores (dialogantes), llamadas réplicas, se sustituyen mutuamente. El diálogo es una forma clásica de la comunicación discursiva debido a su sencillez y claridad. Cada réplica, por más breve e intermitente que sea, posee una conclusión específica, al expresar cierta posición del hablante, la que puede ser contestada y con respecto a la que se puede adoptar otra posición. En esta conclusión específica del enunciado haremos hincapié más adelante, puesto que éste es uno de los rasgos distintivos principales del enunciado. Al mismo tiempo, las réplicas están relacionadas entre sí. Pero las relaciones que se establecen entre las réplicas de un diálogo y que son relaciones de pregunta, afirmación y objeción, afirmación y consentimiento, proposición y aceptación, orden y cumplimiento, etc., son imposibles entre unidades de la lengua (palabras y oraciones), ni dentro del sistema de la lengua, ni dentro del enunciado mismo. Estas relaciones específicas que se entablan entre las réplicas de un diálogo son apenas subespecies de tipos de relaciones que surgen entre enunciados enteros en el proceso de la comunicación discursiva. Tales relaciones pueden ser posibles tan sólo entre los enunciados que pertenezcan a diferentes sujetos discursivos, porque presuponen la existencia de *otros* (en relación con el hablante) miembros de una comunicación discursiva. Las relaciones entre enunciados enteros no se someten a una gramaticalización porque, repetimos, son imposibles de establecer entre las unidades de la lengua, ni a nivel del sistema de la lengua, ni dentro del enunciado.

En los géneros discursivos secundarios, sobre todo los géneros relacionados con la oratoria, nos encontramos con algunos fenómenos que aparentemente contradicen a nuestra última tesis. Muy a menudo el hablante (o el escritor), dentro de los límites de su enunciado plantea preguntas, las contesta, se refuta y rechaza sus propias objeciones, etc. Pero estos fenómenos no son más que una representación convencional de la comunicación discursiva y de los géneros discursivos primarios. Tal representación es característica de los géneros retóricos (en sentido amplio, incluyendo algunos géneros de la divulgación científica), pero todos los demás géneros secundarios (literarios y científicos) utilizan diversas formas de la implantación de géneros discursivos primarios y relaciones entre ellos a la estructura del enunciado (y los géneros primarios incluidos en los secundarios se transforman en mayor o menor medida, porque no tiene lugar un cambio real de los sujetos discursivos). Tal es la naturaleza de los géneros secundarios.* Pero en todos estos casos, las relaciones que se establecen entre los géneros primarios reproducidos, a pesar de ubicarse dentro de los límites de un solo enunciado, no se someten a la gramaticalización y conservan su naturaleza específica, que es fundamentalmente distinta de la naturaleza de las relaciones que existen entre palabras y oraciones (así como entre otras unidades lingüísticas: combinaciones verbales, etc.) en el enunciado.

Aquí, aprovechando el diálogo y sus réplicas, es necesario explicar previamente el problema de *la oración como unidad de la lengua,* a diferencia del *enunciado como unidad de la comunicación discursiva.*

(El problema de la naturaleza de la oración es uno de los más complicados y difíciles en la lingüística. La lucha de opiniones en relación con él se prolonga hasta el momento actual. Desde luego, la aclaración de este problema en toda su complejidad no forma parte de nuestro propósito, nosotros tenemos la intención de tocar tan sólo en parte un aspecto de él, pero este aspecto, en nuestra opinión, tiene una importancia esencial para todo el problema. Lo que nos importa es definir exactamente la relación entre la oración y el enunciado. Esto ayudará a vislumbrar mejor lo que es el enunciado por una parte, y la oración por otra.)

De esta cuestión nos ocuparemos más adelante, y por lo pronto anotaremos tan sólo el hecho de que los límites de una oración como unidad de la lengua jamás se determinan por el cambio de los sujetos discursivos. Tal cambio que enmarcaría la oración desde los dos lados la convierte en un enunciado completo. Una oración así adquiere nuevas cualidades y se percibe de una manera diferente en comparación con la oración que está enmarcada por otras oraciones dentro del contexto de un mismo enunciado perteneciente a un solo hablante. La oración es una idea relativamente concluida que se relaciona de una manera inmediata con otras ideas de un mismo hablante dentro de la totalidad de su enunciado; al concluir la oración, el hablante hace una pausa para pasar luego a otra idea suya que continúe, complete, funda-

* Huellas de límites dentro de los géneros secundarios.

mente a la primera. El contexto de una oración viene a ser el contexto del discurso de un mismo sujeto hablante; la oración no se relaciona inmediatamente y por sí misma con el contexto de la realidad extraverbal (situación, ambiente, prehistoria) y con los enunciados de otros ambientes, sino que se vincula a ellos a través de todo el contexto verbal que la rodea, es decir, a través del enunciado en su totalidad. Si el enunciado no está rodeado por el contexto discursivo de un mismo hablante, es decir, si representa un enunciado completo y concluso (réplica del diálogo) entonces se enfrenta de una manera directa e inmediata a la realidad (al contexto extraverbal del discurso) y a otros enunciados *ajenos;* no es seguida entonces por una pausa determinada y evaluada por el mismo hablante (toda clase de pausas como fenómenos gramaticales calculados y razonados sólo son posibles dentro del discurso de un sólo hablante, es decir, dentro de un mismo enunciado; las pausas que se dan entre los enunciados no tienen un carácter gramatical sino real; esas pausas reales son psicológicas o se producen por algunas circunstancias externas y pueden interrumpir un enunciado; en los géneros literarios secundarios esas pausas se calculan por el autor, director o actor, pero son radicalmente diferentes tanto de las pausas gramaticales como estilísticas, las que se dan, por ejemplo, entre los sintagmas dentro del enunciado), sino por una respuesta o la comprensión tácita del otro hablante. Una oración semejante convertida en un enunciado completo adquiere una especial plenitud del sentido: en relación con ello se puede tomar una postura de respuesta: estar de acuerdo o en desacuerdo con ello, se puede cumplirla si es una orden, se puede evaluarla, etc.; mientras que una oración dentro del contexto verbal carece de capacidad para determinar una respuesta, y la puede adquirir (o más bien se cubre por ella) tan sólo dentro de la totalidad del enunciado.

Todos esos rasgos y particularidades, absolutamente nuevos, no pertenecen a la oración misma que llegase a ser un enunciado, sino al enunciado en sí, porque expresan la naturaleza de éste, y no la naturaleza de la oración; esos atributos se unen a la oración completándola hasta formar un enunciado completo. La oración como unidad de la lengua carece de todos esos atributos: no se delimita por el cambio de los sujetos discursivos, no tiene un contacto inmediato con la realidad (con la situación extraverbal) ni tampoco se relaciona de una manera directa con los enunciados ajenos; no posee una plenitud del sentido ni una capacidad de determinar directamente la postura de respuesta del *otro* hablante, es decir, no provoca una respuesta. La oración como unidad de la lengua tiene una naturaleza gramatical, límites gramaticales, conclusividad y unidad gramaticales. (Pero analizada dentro de la totalidad del enunciado y desde el punto de vista de esta totalidad, adquiere propiedades estilísticas.) Allí donde la oración figura como un enunciado entero, resulta ser enmarcado en una especie de material muy especial. Cuando se olvida esto en el análisis de una oración, se tergiversa entonces su naturaleza (y al mismo tiempo, la del enunciado, al atribuirle aspectos gramaticales). Muchos lingüistas y escuelas lingüísticas (en lo que respecta a la sintaxis) confunden ambos campos: lo que estudian es, en realidad, una especie de híbrido entre la oración (unidad de la lengua) y el enunciado. La gente no hace intercambio de oraciones ni de palabras en un sentido estrictamente lingüístico, ni de conjuntos de palabras; la gente habla por medio de enunciados, que se construyen con la ayuda de las unidades de la lengua que son palabras, conjuntos de palabras, oraciones; el enunciado puede ser constituido tanto por una oración como por una palabra, es decir, por una unidad del discurso (principalmente, por una réplica del diálogo), pero no por eso una unidad de la lengua se convierte en una unidad de la comunicación discursiva.

La falta de una teoría bien elaborada del enunciado como unidad de la comunicación discursiva lleva a una diferenciación insuficiente entre la oración y el enunciado, y a menudo a una completa confusión entre ambos.

Volvamos al diálogo real. Como ya lo hemos señalado, es la forma clásica y más sencilla de la comunicación discursiva. El cambio de los sujetos discursivos (hablantes) que determina los límites del enunciado se presenta en el diálogo con una claridad excepcional. Pero en otras esferas de la comunicación discursiva, incluso en la comunicación cultural complejamente organizada (científica y artística), la naturaleza de los límites del enunciado es la misma.

Las otras, complejamente estructuradas y especializadas, de diversos géneros científicos y literarios, con toda su distinción con respecto a las réplicas del diálogo, son, por su naturaleza, las unidades de la comunicación discursiva de la misma clase: con una claridad igual se delimitan por el cambio de los sujetos discursivos, y sus fronteras, conservando su precisión *externa,* adquieren un especial carácter interno gracias al hecho de que el sujeto discursivo (en este caso, el *autor* de la obra) manifiesta en ellos su individualidad mediante el estilo, visión del mundo en todos los momentos intencionales de su obra. Este sello de individualidad que revela una obra es lo que crea unas fronteras internas específicas que la distinguen de otras obras relacionadas con ésta en el proceso de la comunicación discursiva dentro de una esfera cultural dada: la diferencian de las obras de los antecesores en las que se fundamenta el autor, de otras obras que pertenecen a una misma escuela, de las obras pertenecientes a las corrientes opuestas con las que lucha el autor, etc.

Una obra, igual que una réplica del diálogo, está orientada hacia la respuesta de otro (de otros), hacia su respuesta comprensiva, que puede adoptar formas diversas: intención educadora con respecto a los lectores, propósito de convencimiento, comentarios críticos, influencia con respecto a los seguidores y epígonos, etc.; una obra determina las posturas de respuesta de los otros dentro de otras condiciones complejas de la comunicación discursiva de una cierta esfera cultural. Una obra es eslabón en la cadena de la comunicación discursiva; como la réplica de un diálogo, la obra se relaciona con otras obras-enunciados: con aquellos a los que contesta y con aquellos que le contestan a ella; al mismo tiempo, igual que la réplica de un diálogo, una obra está separada de otras por las fronteras absolutas del cambio de los sujetos discursivos.

Así, pues, el cambio de los sujetos discursivos que enmarca al enunciado y que crea su masa firme y estrictamente determinada en relación con otros enunciados vinculados a él, es el primer rasgo constitutivo del enunciado como unidad de la comunicación discursiva que lo distingue de las unidades de la lengua. Pasemos ahora a otro rasgo, indisolublemente vinculado al primero. Este segundo rasgo es la *conclusividad* específica del enunciado.

El carácter concluso del enunciado prepresenta una cara interna del cambio de los sujetos discursivos; tal cambio se da tan sólo por el hecho de que el hablante dijo (o escribió) *todo* lo que en un momento dado y en condiciones determinadas quiso decir. Al leer o al escribir, percibimos claramente el fin de un enunciado, una especie del *dixi* conclusivo del hablante. Esta conclusividad es específica y, se determina por criterios particulares. El primero y más importante criterio de la conclusividad del enunciado es *la posibilidad de ser contestado.* O, en términos más exactos y amplios, la posibilidad de tomar una postura de respuesta en relación con el enunciado (por ejemplo, cumplir una orden). A este criterio está sujeta una breve pregunta cotidiana, por ejemplo "¿qué hora es?" (puede ser contestada), una petición cotidiana que puede ser cumplida o no, una exposición científica con la que puede uno estar de acuerdo o no (total o parcialmente), una novela que puede ser valorada en su totalidad. Es necesario que el enunciado tenga cierto carácter concluso para poder ser contestado. Para eso, es insuficiente que el enunciado sea comprensible lingüísticamente. Una oración totalmente comprensible y concluida (si se trata de una oración y no enunciado que consiste en una oración), no puede provocar una reacción de respuesta: se comprende, pero no es un *todo*. Este *todo,* que es señal de la totalidad del sentido en el enunciado, no puede ser sometido ni a una definición gramatical, ni a una determinación de sentido abstracto.

Este carácter de una totalidad conclusa propia del enunciado, que asegura la posibilidad de una respuesta (o de una comprensión tácita), se determina por tres momentos o factores que se relacionan entre sí en la totalidad orgánica del enunciado: *1*] el sentido del objeto del enunciado, agotado; *2*] el enunciado se determina por la intencionalidad discursiva, o la voluntad discursiva del hablante; *3*] el enunciado posee formas típicas, genéricas y estructurales, de conclusión.

El primer momento, la capacidad de agotar el sentido del objeto del enunciado, es muy diferente en diversas esferas de la comunicación discursiva. Este agotamiento del sentido puede ser casi completo en algunas esferas cotidianas (preguntas de carácter puramente fáctico y las respuestas igualmente fácticas, ruegos, órdenes, etc.), en ciertas esferas oficiales, en las órdenes militares o industriales; es decir, allí donde los géneros discursivos tienen un carácter estandarizado al máximo y donde está ausente el momento creativo casi por completo. En las esferas de creación (sobre todo científica), por el contrario, sólo es posible un grado muy relativo de agotamiento del sentido; en estas esferas tan sólo se puede hablar sobre un cierto mínimo de conclusividad que permite adoptar una postura de respuesta. Objetivamente, el objeto es inagotable, pero cuando se convierte en el *tema* de un enunciado (por ejemplo, de un trabajo científico), adquiere un carácter relativamente concluido en determinadas condiciones, en un determinado enfoque del problema, en un material dado, en los propósitos que busca lograr el autor, es decir, dentro de los límites de la *intención del autor*. De este modo, nos topamos inevitablemente con el segundo factor, relacionado indisolublemente con el primero.

En cada enunciado, desde una réplica cotidiana que consiste en una sola palabra hasta complejas obras científicas o literarias, podemos abarcar, entender, sentir la intención discursiva, o la voluntad discursiva del hablante, que determina todo el enunciado, su volumen, sus límites. Nos imaginamos qué es lo que quiere decir el hablante, y es mediante esta intención o voluntad discursiva (según la interpretamos) como medimos el grado de conclusividad del enunciado. La intención determina tanto la misma elección del objeto (en determinadas condiciones de la comunicación discursiva, en relación con los enunciados anteriores) como sus límites y su capacidad de agotar el sentido del objeto. También determina, por supuesto, la elección de la forma genérica en lo que se volverá el enunciado (el tercer factor, que trataremos más adelante). La intención, que es el momento subjetivo del enunciado, forma una unidad indisoluble con el aspecto del sentido del objeto, limitando a este último, vinculándola a una situación concreta y única de la comunicación discursiva, con todas sus circunstancias individuales, con los participantes en persona y con sus enunciados anteriores. Por eso los participantes directos de la comunicación, que se orientan bien en la situación, con respecto a los enunciados anteriores abarcan rápidamente y con facilidad la intención o voluntad discursiva del hablante y perciben desde el principio mismo del discurso la *totalidad* del enunciado en proceso de desenvolvimiento.

Pasemos al tercer factor, que es el más importante para nosotros: las formas genéricas estables del enunciado. La voluntad discursiva del hablante se realiza ante todo en la *elección de un género discursivo determinado.* La elección se define por la especificidad de una esfera discursiva dada, por las consideraciones del sentido del objeto o temáticas, por la situación concreta de la comunicación discursiva, por los participantes de la comunicación, etc. En lo sucesivo, la intención discursiva del hablante, con su individualidad y subjetividad, se aplica y se adapta al género escogido, se forma y se desarrolla dentro de una forma genérica determinada. Tales géneros existen, ante todo, en todas las múltiples esferas de la comunicación cotidiana, incluyendo a la más familiar e íntima.

Nos expresamos únicamente mediante determinados géneros discursivos, es decir, todos nuestros enunciados posen unas formas típicas para la *estructuración de la totalidad,* relativamente estables. Disponemos de un rico repertorio de géneros discursivos orales y escritos. *En la práctica* los utilizamos con seguridad y destreza, pero *teóricamente* podemos no saber nada de su existencia. Igual que el Jourdain de Molière, quien hablaba en prosa sin sospecharlo, nosotros hablamos utilizando diversos géneros sin saber de su existencia. Incluso dentro de la plática más libre y desenvuelta moldeamos nuestro discurso de acuerdo con determinadas formas genéricas, a veces con características de cliché, a veces más ágiles, plásticas y creativas (también la comunicación cotidiana dispone de géneros creativos). Estos géneros discursivos nos son dados casi como se nos da la lengua materna, que dominamos libremente antes del estudio teórico de la gramática. La lengua materna, su vocabulario y su estructura gramatical, no los conocemos por los diccionarios y manuales de gramática, sino por los enunciados concretos que escuchamos y reproducimos en la comunicación discursiva efectiva con las personas que nos rodean. Las formas de la lengua las asumimos tan sólo en las formas de los enunciados y junto con ellas. Las formas de la lengua y las formas típicas de los enunciados llegan a nuestra experiencia y a nuestra conciencia conjuntamente y en una estrecha relación mutua. Aprender a hablar quiere decir aprender a construir los enunciados (porque hablamos con los enunciados y no mediante oraciones, y menos aún por palabras separadas). Los géneros discursivos organizan nuestro discurso casi de la misma manera como lo organizan las formas gramaticales (sintáctica). Aprendemos a plasmar nuestro discurso en formas genéricas, y al oír el discurso ajeno, adivinamos su género desde las primeras palabras, calculamos su aproximado volumen (o la extensión aproximada de la totalidad discursiva), su determinada composición, prevemos su final, o sea que desde el principio percibimos la totalidad discursiva que posteriormente se especifica en el proceso del discurso. Si no existieran los géneros discursivos y si no los domináramos, si tuviéramos que irlos creando cada vez dentro del proceso discursivo, libremente y por primera vez cada enunciado, la comunicación discursiva habría sido casi imposible.

Las formas genéricas en las que plasmamos nuestro discurso por supuesto difieren de un modo considerable de las formas lingüísticas en el sentido de su estabilidad y obligatoriedad (normatividad) para con el hablante. En general, las formas genéricas son mucho más ágiles, elásticas y libres en comparación con las formas lingüísticas. En este sentido, la variedad de los géneros discursivos, es muy grande. Toda una serie de los géneros más comunes en la vida cotidiana son tan estandarizados que la voluntad discursiva individual del hablante se manifiesta únicamente en la selección de un determinado género y en la entonación expresiva. Así son, por ejemplo, los breves géneros cotidianos de los saludos, despedidas, felicitaciones, deseos de toda clase, preguntas acerca de la salud, de los negocios, etc. La variedad de estos géneros se determina por la situación discursiva, por la posición social y las relaciones personales entre los participantes de la comunicación: existen formas elevadas, estrictamente oficiales de estos géneros, junto con las formas familiares de diferente grado y las formas íntimas (que son distintas de las familiares).* Estos géneros requieren también un determinado tono, es decir, admiten en su estructura una determinada entonación expresiva. Estos géneros, sobre todo los elevados y oficiales, poseen un alto grado de estabilidad y obligatoriedad. De ordinario, la voluntad discursiva se limita por la selección de un género determinado, y tan sólo unos leves matices de entonación expresiva (puede adoptarse un tono más seco o más reverente, más frío o más cálido, introducir una entonación alegre, etc.) pueden reflejar la individualidad del hablante (su entonación discursivo-emocional). Pero aquí también es posible una reacentuación de los géneros, que es tan característica de la comunicación discursiva: por ejemplo, la forma genérica del saludo puede ser trasladada de la esfera oficial a la esfera de la comunicación familiar, es decir, es posible que se emplee con una reacentuación paródica o irónica, así como un propósito análogo puede mezclar los géneros de diversas esferas.

Junto con semejantes géneros estandarizados siempre han existido, desde luego, los géneros más libres de comunicación discursiva oral: géneros de pláticas sociales de salón acerca de temas cotidianos, sociales, estéticos y otros, géneros de conversaciones entre comensales, de pláticas íntimas entre amigos o entre miembros de una familia, etc. (por lo pronto no existe ningún inventario de géneros discursivos orales, inclusive por ahora ni siquiera está claro el principio de tal nomenclatura). La mayor parte de estos géneros permiten una libre y creativa restructuración (de un modo semejante a los géneros literarios, e incluso algunos de los géneros crales son aún más abiertos que los literarios), pero hay que señalar que un uso libre y creativo no es aún creación de un género nuevo: para utilizar libremente los géneros, hay que dominarlos bien.

Muchas personas que dominan la lengua de una manera formidable se sienten, sin embargo, totalmente desamparadas en algunas esferas de la comunicación, precisamente por el hecho de que no dominan las formas genéricas prácticas creadas por estas esferas. A menudo una persona que maneja perfectamente el dis-

* Estos fenómenos y otros análogos han interesado a los lingüistas (principalmente a los historiadores de lengua) bajo el ángulo puramente estilístico, como reflejo en la lengua de las formas históricamente cambiantes de etiqueta, cortesía, decoro; véase, por ejemplo, F. Brunot.[5]

curso de diferentes esferas de la comunicación cultural, que sabe dar una conferencia, llevar a cabo una discusión científica, que se expresa excelentemente en relación con cuestiones públicas, se queda, no obstante, callada o participa de una manera muy torpe en una plática de salón. En este caso no se trata de la pobreza del vocabulario o de un estilo abstracto; simplemente se trata de una inhabilidad para dominar el género de la conversación mundana, que proviene de la ausencia de nociones acerca de la totalidad del enunciado, que ayuden a plasmar su discurso en determinadas formas composicionales y estilísticas rápida y desenfadadamente; una persona así no sabe intervenir a tiempo, no sabe comenzar y terminar correctamente (a pesar de que la estructura de estos géneros es muy simple).

Cuanto mejor dominamos los géneros discursivos, tanto más libremente los aprovechamos, tanto mayor es la plenitud y claridad de nuestra personalidad que se refleja en este uso (cuando es necesario), tanto más plástica y ágilmente reproducimos la irrepetible situación de la comunicación verbal; en una palabra, tanto mayor es la perfección con la cual realizamos nuestra libre intención discursiva.

Así, pues, un hablante no sólo dispone de las formas obligatorias de la lengua nacional (el léxico y la gramática), sino que cuenta también con las formas obligatorias discursivas, que son tan necesarias para una intercomprensión como las formas lingüísticas. Los géneros discursivos son, en comparación con las formas lingüísticas, mucho más combinables, ágiles, plásticos, pero el hablante tiene una importancia normativa: no son creados por él, sino que le son dados. Por eso un enunciado aislado, con todo su carácter individual y creativo, no puede ser considerado como una *combinación absolutamente libre* de formas lingüísticas, según sostiene, por ejemplo, Saussure (y en esto le siguen muchos lingüistas), que contrapone el "habla" *(la parole),* como un acto estrictamente individual, al sistema de la lengua como fenómeno puramente social y obligatorio para el individuo. La gran mayoría de los lingüistas comparte —si no teóricamente, en la práctica— este punto de vista: consideran que el "habla" es tan sólo una combinación individual de formas lingüísticas (léxicas y gramaticales), y no encuentran ni estudian, de hecho, ninguna otra forma normativa.[6]

El menosprecio de los géneros discursivos como formas relativamente estables y normativas del enunciado hizo que los lingüistas, como ya se ha señalado, confundiesen el enunciado con la oración, lo cual llevaba a la lógica conclusión (que, por cierto, nunca se ha defendido de una manera consecuente) de que nuestro discurso se plasma mediante las formas estables y preestablecidas de oraciones, mientras que no importa cuántas oraciones interrelacionadas pueden ser pronunciadas de corrido y cuándo habría que detenerse (concluir), porque este hecho se atribuía a la completa arbitrariedad de la voluntad discursiva individual del hablante o al capricho de la mitificada "corriente discursiva".

Al seleccionar determinado tipo de oración, no lo escogemos únicamente para una oración determinada, ni de acuerdo con aquello que queremos expresar mediante la oración única, sino que elegimos el tipo de oración desde el punto de vista de la totalidad del enunciado que se le figura a nuestra imaginación discursiva y que determina la elección. La noción de la forma del enunciado total, es decir, la noción acerca de un determinado género discursivo, es lo que nos dirige en el proceso de discurso. La intencionalidad de nuestro enunciado en su totalidad puede, ciertamente, requerir, para su realización, una sola oración, pero puede requerir muchas más. Es el género elegido lo que preestablece los tipos de oraciones y las relaciones entre éstas.

Una de las causas de que en la lingüística se hayan subestimado las formas del enunciado es la extrema heterogeneidad de estas formas según su estructura y, sobre todo, según su dimensión (extensión discursiva): desde una réplica que consiste en una sola palabra hasta una novela. Una extensión marcadamente desigual aparece también en los géneros discursivos orales. Por eso, los géneros discursivos parecen ser inconmensurables e inaceptables como unidades del discurso.

Por lo tanto, muchos lingüistas (principalmente los que se dedican a la sintaxis) tratan de encontrar formas especiales que sean un término medio entre la oración y el enunciado y que, al mismo tiempo, sean conmensurables con la oración. Entre estos términos aparecen *frase* (según Kartsevski),[7] comunicado (según Shájmatov[8] y otros). Los investigadores que usan estos términos no tienen un concepto unificado acerca de lo que representan, porque en la vida de la lengua no les corresponde ninguna realidad determinada bien delimitada. Todas estas unidades, artificiales y convencionales, resultan ser indiferentes al cambio de sujetos discursivos que tiene lugar en cualquier comunicación real, debido a lo cual se borran las fronteras más importantes que actúan en todas las esferas de la lengua y que son fronteras entre enunciados. A consecuencia de esto se cancela también el criterio principal: el del carácter concluso del enunciado como unidad verdadera de la comunicación discursiva, criterio que implica la capacidad del enunciado para determinar una activa posición de respuesta que adoptan otros participantes de la comunicación.

A modo de conclusión de esta parte, algunas observaciones acerca de la oración (regresaremos al problema con más detalles al resumir nuestro trabajo).

La oración, en tanto que unidad de la lengua, carece de capacidad para determinar directa y activamente la posición responsiva del hablante. Tan sólo al convertirse en un enunciado completo adquiere una oración esta capacidad. Cualquier oración puede actuar como un enunciado completo, pero en tal caso, según lo que se ha explicado, la oración se complementa con una serie de aspectos sumamente importantes no gramaticales, los cuales cambian su naturaleza misma. Pero sucede que esta misma circunstancia llega a ser causa de una especie de aberración sintáctica: al analizar una oración determinada separada de su contexto se la suele completar mentalmente atribuyéndole el valor de un enunciado entero. Como consecuencia de esta operación, la oración adquiere el grado de conclusividad que la vuelve contestable.

La oración, igual que la palabra, es una unidad significante de la lengua. Por eso cada oración aislada, por ejemplo: "ya salió el sol", es perfectamente comprensible, es decir, nosotros comprendemos su *significado* lingüístico, su posible papel dentro del enunciado. Pero es absolutamente imposible adoptar, con respecto a esta oración, una postura de respuesta, a no ser que sepamos que el hablante expresó con ello cuanto quiso decir, que la oración no va precedida ni le siguen otras oraciones del mismo hablante. Pero en tal caso no se trata de una oración, sino de un enunciado pleno que consiste en una sola oración: este enunciado está enmarcado y delimitado por el cambio de los sujetos discursivos y refleja de una manera inmediata una realidad extraverbal (la situación). Un enunciado semejante puede ser contestado.

Pero si esta oración está inmersa en un contexto, resulta que adquiere la plenitud de su *sentido* únicamente dentro de este contexto, es decir dentro de la totalidad de un enunciado completo, y lo que puede ser contestado es este enunciado completo cuyo elemento significante es la oración. El enunciado puede, por ejemplo, sonar así: "Ya salió el sol. Es hora de levantarnos." La comprensión de respuesta: "De veras, ya es la hora." Pero puede también sonar así: "Ya salió el sol. Pero aún es muy temprano. Durmamos un poco más." En este caso, el *sentido* del enunciado y la reacción de respuesta a él serán diferentes. Esta misma oración también puede formar parte de una obra literaria en calidad de elemento de un paisaje. Entonces la reacción de respuesta, que sería una impresión artística e ideológica y una evaluación, únicamente podrá ser referida a todo el paisaje representado. En el contexto de alguna otra obra esta oración puede tener un significado simbólico. En todos los casos semejantes, la oración viene a ser un elemento significante de un enunciado completo, elemento que adquiere su sentido definitivo sólo dentro de la totalidad.

En el caso de que nuestra oración figure como un enunciado concluso, resulta que adquiere su sentido total dentro de las condiciones concretas de la comunicación discursiva. Así, esta oración puede ser respuesta a la pregunta del otro: "¿Ya salió el sol?" (claro, siempre dentro de una circunstancia concreta que justifique la pregunta). En tal caso, el enunciado viene a ser la afirmación de un hecho determinado, la que puede ser acertada o incorrecta, con la cual se puede estar o no estar de acuerdo. La oración, que es afirmativa por su *forma*, llega a ser una afirmación *real* sólo en el contexto de un enunciado determinado.

Cuando se analiza una oración semejante aislada, se la suele interpretar como un enunciado concluso referido a cierta situación muy simplificada: el sol efectivamente salió y el hablante atestigua: "ya salió el sol"; al hablante le consta que la hierba es verde, por eso declara: "la hierba es verde". Esa clase de *comunicados* sin sentido a menudo se examinan directamente como ejemplos clásicos de oración. En la realidad, cualquier comunicado semejante siempre va dirigido a alguien, está provocado por algo, tiene alguna finalidad, es decir, viene a ser un eslabón real en la cadena de la comunicación discursiva dentro de alguna esfera determinada de la realidad cotidiana del hombre.

La oración, igual que la palabra, posee una conclusividad del significado y una conclusividad de la forma *gramatical*, pero la conclusividad de significado es de carácter abstracto y es precisamente por eso por lo que es tan clara; es el remate de un elemento, pero no la conclusión de un todo. La oración como unidad de la lengua, igual que la palabra, no tiene autor. No pertenece a *nadie*, como la palabra, y tan sólo funcionando como un enunciado completo llega a ser la expresión de la postura individual de hablante en una situación concreta de la comunicación discursiva. Lo cual nos aproxima al tercer rasgo constitutivo del enunciado, a saber: la actitud del enunciado hacia el *hablante mismo* (el autor del enunciado) y hacia *otros* participantes en la comunicación discursiva.

Todo enunciado es un eslabón en la cadena de la comunicación discursiva, viene a ser una postura activa del hablante dentro de una u otra esfera de objetos y sentidos. Por eso cada enunciado se caracteriza ante todo por su contenido determinado referido a objetos y sentidos. La selección de los recursos lingüísticos y del género discursivo se define ante todo por el compromiso (o intención) que adopta un sujeto discursivo (o autor) dentro de cierta esfera de sentidos. Es el primer aspecto del enunciado que fija sus detalles específicos de composición y estilo.

El segundo aspecto del enunciado que determina su composición y estilo es el momento *expresivo*, es decir, una actitud subjetiva y evaluadora desde el punto de vista emocional del hablante con respecto al contenido semántico de su propio enunciado. En las diversas esferas de la comunicación discursiva, el momento expresivo posee un significado y un peso diferente, pero está presente en todas partes: un enunciado absolutamente neutral es imposible. Una actitud evaluadora del hombre con respecto al objeto de su discurso (cualquiera que sea este objeto) también determina la selección de los recursos léxicos, gramaticales y composicionales del enunciado. El estilo individual de un enunciado se define principalmente por su aspecto expresivo. En cuanto a la estilística, esta situación puede considerarse como comúnmente aceptada. Algunos investigadores inclusive reducen el estilo directamente al aspecto emotivo y evaluativo del discurso.

¿Puede ser considerado el aspecto expresivo del discurso como un fenómeno de la lengua en tanto que sistema? ¿Es posible hablar del aspecto expresivo de las unidades de la lengua, o sea de las palabras y oraciones? Estas preguntas deben ser contestadas con una categórica negación. La lengua como sistema dispone, desde luego, de un rico arsenal de recursos lingüísticos (léxicos, morfológicos y sintácticos) para expresar la postura emotiva y valorativa del hablante, pero todos estos medios, en tanto que recursos de la lengua, son absolutamente *neutros* respecto a una valoración determinada y real. La palabra "amorcito", cariñosa tanto por el significado de su raíz como por el sufijo, es por sí misma, como unidad de la lengua, tan neutra como la palabra "lejos". Representa tan sólo un recurso lingüístico para una posible expresión de una actitud emotivamente valoradora respecto a la realidad, pero no se refiere a ninguna realidad determinada; tal referencia, es decir, una valoración real, puede ser realizada sólo por el hablante en un enunciado concreto. Las palabras son de nadie, y por sí mismas no evalúan nada, pero pueden servir a cualquier hablante y para diferentes e incluso contrarias valoraciones de los hablantes.

Asimismo, la oración como unidad de la lengua es neutra, y no posee de suyo ningún aspecto expresivo: lo obtiene (o más bien, se inicia en él) únicamente dentro de un enunciado concreto. Aquí es posible la misma aberración mencionada. Una oración como, por ejemplo, "él ha muerto", aparentemente incluye un determinado matiz expresivo, sin hablar ya de una oración como "¡qué alegría!" Pero, en realidad, oraciones como éstas las asumimos como enunciados enteros en una situación modelo, es decir, las percibimos como géneros discursivos de coloración expresiva típica. Como oraciones, carecen de esta última, son neutras. Conforme el contexto del enunciado, la oración "él ha muerto" puede expresar un matiz positivo, alegre, inclusive de júbilo. Asimismo, la oración "¡qué alegría!" en el contexto de un enunciado determinado puede asumir un tono irónico o hasta sarcástico y amargo.

Uno de los recursos expresivos de la actitud emotiva y valoradora del hablante con respecto al objeto de su discurso es la entonación expresiva que aparece con claridad en la interpretación oral.* La entonación expresiva es un rasgo constitutivo del enunciado.[9] No existe dentro del sistema de la lengua, es decir, fuera del enunciado. Tanto la palabra como la oración como *unidades de la lengua* carecen de entonación expresiva. Si una palabra aislada se pronuncia con una entonación expresiva, ya no se trata de una palabra sino de un enunciado concluso realizado en una sola palabra (no hay razón alguna para extenderla hasta una oración). Existen los modelos de enunciados valorativos, es decir, los géneros discursivos valorativos, bastante definidos en la comunicación discursiva y que expresan alabanza, aprobación, admiración, reprobación, injuria: "¡muy bien!, ¡bravo!, ¡qué lindo!, ¡qué vergüenza!, ¡qué asco!, ¡imbécil!", etc. Las palabras que adquieren en la vida política y social una importancia particular se convierten en enunciados expresivos admirativos: "¡paz!, ¡libertad", etc. (se trata de un género discursivo político-social específico). En una situación determinada una palabra puede adoptar un sentido profundamente expresivo convirtiéndose en un enunciado admirativo: "¡Mar! ¡Mar!" gritan diez mil griegos en Jenofonte.[10]

En todos estos casos no tenemos que ver con la palabra como

* Desde luego la percibimos, y desde luego existe como factor estilístico, en la lectura silenciosa del discurso escrito.

unidad de la lengua ni con el *significado* de esta palabra, sino con un enunciado concluso y con su *sentido concreto,*[11] que pertenecen tan sólo a este enunciado; el significado de la palabra está referido en estos casos a determinada realidad dentro de las igualmente reales condiciones de la comunicación discursiva. Por lo tanto, en estos ejemplos no sólo entendemos el significado de la palabra dada como palabra de una lengua, sino que adoptamos frente a ella una postura activa de respuesta (consentimiento, acuerdo o desacuerdo, estímulo a la acción). Así, pues, la entonación expresiva pertenece allí al enunciado, no a la palabra. Y sin embargo resulta muy difícil abandonar la convicción de que cada palabra de una lengua posea o pueda poseer un "tono emotivo", un "matiz emocional", un "momento valorativo", una "aureola estilística", etc., y, por consiguiente, una entonación expresiva que le es propia. Es muy factible que se piense que al seleccionar palabras para un enunciado nos orientamos precisamente al tono emotivo característico de una palabra aislada: escogemos las que corresponden por su tono al aspecto expresivo de nuestro enunciado y rechazamos otras. Así es como los poetas conciben su labor sobre la palabra, y así es como la estilística interpreta este proceso (por ejemplo, el "experimento estilístico" de Peshkovski).[12]

Y, sin embargo, esto no es así. Estamos frente a la aberración que ya conocemos. Al seleccionar las palabras partimos de la totalidad real del enunciado que ideamos,* pero esta totalidad ideada y creada por nosotros siempre es expresiva, y es ella la que irradia su propia expresividad (o, más bien, nuestra expresividad) hacia cada palabra que elegimos, o, por decirlo así, la contamina de la expresividad del todo. Escogemos la palabra según su significado, que de suyo no es expresivo, pero puede corresponder o no corresponder a nuestros propósitos expresivos en relación con otras palabras, es decir con respecto a la totalidad de nuestro enunciado. El significado neutro de una palabra referido a una realidad determinada dentro de las condiciones determinadas reales de la comunicación discursiva genera una chispa de expresividad. Es justamente lo que tiene lugar en el proceso

* Al construir nuestro discurso, siempre nos antecede la totalidad de nuestro enunciado, tanto en forma de un esquema genérico determinado como en forma de una intención discursiva individual. No vamos ensartando palabras, no seguimos de una palabra a otra, sino que actuamos como si fuéramos rellenando un todo con palabras necesarias. Se ensartan palabras tan sólo en una primera fase del estudio de una lengua ajena, y aun con una dirección metodológica pésima

de la creación lingüística con la realidad concreta, sólo el contacto de la lengua con la realidad que se da en el enunciado es lo que genera la chispa de lo expresivo: esta última no existe ni en el sistema de la lengua, ni en la realidad objetiva que está fuera de nosotros.

Así, la emotividad, la evaluación, la expresividad, no son propias de la palabra en tanto que unidad de la lengua; estas características se generan sólo en el proceso del uso activo de la palabra en un enunciado concreto. El *significado* de la palabra en sí (sin relación con la realidad), como ya lo hemos señalado, carece de emotividad. Existen palabras que especialmente denotan emociones o evaluaciones: "alegría", "dolor", "bello", "alegre", "triste", etc. Pero estos significados son tan neutros como todos los demás. Adquieren un matiz expresivo únicamente en el enunciado, y tal matiz es independiente del significado abstracto o aislado; por ejemplo: "En este momento, toda alegría para mí es un dolor", (aquí la palabra "alegría" se interpreta contrariamente a su significado).

No obstante, el problema está lejos de estar agotado por todo lo que acaba de exponerse. Al elegir palabras en el proceso de estructuración de un enunciado, muy pocas veces las tomamos del sistema de la lengua en su forma neutra, *de diccionario.* Las solemos tomar de *otros enunciados,* y ante todo de los enunciados afines genéricamente al nuestro, es decir, parecidos por su tema, estructura, estilo; por consiguiente, escogemos palabras según su especificación genérica. El género discursivo no es una forma lingüística, sino una forma típica de enunciado; como tal, el género incluye una expresividad determinada propia del género dado. Dentro del género, la palabra adquiere cierta expresividad típica. Los géneros corresponden a las situaciones típicas de la comunicación discursiva, a los temas típicos y, por lo tanto, a algunos contactos típicos de los *significados* de las palabras con la realidad concreta en sus circunstancias típicas. De ahí se origina la posibilidad de los matices expresivos típicos que "cubren" las palabras. Esta expresividad típica propia de los géneros no pertenece, desde luego, a la palabra como unidad de la lengua, sino que expresa únicamente el vínculo que establece la palabra y su significado con el género, o sea con los enunciados típicos. La expresividad típica y la entonación típica que le corresponden no poseen la obligatoriedad de las formas de la lengua. Se trata de una normatividad genérica que es más libre. En nuestro ejemplo, "en este momento, toda alegría para mí es un dolor", el tono expresivo de la palabra "alegría" determinado por el contexto no es, por supuesto, característico de esta palabra. Los géneros discursivos se someten con bastante facilidad a una reacentuación: lo triste puede convertirse en jocoso y alegre, pero se obtiene, como resultado, algo nuevo (por ejemplo, el género del epitafio burlesco).

La expresividad típica (genérica) puede ser examinada como la "aureola estilística" de la palabra, pero la aureola no pertenece a la palabra de la lengua como tal sino al género en que la palabra suele funcionar; se trata de una especie de eco de una totalidad del género que suena en la palabra.

La expresividad genérica de la palabra (y la entonación expresiva del género) es impersonal, como lo son los mismos géneros discursivos (porque los géneros representan las formas típicas de los enunciados individuales, pero no son los enunciados mismos). Pero las palabras pueden formar parte de nuestro discurso conservando al mismo tiempo, en mayor o menor medida, los tonos y los ecos de los enunciados individuales.

Las palabras de la lengua no son de nadie, pero al mismo tiempo las oímos sólo en enunciados individuales determinados, y en ellos las palabras no sólo poseen un matiz típico, sino que también tienen una expresividad individual más o menos clara (según el género) fijada por el contexto del enunciado, individual e irrepetible.

Los significados neutros (de diccionario) de las palabras de la lengua aseguran su carácter y la intercomprensión de todos los que la hablan, pero el uso de las palabras en la comunicación discursiva siempre depende de un contexto particular. Por eso se puede decir que cualquier palabra existe para el hablante en sus tres aspectos: como palabra neutra de la lengua, que no pertenece a nadie; como palabra *ajena*, llena de ecos, de los enunciados de otros, que pertenece a otras personas; y, finalmente, como *mi* palabra, porque, puesto que yo la uso en una situación determinada y con una intención discursiva determinada, la palabra está compenetrada de mi expresividad. En los últimos aspectos la palabra posee expresividad, pero ésta, lo reiteramos, no pertenece a la palabra misma: nace en el punto de contacto de la palabra con la situación real, que se realiza en un enunciado individual. La palabra en este caso aparece como la expresión de cierta posición valorativa del individuo (de un personaje prominente, un escritor, un científico, del padre, de la madre, de un amigo, del maestro, etc.), como una suerte de abreviatura del enunciado.

En cada época, en cada círculo social, en cada pequeño mundo de la familia, de amigos y conocidos, de compañeros, en el que se forma y vive cada hombre, siempre existen enunciados que gozan de prestigio, que dan el tono; existen tratados científicos y obras de literatura publicística en los que la gente fundamenta sus enunciados y los que cita, imita o sigue. En cada época, en todas las áreas de la práctica existen determinadas tradiciones expresas y conservadas en formas verbalizadas; obras, enunciados, aforismos, etc. Siempre existen ciertas ideas principales expresadas verbalmente que pertenecen a los personajes relevantes de una época dada, existen objetivos generales, consignas, etc. Ni hablar de los ejemplos escolares y antológicos, en los cuales los niños estudian su lengua materna y los cuales siempre poseen una carga expresiva.

Por eso la experiencia discursiva individual de cada persona se forma y se desarrolla en una constante interacción con los enunciados individuales ajenos. Esta experiencia puede ser caracterizada, en cierta medida, como proceso de *asimilación* (más o menos creativa) de palabras *ajenas* (y no de palabras de la lengua). Nuestro discurso, o sea todos nuestros enunciados (incluyendo obras literarias), están llenos de palabras ajenas de diferente grado de "alteridad" o de asimilación, de diferente grado de concientización y de manifestación. Las palabras ajenas aportan su propia expresividad, su tono apreciativo que se asimila, se elabora, se reacentúa por nosotros.

Así, pues, la expresividad de las palabras no viene a ser la propiedad de la palabra misma en tanto que unidad de la lengua, y no deriva inmediatamente de los significados de las palabras; o bien representa una expresividad típica del género, o bien se trata de un eco del matiz expresivo ajeno e individual que hace a la palabra representar la totalidad del enunciado ajeno como determinada posición valorativa.

Lo mismo se debe decir acerca de la oración en tanto que unidad de la lengua: la oración también carece de expresividad. Ya hablamos de esto al principio de este capítulo. Ahora sólo falta completar lo dicho. Resulta que existen tipos de oraciones que suelen funcionar como enunciados enteros de determinados géneros típicos. Así, son oraciones interrogativas, exclamativas y órdenes. Existen muchísimos géneros cotidianos y especializados (por ejemplo, las órdenes militares y las indicaciones en el proceso de producción industrial) que, por regla general, se expresan mediante oraciones de un tipo correspondiente. Por otra parte, semejantes oraciones se encuentran relativamente poco en un contexto congruente de enunciados extensos. Cuando las oraciones de este tipo forman parte de un contexto coherente, suelen aparecer como puestas de relieve en la totalidad del enunciado y generalmente tienden a iniciar o a concluir el enunciado (o sus partes relativamente independientes.* Esos tipos de oraciones tienen un interés especial para la solución de nuestro problema, y más adelante regresaremos a ellas. Aquí lo que nos importa es señalar que tales oraciones se compenetran sólidamente de la expresividad genérica y adquieren con facilidad la expresividad individual. Estas oraciones son las que contribuyeron a la formación de la idea acerca de la naturaleza expresiva de la oración.

Otra observación. La oración como unidad de la lengua posee cierta entonación gramatical, pero no expresiva. Las entonaciones específicamente gramaticales son: la conclusiva, la explicativa, la disyuntiva, la enumerativa, etc. Un lugar especial pertenece a la entonación enunciativa, interrogativa, exclamativa y a la orden: en ellas tiene lugar una suerte de fusión entre la entonación gramatical y lo que es propio de los géneros discursivos (pero no se trata de la entonación expresiva en el sentido exacto de la palabra). Cuando damos un ejemplo de oración para analizarlo solemos atribuirle una cierta entonación típica, con lo cual lo convertimos en un enunciado completo (si la oración se toma de un texto determinado, lo entonamos, por supuesto, de acuerdo con la entonación expresiva del texto).

Así, pues, el momento expresivo viene a ser un rasgo constitutivo del enunciado. El sistema de la lengua dispone de formas necesarias (es decir, de recursos lingüísticos) para manifestar la expresividad, pero la lengua misma y sus unidades significantes (palabras y oraciones) carecen, por su naturaleza, de expresividad, son nuestras. Por eso pueden servir igualmente bien para cualesquiera valoraciones, aunque sean muy variadas y opuestas; por eso las unidades de la lengua asumen cualquier postura valorativa.

En resumen, el enunciado, su estilo y su composición, se determinan por el aspecto temático (de objeto y de sentido) y por el aspecto expresivo, o sea por la actitud valorativa del hablante hacia el momento temático. La estilística no comprende ningún otro aspecto, sino que sólo considera los siguientes factores que determinan el estilo de un enunciado: el sistema de la lengua, el

* La primera y última oración de un enunciado generalmente son de naturaleza especial, poseen cierta cualidad complementaria. Son, por decirlo de alguna manera, oraciones de vanguardia, porque se colocan en la posición limítrofe del cambio de sujetos discursivos.

objeto del discurso y el hablante mismo y su actitud valorativa hacia el objeto. La selección de los recursos lingüísticos se determina, según la concepción habitual de la estilística, únicamente por consideraciones acerca del objeto y sentido y de la expresividad. Así se definen los estilos de la lengua, tanto generales como individuales. Por una parte, el hablante, con su visión del mundo, sus valores y emociones y, por otra parte, el objeto de su discurso y el sistema de la lengua (los recursos lingüísticos): éstos son los aspectos que definen el enunciado, su estilo y su composición. Ésta es la concepción predominante.

En la realidad, el problema resulta ser mucho más complejo. Todo enunciado concreto viene a ser un eslabón en la cadena de la comunicación discursiva en una esfera determinada. Las fronteras mismas del enunciado se fijan por el cambio de los sujetos discursivos. Los enunciados no son indiferentes uno a otro ni son autosuficientes, sino que "saben" uno del otro y se reflejan mutuamente. Estos reflejos recíprocos son los que determinan el carácter del enunciado. Cada enunciado está lleno de ecos y reflejos de otros enunciados con los cuales se relaciona por la comunidad de esfera de la comunicación discursiva. Todo enunciado debe ser analizado, desde un principio, como *respuesta* a los enunciados anteriores de una esfera dada (el discurso como respuesta es tratado aquí en un sentido muy amplio): los refuta, los confirma, los completa, se basa en ellos, los supone conocidos, los toma en cuenta de alguna manera. El enunciado, pues, ocupa una *determinada* posición en la esfera dada de la comunicación discursiva, en un problema, en un asunto, etc. Uno no puede determinar su propia postura sin correlacionarla con las de otros. Por eso cada enunciado está lleno de reacciones —respuestas de toda clase dirigidas hacia otros enunciados de la esfera determinada de la comunicación discursiva. Estas reacciones tienen diferentes formas: enunciados ajenos pueden ser introducidos directamente al contexto de un enunciado, o pueden introducirse sólo palabras y oraciones aisladas que en este caso representan los enunciados enteros, y tanto enunciados enteros como palabras aisladas pueden conservar su expresividad ajena, pero también pueden sufrir un cambio de acento (ironía, indignación, veneración, etc.). Los enunciados ajenos pueden ser representados con diferente grado de revaluación; se puede hacer referencia a ellos como opiniones bien conocidas por el interlocutor, pueden sobreentenderse calladamente, y la reacción de respuesta puede reflejarse tan sólo en la expresividad del discurso propio (selección de recursos lingüísticos y de entonaciones que no se determina por el objeto del discurso propio sino por el enunciado ajeno acerca del mismo objeto). Este último caso es muy típico e importante: en muchas ocasiones, la expresividad de nuestro enunciado se determina no únicamente (a veces no tanto) por el objeto y el sentido del enunciado sino también por los enunciados ajenos emitidos acerca del mismo tema, por los enunciados que contestamos, con los que polemizamos; son ellos los que determinan también la puesta en relieve de algunos momentos, las reiteraciones, la selección de expresiones más duras (o, al contrario, más suaves), así como el tono desafiante (o conciliatorio), etc. La expresividad de un enunciado nunca puede ser comprendida y explicada hasta el fin si se toma en cuenta nada más su objeto y su sentido. La expresividad de un enunciado siempre, en mayor o menor medida, *contesta*, es decir, expresa la actitud del hablante hacia los enunciados ajenos, y no únicamente su actitud hacia el objeto de su propio enunciado.* Las formas de las reacciones-respuesta que llenan el enunciado son sumamente heterogéneas y hasta el momento no se han estudiado en absoluto. Estas formas, por supuesto, se diferencian entre sí de una manera muy tajante según las esferas de actividad y vida humana en las que se realiza la comunicación discursiva. Por más monológico que sea un enunciado (por ejemplo, una obra científica o filosófica), por más que se concentre en su objeto, no puede dejar de ser, en cierta medida, una respuesta a aquello que ya se dijo acerca del mismo objeto, acerca del mismo problema, aunque el carácter de respuesta no recibiese una expresión externa bien definida: ésta se manifestaría en los matices del sentido, de la expresividad, del estilo, en los detalles más finos de la composición. Un enunciado está lleno de *matices dialógicos*, y sin tomarlos en cuenta es imposible comprender hasta el final el estilo del enunciado. Porque nuestro mismo pensamiento (filosófico, científico, artístico) se origina y se forma en el proceso de interacción y lucha con pensamientos ajenos, lo cual no puede dejar de reflejarse en la forma de la expresión verbal del nuestro.

Los enunciados ajenos y las palabras aisladas ajenas de que nos hacemos conscientes como ajenos y que separamos como tales, al ser introducidos en nuestro enunciado le aportan algo que aparece como irracional desde el punto de vista del sistema de la lengua, particularmente, desde el punto de vista de la sintaxis. Las interrelaciones entre el discurso ajeno introducido y el resto del discurso propio no tienen analogía alguna con las relaciones

* La entonación es sobre todo la que es especialmente sensible y siempre está dirigida al contexto.

sintácticas que se establecen dentro de una unidad sintáctica simple o compleja, ni tampoco con las relaciones temáticas entre unidades sintácticas no vinculadas sintácticamente dentro de los límites de un enunciado. Sin embargo, estas interrelaciones son análogas (sin ser, por supuesto, idénticas) a las relaciones que se dan entre las réplicas de un diálogo. La entonación que aísla el discurso ajeno (y que se representa en el discurso escrito mediante comillas) es un fenómeno aparte: es una especie de trasposición del *cambio de los sujetos discursivos* dentro de un enunciado. Las *fronteras* que se crean con este cambio son, en este caso, débiles y específicas; la expresividad del hablante penetra a través de estas fronteras y se extiende hacia el discurso ajeno, puede ser representada mediante tonos irónicos, indignados, compasivos, devotos (esta expresividad se traduce mediante la entonación expresiva, y en el discurso escrito la adivinamos con precisión y la sentimos gracias al contexto que enmarca el discurso ajeno o gracias a la situación extraverbal que sugiere un matiz expresivo correspondiente). El discurso ajeno, pues, posee una expresividad doble: la propia, que es precisamente la ajena, y la expresividad del enunciado que acoge el discurso ajeno. Todo esto puede tener lugar, ante todo, allí donde el discurso ajeno (aunque sea una sola palabra que adquiera el valor de enunciado entero) se cita explícitamente y se pone de relieve (mediante comillas): los ecos del cambio de los sujetos discursivos y de sus interrelaciones dialógicas se perciben en estos casos con claridad. Pero, además, en todo enunciado, en un examen más detenido realizado en las condiciones concretas de la comunicación discursiva, podemos descubrir toda una serie de discursos ajenos, semicultos o implícitos y con diferente grado de otredad. Por eso un enunciado revela una especie de surcos que representan ecos lejanos y apenas perceptibles de los cambios de sujetos discursivos, de los matices dialógicos y de marcas limítrofes sumamente debilitadas de los enunciados que llegaron a ser permeables para la expresividad del autor. El enunciado, así, viene a ser un fenómeno muy complejo que manifiesta una multiplicidad de planos. Por supuesto, hay que analizarlo no aisladamente y no sólo en su relación con el autor (el hablante) sino como eslabón en la cadena de la comunicación discursiva y en su nexo con otros enunciados relacionados con él (estos nexos suelen analizarse únicamente en el plano temático y no discursivo, es decir, composicional y estilístico).

Cada enunciado aislado representa un eslabón en la cadena de la comunicación discursiva. Sus fronteras son precisas y se definen por el cambio de los sujetos discursivos (hablantes), pero dentro de estas fronteras, el enunciado, semejantemente a la mónada de Leibniz, refleja el proceso discursivo, los enunciados ajenos, y, ante todo, los eslabones anteriores de la cadena (a veces los más próximos, a veces —en las esferas de la comunicación cultural— muy lejanos).[13]

El objeto del discurso de un hablante, cualquiera que sea el objeto, no llega a tal por primera vez en este enunciado, y el hablante no es el primero que lo aborda. El objeto del discurso, por decirlo así, ya se encuentra hablado, discutido, vislumbrado y valorado de las maneras más diferentes; en él se cruzan, convergen y se bifurcan varios puntos de vista, visiones del mundo, tendencias. El hablante no es un Adán bíblico que tenía que ver con objetos vírgenes, aún no nombrados, a los que debía poner nombres. Las concepciones simplificadas acerca de la comunicación como base lógica y psicológica de la oración hacen recordar a este mítico Adán. En la mente del hablante se combinan dos concepciones (o, al contrario, se desmembra una concepción compleja en dos simples) cuando pronuncia oraciones como las siguientes: "el sol alumbra", "la hierba es verde", "estoy sentado", etc. Las oraciones semejantes son, desde luego, posibles, pero o bien se justifican y se fundamentan por el contexto de un enunciado completo que las incluye en una comunicación discursiva como réplicas de un diálogo, de un artículo de difusión científica, de una explicación del maestro en una clase, etc.), o bien, si son enunciados conclusos, tienen alguna justificación en la situación discursiva que las introduce en la cadena de la comunicación discursiva. En la realidad, todo enunciado, aparte de su objeto, siempre contesta (en un sentido amplio) de una u otra manera a los enunciados ajenos que le preceden. El hablante no es un Adán, por lo tanto el objeto mismo de su discurso se convierte inevitablemente en un foro donde se encuentran opiniones de los interlocutores directos (en una plática o discusión acerca de cualquier suceso cotidiano) o puntos de vista, visiones del mundo, tendencias, teorías, etc. (en la esfera de la comunicación cultural). Una visión del mundo, una tendencia, un punto de vista, una opinión, siempre poseen una expresión verbal. Todos ellos representan discurso ajeno (en su forma personal o impersonal), y éste no puede dejar de reflejarse en el enunciado. El enunciado no está dirigido únicamente a su objeto, sino también a discursos ajenos acerca de este último. Pero la alusión más ligera a un enunciado ajeno confiere al discurso un carácter dialógico que no le puede dar ningún tema puramente objetual. La actitud hacia el discurso ajeno difiere por principio de la actitud hacia el objeto, pero siempre aparece acompañando a este último. Repetimos; el enunciado es un eslabón en la cadena de la comunicación discursiva y no puede ser separado de los eslabones anteriores que lo determinan por dentro y por fuera generando en él reacciones de respuesta y ecos dialógicos.

Pero un enunciado no sólo está relacionado con los eslabones anteriores, sino también con los eslabones posteriores de la comunicación discursiva. Cuando el enunciado está en la etapa de su creación por el hablante, estos últimos, por supuesto, aún no existen. Pero el enunciado se construye desde el principio tomando en cuenta las posibles reacciones de respuesta para las cuales se construye el enunciado. El papel de los *otros,* como ya sabemos, es sumamente importante. Ya hemos dicho que estos otros, para los cuales mi pensamiento se vuelve tal por primera vez (y por lo mismo) no son oyentes pasivos sino los activos participantes de la comunicación discursiva. El hablante espera desde el principio su contestación y su comprensión activa. Todo el enunciado se construye en vista de la respuesta.

Un signo importante (constitutivo) del enunciado es su *orientación* hacia alguien, su propiedad de estar *destinado.* A diferencia de las unidades significantes de la lengua —palabras y oraciones— que son impersonales, no pertenecen a nadie y a nadie están dirigidas, el enunciado tiene autor (y, por consiguiente, una expresividad, de lo cual ya hemos hablado) y destinatario. El destinatario puede ser un participante e interlocutor inmediato de un diálogo cotidiano, puede representar un grupo diferenciado de especialistas en alguna esfera específica de la comunicación cultural, o bien un público más o menos homogéneo, un pueblo, contemporáneos, partidarios, opositores o enemigos, subordinados, jefes, inferiores, superiores, personas cercanas o ajenas, etc.; también puede haber un destinatario absolutamente indefinido, un *otro* no concretizado (en toda clase de enunciados monológicos de tipo emocional) —y todos estos tipos y conceptos de destinatario se determinan por la esfera de la praxis humana y de la vida cotidiana a la que se refiere el enunciado. La composición y sobre todo el estilo del enunciado dependen de un hecho concreto: a quién está destinado el enunciado, cómo el hablante (o el escritor) percibe y se imagina a sus destinatarios, cuál es la fuerza de su influencia sobre el enunciado. Todo género discursivo en cada esfera de la comunicación discursiva posee su propia concepción del destinatario, la cual lo determina como tal.

El destinatario del enunciado puede coincidir *personalmente* con aquel (o aquellos) a quien responde el enunciado. En un diálogo cotidiano o en una correspondencia tal coincidencia personal es común: el destinatario es a quien yo contesto y de quien espero, a mi turno, una respuesta. Pero en los casos de coincidencia personal, un solo individuo cumple con dos papeles, y lo que importa es precisamente esta diferenciación de roles. El enunciado de aquel a quien contesto (con quien estoy de acuerdo, o estoy refutando, o cumplo su orden, o tomo nota, etc.) ya existe, pero su contestación (o su comprensión activa) aún no aparece. Al construir mi enunciado, yo trato de determinarla de una manera activa; por otro lado, intento adivinar esta contestación, y la respuesta anticipada a su vez influye activamente sobre mi enunciado (esgrimo objeciones que estoy presintiendo, acudo a todo tipo de restricciones, etc.). Al hablar, siempre tomo en cuenta el fondo aperceptivo de mi discurso que posee mi destinatario: hasta qué punto conoce la situación, si posee o no conocimientos específicos de la esfera comunicativa cultural, cuáles son sus opiniones y convicciones, cuáles son sus prejuicios (desde mi punto de vista), cuáles son sus simpatías y antipatías; todo esto terminará la activa comprensión-respuesta con que él reaccionará a mi enunciado. Este tanteo determinará también el género del enunciado, la selección de procedimientos de estructuración y, finalmente, la selección de los recursos lingüísticos, es decir, el estilo del enunciado. Por ejemplo, los géneros de la literatura de difusión científica están dirigidos a un lector determinado con cierto fondo aperceptivo de comprensión-respuesta; a otro lector se dirigen los libros de texto y a otro, ya totalmente distinto, las investigaciones especializadas, pero todos estos géneros pueden tratar un mismo tema. En estos casos es muy fácil tomar en cuenta al destinatario y su fondo aperceptivo, y la influencia del destinatario sobre la estructuración del enunciado también es muy sencilla: todo se reduce a la cantidad de sus conocimientos especializados.

Puede haber casos mucho más complejos. El hecho de prefigurar al destinatario y su reacción de respuesta a menudo presenta muchas facetas que aportan un dramatismo interno muy especial al enunciado (algunos tipos de diálogo cotidiano, cartas, géneros autobiográficos y confesionales). En los géneros retóricos, estos fenómenos tienen un carácter agudo, pero más bien externo. La posición social, el rango y la importancia del destinatario se reflejan sobre todo en los enunciados que pertenecen a la comunicación cotidiana y a la esfera oficial. Dentro de la sociedad de clases, y sobre todo dentro de los regímenes estamentales, se observa una extraordinaria diferenciación de los géneros discursivos y de los estilos que les corresponden, en relación con el título, rango, categoría, fortuna y posición social, edad del hablante (o escritor) mismo. A pesar de la riqueza en la diferenciación tanto de las formas principales como de los matices, estos fenómenos tienen un carácter de cliché y externo: no son capaces de aportar un dramatismo profundo al enunciado. Son interesantes tan sólo como ejemplo de una bastante obvia pero instructiva expresión de la influencia que ejerce el destinatario sobre la estructuración y el estilo del enunciado.*

Matices más delicados de estilo se determinan por el carácter y el grado de intimidad entre el destinatario y el hablante, en diferentes géneros discursivos familiares, por una parte, e íntimos por otra. Aunque existe una diferencia enorme entre los géneros familiares e íntimos y entre sus estilos correspondientes, ambos perciben a su destinatario de una manera igualmente alejada del marco de las jerarquías sociales y de las convenciones. Lo cual genera una *sinceridad* específica propia del discurso, que en los géneros familiares a veces llega hasta el cinismo. En los estilos íntimos esta cualidad se expresa en la tendencia hacia una especie de fusión completa entre el hablante y el destinatario del discurso. En el discurso familiar, gracias a la abolición de prohibiciones y convenciones discursivas se vuelve posible un enfoque especial, extraoficial y libre de la realidad.** Es por eso por lo que los géneros y estilos familiares pudieron jugar un papel tan positivo durante el Renacimiento, en la tarea de la destrucción del modelo oficial del mundo, de carácter medieval; también en otros períodos, cuando se presenta la tarea de la destrucción de los estilos y las visiones del mundo oficiales y tradicionales, los estilos familiares adquieren una gran importancia para la literatura. Además, la familiarización de los estilos abre camino hacia la literatura a los estratos de la lengua que anteriormente se en-

* Citaré la correspondiente observación de Gógol: "No es posible calcular todos los matices y finezas de nuestro trato... Hay conocedores tales que hablarán con un terrateniente que posee doscientas almas de un modo muy diferente del que usarán con uno que tiene trescientas, y el que tiene trescientas, recibirá, a su vez, un trato distinto del que disfruta un propietario de quinientas, mientras que con este último tampoco hablarán de la misma manera que con uno que posee ochocientas almas; en una palabra, se puede ascender hasta un millón, y siempre habrá matices" *(Almas muertas,* cap. 3).

** Este estilo se caracteriza por una sinceridad de plaza pública, expresada en voz alta; por el hecho de llamar las cosas por su nombre.

contraban bajo prohibición. La importancia de los géneros y estilos familiares para la historia de la literatura no se ha apreciado lo suficiente hasta el momento. Por otra parte, los géneros y estilos íntimos se basan en una máxima proximidad interior entre el hablante y el destinatario del discurso (en una especie de fusión entre ellos como límite). El discurso íntimo está compenetrado de una profunda confianza hacia el destinatario, hacia su consentimiento, hacia la delicadeza y la buena intención de su comprensión de respuesta. En esta atmósfera de profunda confianza, el hablante abre sus profundidades internas. Esto determina una especial expresividad y una sinceridad interna de estos estilos (a diferencia de la sinceridad de la plaza pública que caracteriza los géneros familiares). Los géneros y estilos familiares e íntimos, hasta ahora muy poco estudiados, revelan con mucha claridad la dependencia que el estilo tiene con respecto a la concepción y la comprensión que el hablante tiene de su destinatario (es decir, cómo concibe su propio enunciado), así como de la idea que tiene de su comprensión de respuesta. Estos estilos son los que ponen de manifiesto la estrechez y el enfoque erróneo de la estilística tradicional, que trata de comprender y definir el estilo tan sólo desde el punto de vista del contenido objetival (de sentido) del discurso y de la expresividad que aporte el hablante en relación con este contenido. Sin tomar en cuenta la actitud del hablante hacia el *otro* y sus enunciados (existentes y prefigurados), no puede ser comprendido el género ni el estilo del discurso. Sin embargo, los estilos llamados neutrales u objetivos, concentrados hasta el máximo en el objeto de su exposición y, al parecer, ajenos a toda referencia al otro, suponen, de todas maneras, una determinada concepción de su destinatario. Tales estilos objetivos y neutrales seleccionan los recursos lingüísticos no sólo desde el punto de vista de su educación con el objeto del discurso, sino también desde el punto de vista del supuesto fondo de percepción del destinatario del discurso, aunque este fondo se prefigura de un modo muy general y con la abstracción máxima en relación con su lado expresivo (la expresividad del hablante mismo es mínima en un estilo objetivo). Los estilos neutrales y objetivos presuponen una especie de identificación entre el destinatario y el hablante, la unidad de sus puntos de vista, pero esta homogeneidad y unidad se adquieren al precio de un rechazo casi total de la expresividad. Hay que apuntar que el carácter de los estilos objetivos y neutrales (y, por consiguiente, la concepción del destinatario que los fundamenta) es bastante variado, según las diferentes zonas de la comunicación discursiva.

El problema de la concepción del destinatario del discurso (cómo lo siente y se lo figura el hablante o el escritor) tiene una enorme importancia para la historia literaria. Para cada época, para cada corriente literaria o estilo literario, para cada género literario dentro de una época o una escuela, son características determinadas concepciones del destinatario de la obra literaria, una percepción y comprensión específica del lector, oyente, público, pueblo. Un estudio histórico del cambio de tales concepciones es una tarea interesante e importante. Pero para su elaboración productiva lo que hace falta es la claridad teórica en el mismo planteamiento del problema.

Hay que señalar que al lado de aquellas concepciones y percepciones reales de su destinatario que efectivamente determinan el estilo de los enunciados (obras), en la historia de la literatura existen además las formas convencionales y semiconvencionales de dirigirse hacia los lectores, oyentes, descendientes, etc., igual como junto con el autor real existen las imágenes convencionales y semiconvencionales de autores ficticios, de editores, de narradores de todo tipo. La enorme mayoría de los géneros literarios son géneros secundarios y complejos que se conforman a los géneros primarios transformados de las maneras más variadas (réplicas de diálogo, narraciones cotidianas, cartas, diarios, protocolos, etc.). Los géneros secundarios de la comunicación discursiva suelen *representar* diferentes formas de la comunicación discursiva primaria. De allí que aparezcan todos los personajes convencionales de autores, narradores y destinatarios. Sin embargo, la obra más compleja y de múltiples planos de un género secundario viene a ser en su totalidad, y como totalidad, un enunciado único que posee un autor real. El carácter dirigido del enunciado es su rasgo constitutivo sin el cual no existe ni puede existir el enunciado. Las diferentes formas típicas de este carácter, y las diversas concepciones típicas del destinatario, son las particularidades constitutivas que determinan la especificidad de los géneros discursivos.

A diferencia de los enunciados y de los géneros discursivos, las unidades significantes de la lengua (palabra y oración) por su misma naturaleza carecen de ese carácter destinado: no pertenecen a nadie y no están dirigidas a nadie. Es más, de suyo carecen de toda actitud hacia el enunciado, hacia la palabra ajena. Si una determinada palabra u oración está dirigida hacia alguien, estamos frente a un enunciado concluso, y el carácter destinado no les pertenece en tanto que a unidades de la lengua, sino en tanto que enunciados. Una oración rodeada de contexto adquiere un carácter destinado tan sólo mediante la totalidad del enunciado, siendo su parte constitutiva (elemento).*

La lengua como sistema posee una enorme reserva de recursos puramente lingüísticos para expresar formalmente el vocativo: medios léxicos, morfológicos (los casos correspondientes, los pronombres, las formas personales del verbo), sintácticos (diferentes modelos y modificaciones de oración). Pero el carácter dirigido real lo adquieren estos recursos únicamente dentro de la totalidad de un enunciado concreto. Y la expresión de este carácter dirigido nunca puede ser agotada por estos recursos lingüísticos (gramaticales) especiales. Estos recursos pueden estar ausentes, y sin embargo el enunciado podrá reflejar de un modo muy agudo la influencia del destinatario y su reacción prefigurada de respuesta. La selección de *todos* los medios lingüísticos se realiza por el hablante bajo una mayor o menor influencia del destinatario y de su respuesta prefigurada.

Cuando se analiza una oración aislada de su contexto, las huellas del carácter destinado y de la influencia de la respuesta prefigurada, los ecos dialógicos producidos por los enunciados ajenos anteriores, el rastro debilitado del cambio de los sujetos discursivos que habían marcado por dentro el enunciado —todo ello se borra, se pierde, porque es ajeno a la oración como unidad de la lengua. Todos estos fenómenos están relacionados con la totalidad del enunciado, y donde esta totalidad sale de la visión del analista, allí mismo dejan de existir para éste. En esto consiste una de las causas de aquella estrechez de la estilística tradicional que ya hemos señalado. El análisis estilístico que abarca todas las facetas del estilo es posible tan sólo como análisis de la totalidad del enunciado y únicamente dentro de aquella cadena de la comunicación discursiva cuyo *eslabón* inseparable representa este enunciado.

NOTAS ACLARATORIAS

Trabajo escrito en 1952-1953 en Saransk; fragmentos publicados en *Literaturnaia uchioba* (1978, núm. 1, 200-219).

El fenómeno de los géneros discursivos fue investigado por Bajtín ya en los trabajos de la segunda mitad de los años 20. En el libro *Marksizm i filosofia iazyka* (Leningrado, 1929; en lo sucesivo se cita según la segunda edición, 1930; el texto principal del libro pertenece a Bajtín, pero el

* Señalemos que las oraciones interrogativas e imperativas suelen figurar como enunciados conclusos en sus géneros discursivos correspondientes.

libro fue publicado bajo el nombre de V.N.Volóshinov) se apunta un programa para el estudio de "los géneros de las actuaciones discursivas en la vida y en la creación ideológica, con la determinación de la interacción discursiva" (p. 98) y "partiendo de ahí, una revisión de las formas del lenguaje en su acostumbrado tratamiento lingüístico" *(idem)*. Allí mismo se da una breve descripción de los "géneros cotidianos" de la comunicación discursiva: "Una pregunta concluida, una exclamación, una orden, una súplica, representan los casos más típicos de enunciados cotidianos. Todos ellos (sobre todo aquellos tales como súplica y orden) exigen un complemento extraverbal, así como un enfoque asimismo extraverbal. El mismo tipo de conclusión de estos pequeños *géneros* cotidianos se determina por la fricción de la palabra sobre el medio extralingüístico y sobre la palabra ajena (la de otras personas). [. . .] Toda situación cotidiana estable posee una determinada organización del auditorio y, así, un pequeño repertorio de pequeños géneros cotidianos" (pp. 98-99).

Una amplia representación del género como de una realidad de la comunicación humana (de tal modo que los géneros literarios se analizan como géneros discursivos, y la serie de los últimos se define en los límites que comprenden desde una réplica cotidiana hasta una novela de varios tomos) se relaciona con la importancia excepcional que Bajtín atribuía, en la historia de la literatura y de la cultura, a la categoría del género como portadora de las tendencias "más estables y seculares" del desarrollo literario, como "representante de la memoria creadora en el proceso del desarrollo literario" *(Problemy poetiki Dostoievskogo,* 178-179). Cf. un juicio que desplaza las acostumbradas nociones de los estudios literarios: "Los historiadores de la literatura, lamentablemente, suelen reducir esta lucha de la novela con otros géneros, y todas las manifestaciones de la novelización, a la vida y la lucha de las corrientes literarias. [. . .] Detrás del ruido superficial del proceso literario no ven los grandes e importantes destinos de la literatura y del lenguaje, cuyos motores principales son ante todo los géneros, mientras que las corrientes y las escuelas son apenas héroes secundarios" *(Voprosy literatury i estetiki,* 451).

En los años 50-70, Bajtín planeaba escribir un libro bajo el título *Zhanri rechi;* el presente trabajo representa apenas un esbozo de aquel trabajo jamás realizado.

1 La doctrina de Saussure se basa en la distinción entre la lengua como sistema de signos y formas mutuamente relacionadas que determinan normativamente todo acto discursivo (este sistema es objeto específico de la lingüística) y el habla como realización individual de la lengua. La doctrina de Saussure fue analizada por Bajtín en el libro *Marksizm i filosofia iazyka* como una de las dos principales corrientes de la filosofía del lenguaje (el objetivismo abstracto), de las cuales separa el autor su propia teoría del enunciado.

2 El behaviorismo o conductismo es una corriente de la psicología actual que analiza la actividad psíquica del hombre basándose en las reacciones externas y considera la conducta humana como sistema de reacciones a los estímulos externos en el plano del momento presente. La lingüística descriptiva norteamericana, cuyo máximo representante, Leonard Bloomfield, se guiaba por el esquema "estímulo-respuesta" al

describir el proceso discursivo, se orienta por esta corriente de psicología.

[3] La escuela de Vossler, en la cual se destaca sobre todo Leo Spitzer, cuyos libros menciona Bajtín en varios de sus trabajos, es caracterizada por el autor como "una de las corrientes más poderosas del pensamiento filosófico y lingüístico actual". Para la escuela de Vossler, la realidad lingüística es la constante actividad creadora efectuada mediante los actos discursivos individuales; la creación lingüística se asemeja, según ellos, a la creación literaria, y la estilística es para ellos la disciplina lingüística principal; el enfoque vossleriano del lenguaje se caracteriza por la primacía de la estilística sobre la gramática, por la primacía del punto de vista del hablante (frente a la primacía del punto de vista del oyente, según la lingüística saussureana) y la primacía de la función estética. La *estética de la creación verbal* de Bajtín en una serie de momentos importantes se aproxima a la escuela de Vossler (mientras que rechaza el "objetivismo abstracto" de la lingüística en mayor medida), ante todo en el enfoque del enunciado como una realidad concreta de la vida de la lengua; sin embargo, la teoría de la palabra de Bajtín diverge del punto de vista vossleriano en cuanto al carácter individual del enunciado, y subraya el momento de la "socialización interna" en la comunicación discursiva, aspecto fijado en los géneros discursivos. De este modo, la misma idea de los géneros discursivos separa a la translingüística bajtiniana tanto de la corriente saussureana como de la vossleriana dentro de la filosofía del lenguaje.

[4] F.de Saussure, *Curso de lingüística general*, Buenos Aires, 1973, 57.

[5] Brunot F., *Histoire de la langue française des origines à 1900*, 10 tomos, París, 1905-1943.

[6] De Saussure, *ibid.*

La *frase*, como fenómeno lingüístico de índole distinta frente a la oración, se fundamenta en los trabajos del lingüista ruso —que pertenecía a la escuela de Ginebra y que también participó en las actividades del círculo de Praga— E.O.Karcevski. La frase, a diferencia de la oración, "no tiene su propia estructura gramatical. Pero posee una estructura fónica que consiste en su entonación. Es precisamente la entonación la que constituye la frase" (Karcevskij, S., "Sur la phonologie de la phrase", *Travaux du Cercle linguistique de Prague*, 4, 1931, 190). "La oración, para realizarse, debe adquirir la entonación de frase [. . .] La frase es la función del diálogo. Es la unidad de intercambio entre los interlocutores" (Karcevskij, "Sur la parataxe et la syntaxe en russe", *Cahiers Ferdinand de Saussure*, 7, 1948, 34).

[8] A.A.Sbájmatov definía la "comunicación" como acto de pensamiento que viene a ser base psicológica de la oración, eslabón de enlace "entre la psiquis del hablante y la manifestación suya en la palabra a la que se dirige" (Shájmatov A.A., *Sintaksis russkogo iazyka*, Leningrado, 1941, 19-20).

[9] La entonación expresiva como la expresión más pura de la evaluación en el enunciado y como su indicio constructivo más importante se analiza destalladamente por M.Bajtín en una serie de trabajos de la segunda mitad de la década de los años 20. "La entonación establece una estrecha relación de la palabra con el contexto extraverbal: la entonación *siempre se ubica sobre la frontera entre lo verbal y lo no verbal, de*

lo dicho y lo no dicho. En la entonación, la palabra se conecta con la vida. Y ante todo es en la entonación donde el hablante hace contacto con los oyentes: la entonación es social *par excellence*" (Volóshinov, V.N., "Slovo v zhizni i slovo v poezii", *Zvezda,* 1926, núm. 6, 252-253). Cf. también: "Es precisamente este 'tono' (entonación) lo que conforma la 'música' (sentido general, significado general) de todo enunciado. La situación y el auditorio correspondiente determinan ante todo a la entonación y a través de ella realizan la selección de las palabras y su ordenamiento, a través de ella llenan de sentido al enunciado entero" (Volóshinov, V.N., "Konstrutsia vyskazyvania", *Literaturnaia uchioba,* 1930, núm. 3, 77-78).

[10] Jenofonte, *Anábasis.*

[11] En *Marksizm i filosofia iazyka,* el sentido concreto del enunciado se determina terminológicamente como su "tema": "El tema del enunciado en la realidad es individual e irrepetible como el enunciado mismo [...] El significado, a diferencia del tema, representa todos los momentos del enunciado que son *repetibles* e *idénticos* a sí mismos en todas las repeticiones. El tema del enunciado es en realidad indisoluble. El significado del enunciado, al contrario, se descompone en una serie de significados que corresponden a los elementos de la lengua que lo conforman" (101-102).

[12] El "experimento estilístico" que consiste en la "invención artificial de variantes estilísticas para un texto" fue un artificio metodológico aplicado por A.M.Peshkovski para el análisis del discurso literario (Peshkovski, A.M., *Voprosy metodiki rodnogo iazyka, lingvistiki i stilistiki,* Moscú-Leningrado, 1930, 133).

[13] Cf. las ideas del autor acerca de los "contextos lejanos" en el último ensayo de la presente edición.

EL PROBLEMA DEL TEXTO EN LA LINGÜÍSTICA, LA FILOLOGÍA Y OTRAS CIENCIAS HUMANAS

ENSAYO DE ANÁLISIS FILOSÓFICO

Hemos de definir nuestro análisis como filosófico gracias a consideraciones de carácter negativo: no se trata aquí de un análisis lingüístico, o filosófico, o histórico-literario, o de algún otro tipo especializado. Las consideraciones positivas son las siguientes: nuestra investigación se desenvuelve en zonas fronterizas, es decir, sobre los límites entre todas las disciplinas mencionadas, en sus empalmes y cruces.

El texto (escrito y oral) como dato primario de todas las disciplinas mencionadas y de todo pensamiento humanístico y filológico en general (incluso del pensamiento teológico y filosófico en sus orígenes). El texto es la única realidad inmediata (realidad del pensamiento y de la vivencia) que viene a ser punto de partida para todas estas disciplinas y este tipo de pensamiento. Donde no hay texto, no hay objeto para la investigación y el pensamiento.

El texto "sobreentendido". Si interpretamos la noción del texto ampliamente, como cualquier conjunto de signos coherente, entonces también la crítica de arte (crítica de música, teoría e historia de artes figurativas) tiene que ver con textos (obras de arte). Se trata del pensamiento acerca del pensamiento, del discurso acerca del discurso, del texto acerca de los textos. En esto consiste la diferencia radical de nuestras disciplinas (ciencias humanas) frente a las ciencias naturales, aunque aquí no existen fronteras absolutas e impenetrables. El pensamiento humanístico se origina como pensamiento acerca de las ideas, voluntades, manifestaciones, expresiones, signos ajenos, detrás de los cuales están las revelaciones divinas o humanas (leyes de los soberanos, mandamientos de los antepasados, sentencias y adivinanzas anónimas, etc.). La definición científica y la crítica de los textos son fenómenos más tardíos (significan toda una revolución en el pensamiento humanístico, la aparición de la *desconfianza*). Inicialmente existía la *fe*, que tan sólo exigía comprensión e *interpretación*. Luego se recurre a los textos profanos. No tenemos la intención de profundizar en la historia de las ciencias humanas, particularmente de la filosofía y la lingüística, porque nos interesa la especificidad del pensamiento humanístico dirigido hacia los pensamientos, sentidos, significados ajenos que se realizan y se le presentan al investigador únicamente en forma de *texto.* Las finalidades de la investigación pueden ser muy variadas, pero su punto de partida sólo puede ser el texto.

Nos interesa aquí únicamente el problema de los textos *verbales* que son la realidad primaria de las disciplinas humanas correspondientes, en primer lugar de la lingüística, la filología, los estudios literarios, etc.

Todo texto posee un sujeto que es el autor (hablante o escritor). Las formas, especies y tipos posibles de la autoría. El análisis lingüístico dentro de unos límites determinados puede abstraerse totalmente de la autoría. La interpretación del texto como *ejemplo* (juicios ejemplares, silogismos en la lógica, oraciones en la gramática, "conmutaciones" lingüísticas,[1] etc.). Textos imaginarios (ejemplos y otros). Textos construidos (para un experimento lingüístico o estilístico). En todos estos casos se trata de tipos especiales de autores, inventores de ejemplos, experimentadores con su responsabilidad específica de autor (allí también existe un otro sujeto: el que podría expresarse así).

El problema de los límites textuales. El texto como *enunciado.* El problema de funciones del texto y de los géneros textuales.

Hay dos momentos que determinan un texto como enunciado: su proyecto (intención) y la realización de éste. Las interrelaciones dinámicas entre estos momentos, la lucha entre ellos, que determina el carácter del texto. La divergencia entre ellos puede significar muchas cosas. El ejemplo de Tolstoi.[2] Los lapsus del habla y de la escritura según Freud (expresión del inconsciente). La transformación del proyecto en el proceso de su realización. El incumplimiento de la intención fonética.

El problema del segundo sujeto que reproduce (con uno u otro fin, incluso para una investigación) el texto ajeno y que crea otro texto como marco (comentario, evaluación, objeción, etc.).

La especificidad del pensamiento humanístico: el doble plano y el doble sujeto. La textología como teoría y práctica de la reproducción científica de los textos literarios. El sujeto textológico (textólogo) y sus particularidades.

El problema del punto de vista (de la posición espaciotemporal) del observador en la astronomía y en la física.

El texto como enunciado incluido en la comunicación discursiva (cadena textual) de una esfera dada. El texto como una especie de mónada que refleja en sí todos los textos posibles de una esfera determinada de sentido. La relación mutua entre todos estos sentidos (puesto que todos se realizan en los enunciados).

Las relaciones dialógicas entre los textos y dentro de los textos. Su carácter específico (no lingüístico). El diálogo y la dialéctica.

Dos polos en los textos. Cada texto presupone un sistema comprensible para todos (es decir, acordado por una colectividad dada) de signos, esto es, la lengua (aunque se trate de la lengua del arte). Si detrás de un texto no está una lengua, ya no se trata del texto sino de un fenómeno natural (no sígnico), por ejemplo, un complejo de gritos y gemidos naturales que carecen de sistematicidad lingüística (sígnica). Desde luego, todo texto, tanto oral como escrito, comprende una gran cantidad de aspectos heterogéneos naturales carentes de carácter sígnico que salen fuera de la esfera de una investigación humanística (lingüística, filológica, etc.), pero que también se toman en cuenta por la última (manuscrito deteriorado, mala dicción, etc.). No existen ni pueden existir textos puros. En cada texto, además, existe una serie de momentos que pueden llamarse técnicos (la técnica de la presentación gráfica, de la pronunciación, etcétera).

Así, pues, detrás de cada texto está el sistema de la lengua. En el texto, le corresponde todo lo repetido y reproducido y todo lo repetible y reproducible, todo lo que existe también fuera de un texto dado (su carácter determinado). Pero al mismo tiempo cada texto (visto como enunciado) es algo individual, único e irrepetible, en lo cual consiste todo su sentido (su proyecto, aquello para que se había creado el texto). Es aquello que se refiere a la verdad, al bien, a la belleza, a la historia. En relación con este aspecto, todo lo repetible y reproducible viene a ser únicamente material y medio. En cierta medida, este aspecto se encuentra fuera de la esfera de la lingüística y la filología. Este segundo momento o polo pertenece al texto mismo pero se manifiesta únicamente en la situación y en la cadena de los textos (dentro de la comunicación discursiva de una esfera dada). Este polo no está relacionado con los elementos repetibles del sistema de la lengua (de los signos), sino con otros textos (irrepetibles) mediante los específicos vínculos dialógicos (o dialécticos, cuando se abstrae del autor).

Este segundo polo está indisolublemente ligado al aspecto de la autoría y no tiene nada que ver con la unicidad casual y natural, porque se realiza totalmente gracias a los medios del sistema de la lengua. Se realiza gracias al contexto puro, aunque se completa con momentos naturales. La relatividad de todos los límites (por ejemplo, cómo se cataloga el timbre de la voz de un lector o hablante, etc.). El cambio de funciones determina el cambio de delimitaciones. La distinción entre la fonología y la fonética.[3]

El problema de la interrelación dialéctica (de sentido) y dialógica de los textos de una esfera dada. El problema específico de la interrelación histórica entre los textos. Todo esto, a la luz del segundo polo. El problema del alcance de la explicación causal. Lo más importante es no alejarse del texto (aunque se trate de un texto posible, imaginario, construido).

La ciencia del espíritu. El espíritu (propio y ajeno) no puede ser dado como cosa (que es el objeto inmediato de las ciencias naturales), sino únicamente en la expresión sígnica, en la realización de textos para uno mismo y para el otro. La crítica de la autoobservación. Pero hace falta una comprensión profunda, rica y fina del texto. Teoría del texto.

El gesto natural en la representación efectuada por un actor adquiere una importancia sígnica (por su carácter arbitrario, convencional y sometido a la intención del papel).

El carácter único de lo natural (p. ej., de una huella digital) y el carácter irrepetible, significante y sígnico, del texto. Sólo es posible una reproducción mecánica de una huella digital (en cualquier cantidad de copias); por supuesto, también es posible una reproducción igualmente mecánica del texto (reimpresión), pero la reproducción del texto por un sujeto (regreso al texto, una lectura repetida, una nueva representación, la cita) es un acontecimiento nuevo e irrepetible en la vida del texto, es un nuevo eslabón en la cadena histórica de la comunicación discursiva.

Todo sistema de signos (es decir, toda lengua), por más pequeña que sea la colectividad que sustenta su carácter convencional, en un principio siempre puede ser descifrado, es decir, traducido a otros sistemas de signos (otras lenguas); por consiguiente, existe una lógica común de los sistemas sígnicos, una potencial y única lengua de las lenguas (que, desde luego, jamás puede ser una lengua concreta, una de las lenguas). Pero el texto (a diferencia de la lengua como sistema de recursos) nunca puede ser traducido hasta el final, porque no hay un texto de los textos, potencial y único.

El acontecimiento en la vida de un texto, es decir, su esencia verdadera, siempre se desarrolla *sobre la frontera entre dos conciencias, dos sujetos.*

El estenograma del pensamiento humanístico es una transcripción del diálogo específico que comprende una compleja interrelación entre el *texto,* como objeto de estudio y reflexión, y el *contexto* como su marco creado (pregunta, objeción, etc.) en que se realiza el pensamiento cognoscitivo y evaluador del sabio. El encuentro de los dos textos, del que ya está dado y del que se está creando como una reacción al primero, es, por consiguiente, un encuentro de dos sujetos, dos autores.

El texto no es una cosa, por lo tanto la otra conciencia, la del que lo recibe, no puede ser eliminada ni neutralizada.

Se puede ir hacia el primer polo, que es la lengua —la lengua del autor, la lengua del género, de una corriente literaria, de una época, la lengua nacional (la lingüística)—, y finalmente a la potencial lengua de lenguas (el estructuralismo, la glosemática).[4] También es posible ir hacia el otro polo, que es el acontecimiento irrepetible del texto.

Entre estos dos polos se colocan todas las ciencias humanas posibles que parten de la realidad primaria del texto.

Los dos polos aparecen como algo absoluto e incondicional: tan incondicional es la potencial lengua de lenguas como el texto único e irrepetible.

Todo texto verdaderamente creativo es en cierta medida una revelación de la personalidad, libre y no predeterminada por la necesidad empírica. Por eso el texto (en su núcleo libre) no permite ni una explicación causal ni una previsión científica. Lo cual, desde luego, no excluye la necesidad interna, la lógica interna del núcleo libre del texto (sin ellas, el texto no podría ser comprendido, reconocido, ni ser eficaz).

El problema del texto para las ciencias humanas. Las ciencias humanas son ciencias que estudian al hombre en su especificidad, y no como cosa sin voz o fenómeno natural. El hombre en su especificidad humana siempre se está expresando (hablando), es decir, está creando texto (aunque sea éste un texto en potencia). Allí donde el hombre se estudia fuera del texto e independientemente de él, ya no se trata de las ciencias humanas (anatomía y fisiología del hombre, etcétera).

El problema del texto para la textología. El aspecto filosófico de este problema.

El intento de estudiar el texto como una "reacción verbal" (behavorismo).[5]

La cibernética, la teoría de la información, la estadística y el problema del texto. El problema de la cosificación del texto. Los límites de esta cosificación.

Un acto humano es un texto en potencia y puede ser comprendido (como acto humano, no como acción física) tan sólo dentro del contexto dialógico de su tiempo (como réplica, como postura llena de sentido, como sistema de motivos).

El enunciado "todo lo sublime y lo bello" no es una unidad fraseológica en sentido general, sino que es una combinación de palabras muy especial, llena de entonaciones y de expresividad. Representa un estilo, una visión del mundo, un tipo humano, huele a contextos, en él se perciben dos voces, dos sujetos (uno, alguien que podría supuestamente expresarse en esta forma seriamente, y otro que está parodiando al primero). Las palabras *sublime* y *bello* tomadas aisladamente, fuera de la combinación, carecen de bivocalismo; la segunda voz llega a la combinación de las palabras cuando ésta se convierte en enunciado (es decir, cuando adquiere un sujeto discursivo, sin el cual no existe la segunda voz). Una sola palabra también puede llegar a ser bivocal si representa una abreviatura del enunciado (o sea si tiene un autor). La unidad fraseológica no se crea por la primera voz, sino por la segunda.

La lengua y el discurso, la oración y el enunciado. El sujeto discursivo (un individuo genérico y "natural") y el autor del enunciado. El cambio de los sujetos discursivos y el cambio de los hablantes (autores de enunciados). La lengua y el discurso pueden ser tomados por un mismo fenómeno puesto que en el discurso se borran los límites dialógicos entre los enunciados. Pero la lengua y la comunicación discursiva (como un intercambio dialógico de enunciados) nunca han de ser confundidos. Es posible una identidad absoluta de dos o más oraciones (si se sobreponen como dos figuras geométricas, coincidirán), es más, hemos de aceptar que cualquier oración, incluso una compleja, dentro de un flujo discursivo ilimitado puede repetirse infinitamente de un modo totalmente idéntico, pero en tanto que enunciado (o su parte), ni una sola oración, aunque esté compuesta de una sola palabra, puede ser jamás repetida: en este caso, siempre se trata de un enunciado nuevo (por ejemplo, una cita).

Puede surgir el interrogante acerca de si puede la ciencia analizar fenómenos tan irrepetiblemente individuales como los enunciados, porque tal vez éstos se colocarían fuera de los límites del conocimiento científico generalizador. Por supuesto que la ciencia puede ocuparse de tales fenómenos. En primer lugar, el punto de partida de cualquier ciencia son las individualidades irrepetibles, y en toda su trayectoria la ciencia tiene que ver con ellas. En segundo lugar, la ciencia, y ante todo la filosofía, puede y debe estudiar la forma específica y la función de esta individualidad. Se postula la necesidad de que constantemente se corrija la pretensión de agotar, mediante un análisis abstracto (p. ej. un análisis lingüístico), un enunciado concreto. El estudio de aspectos y formas de las relaciones dialógicas entre los enunciados y de sus formas tipológicas (factores de enunciados). El estudio de los momentos extralingüísticos (artísticos, científicos, etc.) del enunciado. Existe todo un campo entre el análisis lingüístico y el análisis de sentidos que nunca ha sido tocado por la ciencia hasta ahora.

Dentro de los límites de un mismo enunciado, una oración puede ser repetida (reiteración, autocitación, algo involuntario), pero siempre es una nueva parte del enunciado, porque ha cambiado de lugar y de función dentro de la totalidad del enunciado.

El enunciado en su totalidad se conforma como tal gracias a elementos extralingüísticos (dialógicos) y también está vinculado con otros enunciados. Los elementos extralingüísticos (dialógicos) también penetran dentro del enunciado.

Las expresiones generalizantes del hablante en la lengua (pronombres personales, formas personales de los verbos, formas gramaticales y léxicas de modalidad y marcas de la actitud del hablante hacia su discurso) y el sujeto discursivo. El autor del enunciado.

Desde el punto de vista de los fines extralingüísticos del enunciado, todo lo concerniente a la lengua es tan sólo un recurso.

El problema del autor y de cómo se manifiesta en una obra. ¿En qué medida se puede hablar de la "imagen" del autor?

Encontramos a un autor (lo percibimos, entendemos, sentimos) en cualquier obra de arte. Por ejemplo, en una obra pictórica siempre percibimos a su autor (el pintor), pero nunca lo vemos de la misma manera como vemos las imágenes representadas por él. Lo percibimos como un principio representante abstracto (el sujeto representador), y no como una imagen representada (visible). También en un autorretrato no vemos, desde luego, al autor que lo ejecuta, sino apenas una representación del artista. Estrictamente hablando, la imagen del autor es *contradictio in adjecto*. La supuesta imagen del autor, a pesar de ser imagen especial, diferente de las demás imágenes de una obra, es siempre una *imagen* que tiene un autor que la había creado. La imagen del narrador en primera persona, la imagen del protagonista en las obras de carácter autobiográfico (autobiografías, memorias, confesiones, diarios, etc.), personaje autobiográfico, héroe lírico, etc. Todos ellos se miden y se determinan por su actitud frente al autor como persona real (siendo este objeto específico de representación), pero todas ellas son imágenes representadas que tienen un autor como portador de un principio puramente representativo. Podemos hablar del autor *puro,* a diferencia de un autor parcialmente representado, mostrado, que forma parte de una obra.

El problema del autor de un enunciado común y corriente, tipo estándar, cotidiano. Podemos constituir la imagen de cualquier hablante, percibir cualquier enunciado como objeto, pero esta imagen objetivada no forma parte de la intención del hablante mismo y no se crea por él en tanto que autor de su enunciado.

Esto no significa que el autor intrínseco del enunciado no tenga que ver con el autor como persona real: desde luego, ellos se relacionan, y de una manera muy directa, echando una luz en lo más profundo del autor, persona real, pero esta profundidad nunca puede llegar a ser una de las imágenes de la obra misma. El autor-persona real está presente en la obra como una totalidad, pero nunca puede formar parte de la obra. No es *natura creata* ni *natura naturata et creans,* sino una pura *natura creans et non creata.*[6]

¿En qué medida son posibles en la literatura los enunciados puros, no objetivados, univocales? La palabra en la cual el autor no percibe una voz ajena, en la cual se refleja *únicamente* el autor y *todo* el autor, ¿puede funcionar como material de construcción para una obra literaria? ¿No será que un determinado grado de objetivación sea una condición necesaria de todo estilo? ¿No será que el autor siempre se ubique fuera de la lengua en tanto que material para una obra literaria? ¿Tal vez cada escritor (incluso un lírico puro) sea siempre "dramaturgo" en el sentido de que cualquier discurso aparece en su obra distribuido entre las voces ajenas, incluyendo ahí la imagen del autor (y otras máscaras de tutor)? Tal vez toda palabra no objetivada y univocal sea ingenua e inservible para la creación verdadera. Toda voz auténticamente creadora puede ser solamente la *segunda* voz dentro del discurso. Únicamente la segunda voz, que es la *actitud pura,* puede ser no objetivada hasta el final, puede existir sin hacer la sombra de la imagen, la sombra sustancial. El escritor es alguien que es capaz de trabajar con la lengua situándose fuera de ella, alguien que posee el don del habla indirecta.

El saber expresarse a sí mismo implica hacer de uno mismo el objeto para el otro y para uno mismo (la "realidad de la conciencia"). Es la primera fase de la objetivación. Pero también es posible expresar la actitud de uno mismo hacia su persona como objeto (segunda fase de la objetivación). Así, la palabra propia resulta ser objetivada y recibe una segunda voz, que también es propia. Pero esta segunda voz ya no echa su propia sombra, porque expresa la actitud pura, mientras que toda su sustancia objetivadora y materializante se entrega a la primera voz.

Pongamos por caso que tenemos que expresar nuestra actitud hacia determinada manera de hablar. En el habla cotidiana, tal actitud se realiza en una cierta entonación burlona o irónica (Karenin en L. Tolstoi),[7] una entonación que expresa admiración, falta de comprensión, pregunta, duda, afirmación, rechazo, indignación, sorpresa, etc. Es un fenómeno muy primario y muy común de bivocalización en la comunicación discursiva cotidiana, en los diálogos y discusiones acerca de temas científicos y otros debates ideológicos. Es un bivocalismo bastante burdo y de un carácter poco generalizante, a veces directamente personal: esto sucede cuando se reproducen las palabras del interlocutor con determinada reacentuación. Las diferentes formas de estilización paródica representan también un modo de bivocalizar la palabra burdamente y sin generalización. En estos casos, la voz ajena aparece como limitante, pasiva, carente de profundidad y de carácter productivo (creativo, enriquecedor) en su relación con la otra voz. En la literatura este fenómeno aparece en forma de personajes positivos y negativos.

En todas estas formas aparece un bivocalismo directo y podría decirse inclusive que físico.

En el drama, la situación resulta ser más compleja, porque allí, por lo visto, la voz del autor no se realiza en la palabra.

El ver y el comprender al autor de una obra literaria significa ver y comprender la otra conciencia, la conciencia ajena con todo su mundo, es decir, comprender al otro sujeto *(Du)*. Dentro de una *explicación* actúa una sola conciencia y un solo sujeto; dentro de una *comprensión* actúan dos conciencias y dos sujetos. No puede haber una actitud dialógica hacia un objeto, por lo tanto la explicación carece de momentos dialógicos (aparte del momento retórico-formal). La comprensión siempre es dialógica, en cierta medida.

Los diferentes tipos y formas de comprensión. La comprensión de la lengua de los signos, es decir, la comprensión (dominio) de un determinado sistema de signos (p. ej. de una lengua). La comprensión de una obra escrita en una lengua conocida, o sea comprendida ya. La ausencia de fronteras marcadas y la transición de un tipo de comprensión a otro en la práctica.

¿Se puede decir que la comprensión de la lengua como sistema no implique la presencia del sujeto y carezca absolutamente de momentos dialógicos? ¿En qué medida es posible hablar del sujeto de la lengua como sistema? La descodificación de una lengua desconocida: la sustitución de posibles hablantes indefinidos, la construcción de enunciados posibles en esta lengua.

La comprensión de cualquier obra escrita en una lengua bien conocida (incluso materna) siempre enriquece también nuestra comprensión de la lengua determinada en tanto que sistema.

El sujeto de la lengua y el sujeto (o sujetos) de una obra literaria. Distintos grados de transición. Sujetos de los estilos de la lengua (funcionario, comerciante, científico, etc.). Las máscaras del autor (imágenes del autor) y el autor propiamente dicho.

La imagen social y estilística de un funcionario pobre (p. ej. Dévushkin en *La pobre gente* de Dostoievski). Una imagen semejante, a pesar de que se representa mediante autoanálisis, se da como *él* (en tercera persona), y no como *tú*. Es una imagen objetivada y ejemplificada. En relación con ella, no existe aún una actitud auténticamente dialógica.

El acercamiento de los medios de representación al objeto de la misma en tanto que característica del realismo literario (las caracterizaciones propias, las voces, los estilos, no la representación, sino la cita de la palabra de los personajes como hablantes).

Los elementos objetivantes y puramente funcionales de cada estilo.

El problema de la comprensión del enunciado. Lo que es necesario para la comprensión es precisamente el establecimiento de los límites claros y fundamentales del enunciado. El cambio de los sujetos discursivos. La capacidad de determinar la respuesta. En principio, toda comprensión implica una respuesta. *Kannitverstan.*[8]

Cuando existe una consciente voluntad de representar una variedad de estilos, entre estos últimos siempre se establecen relaciones dialógicas.[9] Estas relaciones recíprocas no pueden ser comprendidas en el plano del sistema de la lengua (ni mecánicamente).

Una descripción puramente lingüística y una definición de varios estilos dentro de los límites de una obra literaria no pueden revelar su interrelación de sentidos ni sus relaciones artísticas. Es importante que se comprenda el sentido total de este diálogo de estilos desde el punto de vista del autor (no en tanto que imagen, sino en tanto que función). Pero cuando se habla del acercamiento de los recursos de representación hacia lo representado, a este último se le ve como objeto y no como el otro sujeto (el *tú*).

La representación de una cosa y la representación de un hombre (de un hablante, en realidad). El realismo literario a menudo cosifica al hombre, pero éste no es un acercamiento hacia el hombre. El naturalismo, con su tendencia hacia una explicación causal de las acciones e ideas del hombre (de su postura de sentido dentro del mundo) lo cosifica aún más. El enfoque "inductivo" que supuestamente es propio del realismo es, en realidad, una explicación del hombre en forma causal y cosificante. Las voces (en el sentido de estilos sociales cosificados) en este caso se convierten sencillamente en indicios de las cosas (o síntomas de los procesos) y no pueden ser contestadas ni discutidas, y la actitud dialógica hacia esta clase de voces se apaga.

Los grados de la objetivación y de la subjetivación de los hombres representados (con respecto a la actitud del autor hacia ellos) son muy diferentes. La imagen de Dévushkin en este sentido es fundamentalmente diferente de las imágenes objetivadas de los funcionarios pobres que aparecen en las obras de otros escritores. La imagen de Dévushkin aparece como polémicamente dirigida en contra de las últimas, que carecen de un *tú* auténticamente dialógico. En las novelas suelen aparecer las discusiones terminadas y evaluadas desde el punto de vista del autor (en el caso de que aparezcan esas discusiones). En Dostoievski encontramos la transcripción de un debate que no está ni puede ser concluido. Pero en general cualquier novela está llena de voces dialógicas (éstas, desde luego, no siempre van dirigidas a los personajes de la novela). Después de Dostoievski, la polifonía irrumpe violentamente en toda la literatura universal

En relación con el hombre, el amor, el odio, la compasión, la ternura y toda clase de emociones en general siempre son dialógicas.

En lo dialógico (en relación con el hecho de que sus héroes aparecen como sujetos) Dostoievski traspasa determinado límite, y el carácter dialógico de su obra adquiere una cualidad nueva y superior.

Cuando la imagen del hombre tiene carácter de objeto, esto no quiere decir que éste posea cualidad de cosa. A esta imagen se puede tener afecto y compasión, etc., pero lo más importante es que esta imagen puede y debe ser comprendida. En la literatura (y en el arte en general), hasta las cosas muertas (relacionadas con el hombre) poseen un reflejo de lo subjetivo.

Un discurso comprendido como objeto (y un discurso objetivo forzosamente demanda comprensión, en caso contrario no se trataría de un discurso; sin embargo, en esta comprensión se debilita el momento dialógico) puede ser incluido en la cadena causal de una explicación. Un discurso que no se ve como objeto (que funciona como una serie de sentidos) permanece dentro de un diálogo no concluido acerca de un tema determinado.

La correlación de enunciados que atestiguan hechos objetivos en la física.

El texto como el reflejo subjetivo de un mundo objetivo, el texto como expresión de una conciencia que refleja algo. Cuando el texto llega a ser objeto de conocimiento para nosotros, podemos hablar del reflejo de un reflejo. La comprensión del texto es precisamente un reflejo adecuado del otro reflejo. A través del reflejo ajeno, hacia el objeto reflejado.

Ni un solo fenómeno de la naturaleza puede tener un significado; los signos (incluidas las palabras) son los únicos que poseen un significado. Por lo tanto todo estudio de los signos, sin importar el camino que vaya a adoptar, se inicia necesariamente con una comprensión.

El texto es la realidad primaria y el punto de partida para cualquier disciplina del campo de las ciencias humanas. Conglomerado de conocimientos heterogéneos y de métodos distintos, llamado filología, lingüística, estudios literarios, epistemología, etc. Partiendo de un texto, todos ellos adoptan direcciones varias, recortan trozos heterogéneos de la naturaleza, de la vida social, de la psiquis, de la historia, uniéndolos mediante relaciones de sentido o causales, mezclando evaluaciones con constancia de los hechos. Es necesario pasar del señalamiento del objeto real a una nítida delimitación de los objetos de una investigación científica. El objeto real es el hombre social que habla y se expresa también con otros medios. No hay posibilidad de llegar a él y a su vida (su trabajo, su lucha, etc.) sino a través de los textos sígnicos creados o por crear. Hay que cuestionar si se puede estudiar al hombre como un fenómeno de la naturaleza, como cosa. La acción física del hombre ha de ser comprendida como acto, pero el acto no puede ser comprendido fuera de su expresión sígnica (motivos, objetivos, estímulos, grado de conciencia) que nosotros recreamos. Es como si obligáramos al hombre a hablar (construimos sus testimonios, explicaciones, confesiones, desarrollamos su discurso interior posible o real, etc.). En todas partes encontramos un texto real o posible y su comprensión. La investigación se convierte en interrogación y plática, o sea en diálogo. No preguntamos a la naturaleza, y la naturaleza no nos contesta. Nos preguntamos a nosotros mismos y organizamos de una manera determinada la observación o el experimento para obtener la respuesta. Estudiando al hombre, en todas partes buscamos y encontramos signos y tratamos de comprender su significado.

Nos interesan ante todo las formas concretas de los textos y las condiciones concretas de la vida de los textos, sus interrelaciones e interacciones.

Las relaciones dialógicas entre los enunciados que atraviesan también por dentro los enunciados aislados, competen a la metalingüística. Estas relaciones difieren radicalmente de las posibles relaciones lingüísticas entre los elementos tanto dentro del sistema de la lengua como dentro de un enunciado aislado.

Carácter metalingüístico del enunciado (de una producción discursiva).

Las relaciones de sentido dentro de un enunciado (aunque fuese un enunciado potencialmente infinito, como por ejemplo en el sistema de la ciencia) tienen un carácter lógico-objetual (en un sentido amplio), pero las relaciones de sentido entre diversos enunciados adquieren un carácter dialógico (o, en todo caso, un matiz dialógico). Los sentidos se distribuyen entre las diferentes voces. Papel excepcional de la voz, de la personalidad.

Los elementos de la lengua son neutros con respecto a la separación en enunciados, porque se mueven libremente sin reconocer las fronteras del enunciado, sin reconocer ni respetar la soberanía de las voces.

¿Con qué se determinan, pues, las fronteras firmes entre los enunciados? Se determinan por las fuerzas metalingüísticas.

Los enunciados extraliterarios y sus límites (réplicas, cartas, diarios, discurso interior, etc.) traspuestos a una obra literaria (p. ej. a una novela). Allí cambia su sentido total. Sobre ellos recaen los reflejos de otras voces, los compenetra la voz del mismo autor.

Dos enunciados confrontados que pertenecen a dos sujetos que se desconocen, si apenas lejanamente tratan un mismo tema o idea, establecen inevitablemente relaciones dialógicas entre ellos. Estos enunciados se rozan entre sí en el territorio de un tema o una idea común.

La epigráfica. El problema del género de las inscripciones más antiguas. El autor y el destinatario de las inscripciones. Los clichés necesarios. Las inscripciones en los sepulcros ("alégrate"). La invocación que el muerto dirige a un transeúnte vivo. El carácter necesariamente estandarizado de invocaciones, conjuros, oraciones, etc. Formas de loas y exaltaciones. Formas de injurias y escarnios (rituales). Problema de la relación que se establece entre el pensamiento y la palabra, por una parte, y el deseo, la voluntad, la exigencia, por otro. Nociones mágicas acerca de la palabra. La palabra como acto. Hubo toda una revolución en la historia de la palabra, cuando ésta se ha vuelto expresión y testimonio puro (inactivo), o comunicación. La aparición tardía de la conciencia autoral.

El autor de una obra literaria (una novela) crea una obra discursiva única y total, es decir, el enunciado. Pero lo conforma de toda clase de enunciados heterogéneos, ajenos. Incluso el discurso directo del autor está repleto de los discursos ajenos concebidos como tales. Habla indirecta, actitud hacia su propia lengua como a una de las lenguas posibles (y no como si la lengua propia fuese la única e incondicionalmente posible).

Las caras concluidas (o "cerradas") en la pintura (incluyendo el retrato). Representan un personaje concluido, que ya está allí y no puede ser otro. Las caras de las personas que ya dijeron todo, que ya murieron, o como si hubieran muerto. El artista concentra su atención en los rasgos conclusivos, determinantes, que encierran. Vemos a todo el personaje y ya no esperamos nada más ni otra cosa. El personaje no puede regenerarse, renovarse, vivir una metamorfosis, porque se encuentra en su fase conclusiva, última y definitiva.

La actitud del autor hacia lo representado siempre es una componente de la imagen. La actitud del autor es el momento constitutivo de la imagen. Se trata de una actitud sumamente compleja, que no puede ser reducida a una evaluación unívoca. Las evaluaciones de este último tipo destruyen la imagen literaria. No están presentes en una buena sátira (en Gógol, en Shchedrín). El ver algo por primera vez, el entenderlo, ya implica el entablar una relación con este algo, que ya no tan sólo existe en sí y para sí, sino también para el otro (ya están presentes dos conciencias confrontadas). La comprensión en sí ya es una actitud muy importante (la comprensión nunca resulta ser tautología o doblete, porque implica a dos sujetos y a un tercero potencial). Lo que se siente cuando a uno no se le oye ni se le comprende (cf. Th.Mann). Un "no sé", un "así sucedió, aunque a mí no me importa" se revelan como actitudes importantes. La destrucción de apreciaciones unilaterales y de actitudes en general crea una actitud nueva. Un tipo especial de relaciones emocionales y evaluativas. Su heterogeneidad y su complejidad.

El autor no puede ser separado de las imágenes y los personajes por él creados, puesto que forma parte de ellos como algo inalienable (las imágenes tienen naturaleza doble y a veces bivocal). Pero la *imagen* del autor puede ser separada de las de los personajes, puesto que esta imagen también está creada por el autor y por lo tanto también posee una naturaleza doble. A menudo se habla de los personajes como de las personas vivas.

Diferentes planos de sentido en los que se ubican los discursos de los personajes y el discurso del autor. Los personajes hablan como participantes de la vida representada; hablan, por decirlo así, desde su posición particular, y sus puntos de vista están limitados de una u otra manera (ellos saben menos que el autor). El autor se ubica fuera del mundo representado (y en cierto sentido creado) por él. Él da un sentido a este mundo desde una postura más elevada y cualitativamente distinta. Finalmente, todos los personajes con sus discursos aparecen como objetos de la actitud del autor (y de su discurso). Pero los planos discursivos de los personajes y del autor pueden entrecruzarse, es decir, entre ellos son posibles relaciones dialógicas. En las obras de Dostoievski, donde los personajes son ideólogos, tanto el autor como los héroes ideólogos se encuentran en un mismo plano. Son básicamente distintos los contextos dialógicos y las situaciones discursivas de los personajes y del autor. Los discursos de los personajes participan en los diálogos representados dentro de la obra y no comparten de una manera inmediata el diálogo ideológico real de la actualidad, es decir, la comunicación discursiva real en la que participa y en la que cobra sentido la obra en su totalidad (participan de ella tan sólo como elementos de la mencionada totalidad). Mientras tanto, el autor ocupa una posición en este diálogo real y es determinado por la situación real de la actualidad. A diferencia del autor real, la imagen del autor creada por él mismo carece de participación inmediata en el diálogo real (en que él participa sólo a través de la obra entera), pero sí puede formar parte del argumento de la obra y llevar un diálogo representado con los personajes (la plática del "autor" con Oneguin). El discurso del autor que representa (autor real), en el caso de que exista, es discurso de un tipo fundamentalmente especial que no puede tener un mismo estatuto que el discurso de los personajes. Precisamente es este discurso el que determina la última unidad de la obra y su última instancia de sentido, su última palabra, por así decirlo.

Las imágenes del autor y las de los personajes se determinan, según V.V. Vinográdov, por los lenguajes-estilo, las diferencias entre ellas se reducen a las diferencias entre lenguajes y estilos, o sea a las diferencias puramente lingüísticas. Las relaciones extralingüísticas entre los discursos o estilos no las analiza Vinográdov. Pero estas imágenes, esto es, lenguajes o estilos, en una obra no aparecen como solamente realidades lingüísticas, sino que entablan entre sí relaciones dinámicas de sentido con estatuto específico. Este tipo de relaciones puede ser definido como relaciones dialógicas. *Las relaciones dialógicas* tienen un carácter específico: no pueden ser reducidas a relaciones lógicas (aunque éstas sean relaciones dialécticas), ni a las relaciones puramente lingüísticas (sintáctico-composicionales). Sólo son posibles entre los enunciados enteros, entre diversos sujetos discursivos (el diálogo con uno mismo tiene un carácter secundario y en la mayoría de los casos representado a propósito). No tocamos aquí el problema del origen del término "diálogo" (cf. Hirzel).[10]

Allí donde no hay palabra, donde no hay lenguaje, no puede haber tampoco relaciones dialógicas, las que no pueden establecerse entre objetos o entre categorías lógicas (nociones, juicios, etc.). Las relaciones dialógicas presuponen la presencia de una lengua, pero no existen en el sistema de la lengua. No pueden establecerse entre los elementos de la lengua. La especificidad de las relaciones dialógicas precisa de un estudio especial.

Una estrecha comprensión del diálogo como una de las formas de composición del discurso (discurso dialógico y monológico). Se puede decir que cada réplica es por sí misma monológica (representa un monólogo de máxima brevedad), y que todo monólogo viene a ser la réplica de un gran diálogo (de la comunicación discursiva en determinada esfera). El monólogo como discurso que no está dirigido a nadie y que no presupone una respuesta. Los diferentes grados posibles del monologismo.

Las relaciones dialógicas son relaciones (de sentido) entre toda clase de enunciados en la comunicación discursiva. Cualesquiera dos enunciados confrontados en el plano del sentido (y no como cosas o como ejemplos lingüísticos) entablan una relación dialógica. Pero ésta es una forma específica del dialogismo no intencionado (por ejemplo, la confrontación de enunciados pertenecientes a diferentes científicos o a distintos sabios de varias épocas acerca de una misma cuestión). "¡Hambre, frío!", como un solo enunciado de un sujeto discursivo. "¡Hambre!" — "¡Frío!" como dos enunciados dialógicamente confrontados que pertenecen a dos sujetos diferentes; en este último caso aparecen relaciones dialógicas que no existían en el primer caso. Lo mismo, en el ejemplo de dos oraciones grandes (buscar un ejemplo convincente).

Cuando un enunciado se toma para los fines de un análisis lingüístico, su naturaleza dialógica se queda aparte, el enunciado se toma dentro del sistema de la lengua como una realización de la última, y no dentro de un gran diálogo de la comunicación discursiva.

La enorme y hasta ahora no estudiada heterogeneidad de los géneros discursivos: desde las esferas no publicadas del discurso interior hasta las obras literarias y tratados científicos. La heterogeneidad de los géneros nacidos en la plaza pública (cf. Rabelais), de los géneros íntimos, etc. En diferentes épocas y dentro de los géneros distintos es donde tiene lugar el proceso de formación de la lengua.

La lengua, la palabra, son casi todo en la vida humana. Pero no hay que pensar que esta realidad que lo abarca todo y que tiene tantas facetas tan sólo pueda ser objeto de una ciencia que es la lingüística, y que pueda ser comprendida únicamente a través de la metodología de la lingüística. El objeto de la lingüística es tan sólo el material, los recursos de la comunicación discursiva, y no la comunicación discursiva en sí, no los enunciados mismos, no las relaciones dialógicas entre ellos, no los géneros discursivos.

La lingüística estudia tan sólo las relaciones entre los elementos dentro del sistema de la lengua, pero no las relaciones entre los enunciados y la realidad y entre los enunciados y el sujeto hablante (el autor).

El sistema de la lengua tiene un carácter netamente potencial con respecto a los enunciados reales y a los hablantes reales. El significado de la palabra, puesto que éste se estudia en el plano de la lengua (semasiología lingüística), se determina tan sólo a través de otras palabras de una misma lengua (o de otra) y en su relación con estas palabras; la palabra entabla una relación con una noción o con una imagen literaria, o con la realidad únicamente dentro del enunciado y a través del enunciado. Así es la palabra como objeto de la lingüística (y no la palabra real como enunciado concreto o una parte de éste; parte, no medio).

Comenzar desde el problema de una obra discursiva como realidad primaria de la vida discursiva. Desde la réplica del diálogo cotidiano hasta una novela de muchos tomos o un tratado científico. La interacción de las obras discursivas en diversas esferas del proceso discursivo. El "proceso literario", la lucha de opiniones en la ciencia, la lucha ideológica, etc. Dos obras discursivas, dos enunciados confrontados establecen relaciones específicas de sentido, las que llamamos relaciones dialógicas. Su naturaleza específica. Elementos lingüísticos dentro del sistema de la lengua o dentro del "texto" (en un sentido estrictamente lingüístico) no pueden entablar relaciones dialógicas. Las lenguas, los dialectos (territoriales y sociales), las jergas, los estilos lingüísticos (funcionales), p. ej. el discurso cotidiano familiar y el lenguaje de la ciencia..., ¿pueden todos ellos trabar relaciones de este tipo, esto es, pueden conversar entre sí? Su "conversación" puede ser registrada únicamente mediante un enfoque translingüístico, sólo cuando se los vea como "visiones del mundo" (o como un cierto sentimiento del mundo realizado a través de la lengua o más bien a través del discurso), "puntos de vista", "voces sociales", etcétera.

Un escritor realiza una transformación semejante al crear los enunciados típicos o característicos de sus personajes (aunque éstos no se plasmen definitivamente ni se nombren); una transformación semejante (aunque en un plano algo distinto) realiza la lingüística estética (la escuela de Vossler, y sobre todo, por lo visto, el último trabajo de Spitzer).[11] En semejantes transformaciones, la lengua adquiere una especie de "autor", un sujeto discursivo, un portador colectivo (pueblo, nación, profesión, grupo social, etc.). Una transformación semejante siempre marca una salida *fuera los límites de la lingüística* (en el sentido más estricto y exacto). ¿Tendrán su razón de ser semejantes transformaciones? Sí la tienen, pero únicamente en condiciones estrictamente determinadas (p. ej., en la literatura, donde encontramos a menudo diálogos entre "lenguajes" y "estilos lingüísticos") y mediante una concientización metodológica precisa y clara. Tales transformaciones que no son permisibles cuando por una parte se plantea la lengua en tanto que sistema como algo carente de ideología (así como su despersonalización), y por otra parte cuando se introduce subrepticiamente la característica social e ideológica de lenguajes y estilos (en parte, en V.V.Vinográdov). Este problema es muy complejo e interesante (p. ej., en qué medida se puede hablar del sujeto de la lengua o el sujeto discursivo de un estilo lingüístico, o de la imagen del científico representado por la lengua de la ciencia, o de la imagen de un empresario que se oculta detrás del lenguaje comercial, de la imagen del burócrata que refleja el lenguaje oficial, etcétera).

La naturaleza *sui generis* de las relaciones dialógicas. El problema del dialogismo interno. Huellas de los cortes entre los enunciados. El problema de la palabra bivocal. Comprensión como diálogo. Llegamos aquí al límite de la filosofía del lenguaje y del pensamiento humanístico en general, a la tierra virgen. El replanteamiento del problema del autor (de la personalidad creadora).

Lo dado y *lo creado* en un enunciado. Un enunciado nunca es sólo reflejo o expresión de algo ya existente, dado y concluido. Un enunciado siempre crea algo que nunca había existido, algo absolutamente nuevo e irrepetible, algo que siempre tiene que ver con los valores (con la verdad, con el bien, con la belleza, etc.). Pero lo creado siempre se crea de lo dado (la lengua, un fenómeno observado, un sentimiento vivido, el sujeto hablante mismo, lo concluido en su visión del mundo, etc.). Todo lo dado se transforma en lo creado. Análisis de un diálogo cotidiano más sencillo. (—¿Qué hora es? —Son las siete.) La situación más o menos compleja de la pregunta. Es necesario ver el reloj. La respuesta puede ser correcta o incorrecta, puede tener importancia, etc. La contestación en relación con escalas del tiempo; la misma pregunta hecha en el espacio, etcétera.

Las palabras y las formas como abreviaturas o como representantes del enunciado, de la visión del mundo, del punto de vista, etc., reales o posibles. Posibilidades y perspectivas latentes en la palabra; en realidad, estas posibilidades son infinitas.

Los límites dialógicos atraviesan todo el campo del pensamiento humano. El monologismo del pensamiento humanístico. Un lingüista está acostumbrado a percibir todo dentro de un contexto único y cerrado (en relación con el sistema de la lengua o con un texto comprendido desde el punto de vista del último, sin confrontarlo dialógicamente con un otro texto como respuesta), y como lingüista tiene por supuesto la razón. El dialogismo de nuestras ideas acerca de las obras, teorías, enunciados, de nuestro pensamiento en general acerca de la gente.

El por qué del hecho de que el discurso indirecto libre esté comúnmente aceptado, pero no está aceptado su enfoque como de una palabra bivocal.

Es mucho más fácil estudiar en lo creado lo *dado* (p. ej. la lengua, los elementos dados y generales de una visión del mundo, los fenómenos reflejados de la realidad, etc.), que lo *creado* en sí. A menudo todo el análisis científico se reduce al descubrimiento de todo lo dado, existente y preparado antes de la creación de una obra (todo aquello que un escritor aprovecha, pero no crea). Todo lo dado se recrea de nuevo dentro de lo creado, se transforma en él. La reducción a lo dado. El objeto está dado, están dados los recursos lingüísticos de la representación, también ya está el artista con su visión del mundo ya dada. Y he aquí que mediante los recursos dados un poeta refleja el objeto ya dado. En realidad, tanto el objeto de la creación como el poeta mismo y su visión del mundo, así como sus medios de expresión, se están creando en el proceso de la producción de la obra.

La palabra usada entre comillas, esto es, la palabra sentida y aprovechada como ajena, y la misma palabra (o alguna otra) sin comillas. Las gradaciones infinitas en el concepto de la palabra ajena, la distancia que la palabra ajena (o apropiada) establece en relación con el hablante. Los discursos se ubican en diferentes planos en diferente distancia de la palabra del autor.

No sólo el discurso indirecto libre, sino también diferentes formas del discurso ajeno oculto, semioculto, disperso, etc.[12] Todos estos recursos jamás se han analizado.

Cuando en los lenguajes, jergas y estilos comienzan a percibirse voces, aquéllos dejan de ser un medio de expresión potencial y llegan a ser expresión actual y realizada; la voz entró en ellos y se apoderó de ellos Están predestinados a jugar un papel único e irrepetible en la comunicación discursiva (creadora).

La interrelación de lenguajes y estilos. La actitud hacia la *cosa* y la actitud hacia el *sentido* oculto en la palabra o en algún otro material sígnico. La actitud hacia la cosa (en su cualidad neta de cosa) no puede ser dialógica (esto es, no puede ser coloquio, debate, consentimiento, etc.). La actitud hacia el sentido siempre es dialógica. La comprensión misma ya es dialógica.

La *cosificación* del sentido, para incluirlo en la serie causal.

La estrecha comprensión del dialogismo como debate, polémica, parodia. Son las formas de dialogismo más evidentes, pero también las más burdas. La confianza hacia la palabra ajena, la aceptación piadosa (la palabra de la autoridad), el aprendizaje, la búsqueda y el encuentro forzado del sentido profundo, el *consentimiento,* con sus gradaciones y matices infinitos (pero no las limitaciones lógicas ni las correcciones puramente objetuales), las estratificaciones de los sentidos, de las voces, el reforzamiento mediante fusión (pero no mediante identificación), el conjunto de muchas voces (corredor de voces) que completa la comprensión, la salida fuera de lo comprensible, etc. Estas relaciones específicas no pueden reducirse ni a las relaciones puramente lógicas, ni a las objetuales. Aquí se presentan posiciones *totales,* las personalidades totales (una personalidad no requiere una revelación extensiva, porque puede manifestarse en un solo sonido, en una sola palabra); se trata precisamente de *voces.*

La palabra (como todo signo en general) es interindividual. Todo lo dicho, todo lo expreso se encuentra fuera del "alma" del hablante, porque no sólo le pertenece a él. La palabra no puede atribuirse al hablante únicamente. El autor (hablante) tiene sus derechos inalienables con respecto a la palabra, pero los mismos derechos tiene el oyente, y también los tienen aquellos cuyas voces suenan en la palabra que el autor encuentra como lo dado (porque no hay palabra que no pertenezca a alguien). La palabra es un drama en que participan tres personajes (no es un dúo, sino un trío). El drama se representa independientemente del autor, y no es permisible proyectarlo hacia el interior del autor.

Si no esperamos nada de la palabra, si desde antes ya sabemos todo lo que ella puede decirnos, esta palabra sale del diálogo y se cosifica.

La autoobjetivación (en la lírica, en la confesión, etc.) como enajenación propia y en cierta medida como superación. Al objetivarme a mí mismo (o sea, al hacer salir mi yo al exterior), yo adquiero la posibilidad de una actitud auténticamente dialógica hacia mi propia persona.

Sólo el enunciado es el que posee una actitud *inmediata* hacia la realidad y hacia el hablante real (sujeto). En la lengua existen tan sólo las posibilidades potenciales (esquemas) de estas actitudes (las formas pronominales, temporales y modales, los recursos léxicos, etc.). Pero el enunciado se determina no tan sólo por su actitud hacia el objeto y hacia el sujeto hablante o autor (y por su actitud hacia la lengua como sistema de posibilidades, como dación), sino también directamente hacia otros enunciados en los límites de una esfera de comunicación dada (y esto nos importa más que cualquier otro aspecto). El enunciado no existe *realmente* fuera de esta actitud (sólo existe en tanto que *texto*). Tan sólo un enunciado puede ser correcto o incorrecto, verdadero, auténtico, falso, bello, justo, etcétera.

La comprensión de la lengua y la comprensión del enunciado (que incluye la *respuesta* y, por consiguiente, una valoración).

Nos interesa no el aspecto psicológico de la actitud hacia los enunciados ajenos (y hacia la comprensión), sino su reflejo en la estructura del enunciado mismo).

¿En qué medida las definiciones lingüísticas (puras) de la lengua y sus elementos pueden ser aprovechadas para un análisis literario y estilístico? Estas definiciones sólo pueden servir de términos iniciales para la descripción. Pero lo más importante no puede ser descrito mediante estas definiciones, no cabe en ellas. Es que en este caso no se trata de elementos (unidades) del sistema de la lengua que llegaron a ser elementos del texto, sino de los momentos del enunciado.

El enunciado como totalidad de *sentido*.

Una actitud hacia los enunciados de otros no puede ser separada de la actitud hacia el objeto (porque con respecto al objeto se discute, se pone de acuerdo, se entra en contacto) y de la actitud hacia el hablante mismo. Es una totalidad de naturaleza triple. Pero el tercer momento hasta ahora no se ha tomado en cuenta. Más aún, allí donde de alguna manera se ha tocado (en un análisis de un proceso literario, de la publicística, de una polémica, de una lucha de opiniones científicas), la naturaleza específica de las actitudes hacia los enunciados ajenos ha permanecido sin revelar y sin estudiar (estas actitudes han sido comprendidas de una manera abstracta, lógico-objetual o psicologista, o incluso en un plano mecánicamente causal) No se ha comprendido la naturaleza específica de las interrelaciones que se establecen entre las totalidades de sentido, entre las posturas llenas de sentido, es decir, entre los enunciados.

En la microfísica, el experimentador forma parte del sistema experimental. Se puede decir que también el que comprende forma parte del enunciado comprendido, del texto (o, más bien, de los enunciados, de su diálogo como un participante nuevo). El encuentro dialógico de dos conciencias en las ciencias humanas. El contexto dialogizador enmarca al enunciado ajeno. Es que incluso al dar una explicación causal al enunciado ajeno lo refutamos con la misma. La cosificación de los enunciados ajenos es un modo especial y falso de su refutación. Si el enunciado se entiende como una reacción mecánica y el diálogo como una cadena de reacciones (en la lingüística descriptiva y en la conductista), luego a este tipo de comprensión están igualmente sujetos tanto los enunciados verdaderos como falsos, tanto las obras geniales como las mediocres (la diferenca sólo consistiría en los efectos entendidos de una manera mecanicista, en la utilidad, etc.). Este punto de vista, relativamente legítimo, igual que el punto de vista puramente lingüístico (a pesar de toda la diferencia entre ellos), no atiende a la esencia del enunciado como totalidad del sentido, como punto de vista del sentido, como postura llena de sentido, etc. Todo enunciado pretende ser justo, verdadero, bello y auténtico (el enunciado metafórico), etc. Y este valor de los enunciados no se determina por su actitud frente a la lengua (en tanto que sistema puramente lingüístico), sino por diversas formas de la relación con respecto a la realidad, al sujeto hablante y a otros enunciados (ajenos), particularmente a aquellos enunciados ajenos que evalúan a los primeros como verdaderos, bellos, etcétera.

La lingüística se enfrenta al texto, no a la obra. Aquello que la lingüística enuncia sobre la obra se aporta ilícitamente y no es consecuencia de un análisis estrictamente lingüístico. Por supuesto, ya desde un principio esta lingüística tiene carácter de conglomerado y está saturada de elementos extralingüísticos. Si simplificamos un poco, se podría decir que las relaciones exclusivamente lingüísticas (o sea, el objeto de la lingüística) representan relaciones entre los signos en los límites del sistema de la lengua o de un texto (esto es, se trata de relaciones sistémicas o lineales entre los signos). Los nexos que se establecen entre los enunciados y la realidad, entre el enunciado y el sujeto hablante real y entre el enunciado y otros enunciados reales, es decir, nexos que por primera vez atribuyen a los enunciados el carácter de verdaderos o falsos, bellos, etc., nunca pueden llegar a ser objeto de la lingüística. Los signos separados, los sistemas lingüísticos o el texto en tanto que unidad sígnica nunca pueden ser verdaderos ni falsos ni bellos, etcétera.

Toda totalidad verbal extensa y creativa representa un sistema de relaciones muy complejo y polifacético. Cuando existe una actitud creativa hacia la lengua, no hay discurso que no tenga voz, que no pertenezca a nadie. En todo discurso se perciben voces, a veces infinitamente lejanas, anónimas, casi impersonales (voces que acompañan los matices léxicos, los estilos, etc.), casi imperceptibles, así como voces cercanas que suenan simultáneamente al momento del habla.

Toda observación viva, competente y desapasionada conserva, desde cualquier punto de vista, su valor y su significado. La unilateralidad y las limitaciones del punto de vista (de la posición del observador) siempre pueden ser corregidas, completadas y transformadas (recalculadas) mediante observaciones desde otros puntos de vista. Los puntos de vista desnudos (sin observaciones vivas y nuevas) son estériles.

El conocido aforismo de Pushkin acerca del lexicón y los libros.[13]

Acerca del problema de las relaciones dialógicas. Estas relaciones son muy particulares y no pueden ser reducidas ni a las relaciones lógicas, ni a las del sistema de la lengua, ni a las psicológicas, ni a las mecánicas, ni a cualquier otro tipo de relaciones naturales. Es una clase específica de relaciones entre *sentidos,* cuyos participantes pueden ser únicamente *enunciados completos* (o enunciados vistos como completos, o enunciados potencialmente completos), detrás de los cuales están (y en algunos casos se *expresan*) los sujetos discursivos reales o potenciales, autores de estos enunciados. El diálogo real (una plática, una discusión científica, un debate político, etc.). Las relaciones entre las réplicas de un diálogo semejante son un ejemplo exteriormente más evidente y simple de relaciones dialógicas. Pero las relaciones dialógicas, por supuesto, no coinciden en absoluto con las relaciones que se establecen entre las réplicas de un diálogo real, por ser mucho más abarcadoras, heterogéneas y complejas. Dos enunciados alejados uno del otro en el tiempo y en el espacio y que no saben nada uno del otro, si los confrontamos en cuanto a su sentido y si manifiestan en esta confrontación alguna convergencia de sentidos (aunque sea un tema parcialmente común, un punto de vista, etc.), revelan una relación dialógica. Cualquiera revisión de la historia de algún problema científico (independiente o incluida en un trabajo científico acerca de este problema) realiza confrontaciones dialógicas de enunciados (opiniones, puntos de vista) de científicos que nunca se habían conocido ni hubiesen podido conocerse. El problema común genera en este caso las relaciones dialógicas. El ejemplo literario son los "diálogos de los muertos" (de Luciano, o los del siglo XVII), y debido a la especificidad del género literario se da allí la situación imaginaria del encuentro en el más allá. Un ejemplo opuesto es la situación cómica ampliamente aprovechada del diálogo entre dos sordos, donde se entiende que existe el contacto dialógico real, pero que no hay ningún contacto de sentido entre las réplicas (o sólo existe un contacto imaginario). Cero relaciones dialógicas. Aquí se revela el punto de vista del *tercero* en un diálogo (que no participa en él, pero lo *entiende*). La comprensión de un enunciado completo siempre es dialógica.

Por otra parte, las relaciones dialógicas no deben enfocarse unilateralmente y de una manera simplista, al reducirlas a una controversia, lucha, discusión, desacuerdo. El *estar de acuerdo* es una de las formas más importantes de relaciones dialógicas. El acuerdo, el consentimiento es muy rico en cuanto a aspectos y matices. Dos enunciados idénticos ("¡Hace buen tiempo!" — "¡Hace buen tiempo!"), si realmente son *dos* enunciados que pertenecen a voces diferentes están en la *relación dialógica de asentimiento*. Es un determinado acontecimiento dialógico en la relación mutua de dos, y no un eco. Porque hubiese podido existir un desacuerdo ("No, no hace tan buen tiempo", etcétera).

Así, pues, las relaciones dialógicas son mucho más amplias que el discurso dialogado en sentido estricto. Inclusive entre dos obras discursivas profundamente monológicas siempre existen relaciones dialógicas.

Entre las unidades de la lengua, por más comprendidas que fuesen, sin importar el nivel de la estructura lingüística, no pueden existir relaciones dialógicas (entre fonemas, morfemas, lexemas, oraciones, etc.). El enunciado como una totalidad discursiva no puede ser considerado como unidad de un último y superior nivel del sistema lingüístico (por encima de la sintaxis) porque forma parte de un mundo totalmente diferente de relaciones dialógicas que no pueden ser equiparadas a las relaciones lingüísticas de otros niveles. (En determinada dimensión, sólo es posible una confrontación de un enunciado total con la *palabra.*) Un enunciado completo ya no representa una unidad del sistema de la lengua (ni una unidad del "flujo discursivo" o de la "cadena discursiva"), sino que es unidad de la comunicación discursiva que no posee significado sino *sentido* (es decir, es una totalidad de sentido que tiene que ver con los valores: verdad, belleza, etc., y que exige una comprensión como *respuesta* que incluya la valoración). La comprensión como respuesta de una totalidad discursiva siempre tiene un carácter dialógico.

La comprensión de enunciados completos y de las relaciones dialógicas que se establecen entre ellos ineludiblemente tiene un carácter dialógico (incluyendo allí la comprensión del investigador del campo de las ciencias humanas); el que comprende (el investigador inclusive) llega a ser participante del diálogo, aunque a un nivel específico (según el enfoque de la comprensión o la investigación). La analogía con la inclusión del experimentador al sistema experimental (como parte del último) o del observador al mundo observable en la microfísica (teoría cuántica). El observador no tiene posición *fuera* del mundo observado, y su observación forma parte del objeto observado.

Todo esto tiene que ver directamente con los enunciados completos y las relaciones entre los mismos. Los enunciados no pueden ser comprendidos desde afuera. La comprensión misma forma parte, en tanto que momento dialógico, del sistema dialógico y de alguna manera cambia su sentido total. El que comprende se vuelve inevitablemente el *tercero* del diálogo (desde luego, no en sentido literal, aritmético, porque además del tercero puede presentarse un número infinito de participantes de un diálogo comprendido), pero la posición dialógica de este tercero es una posición muy específica. Todo enunciado siempre tiene un destinatario (de diferentes tipos, de diversos grados de cercanía, de concretización, de reconocimiento, etc.), cuya comprensión de respuesta es buscada por el autor de la obra y es anticipada por el mismo. El destinatario es el segundo del diálogo (otra vez, no en un sentido aritmético). Pero además del destinatario (del segundo), el autor del enunciado supone la existencia de un *destinatario superior* (el tercero), cuya comprensión de respuesta absolutamente justa se prevé o bien en un espacio metafísico, o bien en un tiempo históricamente lejano. (El destinatario para una escapatoria.) En diferentes épocas y en varias cosmovisiones, este destinatario superior y su comprensión de respuesta idealmente certera adquieren diversas expresiones ideológicas (Dios, verdad absoluta, juicio de la conciencia humana desapasionada, pueblo, juicio de la historia, ciencia, etcétera).

El autor nunca puede entregarse totalmente y entregar toda su obra discursiva para que la sojuzgue la voluntad libre y *definitiva* de los destinatarios existentes y próximos (porque incluso los descendientes inmediatos pueden equivocar su juicio) y siempre presupone (con un mayor o menor grado de conciencia) una cierta instancia superior en la comprensión-respuesta, instancia que puede ubicarse en diversas direcciones. Cada diálogo se efectúa de modo que si existiera un fondo de comprensión-respuesta de un tercero que presencie el diálogo en forma invisible y que esté por encima de todos los participantes del diálogo. (Cf. la equiparación de una cárcel fascista o del infierno a una situación en que uno no es escuchado por nadie, a una ausencia absoluta del *tercero,* en Thomas Mann).[14]

El tercero señalado no es en absoluto algo místico o metafísico (aunque dentro de una cosmovisión determinada puede tener tal expresión), sino que se trata de un momento constitutivo del enunciado completo que se pone de manifiesto en un análisis más profundo del enunciado mencionado. Esta conclusión sale de la naturaleza de la palabra, que siempre quiere ser *oída,* que siempre busca comprensión como respuesta y que no se detiene en una comprensión *más próxima* sino que sigue siempre adelante de una manera ilimitada.

Para la palabra (y, por consiguiente, para el hombre) no existe nada peor que la ausencia de *respuesta.* Incluso una palabra notoriamente falsa no posee una falsedad absoluta y siempre presupone una instancia que podrá comprenderla y justificarla, aunque sea en la forma de "cualquiera *en mi lugar* hubiese mentido como yo".

K.Marx decía que tan sólo un pensamiento expresado en la palabra llega a ser pensamiento real para el otro y sólo con lo mismo se vuelve real para mí.[15] Pero el otro no es únicamente el prójimo (el destinatario, el segundo), sino que la palabra, en su búsqueda de la comprensión-respuesta, sigue siempre adelante.

El hecho de ser oído ya de por sí representa una relación dialógica. La palabra quiere ser oída, comprendida, contestada, y contestar a su vez a la respuesta, y así *ad infinitum.* La palabra establece el diálogo que no posee un fin de *sentido* (aunque sí puede ser interrumpido para cualquier participante físicamente). Lo cual, desde luego, de ninguna manera debilita las intenciones objetuales y explorativas de la palabra, su concentración en el objeto. Ambos momentos representan los dos lados de un mismo fenómeno y están indisolublemente vinculados entre sí. La ruptura entre ellos sucede únicamente en la palabra notoriamente falsa, es decir, en la palabra que quiere engañar (es ruptura entre la intención objetual y la intención hacia el hecho de ser oído y comprendido).

El criterio de *profundidad* como uno de los criterios supremos en el conocimiento dentro de las ciencias humanas. La palabra que no es premeditadamente falsa no posee fondo. Profundizar (no ampliar ni tomar altura). El micromundo de la palabra.

El enunciado (la obra discursiva) como una totalidad irrepetible, históricamente individual.

Lo cual no excluye, por supuesto, las tipologías estructurales y estilísticas de las obras discursivas. Existen los *géneros discursivos* (cotidianos, retóricos, científicos, literarios, etc.). Los géneros discursivos son modelos estándar para la construcción de la totalidad discursiva. Pero estos modelos genéricos se distinguen por principio de los modelos *lingüísticos* de *oraciones*.

Las unidades de la lengua estudiadas por la lingüística son en un principio reproducibles un sinnúmero de veces en una cantidad ilimitada de enunciados (como asimismo son reproducibles los modelos de oraciones). Ciertamente, la frecuencia de reproducción es distinta para diferentes unidades (es máxima para los fonemas y mínima para las frases). Tan sólo gracias a esta capacidad de ser reproducidas llegan a ser unidades del sistema de la lengua y cumplir con su función. Independientemente de la manera de determinar las relaciones entre estas unidades reproducibles (oposición, contraste, distribución, etc.), estas relaciones nunca pueden ser *dialógicas*, lo cual destruiría sus funciones lingüísticas.

Las unidades de la comunicación discursiva, esto es, los enunciados completos, son irreproducibles (aunque pueden ser citados) y están vinculados mutuamente mediante relaciones dialógicas.

NOTAS ACLARATORIAS

Apuntes de 1959-1961; publicados por primera vez en *Voprosy literatury* (1976, núm. 10; publicación de V.V.Kózhinov) con el título de "El problema del texto".

"El problema del texto" representa los avances característicos de la época tardía de Bajtín para las grandes investigaciones planeadas que no fueron realizadas. En éste y en otros materiales semejantes se pone sobre todo al descubierto la relación orgánica interna de los temas principales que interesaron al autor durante decenios y que tendían a una síntesis filosófica y filológica ideada por el autor como una nueva disciplina dentro de las ciencias humanas, que se formaría en las "zonas limítrofes" entre la lingüística, la antropología filosófica y los estudios literarios. Los contornos del contexto específico total de las ideas bajtinianas se manifiestan con una claridad particular precisamente en estas notas de laboratorio. Al mismo tiempo, parece ser que no es casual el hecho de que Bajtín no haya dejado una exposición sistemática de su concepción filosófico-filológica; la "inconclusión interna" que le es propia y de la que el autor habló como de una característica de su pensamiento (cf. la p. 379 de la presente edición) corresponde a su concepto de la investigación como de una totalidad abierta que no ha de ser sujeta a una sistematización externa.

El tema más general de sus notas fue definido por el autor como fundamentos filosóficos y metodología del pensamiento de las ciencias humanas. El "texto" se analiza en las notas como la "realidad primaria" de todo pensamiento humanístico. Al mismo tiempo, es notable en el autor una actitud ambigua con respecto a la categoría del texto. El objeto de su atención es el "texto como enunciado", pero ya en estos apuntes el autor delimita su enfoque del texto que se usa en la lingüística, manifestando que el enunciado "en la realidad [...] no existe únicamente como texto". En los materiales posteriores se vuelve más evidente la actitud crítica hacia el término "texto" como hacia algo que no corresponde a la "esencia de la totalidad del enunciado", algo que no es igual a "la obra en su totalidad" (o al "objeto estético"). Dentro del sistema estético bajtiniano, para el cual es fundamental la delimitación entre el "objeto estético" y la "obra material", la noción del "texto" corresponde, evidentemente, a la última.

Uno de los estímulos para la composición de las presentes notas fue, sin duda, el libro de V.V.Vinográdov *O iazyke judozhestvennoi literatury*, Moscú, 1959; reacciones a varios postulados de este libro están dispersas por las notas (la crítica del concepto de la "imagen del autor" propuesto por Vinográdov, de la tesis sobre el acercamiento de medios de representación al objeto de la misma como rasgo del realismo literario); la observación acerca de aportar "ilícitamente" al curso del análisis lingüístico de una obra literaria conclusiones que no se deducen del análisis puramente lingüístico también se refiere a Vinográdov y corresponde a la crítica de su poética lingüística en un artículo de V.N.Volóshinov, "Acerca de frontera entre la poética y la lingüística", en el libro: *V borbe za marksizm v literaturnoi nauke*, Leningrado, 1930, 212-214.

El carácter extralingüístico del concepto de la palabra que Bajtín introdujo desde sus primeros trabajos, y en el que insistió hasta sus últimas obras, se fija en los apuntes presentes mediante el término *metalingüística*. El término pronto obtendría una fundamentación en las nuevas partes del reelaborado libro *Problemy poetiki Dostoievskogo* 309-316. En esta relación, es importante la negación de reconocer el enunciado en tanto que unidad discursiva como unidad del último y superior nivel de la estructura de la lengua (por encima de la sintaxis) y la identificación del enunciado con la "palabra" en el sentido metalingüístico en que la categoría de palabra había sido utilizada ya en el libro sobre Dostoievski (1929).

[1] Conmutación es término de la lingüística estructural introducido por L.Hjelmslev en su glosemática, el cual denota la dependencia esencial entre el plano de expresión y el plano del contenido en la lengua.

[2] *Anna Karenina,* parte 4, cap. IV.

[3] Fonología: disciplina lingüística creada por N.S.Trubetskoi *(Osnovy fonologii,* Praga, 1939; Moscú, 1960). Partiendo de la dicotomía saussureana lengua/habla, N.S.Trubetskoi distingue entre la fonética, ciencia que estudia sonidos del habla en tanto que fenómeno material, y la fonología, doctrina acerca del sonido de la lengua que posee una función distintiva dentro del sistema de la lengua.

[4] Ver la nota 1. La glosemática emprendió un intento de crear una teoría lingüística general abstraída del material concreto de las lenguas, que serviría para "describir y prefigurar cualquier texto posible en cualquier lengua" (L.Hjelmslev, *Prolegómenos para una teoría del lenguaje).* La teoría lingüística de la glosemática desemboca en una teoría general de los sistemas sígnicos.

[5] Ver la nota 2 al capítulo "El problema de los géneros discursivos". Acerca de las "reacciones verbales" de las que se hablan los behavioristas, hay una referencia a un artículo de L.S.Vygotski sobre la conciencia como problema de la psicología de la conducta; ver el libro de V.N.Volóshinov, *Freidizm,* Moscú-Leningrado, 1927, 31-32 (el texto principal del libro pertenece a M. Bajtín).

[6] Ver la nota 15 a los "Apuntes de 1970-1971".

[7] "Como ves, el marido amoroso, tan amoroso como si viviera el segundo año del matrimonio, se estaba muriendo por verte —dijo con su voz lenta y aguda y con aquel tono que casi siempre empleaba hablando con ella, es decir, como si se estuviera burlando de alguien que hablase en serio en esta forma" *(Anna Karenina,* parte 1, cap. XXX).

[8] V.A.Zhukovski, *Dve byli i escho odna* ("Dos historias verdaderas y una más") (1831). La tercera historia representa el relato en verso de un cuento de J.Hebbel, *Kannitverstan,* que trata de un artesano alemán en Amsterdam, que no sabía holandés y recibía a todas las preguntas que hacía una misma respuesta: *"kannitverstan"* ("no entiendo") y la tomó por un nombre propio que originó en su conciencia la fantástica imagen de Kannitverstan como personaje.

[9] El diálogo de estilos en una obra intencionalmente multiestilística fue investigado por Bajtín en el ejemplo de *Eugenio Oneguin* de Pushkin (ver M.Bajtín, *Voprosy literatury i estetiki).* En otros apuntes posteriores el autor tiende a separar su comprensión del carácter multiestilístico de *Eugenio Oneguin* de la metodología del análisis de la misma obra en los trabajos de Lotman (ver las pp. 359 y 398 de la presente edición).

[10] Hirzel, R., *Der Dialog. Ein literaturhistorischer Versuch,* 2 vols., Leipzig, 1895.

[11] Posiblemente se trate del libro de L. Spitzer *Romanische Literaturstudien. 1936-1956,* Tubinga, 1959.

[12] Las diversas formas de trascripción del discurso ajeno en las construcciones rusas— el discurso directo *prefigurado, disperso, oculto, cosificado* y *sustituido,* así como del discurso indirecto libre (al que se dedica un gran capítulo aparte)— fueron descritas detalladamente por el autor ya en los años 20 en su libro *Marksizm i filosofia iazyka,* pp. 109-157.

[13] En el artículo de Pushkin sobre la obra de Silvio Pellico (1836): "...la inteligencia es inagotable en la *configuración* de las nociones, así como la lengua es inagotable en la *conjunción* de las palabras. Todas las palabras están en un lexicón; pero los libros que aparecen a cada instante no son repetición del lexicón" (A.S.Pushkin, *Obras completas* en 10 tomos, t. 7, Moscú-Leningrado, 1964, p. 472).

[14] Th.Mann, *Doktor Faustus,* cap. xxv. En su plática con Adrian Leverkuhn, el diablo describe el infierno como "una bodega profunda, impenetrable para el sonido, oculta del oído de Dios". Al comentarla en su *Historia del Doktor Faustus,* Th.Mann dijo que hubiese sido imposible esa descripción sin que uno viviera internamente todos los horrores de una cárcel de la *Gestapo.*

[15] K. Marx y F. Engels, *Obras,* t. 3, p. 29.

PARA UNA REELABORACIÓN DEL LIBRO SOBRE DOSTOIEVSKI

Reelaborar el capítulo acerca del argumento en Dostoievski. Las aventuras de tipo especial. El problema de la sátira menipea. La concepción del espacio artístico. La plaza en Dostoievski. Las chispas del fuego carnavalesco. Escándalos, conductas excéntricas, las uniones disparejas, histerias, etc. Su fuente es la plaza del carnaval. Análisis de la reunión del santo de Nastasia Filipovna [en *El idiota*]. Juego de confesiones (cf. *Bobok*). Conversión del mendigo en millonario, de una prostituta en princesa, etc. El carácter mundial, se puede decir universal, del conflicto en Dostoievski. "Conflicto de las últimas cuestiones." La infinidad de contactos con todo y con todos en el mundo. La característica de los jóvenes rusos, por Iván. Como protagonistas, Dostoievski siempre representa personas con las cuales aún no termina de discutir (en el mundo, la discusión tampoco ha terminado). Problema del héroe abierto. Problema de la posición del autor. Problema del tercero en el diálogo. Sus diversas soluciones en los novelistas actuales (Mauriac, Graham Greene y otros).

El *Doktor Faustus* de Thomas Mann como confirmación indirecta de mi concepción. La influencia de Dostoievski. La conversación con el diablo. El narrador cronista y el protagonista. La compleja posición del autor (*cf.* las cartas de Mann). Las relaciones (trasposiciones verbales) de obras de música: en *Nétochka Nezvánova,* pero sobre todo la relación de la ópera de Trishátov [1] (aquí hay una literal coincidencia de textos sobre la voz del diablo); finalmente, las relaciones de los poemas de Iván Karamázov. Héroe-autor. Lo principal es el problema de la polifonía.

Una estructura totalmente nueva de la imagen del hombre: la conciencia ajena llena de vida y de significado, conciencia no enmarcada conclusivamente en la realidad, que no puede ser concluida por nada (ni por la muerte), porque su sentido no puede ser solucionado o cancelado por la realidad (matar no significa refutar). Esta conciencia ajena no se enmarca en la conciencia del autor sino que se manifiesta como algo puesto *fuera* y *junto,* con lo cual el autor establece relaciones dialógicas. El autor, como Prometeo, crea entes independientes de él (más bien los recrea), con los que tiene derechos iguales. No los puede concluir, porque descubrió aquello que distingue a la personalidad de todo lo que no lo es. El ser no tiene poder sobre ella. Es el primer descubrimiento del escritor.

El segundo descubrimiento es la *representación* (más bien, la recreación) de una idea con *desarrollo propio* (inseparable de la personalidad). La idea llega a ser objeto de representación artística y se manifiesta no en el plano del sistema (filosófico o científico), sino en el plano del *acontecimiento* humano.

El tercer descubrimiento del artista es el dialogismo como forma especial de interacción entre conciencias de derechos y significados iguales

Los tres descubrimientos constituyen, en realidad, un todo: son tres aspectos de un mismo fenómeno.

Estos descubrimientos tienen carácter de contenido y de forma. Su contenido formal es más profundo, denso y general que el contenido ideológico concreto y variable que lo llena en Dostoievski. El contenido de las conciencias equitativas varía, varían las ideas, cambia el contenido de los diálogos, pero el descubrimiento de las nuevas formas del conocimiento artístico del mundo humano permanecen. Si en Turguénev eliminamos el contenido de las discusiones de Bazárov con P.P.Kirsánov, por ejemplo, no encontraremos ninguna nueva forma (los diálogos transcurren dentro de formas antiguas y unilaterales). Comparación con las formas de la lengua y con las formas de la lógica, sólo que aquí se trata de formas *artísticas*. La imagen del ajedrez en Saussure.[2] Dostoievski rompe la vieja forma de representación del mundo. La representación se vuelve por primera vez multidimensional.

Después de mi libro (pero independientemente de él) las ideas de la polifonía, el diálogo, del carácter abierto, etc. se desarrollaron muy ampliamente. Esto se explica por la influencia creciente de Dostoievski, pero ante todo, por supuesto, por los cambios en la misma realidad que antes que otros (y en este sentido proféticamente) pudo descubrir Dostoievski.

La superación del monologismo. Qué es el monologismo en el sentido superior. La negación del carácter igualitario de las conciencias en su relación con la verdad (comprendida de una manera abstracta y sistemática). Dios puede existir sin el hombre, pero el hombre sin Dios no. Maestro y discípulo (diálogo socrático).

Nuestro punto de vista no afirma en absoluto una pasividad del autor que sólo hace montaje de los puntos de vista ajenos, de las verdades ajenas, rechazando totalmente su propio punto de vista, su propia verdad. No se trata de esto, sino de una interrelación absolutamente nueva y especial entre la verdad propia y la verdad ajena. El autor es profundamente *activo,* pero esta cualidad suya tiene un carácter *dialógico.* Una cosa es ser activo en relación con una cosa muerta, un material sin voz que puede ser modelado y formado de cualquier manera, y otra cosa es ser activo con respecto a una *conciencia ajena viva y equitativa.* Es una actividad interrogante, provocadora, contestataria, complaciente, refutadora, etc., es decir, es la activdad dialógica que no es menos activa que la actividad concluyente, cosificante, la que explica causalmente y mata, la que hace callar a la voz ajena con argumentos sin sentido. Dostoievski a menudo interrumpe, pero nunca acalla la voz ajena, nunca la concluye por su cuenta, es decir, desde la otra conciencia, la suya. Es, por decirlo así, la activdad de Dios con respecto a la conciencia del hombre, que le permite manifestarse hasta el final (en su desarrollo inmanente), juzgarse a sí mismo y rebatirse a sí mismo. Es una actividad de nivel más alto. No supera la resistencia de un material muerto, sino la resistencia de la conciencia ajena, de la verdad ajena. En otros escritores también encontramos el carácter dialógico activo en relación con los héroes que muestran una resistencia interna (p. ej. Turguénev en relación con Bazárov).[3] En este caso, sin embargo, el dialogismo representa un juego dramático que está ausente en la totalidad de la obra.

Fridlender en su artículo sobre *El idiota,*[4] al mostrar la actividad y la intromisión del autor, señala en la mayoría de los casos la existencia precisamente de este carácter dialógico activo, con lo cual sólo confirma mis conclusiones.

Las relaciones auténticamente dialógicas sólo son posibles en relación con un héroe que aparece como portador de su verdad, que ocupa una posición *significante* (ideológica). Si una vivencia o un acto no pretenden ser *significantes* (acuerdo-desacuerdo), sino tan sólo *reales* (valoración), la relación dialógica puede ser mínima.

Pero ¿un sentido *significativo* puede llegar a ser objeto de una *representación* literaria? Cuando existe una comprensión más profunda de la representación literaria, la *idea* puede llegar a ser su objeto. En esto consiste el segundo descubrimiento de Dostoievski.

Toda novela representa una "vida en desarrollo propio", la "recrea". Este desarrollo propio de la vida es independiente del autor, de su voluntad consciente y sus tendencias. Pero es una independencia del *ser,* de la realidad (acontecimiento, carácter, acto). Es la lógica del mismo *ser* independiente del autor, pero no una lógica del sentido-conciencia. El sentido-conciencia en su última instancia pertenece al autor, y sólo al autor. Y este sentido se refiere al ser y no al *otro* sentido (ajeno a una conciencia equitativa).

Todo creador recrea la lógica de su objeto mismo, pero no la crea ni la rompe. Incluso un niño al jugar recrea la lógica de aquello a que está jugando. Pero Dostoievski crea un nuevo objeto y una nueva lógica de este objeto. Ha descubierto la personalidad y la lógica en desarrollo propio de esta personalidad que ocupa una posición y toma decisiones acerca de las cuestiones últimas del universo. De este modo, los eslabones intermedios, incluso los eslabones cotidianos próximos, no se pasan por alto sino que adquieren un sentido a la luz de las últimas cuestiones como etapas o símbolos de una *última decisión.* Todo esto existía antes en el plano del monologismo en el plano de una sola conciencia. Pero aquí está abierta la multiplicidad de conciencias.

El tipo superior de artista desinteresado, que nada recibe del mundo. Es imposible encontrar en parte alguna un antihedonismo más consecuente. Dostoievski "sólo proyectaba el paisaje de su propia alma" (Lettenbauer).[5]

La expresión del *yo* del escritor en una obra literaria. La monologización de la obra de Dostoievski. No el análisis de la conciencia en forma de un *yo* unitario y único, sino el análisis precisamente de la interacción de muchas conciencias, no de muchas personas a la luz de una sola conciencia, sino de muchas conciencias equitativas y de pleno valor. La insuficiencia, la impasibilidad de la existencia de una sola conciencia. Yo me conozco y llego a ser yo mismo sólo al manifestarme para el otro, a través del otro y con la ayuda del otro. Los actos más importantes que constituyen la autoconciencia se determinan por la relación a la otra conciencia (al *tú*). La ruptura, el aislamiento, la cerrazón en sí mismo como la causa principal de la pérdida de sí mismo. No aquello que sucede dentro, sino lo que acontece en la *frontera* de la conciencia propia y la ajena, en el *umbral.* Y todo lo interno no se basta por sí mismo, está vuelto hacia el exterior, esta dialogizado, cada vivencia interna llega a ubicarse sobre la frontera, se encuentra con el otro, y en este intenso encuentro está toda su esencia. Éste es el grado supremo de la socialidad (no externa ni cosificada, sino interna). En esto Dostoievski se contrapone a toda cultura decadente e idealista (individualista), que es cultura de la soledad fundamental y sin salida. Dostoievski afirma la imposibilidad de la soledad, su carácter ilusorio. El mismo ser del hombre (tanto interior como exterior) representa una *comunicación más profunda. Ser* significa *comunicarse.* La muerte absoluta (el no ser) es no ser oído, no ser reconocido, no ser recordado (Hipólito [personaje de *El Idiota*]). Ser significa ser para otro y a través del otro ser para sí mismo. El hombre no dispone de un territorio soberano interno sino que está, todo él y siempre, sobre la frontera,[6] mirando al fondo de sí mismo el hombre encuentra los *ojos del otro* o ve *con los ojos del otro.*

Todo esto no representa la teoría filosófica de Dostoievski sino su visión artística de la vida de la conciencia humana, visión encarnada en la forma de un contenido. La *confesión* no es en absoluto la *forma* o la última totalidad de su obra (su propósito y forma de su actitud hacia sí mismo, forma de visión de sí mismo); la confesión viene a ser *objeto* de su visión artística y de la representación. Suele representar la confesión y las conciencias ajenas confesionales para descubrir su estructura internamente social, para demostrar que las confesiones no son sino el acontecimiento de la interacción de las conciencias, para mostrar la dependencia mutua de las conciencias que se revela en la confesión. Yo no puedo vivir sin el otro, no puedo llegar a ser yo mismo sin el otro; he de encontrarme en el otro, al encontrar en mí al otro (en el reflejo mutuo, en la mutua aceptación). La justificación no puede ser *auto*justificación, la revelación no puede ser *auto*revelación. Yo recibo mi nombre del otro, y este nombre existe para otros (el ponerse uno mismo el nombre denota usurpación). Tampoco es posible el amor hacia uno mismo.

El capitalismo ha creado condiciones para la existencia de un tipo de conciencia irremediablemente solitaria. Dostoievski descubre toda la falsedad de ésta, que se mueve en un círculo vicioso.

De ahí la representación de sufrimientos, humillaciones y de *falta de reconocimiento* del hombre en una sociedad clasista. Lo privaron del reconocimiento y le quitaron su nombre. Lo acorralaron en una soledad forzada, a la cual los indómitos tratan de convertir en una *soledad orgullosa* (el poder vivir sin reconocimiento, sin otros).

El complejo problema de la humillación y de los humillados.

Ningún acontecimiento humano se desenvuelve ni se soluciona en los límites de una sola conciencia. De ahí la hostilidad de Dostoievski hacia aquellas visiones del mundo que ven la finalidad última en la fusión, en la disolución de las conciencias en una sola, en la desaparición de individuaciones. Ningún nirvana es posible para una *sola* conciencia. Una sola conciencia es *contradictio in adjecto.* La conciencia es múltiple en su estancia. *Pluralia tantum.* Dostoievski tampoco admite las visiones del mundo que reconocen el derecho de una conciencia superior a tomar decisiones por las conciencias inferiores, convirtiéndolas en cosas sin voz.

Aquí estoy traduciendo al lenguaje de una visión del mundo abstracta aquello que fue objeto de una visión artística viva y concreta y que llegó a ser principio de la forma. Esta clase de traducción es siempre inadecuada.

No se trata del otro *hombre* que permanezca objeto de mi conciencia, sino de la otra conciencia equitativa que se ubica junto a la mía y en relación con la cual sólo puede existir mi propia conciencia.

Dostoievski hizo del espíritu —es decir, la última postura de sentido de una personalidad— el objeto de una contemplación estética, supo *ver* el espíritu de tal manera como antes de él sólo se sabía ver el cuerpo y el alma del hombre. Promovió la visión estética hacia lo profundo, hacia las capas profundas nuevas, pero no hacia la profundidad del inconsciente, sino hacia la profundidad y la altura de la conciencia. Los profundidades de la conciencia representan al mismo tiempo su altura [7] (lo alto y lo bajo en el cosmos y en el micromundo son relativos). La conciencia es mucho más horrible que toda clase de complejos inconscientes.

La afirmación de que toda la obra de Dostoievski representa una sola confesión. En realidad, las confesiones (y no una sola confesión) no son en él la forma de la totalidad, sino el objeto de representación. La confesión se muestra desde dentro y desde fuera (en su carácter inconcluso).

El hombre del subsuelo frente al espejo.

Después de las confesiones "ajenas" de Dostoievski, el antiguo género de la confesión se hizo en realidad imposible. Se hizo imposible el momento ingenuo y directo de la confesión, así como su momento retórico, su momento convencionalmente genérico (con todos sus procedimientos tradicionales y las formas estilísticas). Se hizo imposible una actitud directa del autor hacia la confesión (desde la admiración por sí mismo hasta la autonegación). Se ha descubierto el papel del otro, a la luz del cual únicamente puede construirse todo discurso sobre sí mismo. Se ha descubierto la complejidad del simple fenómeno de verse en el espejo: con ojos propios y ajenos simultáneamente, encuentro e interacción de ojos propios y ajenos, el cruce de los horizontes. (suyo y ajeno), la intersección de dos conciencias.

La unidad no como unidad natural solitaria, sino como una concordancia dialógica de dos o de varios que no pueden fusionarse.

"Proyectaba el paisaje de su alma". Pero ¿qué significa "proyectaba" y qué significa "suya"? No se puede comprender la proyección mecánicamente, como cambio de nombre, de circunstancias vitales externas, del final de la vida (y del acontecimiento), etc. No se puede comprenderla tampoco como un contenido humano general, sin la relación con el *yo* y el *otro,* es decir, como una dación objetiva, neutral e interna. La vivencia se toma en los límites de un carácter objetivamente determinado, y no sobre el límite del *yo* y el *otro,* esto es, en el punto de interacción de las conciencias. Y lo *suyo* no puede ser comprendido como una forma relativa y casual de pertenencia que puede cambiarse fácilmente por la pertenencia al otro y al tercero (cambiar de propietario o cambiar de dirección).

La representación de la muerte en Dostoievski y en Tolstoi. En Dostoievski en general hay menos muertes que en Tolstoi, y además generalmente se trata de asesinatos y suicidios. En Tolstoi hay muchísimas muertes. Se puede hablar de su afición por la representación de la muerte. Lo que es característico es que la muerte Tolstoi no la representa únicamente desde afuera, sino también desde dentro, esto es, desde la conciencia misma del hombre que se está muriendo, *casi* como hecho de esta conciencia. Lo que le interesa es la muerte para *uno mismo,* esto es, para el moribundo mismo, y no para otros, para los que quedan. En realidad, Tolstoi se siente profundamente indiferente hacia su muerte para otros.[8] "Necesito vivir por mí mismo y morir por mí mismo." Para representar la muerte desde dentro, Tolstoi no titubea en romper bruscamente la verosimilitud vital de la postura del narrador (como si el muerto mismo le hubiese contado su muerte, como Agamenón a Odiseo). De qué manera se apaga la conciencia para el que está consciente. Esto es posible sólo gracias a una cierta cosificación de la conciencia. La conciencia se da aquí como algo objetivo (objetual) y casi neutral con respecto a la frontera infranqueable (absoluta) entre el *yo* y el *otro.* Pasa de una conciencia a otra como de una habitación a otra, no conoce el umbral absoluto.

Dostoievski *nunca* representa la muerte desde dentro. Son los otros los que observan la agonía y la muerte. La muerte no puede ser el hecho de la conciencia misma. No se trata, desde luego, de la verosimilitud de la postura del narrador (a Dostoievski no le asusta en absoluto el carácter fantástico de esta postura si lo necesita). La conciencia, por su naturaleza, no puede tener un principio y un fin conscientes (o sea algo que concluya la conciencia) que se encuentren en la serie de la conciencia como el último miembro, hecho del mismo material que los demás momentos de la conciencia. Principio y fin, nacimiento y muerte pertenecen al hombre, a la vida, al destino, pero no a la conciencia, que por su naturaleza sólo se descubre desde el interior, esto es, sólo por la conciencia misma, infinita. Principio y fin se encuentran en el mundo objetivado (y objetual) para otros, pero no para el mismo ser consciente. Y lo importante no es el hecho de que sea imposible espiar la muerte desde el interior; no se puede verla como no se puede uno ver la nuca sin utilizar espejos. La nuca existe objetivamente, y la ven otros. Pero la muerte desde el interior, esto es, la muerte propia consciente, no existe para nadie, ni para el moribundo mismo ni para otros; ella no existe en general. Es precisamente esta conciencia para sí, que no conoce ni posee la última palabra, la que viene a ser objeto de representación en el mundo de Dostoievski. Por eso la muerte desde el interior no puede formar parte de este mundo, porque es ajena a su lógica interna. La muerte aquí es siempre un factor objetivo para otras conciencias; es aquí donde aparecen los privilegios del otro. En el mundo de Tolstoi se representa otra conciencia que se caracteriza por cierto mínimo de cosificación (objetualidad), por eso entre la muerte desde el interior (para el moribundo mismo) y la muerte desde fuera (para otro) no existe un abismo insalvable: las dos se acercan.

En el mundo de Dostoievski la muerte no concluye nada, porque ésta no toca lo más importante en la vida: la conciencia en sí. Pero en el mundo de Tolstoi la muerte posee cierta fuerza conclusiva y solucionadora.

Dostoievski enfoca todo esto de una manera idealista, ofrece conclusiones ontológicas y metafísicas (inmortalidad del alma, etc.). Pero el descubrimiento de la particularidad interna de la conciencia no contradice al materialismo. La conciencia es secundaria, aparece en una determinada fase del desarrollo de un organismo material, nace objetivamente y muere (también objetivamente) junto con el organismo material (a veces antes que éste), muere objetivamente. Pero la conciencia posee un carácter único y subjetivo: para ella misma, en términos de la propia conciencia, ella no puede tener ni principio ni fin. Este aspecto subjetivo es objetivo (pero no objetual, no cosificante). La ausencia de una muerte consciente (muerte por sí) es un hecho tan objetivo como la ausencia de un nacimiento consciente. En eso consiste el carácter particular de la conciencia.

El problema de la *palabra dirigida*. La idea de Chernyshevski acerca de una novela sin valoraciones ni entonaciones del autor.[9]

La influencia de Dostoievski está aún lejos de llegar a su culminación. Los momentos más importantes y profundos de su visión artística, la transformación cumplida por él en el género de la novela y en general en la literatura, hasta el momento no están asimilados y comprendidos hasta el final. Hasta el momento nos sentimos incluidos en los diálogos sobre los temas perecederos, pero el dialogismo del pensamiento artístico y de la representación artística del mundo, el nuevo modelo de un mundo internamente dialogizado propio de él, aún no ha sido descubierto hasta el final. El diálogo socrático que llegó a sustituir el diálogo trágico fue el primer paso en la historia del nuevo género novelesco. Pero era apenas el diálogo, casi únicamente la forma externa de dialogismo.

Los elementos más estables de la forma del contenido que se van preparando y gestando durante siglos (y para los siglos), pero que nacen sólo en momentos determinados, más favorables, y en el lugar histórico más favorable (la época de Dostoievski en Rusia). Dostoievski acerca de las imágenes de Balzac y su preparación.[10] Marx sobre el arte de la antigüedad clásica.[11] Una época perecedera que origina valores imperecederos. Cuándo Shakespeare llegó a ser Shakespeare. Dostoievski no llegó a ser Dostoievski; apenas está llegando a serlo.

En la primera parte, acerca del nacimiento de una nueva forma novelística (de una nueva forma de visión y de una nueva personalidad; superación de la cosificación). En la segunda parte, sobre el problema del lenguaje y el estilo (un nuevo modo de usar la vestimenta de la palabra y el lenguaje, nuevo modo de usar su corporeidad, su fuerza de encarnación).

En la primera parte, acerca del cambio radical de postura del autor (en relación con las personas representadas que se convierten de hombres cosificados en personalidades). La dialéctica de lo externo y de lo interno en el hombre. La crítica de la posición de Gogol en *El capote* (un inicio bastante ingenuo aún de la transformación del héroe en personalidad). La crisis de la posición del autor y de la emoción del autor, de la palabra de autor.

La *cosificación del hombre*. Las condiciones sociales y éticas de esta cosificación. El odio de Dostoievski por el capitalismo. El descubrimiento artístico del hombre como personalidad. Una relación dialógica como la única forma de actitud frente al hombre como personalidad que conserve su libertad y su carácter inconcluso. La crítica de todas las formas *externas* de actitud e influencia: desde la violencia hasta el autoritarismo; la conclusión artística como una especie de violencia. La inadmisibilidad de la discusión de la personalidad interna (Sneguiriov y Liza en *Los hermanos Karamazov;* Hipólito y Aglia en *El idiota;* cf. las formas menos sutiles de lo mismo en *La montaña mágica* de Mann; un psicólogo como espía). No se puede prejuzgar a una personalidad (y su desarrollo), no se puede someterla a su propia idea. No se puede espiar, escuchar a hurtadillas a una persona ni obligarla a que se revele. Problemas de la confesión y del *otro.* No se puede forzar y prejuzgar las confesiones (Hipólito). Convencer con amor.

La creación de un nuevo tipo de novela (novela polifónica) y la transformación de toda la literatura. La influencia transformadora de la novela en todos los demás géneros, su "novelización".

Todos estos momentos estructurales de la dependencia mutua de las conciencias (personalidades) se traducen al lenguaje de las relaciones sociales y de las relaciones cotidianas individuales (argumentales en el sentido amplio de la palabra).

El diálogo socrático y la plaza carnavalesca.

Las definiciones cosificantes, objetuales, conclusivas de los héroes de Dostoievski no se adecuan a su esencia.

La superación del modelo monológico del mundo. Sus gérmenes en el diálogo socrático.

El desplazamiento carnavalesco del hombre de su vida normal, de su medio; la pérdida por él de su lugar jerárquico (que se da con toda la claridad ya en *El doble*). Los motivos carnavalescos en *La patrona.*

Dostoievski y el sentimentalismo. Este descubrimiento del hombre como personalidad y de su conciencia (no en el sentido psicologista) no hubiese podido realizarse sin el descubrimiento de los nuevos momentos en la palabra, en los medios de la expresión discursiva del hombre. Se ha descubierto el *dialogismo interno de la palabra.*

En Dostoievski, el hombre siempre se representa ubicado en el umbral o, en otras palabras, en un estado de *crisis.*

La ampliación del concepto de conciencia en Dostoievski. La conciencia, en realidad, es idéntica a la personalidad del hombre: se trata de todo aquello que se define mediante las palabras "yo mismo" o "tú mismo", de todo aquello en que el hombre se encuentra y se percibe, de todo aquello por lo cual responde, de todo aquello que está entre su nacimiento y su muerte.

Las relaciones dialógicas presuponen la comunidad del objeto de la intención (la tendencia).

El monologismo en su límite niega la existencia fuera de sí mismo de las conciencias equitativas y capaces de respuesta, de un otro *yo* (el *tú*) igualitario. Dentro de un enfoque monológico (en un caso límite puro); el *otro* sigue siendo totalmente *objeto* de la conciencia y no representa una otra conciencia. No se le espera una respuesta que pudiera cambiarlo todo en el mundo de mi conciencia. El monólogo está concluido y está sordo a la respuesta ajena, no la espera ni le reconoce la existencia de una fuerza *decisiva.* El monólogo sobrevive sin el otro y por eso en cierta medida cosifica toda la realidad. El monólogo pretende ser la *última palabra.* Encubre el mundo y a los hombres representados.

La integración biográfica (y autobiográfica) de la imagen del hombre que incluye todo aquello que jamás puede ser objeto de una experiencia propia, que se obtiene mediante la conciencia y los pensamientos de otros (nacimiento, apariencia, etc.). El espejo. La desintegración de esta imagen total. Aquello que uno recibe del otro y en tonos del otro y para lo cual no existe un tono propio.

La naturaleza dialógica de la conciencia, la naturaleza dialógica de la misma vida humana. El *diálogo inconcluso* es la única forma adecuada de *expresión verbal* de una vida humana auténtica. La vida es dialógica por su naturaleza. Vivir significa participar en un diálogo: significa interrogar, oír, responder, estar de acuerdo, etc. El hombre participa en este diálogo todo y con toda su vida: con ojos, labios, manos, alma, espíritu, con todo el cuerpo, con sus actos. El hombre se entrega todo a la palabra, y esta palabra forma parte de la tela dialógica de la vida humana, del simposio universal. Las imágenes cosificadas, objetuales, son profundamente inadecuadas tanto para la vida como para la palabra. El modelo cosificado del mundo se está sustituyendo por el modelo dialógico. Cada pensamiento y cada vida llegan a formar parte de un diálogo inconcluso. También es impermisible la cosificación de la palabra: su naturaleza también es dialógica.

La dialéctica es el producto abstracto del diálogo.

La definición de voz. Forman parte de ella la altura, el diapasón, el timbre, la categoría estética (voz lírica, dramática, etc.). También forman parte de ella la visión del mundo y el destino humano. El hombre como voz íntegra entabla un diálogo. Participa en él no sólo con todos sus pensamientos, sino con todo su destino, con toda su personalidad.

La imagen de uno mismo para uno mismo y mi imagen para el otro. El hombre existe realmente en formas del *yo* y del *otro* (el *tú,* el *él* o el *"man"*).[12] Pero podemos imaginarnos al hombre sin relación alguna con estas formas de su existencia, como cualquier otro fenómeno o cosa. Sin embargo, sólo yo mismo soy únicamente persona, es decir, solamente el hombre existe en forma de *yo* o de *otro,* pero ningún otro fenómeno pensado por mí. La literatura crea las imágenes absolutamente específicas de los hombres en los que el *yo* y el *otro* se combinan de una manera especial e irrepetible: el *yo* en forma del *otro* o el *otro* en forma del *yo*. No se trata de un concepto del hombre (como fenómeno o cosa), sino de la imagen del hombre; y la imagen del hombre no puede existir sino referida a la forma de su existencia (esto es, al *yo* y al *otro*). Por eso es imposible una completa cosificación de la imagen del hombre mientras ésta siga siendo imagen. Pero al practicar un análisis sociológico (o científico) "objetivo" de esta imagen, la convertimos en concepto, la colocamos fuera de la correlación "*yo-otro*" y la cosificamos. Pero la forma de otredad es la que, por supuesto, predomina en la imagen; *yo* sigo siendo el único en el mundo (*cf.* el tema del doble). Pero la imagen del hombre es un paso hacia el *yo del otro,* un paso hacia [ilegible]. Todos estos problemas surgen inevitablemente en un análisis de la obra de Dostoievski, el cual sentía con agudeza excepcional la forma de la existencia humana como el *yo* o el *otro*.

No una teoría (un contenido perecedero), sino un "sentimiento de la teoría".

La confesión como la forma superior de una autorrevelación *libre* del hombre desde dentro (y no una forma que concluyese desde el exterior) se le presentó a Dostoievski desde el inicio mismo de su desarrollo como creador. La confesión como encuentro del *yo profundo* con el *otro* y con los *otros* (el pueblo), como el encuentro del *yo* y del *otro* a un nivel superior o en una última instancia. Pero el *yo* en este encuentro ha de ser un *yo* puro y profundo desde el interior de uno mismo, sin ninguna clase de mezcla de puntos de vista y valoraciones, supuestas y obligadas o ingenuamente asimiladas, del otro, es decir, sin la visión de uno mismo con ojos del otro. Sin máscara (que es la apariencia para el otro, el darse forma no desde el interior, sino desde el exterior; esto se refiere también a la máscara discursiva, estilística, sin refugios, sin las falsas últimas palabras, es decir, sin todo aquello que es externo y falso.

No una fe (en el sentido de una fe determinada en el cristianismo ortodoxo, en el progreso, en la revolución, etc.), sino un *sentimiento de fe,* es decir, una actitud íntegra (del hombre total) hacia un valor supremo y último. Dostoievski a menudo entiende por ateísmo una falta de fe en este sentido, como indiferencia hacia un valor último que exija la entrega total del hombre, como negación de una última postura en la totalidad última del mundo. Las vacilaciones de Dostoievski con respecto al contenido de este último valor. Zósima acerca de Iván. El tipo de hombres que no pueden vivir sin el valor supremo pero que simultáneamente no pueden realizar la elección definitiva de este valor. El tipo de hombres que construyen su vida sin relación alguna con este valor: los depredadores, los amorales, los pequeñoburgueses, los acomodaticios, los arribistas, los muertos, etc. Dostoievski casi no representa a los hombres de tipo intermedio.

La sensación excepcionalmente aguda de lo *suyo* y lo *propio* en la palabra, en el estilo, en los matices y volutas más delicadas del estilo, en la entonación, en el gesto discursivo, en el gesto corporal (la mímica), en la expresión de los ojos, de la cara, de las manos, de toda la apariencia, en el mismo modo de sostener su propio cuerpo. La timidez, la autoconfianza, la impertinencia y la insolencia (Sneguiriov), muecas y amaneramiento (el cuerpo se retuerce y hace gestos en presencia del otro), etc. En todo aquello en que el hombre se está expresando hacia el exterior (y, por consiguiente, para el *otro*) —desde el cuerpo hasta la palabra— tiene lugar una intensa interacción del *yo* y del *otro*: su lucha (lucha honesta o engaño mutuo), el equilibrio, la armonía (como ideal), un ingenuo desconocimiento recíproco, un intencionado menosprecio recíproco, un desafío, una falta de reconocimiento (el hombre del subsuelo que "no les hace caso", etc.), etc. Reiteramos que esta lucha se realiza en todo aquello mediante lo cual el hombre se expresa (se revela) hacia el exterior (para otros), y abarca desde el cuerpo hasta la palabra, incluso la palabra última, la palabra confesional. El comportamiento mundano como forma de expresión elaborada, prefabricada, petrificada y asimilada mecánicamente (el dominio del cuerpo, del gesto, de la voz, de la palabra, etc.), en que se logra un equilibrio completo y muerto, donde no hay lucha, donde no existen el *yo* y el *otro* vivos en una interacción viva y paulatina. A esta forma muerta, se le oponen la "venerabilidad" y la armonía (amor) logradas sobre una idea superior (o valor o finalidad suprema), en un *acuerdo* libre en lo supremo (el "siglo de oro", el "reino de Dios", etc.).

Dostoievski poseía un ojo y un oído excepcionalmente receptivos para ver y oír esta intensísima lucha entre el *yo* y el *otro* en cada manifestación externa del hombre (en cada cara, gesto, palabra), en toda forma viva de la comunicación contemporánea. Toda expresión (forma expresiva) ha perdido su integridad ingenua, se desintegró y se disgregó como "se deshizo el vínculo de los tiempos" en el mundo sociohistórico que le era contemporáneo. La excentricidad, los escándalos, las histerias, etc. en el mundo de Dostoievski. No se trata de la psicología y la psicopatología, sino de la *personalidad,* y no de los estratos cosificados del hombre; se trata de una libre autorrevelación y no de un análisis objetivo de un hombre cosificado.

El concepto del hombre y la imagen del hombre en Tolstoi. "Cayo es mortal" y el *yo* (Iván Ilich).[13] El concepto del hombre y el hombre vivo en forma del *yo.*

El objetivo del presente artículo introductorio consiste en descubrir la particularidad de la visión artística de Dostoievski, la unidad artística del mundo creado por él, mostrar los tipos del género novelesco inaugurados por él y su específica actitud frente a la palabra como material de la creación literaria. Tocaremos los problemas histórico-literarios en sentido propio sólo en la medida en que sea necesario para descubrir estas particularidades.

La confesión para sí como intento de una actitud objetiva hacia sí mismo sin relación con la forma del *yo* y del *otro.* Pero cuando se abstrae de estas formas, se pierde precisamente lo más importante (la distinción entre el *yo-para-mí* y el *yo-para-otro*). La posición neutral con respecto al *yo* y al *otro* es imposible tanto en una imagen viva como en la idea ética. No pueden ser igualadas estas categorías (como las partes izquierda y derecha en su identidad geométrica). Cada hombre es un *yo* para sí mismo, pero en el acontecer concreto e irrepetible de la vida, el yo para sí es un yo único, y todos los demás son otros para mí. Y esta posición única e insustituible en el mundo no puede ser cancelada con la ayuda de una interpretación generalizadora y abstracta.

No los tipos de hombres y de destinos concluidos objetualmente, sino tipos de *visiones del mundo* (Chaadaiev, Herzen, Granovski, Bakunin, Belinski del grupo de Nechaiev, el grupo de Dolgushin, etc.). Y Dostoievski no enfoca su visión del mundo como una unidad abstracta y consecuente de un sistema de ideas y de situaciones, sino como una última postura en el mundo con respecto a los valores supremos. Las visiones del mundo encarnadas en las voces. El diálogo de estas visiones del mundo encarnadas en el que participó el mismo escritor. En los borradores de las fases tempranas de la formación de ideas estos nombres (Chaadaiev, Herzen, Granovski y otros) se mencionan directamente, y luego a medida de la formación del argumento y de los *destinos de acuerdo con al argumento,* ceden el lugar a los nombres inventados. Desde la *germinación* de una idea aparecen las *visiones del mundo,* y sólo posteriormente el argumento y los destinos argumentales de los héroes (antes que nada, los "momentos" en que se manifiestan de la manera más clara sus posiciones). Dostoievski no comienza con una idea, sino con varias ideas como participantes de un diálogo. Busca una voz íntegra, pero el destino y los acontecimientos de acuerdo con el argumento aparecen como medio de expresión de las voces.

El interés hacia los suicidios como muertes conscientes, como eslabones de una cadena consciente en que el hombre se concluye a sí mismo desde el interior.

Los momentos conclusivos al ser comprendidos por el hombre mismo se incluyen en la cadena de su conciencia, llegan a ser autodefiniciones perecederas y pierden su fuerza conclusiva. "Un tonto que sabe que es tonto ya por lo mismo no es un tonto": esta idea intencionadamente primitiva y dada como una ironía paródica (Aliosha, en *Humillados y ofendidos*) [14] expresa, sin embargo, el meollo del asunto.

Las palabras conclusivas del autor (sin un grano de personalización), las palabras del tercero que el mismo héroe por principio no puede escuchar, no puede comprender, no puede volver momento de su autoconciencia, no las puede contestar. Las palabras de esta índole ya estarían fuera de una totalidad dialógica. Esta clase de discurso cosificaría y humillaría al hombre como personalidad.

En Dostoievski, la totalidad última es dialógica. Todos los héroes principales son participantes de un diálogo. Oyen todo lo que los otros opinan de ellos y contestan a todos (nada se dice de ellos en su ausencia o a puertas cerradas). Y el autor es tan sólo participante y organizador de este diálogo. Hay muy pocas palabras a distancia que suenen fuera del diálogo, y tienen una importancia conclusiva sólo para personajes secundarios y objetuales (que, en realidad, se ubican fuera del diálogo como comparsas, no tienen su propia palabra que cambie y enriquezca el sentido del diálogo).

Las fuerzas exteriores a la conciencia que la determinan externamente (mecánicamente): desde el medio ambiente y la violencia, hasta el milagro, el misterio y el autoritarismo. La conciencia pierde su libertad auténtica bajo la acción de estas fuerzas, y la personalidad se destruye. El inconsciente (el "ello") pertenece también a estas fuerzas.

La descosificación sentimentalista y humanística del hombre, la que sigue siendo objetual: la conmiseración, los tipos inferiores de amor (hacia los niños, hacia todo lo débil y pequeño). El hombre deja de ser cosa, pero no llega a ser personalidad, esto es, sigue siendo objeto ubicado en la zona del *otro,* vivido en la pura forma del otro, en un alejamiento de la zona del *yo.* Así se presentan muchos héroes de los primeros libros de Dostoievski y algunos personajes secundarios de su obra tardía (Katerina Ivanovna [en *Crimen y castigo*], los niños, etc.).

La objetualidad satírica y la destrucción de la personalidad (Karmazinov, en parte Stepan Trofimovich [en *Los endemoniados*] y otros).

Después de un apasionado filosofar conjuntamente con los personajes "acerca de...", en la crítica comenzó un estudio objetivo de la realidad extrapuesta a la obra, pero determinante e histórica, es decir, el estudio de una realidad precreativa, preestética. Fue necesario y sumamente productivo.

Cuanto más cerca se ubica una imagen de la zona del *yo-para-mí,* tanto más bajo es su índice de objetualidad y de conclusión, y tanto más se acerca ella a la imagen de personalidad libre e inconclusa. La clasificación de Askoldov, con toda su profundidad, convierte las particularidades de una personalidad (diversos grados de personalización) en indicios objetuales del hombre, mientras que la distinción principal entre el carácter y la personalidad (comprendida de una manera muy profunda y correcta por Askoldov [15]) no se determina por los indicios cualitativos (objetuales), sino por la *disposición* de la imagen (cualquiera que sea ésta por sus rasgos caracterológicos) en el sistema de coordenadas del "*yo-para-mí* y el *otro* (en todas sus variedades)". La zona de la libertad y de lo inagotable.

Dostoievski veía como una *violencia* destructora de la *personalidad* en todo lo misterioso, oscuro, místico, puesto que todo esto puede influir determinantemente en una personalidad. Una comprensión contradictoria del problema de los "santos" (los *starets*). Un olor a putrefacción (un milagro esclavizaría).* Es precisamente lo que determinó la visión artística de Dostoievski (pero no siempre su ideología).

La cosificación del hombre en las condiciones de la sociedad clasista llegada a su límite en el capitalismo. Esta cosificación se realiza a través de las fuerzas que actúan sobre la personalidad desde fuera y desde dentro; es una violencia en todas sus formas posibles de existencia (económica, política, ideológica), y se puede luchar con estas fuerzas tan sólo con medios externos (violencia revolucionaria justificada); su finalidad es la personalidad.

El problema de la catástrofe. La catástrofe no es una conclusión. Es la culminación en el choque y la lucha de los puntos de vista (de las conciencias equitativas con sus mundos). La catás-

* Cf. el episodio correspondiente en *Los hermanos Karamazov* (la muerte del *starets* Zosima, parte 3, libro 7, cap. 1: "Olor putrefacto"). [T.]

trofe no los soluciona sino, al contrario, hace que se manifieste la imposibilidad de solucionarlos en las condiciones actuales, barre con todos sin resolverlos. La catástrofe se opone al triunfo y a la apoteosis. En realidad, también carece de los elementos de una catarsis.

Los problemas que enfrenta el autor y su conciencia en la creación de una novela polifónica son mucho más complejos y profundos que los de una novela homofónica (monológica). La unidad del universo de Einstein es más profunda y compleja que la del universo de Newton, porque se trata de una unidad de un orden más alto (unidad cualitativamente distinta).

Explicar detalladamente la diferencia entre el *carácter* y la *personalidad.* También el carácter es en cierta medida independiente del autor (el matrimonio de Tatiana, inesperado para Pushkin), pero la independencia (la lógica propia) es de tipo objetual. La independencia de la personalidad es de tipo cualitativamente diferente: la personalidad no se somete (se resiste) a un conocimiento objetual y sólo se manifiesta con la libertad dialógica (como un *tú* para un *yo*). El autor viene a ser participante del diálogo (en realidad, con derechos iguales a los de los personajes), pero tiene funciones complementarias muy complejas (es correa de transmisión entre el diálogo ideal de la obra y el diálogo real de la vida).

Dostoievski descubrió la naturaleza dialógica de la vida social, de la vida del hombre. No un ser prefabricado cuyo sentido debería revelar el escritor, sino un diálogo inconcluso con un sentido polifónico en proceso de formación.

La unidad del todo en Dostoievski no tiene un carácter argumental o monológicamente ideológico, o sea unitariamente ideológico. Se trata de una unidad superargumental y superideológica.

La lucha de las definiciones *caracterológicas* objetuales (representadas principalmente por los estilos discursivos) con los momentos *personalistas* (lo inconcluso) en la obra temprana de Dostoievski (*Pobre gente, El doble* y otras). Dostoievski se origina de Gógol, la personalidad se origina del carácter.

Análisis de la fiesta del santo en la casa de Nastasia Filippovna. Análisis de la comida de exequias de Marmeladov.

La desintegración de la totalidad épica de la imagen del hombre. La subjetividad, la falta de coincidencia consigo mismo. El desdoblamiento.

No la fusión con el otro, sino la conservación de su postura de *extraposición* y del excedente de visión y de comprensión relacionadas con la última. Pero lo importante es cómo utiliza

Dostoievski este excedente. No es para cosificar y concluir. El momento más importante de este excedente es el amor (no se puede amar a sí mismo, es una relación de coordenadas), después el reconocimiento, el perdón (la conversación entre Stavroguin y Tijon), y, finalmente una comprensión activa y simple (pero no un doblete de comprensión), el hecho de ser oído. Este excedente jamás se aprovecha como una emboscada, como posibilidad de acercarse y atacar por detrás. Es un excedente abierto y honesto, descubierto dialógicamente hacia el otro; es un excedente expresado por la palabra dirigida hacia alguien. Todo lo esencial se disuelve en el diálogo, en un enfrentamiento.

Umbral, puerta y escalera. Su importancia cronotópica. La posibilidad de convertir un infierno en un paraíso instantáneamente (es decir, que lo uno se transforme en lo otro, ver *El visitante misterioso*).

La lógica de desarrollo de una misma idea tomada independientemente de una conciencia individual (idea en sí, o conciencia en sí en general, o el espíritu en general), es decir, su desarrollo lógico-objetual y sistemático, y una especial lógica del desarrollo de una idea encarnada en una personalidad. La idea, por ser encarnada en una personalidad, se regula por las coordenadas del *yo* y del *otro* y se refracta de diferente modo en zonas distintas. Esta lógica especial es la que se manifiesta en las obras de Dostoievski. Es por eso por lo que no se puede comprender adecuadamente y analizarlas en un plan lógico objetual y sistemático habitual (como teorías filosóficas comunes).

La "significación final" de un monumento de una época determinada, de sus intereses y exigencias, de su fuerza histórica y de su debilidad. La significación final es limitada. El fenómeno, en este planteamiento, es igual a sí mismo, coincide consigo mismo.

Pero además de una significación final de un monumento, existe una significación viva, creciente, en proceso de desarrollo, cambiante. No se origina totalmente en la época limitada de la aparición del monumento, sino que se va preparando a lo largo de los siglos y sigue viviendo y desarrollándose durante siglos después de su aparición. Esta significación creciente no puede ser deducida y explicada por las condiciones limitadas de una época dada, únicamente, de la época de la aparición del monumento. Cf. Marx acerca del arte de la antigüedad clásica. Esta significación creciente representa aquel descubrimiento que se realiza por cualquiera gran obra. Como todo descubrimiento (p. ej., descubrimiento científico), se prepara durante siglos, pero se realiza en las condiciones óptimas de una sola época, en el momento de su maduración. Estas condiciones óptimas son las que deben ser descubiertas, pero ellas no agotan, por supuesto, la importancia creciente e imperecedera de la obra.

La introducción: propósito, problemas y delimitaciones de una investigación introductoria. El descubrimiento hecho por Dostoievski. Tres aspectos principales de este descubrimiento. Pero antes daremos una breve reseña de la crítica acerca de Dostoievski bajo el ángulo de este descubrimiento.

La palabra viva vinculada indisolublemente a la comunicación dialógica por su naturaleza quiere ser oída y contestada. Por su naturaleza dialógica. la palabra supone también una última distancia dialógica. Recibir la palabra, ser oído. La inadmisibilidad de una solución hecha *in absentia.* Mi palabra permanece en el diálogo que continúa, en el cual será escuchada, respondida y comprendida.

En el mundo de Dostoievski, hablando estrictamente, no existen las muertes como hecho orgánico objetivo en el que no participe la conciencia del hombre activa y responsable: en el mundo de Dostoievski sólo existen asesinatos, suicidios y demencias, es decir, muertes como actos conscientes y responsables. Un lugar especial tienen las muertes-abandonos de los justos (Makar, Zosima, su hermano, el visitante misterioso). El hombre se responsabiliza por sí mismo por la muerte de la conciencia (la muerte orgánica, es decir, la muerte del cuerpo, no le interesa a Dostoievski); si no, se responsabiliza otro hombre: el asesino, el que castiga. Sólo los personajes objetuales mueren orgánicamente, sólo los que no participan en el gran diálogo o los que sirven como material o paradigma para el diálogo. Dostoievski no conoce la muerte como proceso orgánico que sucede al hombre sin que participe en él su conciencia responsable. La personalidad no muere. La muerte es un abandono. El hombre, se va *por sí mismo.* Sólo esta clase de muerte-abandono puede llegar a ser objeto (hecho) de la visión artística esencial en el mundo de Dostoievski. El hombre se fue al decir su palabra, pero la palabra misma permanece en el diálogo inconcluso.

Para Askoldov: la personalidad no es objeto, sino otro sujeto. La representación de una personalidad exige ante todo un cambio radical en la postura del autor que representa: hace falta *dirigirse* a un *tú.* No notar nuevos rasgos objetuales, sino cambiar el mismo enfoque artístico del hombre representado, cambiar el sistema de coordenadas.

Completar el problema de la posición del autor en una novela homofónica y en otra polifónica. Dar definición del monologismo y del dialogismo al fin del segundo capítulo. *La imagen de la personalidad* (no una imagen objetual, sino la palabra). El descubrimiento artístico de Dostoievski. En el mismo capítulo, la representación de las muertes en Tolstoi y en Dostoievski. Aquí, el carácter inconcluso internamente del protagonista. Al principio del capítulo, en la transición de Gógol a Dostoievski, mostrar la necesidad de la aparición del personaje ideólogo que ocupa una extrema posición en el mundo, del tipo que tome una última decisión (Iván caracterizado por Zosima).[17] El héroe de una familia eventual[18] no se determina por un ser socialmente estable, sino él mismo se encarga de tomar la última decisión por su cuenta. Más detalladamente sobre este punto, en el capítulo tercero.

En el segundo capítulo, acerca de la idea de una novela "objetiva" (esto es, novela sin el punto de vista del autor) en Chernyshevski (según V.V.Vinográdov). La diferencia de esta idea de la idea auténticamente polifónica de Dostoievski. En Chernyshevski, en su idea falta el dialogismo (que corresponde al contrapunto) de la novela polifónica.

NOTAS ACLARATORIAS

Bajtín emprendió una reelaboración esencial de su libro sobre Dostoievski para una nueva edición (Bajtín, M., *Problemy poetiki Dostoievskogo*, Moscú, 1963) desde la segunda mitad de 1961 hasta la primera mitad de 1962. El presente plan, fechado de 1961, precedió al trabajo. El prospecto ha sido publicado en el libro *Kontekst-1976* (Moscú, 1977, pp. 296-316; publicación de V.V.Kozhinov). En la presente edición, el título pertenece al compilador.

En el trabajo realizado por el autor para la segunda edición del libro había varias tendencias generales: *1*] se introdujo la cuestión acerca la postura total del autor en la novela polifónica de Dostoievski (el acento sobre este tema se expresó en el cambio del título del segundo capítulo: "El protagonista y la postura del autor con respecto a él en la obra de Dostoievski", en vez "El héroe de Dostoievski" en la edición de 1929; *2*] se elaboró más detalladamente el problema del diálogo en Dostoievski; es precisamente en la edición de 1963 donde apareció la delimitación entre "el diálogo externo expresado composicionalmente", "microdiálogo" y el "gran diálogo de la novela que los abarca todos"; *3*] se introdujeron ampliamente los temas de la poética histórica y de la tradición genérica, y el capítulo 4 fue escrito básicamente de nuevo; *4*] se planteó el problema del estudio metalingüístico de la palabra.

Estos temas, aunque en diferente medida, se reflejan en el plan, pero la atención principal aquí se dedica a la cuestión más importante en la concepción de Bajtín y que más discusiones produjo: el problema de la postura del autor. En una carta de 30 de julio de 1961 se comunica la intención de profundizar el análisis de las peculiaridades de la postura del autor en la novela polifónica, porque este último punto era el que más "objeciones y falta de comprensión ha producido". La explicación de estas peculiaridades, el investigador la encuentra en "el nuevo objeto y la nueva lógica de este objeto" descubierto por Dostoievski. Dostoievski descubre la personalidad como otra "conciencia viva y equitativa", una "verdad ajena" que se resiste a la postura del autor, quien tiende a concluirla. En la edición de 1963 se subraya la "positiva actividad de la nueva postura del autor en la novela polifónica", la fundamentación de esta actividad dialógica en el plan se relaciona con los temas generales de cosmovisión (oposición de una "participación interrogativa", en relación con la personalidad, a una "participación conclusiva" con respecto a un "material sin voz"), que tienen su expresión más concentrada en un esbozo de los años 30 o 40, "para los fundamentos filosóficos de las ciencias humanas" (ver notas a los apuntes "Hacia una metodología de las ciencias humanas"). Los problemas que se discuten en el presente prospecto se relacionan estrechamente con el tema del juvenil trabajo acerca del autor y el héroe.

En general, el contenido del prospecto es bastante más amplio que la finalidad práctica encaminada a reelaborar el libro. Una serie de temas marcados aquí, y de formulaciones encontradas, no formaron parte del libro (p. ej., acerca de los tipos humanos en su relación con un valor superior, la línea de una crítica del enfoque psicoanalítico de Dostoievski, acerca de los modos de expresión del hombre "desde el cuerpo hasta la palabra", el "problema de la catástrofe", "Dostoievski y el sentimentalismo", las comparaciones con la *Montaña mágica* de Th.Mann y con otros novelistas occidentales). Está sobre todo desarrollado en el prospecto el tema de la muerte en Dostoievski y en Tolstoi, de la "muerte para otros" y la "muerte para sí mismo"; en el libro de 1963 este tema se refleja mucho más lacónicamente.

[1] *El adolescente,* parte 3, cap. III.

[2] Saussure acudió a la comparación con el ajedrez para ilustrar su concepción de la lengua como sistema y de la significación de sus unidades siempre idénticas a sí mismas como la significación de las figuras del ajedrez.

[3] Cf. el análisis de Bazarov en las conferencias de Bajtín sobre la literatura rusa: "Pero no puede con el héroe en que el autor vio una fuerza y a quien quiere heroizar. Todos retroceden frente a Bazarov, también retrocede, vacila y le quiere adular el mismo Turguénev, pero éste al mismo tiempo lo odia." [Bazarov: protagonista de *Padres e hijos,* de Turguenev.]

[4] Fridlender G.M. "Roman 'Idiot' ", en: *Tvorchestvo F.M. Dostoievskogo,* Moscú, 1959, pp. 173-214.

[5] Ver: Lettenbauer W., *Russische Literaturgeschichte,* Frankfurt am Main-Wien, 1955, p. 250.

[6] Cf. en el artículo de 1924 "El problema del contenido, material y forma en la obra artística verbal": "No se debe, sin embargo, imaginarse la zona de la cultura como cierta totalidad espacial que tenga fronteras,

pero también con un territorio interno. No existe un territorio interno en la cultura: toda ella se sitúa en las fronteras, las fronteras pasan por todas partes atravesando cada momento de ella, la unidad sistemática de una cultura se sumerge en los átomos de la vida cultural, se refleja en cada gota de ella como si fuera un sol. Todo acto cultural vive esencialmente en las fronteras: en esto consiste su seriedad e importancia; al separarse de las fronteras pierde terreno, se vuelve vacuo, presuntuoso, degenera y muere" (M.Bajtín *Voprosy literatury i estetiki,* p. 25). Se trata de la unidad estructural de concepción de la personalidad humana y de la cultura, tan característica para el pensamiento de Bajtín; es una unidad de enfoque de los problemas de la antropología filosófica y de los de la historia de cultura.

[7] Cf. una aproximación semejante de conceptos en una opinión de Dostoievski acerca de su "realismo en un *sentido superior*" en tanto representación "de todas las *profundidades* del alma humana" *(Biografia, pis'ma i zametki iz zapisnoi knizhki Dostoievskogo,* San Petersburgo, 1883, p. 373), de lo cual parte Bajtín en su concepción de la obra de Dostoievski.

[8] Acerca de la muerte para sí y muerte para otros, ver, el trabajo "El autor y el héroe en la actividad estética" (cap. "La totalidad temporal del héroe").

[9] Ver M.Bajtín, *Problemy poetiki Dostoievskogo,* pp. 111-115.

[10] "¡Balzac es grande! ¡Sus caracteres representan la obra de la inteligencia del universo! No un espíritu del tiempo, sino milenios enteros contribuyeron con su lucha a semejante desenlace en el alma del hombre" (carta de F.M.Dostoievski a M.M.Dostoievski, del 9 de agosto de 1838, en: Dostoievski, F.M., *Pis'ma,* t.1, Moscú-Leningrado, 1928, p. 47).

[11] Ver *K.Marx i F.Engels ob iskusstve,* t.1, Moscú, 1957, 134-136.

[12] *Man* (pronombre sustantivado indefinido personal en alemán) es una categoría de la filosofía de Heidegger. Se trata de una fuerza impersonal que determina la existencia cotidiana del hombre.

[13] Ver *La muerte de Iván Ilich,* cap.IV.

[14] Ver *Humillados y ofendidos,* parte 3, cap.II.

[15] Ver el trabajo de S.Askoldov sobre la importancia ético-religiosa de Dostoievski, en *F.M.Dostoievski. Stati i materialy,* ed. de A.S.Dolinin, fasc. 1, San Petersburgo, 1922. Un análisis crítico del artículo de S. Askoldov se encuentra en *Problemy poetiki Dostoievskogo.*

[16] Ver *Los hermanos Karamazov,* libro 6, cap. II.

[17] Ver *Los hermanos Karamazov,* libro 2, cap.VI.

[18] Ver *El adolescente,* parte 3, cap. 13.

RESPUESTA A LA PREGUNTA HECHA POR LA REVISTA *NOVY MIR*

La dirección de *Novy mir* me preguntó cómo aprecio yo el estado de los estudios literarios en nuestro tiempo.

Desde luego, es difícil dar una respuesta categórica y segura a una pregunta tan difícil. La gente tiene siempre tendencia a cometer errores (hacia uno u otro lado) en la evaluación de su actualidad. Hay que tomar en cuenta esto. Sin embargo, voy a hacer un intento de contestar.

Nuestra ciencia literaria dispone de grandes posibilidades: tenemos muchos investigadores serios y talentosos, incluso entre los jóvenes; existe también una alta tradición literaria elaborada tanto en el pasado (Potebnia, Veselovski) como en la época soviética (Tynianov, Tomashevski, Eijenbaum, Gukovski y otros); existen, por supuesto, las necesarias condiciones externas para su desarrollo (institutos de investigación, cátedras, financiamiento, posibilidades de edición, etc.). A pesar de todo esto, sin embargo, nuestros estudios literarios de los últimos años (en realidad, de casi toda la última década), según mi parecer, en general no realizan estas posibilidades y no responden a los requerimientos que tenemos derecho a presentarle. No hay un planteamiento audaz de problemas generales, no hubo descubrimiento de nuevas zonas o de fenómenos aislados importantes en el mundo inabarcable de la literatura, no hay una lucha auténtica y sana de corrientes científicas, predomina una especie de miedo de correr riesgos en cuanto a la investigación, un miedo de plantear hipótesis. La ciencia literaria es en realidad aún joven, no dispone de métodos tan elaborados y experimentados como los de las ciencias naturales; por eso la ausencia de una lucha de corrientes y el miedo a las hipótesis lleva inevitablemente a un dominio de perogrulladas y clichés; estos últimos, lamentablemente, nos sobran.

Así es, en mi opinión, el carácter *general* de los estudios literarios de nuestros días. Pero ninguna característica general puede ser completamente justa. También en nuestros días aparecen, desde luego, libros satisfactorios y útiles (sobre todo de la historia literaria), aparecen artículos interesantes y profundos, existen, finalmente, t[am]bién fenómenos *grandes* a los que no se refiere de ninguna manera mi característica general. Estoy hablando del libro de N.Konrad *Zapad i vostok,* del libro de D.Lijachov *Poetika drevnerusskoi literatury,* así como *Trudy po znakovym sistemam,* los cuatro fascículos (la corriente de los investigadores jóvenes dirigida por Iu.M.Lotman). Son fenómenos sumamente alentadores de los últimos años. En el curso de nuestra plática tal vez aún mencione estos trabajos.

En cuanto a mi opinión acerca de los problemas que se plantean a la ciencia literaria como los más importantes, me detendré aquí tan sólo en dos problemas relacionados tan sólo con la historia literaria de los siglos *pasados,* y además de la manera más general. No voy a tocar en absoluto las cuestiones del estudio de la literatura y de la crítica literaria *actual,* a pesar de que es allí donde se plantean los problemas más importantes y de primer orden. Los dos problemas de los que tengo la intención de hablar los escogí porque ellos en mi opinión ya maduraron y ya comenzó su elaboración productiva que ha de ser continuada.

Ante todo, la ciencia literaria debe establecer un vínculo más estrecho con la historia de la cultura. La literatura es una parte inalienable de la cultura y no puede ser comprendida fuera del contexto de toda la cultura de una época dada. Es inadmisible separarla del resto de la cultura y, como se hace con frecuencia, relacionarla directamente, por encima de la cultura, con los factores socioeconómicos. Estos factores influyen en la cultura en su totalidad, y sólo a través de la cultura y junto con ella en la literatura. En nuestro país durante un largo período se prestó una atención especial a los problemas de la especificidad literaria. En su tiempo esto, posiblemente, fue necesario y útil. Hay que decir que la especificación estrecha es ajena a las tradiciones de nuestra ciencia. Recordemos los horizontes tan amplios, culturales, de las investigaciones de Potebnia y sobre todo de las de Veselovski. En la afición especificadora se menospreciaron los problemas de relación y dependencia mutua entre diversas zonas de la cultura, se olvidó que las fronteras entre estas zonas no son absolutas, que en diferentes épocas estas fronteras se habían trazado de maneras diversas, no se tomó en cuenta el hecho de que la vida más intensa y productiva de la cultura se da sobre los límites entre diversas zonas suyas, y no donde y cuando estas zonas se encierran en su especificidad. En nuestros trabajos histórico-literarios se suelen dar las características de las épocas a las que se refieren los fenómenos literarios estudiados, pero estas características generalmente en nada difieren de aquellas que se dan en la historia general, sin un análisis diferenciado de las zonas de la cultura y de su interacción con la literatura. Tampoco está elaborada aún la metodología de esta clase de análisis. Y el llamado proceso literario de una época, estudiado en separación de un análisis profundo de la cultura, se reduce a la lucha superficial de las corrientes literarias, y en lo que respecta a los tiempos modernos (sobre todo al siglo XIX) se reduce, en realidad, a los chismes de revistas y periódicos que no habían influido de una manera significativa en la literatura grande y auténtica de la época. Las profundas y poderosas corrientes de la cultura (sobre todo las corrientes bajas, las populares), que determinan de una manera efectiva la obra de los escritores, permanecen sin descubrir y a veces resultan desconocidas a los investigadores. Con semejantes enfoques es imposible penetrar en la profundidad de las grandes obras, y la literatura misma llega a parecer un asunto insignificante y poco serio.

El problema del que estoy hablando y las cuestiones relacionadas con éste (problemas de delimitación de una época como una unidad cultural, problemas de tipología de la cultura y otros) se plantean agudamente en la discusión de la literatura barroca en los países eslavos y sobre todo en la discusión acerca del Renacimiento y del humanismo en los países orientales, que sigue aún ahora; se manifestó claramente la necesidad de un estudio más profundo de la relación entre la literatura y la cultura de una época determinada.

Los trabajos sobresalientes de los últimos años que he mencionado (el de Konrad, el de Lijachov, los de Lotman y su escuela), con toda la diferencia en su metodología, no separan la literatura de la cultura, tratan de entender los fenómenos literarios en la unidad diferenciada de toda la cultura de una época. Hay que subrayar que la literatura es un fenómeno demasiado complejo y multifacético, y la ciencia literaria es aún muy joven para que se pueda hablar de un método único que lo salve todo en los estudios literarios. Se justifican y aun son absolutamente necesarios los *diferentes* enfoques, siempre y cuando sean serios y descubran algo nuevo en el fenómeno literario de que se ocupan, siempre y cuando ayuden a su comprensión más honda.

Si es imposible estudiar la literatura en separación de toda la cultura de la época, es aún más nocivo encerrar el fenómeno literario en la única época de su creación, en su actualidad. Solemos tender a explicar a un escritor y sus obras precisamente a partir de su época actual y de un pasado inmediato (normalmente dentro de la época tal como la entendemos). Nos asusta alejarnos en el tiempo del fenómeno estudiado. Mientras tanto, cada obra tiene sus raíces en un pasado lejano. Las grandes obras literarias se preparan a través de los siglos, y en la época de su creación solamente se cosechan los frutos maduros del largo y complejo proceso de maduración. Al tratar de comprender y explicar una obra tan sólo a partir de las condiciones de su época, tan sólo de las condiciones del tiempo inmediato, jamás podremos penetrar en sus profundidades de sentido. La cerrazón en una época no permite comprender tampoco la vida futura de una obra durante los siglos posteriores, y esta vida aparece como una paradoja. Las obras rompen los límites de su tiempo, viven durante siglos, es decir, en un *gran tiempo,* y además, con mucha frecuencia tratándose de las grandes obras, siempre), esta vida resulta más intensa y plena que en su actualidad. Hablando de una manera más simplificada y burda: si reducimos el significado de una obra, por ejemplo, a su papel en la lucha con el régimen de servidumbre (como se hace en la secundaria), una obra así debería perder por completo su importancia cuando el régimen de servidumbre y sus vestigios desaparezcan, pero a menudo esta obra todavía aumenta en importancia posteriormente, es decir, llega a entrar en el *gran tiempo.* Pero una obra no puede vivir en los siglos posteriores si no se impregnó de alguna manera de los siglos anteriores. Si una obra naciese totalmente hoy (es decir, sólo dentro de su actualidad), si no continuase el pasado y no fuese vinculada a él esencialmente, tampoco podría sobrevivir en el futuro. Todo aquello que sólo pertenece al presente, muere junto a éste.

La supervivencia de las grandes obras en las épocas futuras y alejadas parece, como ya he dicho, una paradoja. En el proceso de su vida póstuma se enriquecen con significados nuevos; estas obras dejan de ser lo que eran en la época de su creación. Podemos decir que ni Shakespeare mismo, ni sus contemporáneos, conocieron al "gran Shakespeare" que conocemos ahora. Es absolutamente imposible hacer caber a nuestro Shakespeare en la época isabelina. Ya Belinski decía en su tiempo que cada época descubre algo nuevo en las grandes obras del pasado. ¿Entonces resulta que añadimos algo a las obras de Shakespeare que antes no tenían, lo modernizamos y distorsionamos? Claro que siempre hubo y habrá modernizaciones y distorsiones. Pero Shakespeare no ha crecido por su cuenta. Ha crecido gracias a aquello que realmente hubo y hay en sus obras, pero que ni él mismo ni sus coetáneos pudieron percibir y apreciar en el contexto de la cultura de su época.

Los fenómenos semánticos pueden existir de una manera latente, potencialmente, y manifestarse únicamente en los contextos culturales de las épocas posteriores favorables para tal manifestación. Los tesoros del sentido puestos por Shakespeare en sus obras se crearon y se recolectaron durante siglos y hasta milenios: permanecían ocultos en la lengua, no sólo en la lengua literaria, sino en aquellos estratos del lenguaje popular que antes de Shakespeare aún no se habían introducido en la literatura, en los múltiples géneros y formas de la comunicación discursiva, en las formas de la poderosa cultura popular (principalmente carnavalescas) que se iban constituyendo durante milenios, en los géneros de espectáculo teatral (misterios, farsas, etc.), en los argumentos arraigados en la antigüedad prehistórica y, finalmente, en las formas de pensamiento. Shakespeare, como todo artista, construía sus obras no a partir de elementos muertos, no de ladrillos, sino de las formas ya cargadas de sentido, plenas de sentido. Por lo demás, también los ladrillos poseen una determinada forma espacial y, por consiguiente, en las manos del constructor expresan algo.[1]

Los géneros tienen una importancia especial. En los géneros literarios (y discursivos), durante los siglos de su vida se acumulan formas de visión y comprensión de determinados aspectos del mundo. Para un escritor artesano, el género sirve de cliché externo, mientras que un gran escritor hace despertar las posibilidades de sentido latentes en el género. Shakespeare utilizó y encerró en sus obras los enormes tesoros de sentidos potenciales que en su época no podían ser descubiertos y comprendidos en toda su plenitud. El mismo autor y sus coetáneos ven, comprenden y aprecian ante todo aquello que está más cerca de su actualidad. El autor es un prisionero de su época, de su contemporaneidad. Las épocas posteriores lo liberan de esta prisión y los estudios literarios deben ayudar a esta liberación.

De todo lo que hemos dicho no se deduce en absoluto que la época contemporánea del autor pueda ser subestimada de alguna manera, que su obra pueda ser arrojada al pasado o proyectada hacia el futuro. La época contemporánea conserva toda su enorme importancia y en muchos aspectos su importancia decisiva. Un análisis científico puede partir únicamente de ella y en su desarrollo ulterior siempre se ha de ir corrigiendo de acuerdo con esta época. Una obra literaria, como lo hemos dicho, se manifiesta ante todo en la unidad diferenciada de la cultura de su época de creación, pero no se puede encerrarla en esta época: su plenitud se manifiesta tan sólo dentro del *gran tiempo.*

Pero tampoco la cultura de una época, por más alejada que

esté de nosotros en el tiempo, debe encerrarse en sí como algo prefigurado, totalmente concluido e irremediablemente distanciado y muerto. Las ideas de Spengler acerca de los mundos culturales cerrados y concluidos hasta el momento influyen mucho en los historiadores y los investigadores de la literatura. Pero estas ideas precisan de correcciones importantes. Spengler se imaginaba la cultura de una época como un círculo cerrado. Pero la unidad de una cultura determinada es unidad *abierta*.

Toda unidad de esta índole (p. ej. la antigüedad clásica) en toda su peculiaridad forma parte del proceso único (aunque no lineal) de la formación de la cultura de la humanidad. En cada cultura del pasado están latentes las enormes posibilidades de sentido que quedaron sin descubrir, sin comprender y sin aprovechar a lo largo de toda la vida histórica de la cultura dada. La antigüedad misma no conoció aquella antigüedad que conocemos ahora. Existió un chiste escolar: los griegos antiguos no sabían de sí mismos lo más importante: no sabían que eran *antiguos* griegos, y nunca se denominaron así. Pero en realidad aquella distancia temporal que llegó a convertir a los griegos en antiguos griegos tuvo una enorme importancia transformadora: está llena de descubrimientos de los sentidos valorativos siempre nuevos en la antigüedad clásica, sentidos que los griegos efectivamente no habían conocido, a pesar de haberlos creado. Hay que decir que el mismo Spengler, en su magnífico análisis de la cultura clásica, supo descubrir en ella nuevas profundidades del sentido; es cierto que le había agregado, para atribuirle un carácter más redondeado y concluido, pero él siempre participó en la gran causa de la liberación de la antigüedad clásica de la prisión del tiempo.

Hemos de subrayar que hablamos aquí de las nuevas profundidades de sentido latentes en las culturas de las épocas pasadas, y no de la ampliación de nuestros conocimientos fácticos y materiales acerca de ellas, que constantemente comportan las excavaciones arqueológicas, los descubrimientos de nuevos textos, el perfeccionamiento de su descodificación, las reconstrucciones, etc. De este modo se obtienen los nuevos portadores materiales del sentido, esto es, del cuerpo del sentido. Pero no se puede trazar un límite absoluto [2] en la cultura: la cultura no se crea de elementos muertos, ya hemos dicho que un simple ladrillo en las manos del constructor expresa algo mediante su forma. Por eso los nuevos descubrimientos de portadores materiales del sentido aportan correcciones en nuestras concepciones semánticas y hasta pueden exigir su reconstrucción sustancial.

Existe una idea unilateral y por eso incorrecta, pero muy viable, acerca de que para una mejor comprensión de la cultura ajena hay que de alguna manera trasladarse en ella y, olvidando la propia, ver el mundo con los ojos de la cultura ajena. Esta idea, como ya he dicho, es unilateral. Por supuesto, la compenetración con la cultura ajena, la posibilidad de ver el mundo a través de ella es el momento necesario en el proceso de su comprensión; pero si la comprensión se redujese a este único momento, hubiera sido un simple doblete sin poder comportar nada enriquecedor. Una *comprensión creativa* no se niega a sí misma, a su lugar en el tiempo, a su cultura, y no olvida nada. Algo muy importante para la comprensión es la *extraposición* del que comprende en el tiempo, en la cultura; la extraposición con respecto a lo que se quiere comprender creativamente. Incluso a su propio aspecto exterior el hombre no lo puede ver y comprender auténticamente en su totalidad, y ningún espejo ni las fotografías pueden ayudarlo; su verdadera apariencia sólo la pueden ver y comprender las otras personas, gracias a su ubicación extrapuesta en el espacio y gracias al hecho de ser *otros.*

En la cultura, la extraposición viene a ser el instrumento más poderoso de la comprensión. La cultura ajena se manifiesta más completa y profundamente sólo a los ojos de *otra* cultura (pero aún no en toda su plenitud, porque aparecerán otras culturas que verán y comprenderán aún más). Un sentido descubre sus profundidades al encontrarse y al tocarse con otro sentido, un sentido ajeno: entre ellos se establece una suerte de *diálogo* que supera el carácter cerrado y unilateral de estos sentidos, de estas culturas. Planteamos a la cultura ajena nuevas preguntas que ella no se había planteado, buscamos su respuesta a nuestras preguntas, y la cultura ajena nos responde descubriendo ante nosotros sus nuevos aspectos, sus nuevas posibilidades de sentido. Sin sus propias preguntas no se puede comprender creativamente nada que sea otro y ajeno (claro que las preguntas deben ser serias y auténticas). En un encuentro dialógico, las dos culturas no se funden ni se mezclan, cada una conserva su unidad y su totalidad *abierta,* pero ambas se enriquecen mutuamente.

En cuanto a mi apreciación de las perspectivas posteriores del desarrollo de nuestra ciencia literaria, considero que las perspectivas son completamente buenas, porque tenemos grandes posibilidades. Lo que nos falta es una audacia científica e investigadora, sin la cual es imposible elevarse alto ni descender a las profundidades.

NOTAS ACLARATORIAS

Publicado en *Novy mir* (1970, núm. 11, pp. 237-240).

[1] Este ejemplo aclara muy bien la fórmula tan universalmente abarcadora del autor: "el ser expresivo y hablante" mediante el cual abrazó el objeto y la esfera del pensamiento humanístico; a este ser le concierne el "pensamiento preñado de palabra", en oposición a una "cosa sin voz" (ver los apuntes "Hacia una metodología de las ciencias humanas" y sus correspondientes notas). Un "ser expresivo y hablante", desde Shakespeare hasta los ladrillos en manos del albañil: se puede decir que éste fue el tema más general de las reflexiones de Bajtín.

[2] El autor escribió acerca de la específica imposibilidad de separar el "cuerpo" del "sentido" en el arte ya durante los años 20, partiendo polémicamente de la "estética material" del formalismo, por un lado, y del "ideologismo abstracto", por otro: "...en el arte, el significado es absolutamente inseparable de todos los detalles del cuerpo material que lo pone en práctica. Una obra de arte es significante en su totalidad. La creación misma del cuerpo-signo tiene aquí una importancia de primer grado. Los momentos técnicos y auxiliares, y por lo tanto sustituibles, en una obra de arte se reducen al mínimo. La misma realidad única de la cosa, en todo el carácter irrepetible de sus rasgos, adquiere en ella una significación artística (Medvedev, P.N., *Formalnyi metod v literaturovedenii*, p. 22).

DE LOS APUNTES DE 1970-1971

La ironía vino a formar parte de todas las lenguas modernas (sobre todo del francés), se introdujo en todas las palabras y formas (especialmente las formas sintácticas; la ironía, p. ej., ha destruido la voluminosa y "elevada" periodicidad del discurso). La ironía existe en todas partes: desde una ironía mínima e imperceptible hasta una ironía que habla en voz alta y limita con la risa. El hombre moderno no declama, sino que habla, esto es, habla mediante sobreentendidos y con reservas. Todos los géneros "declamativos" se han conservado principalmente como partes constitutivas, paródicas o semiparódicas, de la novela. La lengua de Pushkin representa, justamente, una lengua llena de ironía (en diversos grados) y de sobreentendidos.

Los sujetos discursivos de los géneros elevados y declamantes —sacerdotes, profetas, predicadores, jueces, jefes, patriarcas, etc.— ya no existen en la vida real. A todos ellos los sustituyó el escritor, simplemente un escritor que viene a ser heredero de sus estilos. A estos últimos, el escritor o bien los estiliza (es decir, toma la postura de un profeta, de un predicador, etc.), o bien hace de ellos una parodia (en mayor o menor grado). Apenas está por elaborar su propio estilo, estilo de escritor. Este problema aún no existía para un aedo, un rapsoda, un trágico, sacerdote de Dionisos, ni aun para un poeta cortesano moderno. También se les ofrecía la situación: festejos de toda clase, cultos, banquetes. Incluso la palabra prenovelesca tenía su propia situación: fiestas de tipo carnavalesco. Mientras tanto, el escritor carece de estilo y de situación. Ha tenido lugar una total secularización de la literatura. La novela que carece de estilo y de situación no es, en realidad, un género; debe imitar (representar) algún género no artístico: narración cotidiana, cartas, diarios, etcétera.

Existe un ángulo específico de sobriedad, sencillez, democratismo, libertad, que es propio de todas las lenguas nuevas. Se podría decir, con ciertas limitaciones, que todas estas lenguas (sobre todo la francesa) se originaron en los géneros populares y profanizadores, que todas ellas en cierta medida se determinaron por un largo y complejo proceso de segregación de la ajena palabra sagrada y en general de la palabra sagrada y autoritaria, con su carácter incuestionable, incondicional, absoluto. La palabra de fronteras consagradas e inexpugnables, y por lo tanto palabra inerte, con limitadas posibilidades de contactos y combinaciones. La palabra que frena y congela el pensamiento. La que exige repetición piadosa, no desarrollo posterior, correcciones y complementos. La palabra sacada de su diálogo: ésta tan sólo puede ser citada dentro de las réplicas, pero no puede ser una réplica entre otras réplicas de igual importancia. Tal palabra estaba dispersa por todas partes, limitando, dirigiendo y frenando el pensamiento y la experiencia viva. En el proceso de lucha con esta palabra y de su segregación (mediante los anticuerpos paródicos) se iban formando las lenguas modernas. Las huellas limítrofes de la palabra ajena. Los vestigios en la sintaxis.

El carácter de la palabra sagrada (autoritaria); las particularidades de su conducta dentro del contexto de la comunicación discursiva, así como dentro del contexto de géneros folklóricos (orales) y literarios (su carácter inerte, su postura fuera del diálogo, su extremadamente limitada capacidad de combinación en general y sobre todo de combinación con las palabras profanas, no sagradas, etc.), no son por supuesto sus definiciones lingüísticas. Son particularidades de tipo metalingüístico. La metalingüística abarca diversos aspectos y grados de *alienación* de la palabra ajena y diferentes maneras de enfocarla (estilización, parodia, polémica, etc.), distintos modos de segregarla de la vida discursiva. Pero todos estos fenómenos y procesos, particularmente el proceso multisecular de la segregación de la palabra ajena, encuentran su reflejo (y su asentamiento) también en el aspecto de la lengua como sistema, por ejemplo en la estructura sintáctica y léxico-sintáctica de las lenguas modernas. La estilística debe orientarse hacia el estudio metalingüístico y de grandes acontecimientos (sucesos multiseculares) de la vida discursiva de los pueblos. Tipos de palabras según los cambios, de acuerdo con la cultura y la época (p. ej., nombres y sobrenombres, etcétera).

Silencio y sonido. Percepción del sonido (sobre el fondo del silencio). *Silencio y taciturnidad* (ausencia de palabra). Pausa y principio del discurso. La interrupción del silencio mediante un sonido es de carácter mecánico y fisiológico (como condición de su percepción); mientras que la interrupción del silencio con la palabra es personalizada y llena de sentido: se trata de un mundo totalmente diferente. En el silencio nada suena (o algo no suena); en la taciturnidad nadie *habla* (o alguien no habla). La taciturnidad sólo es posible en el mundo humano (y únicamente para el hombre). Desde luego, tanto el silencio como la taciturnidad son relativos.

Las condiciones de percepción del sonido, condiciones de comprensión-reconocimiento del signo, condiciones de la comprensión semantizada de la palabra.

La taciturnidad, el sonido semantizado (la palabra), la pausa, forman parte de un logosfera específica, de una estructura única e ininterrumpible, de una totalidad abierta e inconclusa.

Comprensión-reconocimiento de elementos repetibles del discurso (más bien de la lengua) y la comprensión semantizada de un enunciado irrepetible. Todo elemento del discurso se percibe en dos niveles: nivel de la repetibilidad de la lengua y nivel del enunciado irrepetible. La lengua, a través del enunciado, se inicia en la totalidad históricamente irrepetible e inconclusa de la logosfera.

Palabra como medio (la lengua) y palabra como búsqueda del sentido. La palabra semantizadora pertenece al reino de la teleología. La palabra como una última y suprema finalidad.

El carácter cronotópico del pensamiento artístico (sobre toda en la antigüedad). El punto de vista es cronotópico, es decir incluye tanto el momento espacial como el temporal. Con este aspecto se relaciona de una manera directa el punto de vista axiológico (jerárquico; relación con lo de arriba y lo de abajo). El cronotopo del suceso representado, el cronotopo del narrador y el cronotopo del autor (la última instancia del autor). Espacio ideal y real en las artes figurativas. Un cuadro de caballete se encuentra fuera del espacio jerárquicamente organizado, cuelga del aire.

Inadmisibilidad de un solo tono (serio). Cultura de la multiplicidad de tonos. Esferas del tono serio. Ironía como forma del silencio. Ironía y risa como superación de la situación, como predominio sobre ella. Únicamente las culturas dogmáticas y autoritarias son unilateralmente serias. La violencia no conoce la risa. Análisis de una cara seria (miedo o amenaza). Análisis de una cara riente. Lugar del patetismo. Transición del patetismo a la desesperación. Entonación de una amenaza anónima en el tono del locutor que transmite comunicados importantes. La seriedad acumula las situaciones irremediables, la risa se eleva por encima de ellas, las libera. La risa no amarra al hombre: lo libera.

Carácter social, coral de la risa, su tendencia hacia lo público y lo universal. Las puertas de la risa están abiertas para todos y para cada quién. La indignación, la ira, el resentimiento, son siempre unilaterales: excluyen a quien produjo la ira, etc., producen ira como respuesta. Estos sentimientos dividen, mientras que la risa une, la risa no puede dividir. La risa puede combinarse con una emoción muy profunda (Sterne, Jean Paul y otros). Risa y lo festivo. Cultura de lo cotidiano. Risa y reino de las finalidades (y los medios siempre son serios). Todo aquello que es realmente grande debe incluir un elemento de risa. En caso contrario, se vuelve algo amenazante, horrible o amanerado; en todo caso, algo limitante. La risa levanta la barrera, abre el camino.

Risa alegre, abierta, festiva. Risa satírica, puramente negativa, satírica. Esta última no es risa riente. La risa de Gogol es alegre. Risa y libertad. Risa e iguadad. La risa acerca y familiariza. No se puede implantar la risa, las festividades. La fiesta es siempre eviterna o primigenia.

Dentro de una cultura de multiplicidad de tonos, los tonos serios suenan de una manera diferente: sobre ellos recaen reflejos de tonos de risa; lo serio pierde su carácter exclusivo y único, se completa con el aspecto de la risa.

Estudio de la cultura (o de una esfera de ella) a nivel del sistema y a nivel más alto de la unidad orgánica: unidad abierta, en proceso de formación, no solucionada y no preformada, capaz de perecer y de renovarse, capaz de trascenderse (o sea de rebasar sus propios límites). La comprensión del carácter poliestilístico de *Eugenio Oneguin* (*cf.* en Lotman) [1] como traslación a otro código (romanticismo a realismo, etc.) lleva a la pérdida del momento más importante, el momento *dialógico* y a la interpretación del diálogo de estilos en una simple coexistencia de diversas versiones de los mismos. Detrás de un estilo hay un punto de vista de una personalidad íntegra. El código presupone un contenido preparado con anterioridad y la elección realizada entre códigos *dados.*

El enunciado (obra verbal) como una totalidad constituye una esfera totalmente nueva de la comunicación discursiva (como elemento de esta nueva esfera), que no se somete a la descripción y definición en términos y métodos de la lingüística y más ampliamente de la semiótica. Esta esfera tiene sus propias reglas y exige para su estudio una nueva metodología y, hasta se podría decir, una disciplina científica aparte. El enunciado como una totalidad no puede ser definido en términos de la lingüística o de la semiótica. El término *texto* no corresponde en absoluto a la esencia de un enunciado entero.

No puede haber un enunciado aislado. Un enunciado siempre

presupone otro enunciado que le antecede y otros enunciados que le siguen. Ni un solo enunciado puede ser primero ni último. El enunciado sólo representa un eslabón en la cadena y no puede ser estudiado fuera de esta cadena. Entre los enunciados existen relaciones que no pueden ser determinadas dentro de las categorías mecanicistas ni dentro de las lingüísticas. No tienen analogías.

Abstracción de los momentos extratextuales, pero no de los otros textos relacionados con el texto dado en la cadena de la comunicación discursiva. Socialidad interna. Encuentro de dos conciencias en el proceso de comprensión y estudio del enunciado. Carácter personalista de las relaciones entre enunciados. Definición del enunciado y de sus fronteras.

La segunda conciencia y el metalenguaje. El metalenguaje no representa simplemente un código, sino que siempre establece una relación dialógica con la lengua que describe y analiza. Postura del experimentador y observador en la teoría cuántica. La existencia de esta postura activa cambia toda la situación y, por consiguiente, los resultados del experimento. Un acontecimiento que tiene un observador, por lejano, oculto y pasivo que sea éste, representa ya un acontecimento absolutamente distinto. (Ver al "visitante misterioso" de Zosima) [en *Los hermanos Karamazov,* de Dostoievski]. El problema de la segunda conciencia en las ciencias humanas. Preguntas (de una encuesta) que cambian la conciencia de la persona interrogada.

Carácter inagotable de la segunda conciencia, esto es, de la conciencia que comprende y contesta: en ella existe una potencial infinitud de respuestas, lenguas, códigos. Infinitud contra infinitud.

Una bienintencionada delimitación, luego una cooperación. En vez de descubrir (de una manera positiva) la veracidad relativa (parcial) de sus propios postulados y de su punto de vista, se tiende (y en esto se gastan las fuerzas) a una retracción absoluta y a la eliminación del opositor, a la aniquilación total del otro punto de vista.

Ni una sola corriente científica (que no sea deliberadamente falsa) es totalizante, y ni una sola corriente se ha conservado en su forma inicial e invariable. En la ciencia no hubo ni una sola época en que existiese una sola corriente (aunque casi siempre haya existido una corriente dominante). No puede ni hablarse de eclecticismo: la fusión de todas las corrientes en una sola hubiera sido mortal para la ciencia (si la ciencia fuese mortal). Cuantas más delimitaciones existan, tanto mejor, pero debe tratarse de las delimitaciones bienintencionadas. Sin peleas en las fronteras. Cooperación. Existencia de las zonas fronterizas (en ellas suelen surgir nuevas corrientes y disciplinas).

Testigo y juez. Con la aparición de la conciencia en el mundo (en el ser), o tal vez ya con la aparición de la vida biológica (quizá no tan sólo animales, sino plantas, árboles, hierba, atestigüen y juzguen), el mundo (el ser) se cambia radicalmente. La piedra sigue siendo piedra y el sol, sol; mas el acontecimiento del ser en su totalidad (acontecimiento que no puede ser concluido) se vuelve totalmente diferente, porque sale al escenario de la existencia terrenal, por vez primera, el personaje nuevo y principal del acontecimiento, que es testigo y juez. El mismo sol, permaneciendo físicamente el mismo, se ha vuelto otro, porque fue percibido como testigo y juez. Dejó de ser únicamente y llegó a ser en sí y para sí (aquí aparecen por primera vez estas categorías) y para otro, por haberse reflejado en la conciencia del otro (testigo y juez): con esto, ha cambiado radicalmente, se ha enriquecido, se ha transformado. (No se trata de "otra existencia".)

Lo cual no puede ser entendido en el sentido de que el ser (la naturaleza) haya comenzado a reconocerse en el hombre, se haya reflejado en sí mismo. En este caso el ser seguiría siendo el mismo ser, tan sólo se repetiría a sí mismo (permanecería *solitario,* así como había sido el mundo antes de que apareciera la conciencia, es decir, el testigo y el juez). No; ha aparecido algo absolutamente nuevo, ha aparecido un *sobre-ser.* En este sobre-ser ya no existe ni un grano del ser, pero todo el ser existe en él y para él.

Lo cual es análogo al problema de la autoconciencia humana. El que está consciente, ¿coincidirá con lo que concientiza? En otras palabras, ¿el hombre permanece siempre el mismo, es decir, solitario? En este momento ¿no estará cambiando radicalmente todo el acontecimiento del ser para el hombre? Y realmente, así es. Aquí aparece algo absolutamente nuevo: un sobre-hombre, un sobre-*yo*, es decir, testigo y juez de *todo* el hombre (de todo el *yo*), y, por consiguiente, no se trata del mismo hombre, del *yo,* sino del *otro.* Hay que sufrir el reflejo de sí mismo en el otro empírico para salir hacia un *yo-para-mí* (¿puede ser solitario?). La libertad absoluta de este *yo.* Pero esta libertad no puede transformar el ser materialmente, por decirlo así (ni puede desearlo), sino que tan sólo puede cambiar el *sentido* del ser (reconocer, justificar, etc.); se trata de la libertad del testigo y el juez. Esta libertad se expresa mediante la *palabra.* La verdad, la certidumbre, no son propias del ser mismo, sino del ser conocido y verbalizado.

El problema de la libertad absoluta, es decir, de una libertad que permanece en el ser y transforma la composición del ser, pero no su sentido. Esta clase de libertad transforma el ser material y puede llegar a ser violencia, al desprenderse el ser material y al convertirse en una fuerza material burda y desnuda. La creación siempre ha sido relacionada con la transformación del sentido y no puede ser una fuerza material desnuda.

Aunque el testigo sólo puede ver y conocer una fracción ínfima del ser, todo el ser no conocido y no visto por él, sin embargo, cambia su cualidad (sentido), llegando a ser un ser no conocido y no visto, y no ser simplemente, tal como era sin su relación con el testigo.

Todo lo que a mí concierne, llega a mi conciencia, comenzando por mi nombre, desde el mundo exterior a través de la palabra de los otros (la madre, etc.), con su entonación, en su tonalidad emocional y valorativa. Yo me conozco inicialmente a través de otros: de ellos recibo palabras, formas, tonalidad, para formar una noción inicial de mí mismo. Los elementos del infantilismo en la autoconciencia ("acaso mamá quería a éste. . ." [2]) permanecen a veces hasta el final de la vida (percepción y concepción de uno mismo, de su cuerpo, cara, de su pasado mediante diminutivos [3]). Como el cuerpo se forma inicialmente dentro del seno materno (cuerpo), así la conciencia del hombre despierta envuelta en la conciencia ajena. Ya más tarde comienza la aplicación a sí mismo de palabras y categorías neutras, es decir, la definición de uno mismo como persona sin relación con el *yo* y con el *otro*.

Tres tipos de relaciones:

1] Relaciones entre objetos: entre cosas, entre fenómenos físicos, químicos, relaciones causales, relaciones matemáticas, lógicas, relaciones lingüísticas, etcétera.

2] Relaciones entre sujeto y objeto.

3] Relaciones entre sujetos que son relaciones personalistas: relaciones dialógicas entre los enunciados, relaciones éticas, etc. Estas relaciones abarcan toda clase de relaciones personalizadas de sentido (semánticas). Relaciones entre conciencias, verdades, influencias mutuas, aprendizaje, amor, odio, mentira, amistad, respeto, piedad, confianza, desconfianza, etcétera.

Pero si estas relaciones se despersonalizan (como las relaciones entre enunciados y estilos bajo el enfoque lingüístico, etc.), vuelven a pasar al primer tipo. Por otra parte, es posible una personalización de muchas relaciones objetuales y su transición al tercer tipo. Cosificación y personalización.

Definición del sujeto (persona) en las relaciones intersujetuales: su carácter concreto (nombre), su totalidad, su responsabilidad, etc., su carácter inagotable, inconcluso, abierto.

Transiciones y mezclas de los tres tipos de relaciones. Por ejemplo, un crítico literario discute (polemiza) con el autor o con el personaje y simultáneamente lo explica como algo determinado causalmente de una manera total (social, psicológica, biológicamente). Los dos puntos de vista están justificados, pero sólo dentro de unos límites determinados, metodológicamente deslindados y sin confusión. No se puede prohibir que un médico trabaje con cadáveres, con el pretexto de que debería curar gente viva y no muerta. Un análisis que mata está totalmente justificado dentro de sus propios límites. Cuanto más el hombre entiende su carácter determinista (su carácter de cosa), tanto más se acerca a la comprensión y realización de su libertad verdadera.

Pechorin * en toda su complejidad y contradicción, en comparación con Stavroguin,** aparece como íntegro e ingenuo. No ha comido del árbol del bien y el mal. Todos los héroes de la literatura rusa antes de Dostoievski no comían del árbol del bien y el mal. Por eso en el marco de la novela eran posibles poesía íntegra e ingenua, lirismo, paisaje poético. A los héroes de antes de Dostoievski aún les son accesibles pedacitos (rincones) del paraíso terrenal, del cual los héroes de Dostoievski están expulsados de una vez y para siempre.

La estrechez de los horizontes históricos de nuestra ciencia literaria. Su encierro en la época más inmediata. Indeterminación (metodológica) de la misma categoría de la época. Explicamos un fenómeno a partir de su actualidad y del pasado inmediato (dentro de los límites de una "época"). Siempre tenemos en primer plano lo *preparado* y lo *concluido*. Incluso en la antigüedad clásica separamos lo establecido y lo concluido, y no lo recién originado, lo que está en proceso de desarrollo. No estudiamos los gérmenes preliterarios de la literatura (tanto en la lengua como en los ritos). La comprensión muy estrecha ("especificadora") de la especificidad. Posibilidad y necesidad. Es

* Protagonista de la novela de Lermontov *Un héroe de nuestro tiempo*, uno de los prototipos de "hombre superfluo", hombre que no encuentra función dentro de la sociedad. [T.]

** Protagonista de *Los endemoniados*, de Dostoievski. [T.]

difícil hablar de la necesidad (necesariedad) en las ciencias humanas. En ellas tan sólo es posible descubrir científicamente las *posibilidades* y la *realización* de una de ellas. Lo repetible y la irrepetibilidad.

Vernadski acerca de la lenta formación histórica de las categorías principales (no sólo de las científicas, sino también de las artísticas). La literatura en su etapa histórica abarcó los elementos establecidos previamente: ya estaban las lenguas, así como las formas principales de visión y de pensamiento. Pero todos estos elementos siguen desarrollándose, aunque lentamente (dentro de una época el cambio no es perceptible). La relación de los estudios literarios con la historia de la cultura (cultura entendida no como suma de fenómenos, sino como una totalidad). En esto consiste la fuerza de Veselovski (la semiótica). La literatura es una parte inseparable de la totalidad de una cultura y no puede ser estudiada fuera del contexto total de la cultura. No puede ser separada del resto de la cultura y relacionada inmediatamente (por encima de la cultura) con los factores socioeconómicos y otros. Estos factores influyen en la cultura en su totalidad y sólo a través de ella y junto a ella influyen en la literatura. El proceso literario es parte inseparable del proceso cultural.

En el mundo inabarcable de la literatura, la ciencia (y la conciencia cultural) del siglo XIX aisló sólo un mundo muy pequeño, y nosotros lo estrechamos aún más. El Oriente casi no estaba representado en aquel mundillo. El mundo de la cultura y de la literatura es, en realidad, tan infinito como el universo. No estamos hablando de su extensión geográfica (porque en este aspecto sí es limitado) sino de sus profundidades de sentido que son tan insondables como las de la materia. La infinita heterogeneidad de sentidos, imágenes, combinaciones semánticas de imágenes, de materiales y de su percepción, etc. La redujimos tremendamente mediante selección y mediante modernización de lo seleccionado. Estamos empobreciendo el pasado y no nos enriquecemos nosotros mismos. Nos estamos ahogando en la prisión de comprensiones estereotipadas.

Las líneas generales del desarrollo literario que fueron formando a uno u otro escritor, a una u otra obra a través de los siglos (y entre diferentes pueblos). Mientras que nosotros conocemos únicamente al escritor, su visión de mundo, su contemporaneidad. *Eugenio Oneguin* se iba creando durante siete años. Es cierto. Pero lo iban preparando y lo hicieron posible cientos de años (y posiblemente milenios). Se están menospreciando totalmente tales grandes realidades de la literatura como el género.

Problema del *tono* en la literatura (risa y lágrimas y sus derivados). Problema de la tipología (unidad orgánica de motivos e imágenes). Problema del realismo sentimental [4] (a diferencia del romanticismo sentimental; Veselovski [5]). La importancia de las lágrimas y de la tristeza como visión del mundo. El aspecto lacrimoso del mundo. La compasión. El descubrimiento de este aspecto en Shakespeare (complejo de motivos). Los espirituales [6]. Sterne. Culto de la debilidad, de los indefensos, de la bondad, etc. —animales, niños, mujeres débiles, tontos e idiotas, la flor, todo lo que es pequeño, etc. Visión naturalista del mundo, pragmatismo, utilitarismo, positivismo, crean una seriedad gris de un solo tono. El empobrecimiento de tonos en la literatura universal. Nietzsche y la lucha con la compasión. Culto de la fuerza y del triunfo. La compasión que humilla al hombre, etc. La verdad no puede triunfar e imponerse. Elementos de sentimentalismo en Romain Rolland. Las lágrimas (junto a la risa) como situación límite (cuando la acción práctica está excluida). Las lágrimas son antioficiales (así como el sentimentalismo). El vigor oficial. La briosidad marcial. Matices burgueses del sentimentalismo. Debilidad intelectual, tontería, trivialidad (Emma Bovary y la compasión que produce; los animales). Degeneración y manierismo. Sentimentalismo en la lírica y en las partes líricas de la novela. Elementos del sentimentalismo en el melodrama. Idilio sentimental. Gógol y el sentimentalismo. Turguenev. Grigorovich. Cotidianismo sentimental. Apología sentimental de la vida cotidiana familiar. Romance sentimental. Compasión, lástima, conmoción. Falsedad. Verdugos sentimentales. Complejas combinaciones de lo carnavalesco con lo sentimental (Sterne, Jean Paul, etc.). Hay determinados aspectos en la vida humana que sólo pueden ser comprendidos y justificados en el aspecto sentimental. El aspecto sentimental no puede ser universal y cósmico. Reduce el mundo, lo vuelve pequeño y aislado. El paternalismo de lo pequeño y de lo particular. Carácter doméstico, cerrado, del sentimentalismo. Alphonse Daudet. Tema del "funcionario pobre" en la literatura rusa. Rechazo de grandes enfoques espaciotemporales e históricos. Huida al micromundo de las sencillas vivencias humanas. Viaje sin viaje (Sterne). Reacción al heroicismo neoclásico y al racionalismo de la Ilustración. Culto del sentimiento. Reacción al realismo crítico de grandes escalas. Rousseau y el wertherismo en la literatura rusa.

Falsa tendencia a reducir todo a una sola conciencia, a la disolución en ésta de la conciencia ajena (la comprendida). Las principales ventajas de la extraposición. No se puede entender la comprensión como una adentración en el sentimento y como el ponerse uno en el lugar ajeno (pérdida del propio lugar). Esto se requiere tan sólo para los momentos periféricos de la comprensión. No se puede entender la comprensión como traducción de un lenguaje ajeno al propio.

Comprender el texto de la misma manera como lo comprendía su autor. Pero la comprensión puede ser y debe ser mejor que la del autor. La creación poderosa y profunda en muchos aspectos suele ser inconsciente y polisémica. En la comprensión se completa por la conciencia y se manifiesta la multiplicidad de sus sentidos. De este modo, la comprensión completa el texto: la comprensión es activa y tiene un carácter creativo. La comprensión creativa continúa la creación, multiplica la riqueza artística de la humanidad. La cocreatividad de los que comprenden.

Comprensión y valoración. Es imposible comprensión sin valoración. No se puede separar comprensión y valoración: son simultáneas y constituyen un acto total. El que comprende se acerca a la obra con una visión del mundo propia y ya formada, con su punto de vista, desde sus posiciones. Estas posiciones en cierta medida determinan la valoración de la obra, pero simultáneamente ellas mismas no permanecen invariables: se someten a la acción de la obra que siempre aporta algo nuevo. Tan sólo desde un dogmatismo inerte de la postura no se descubre nada en la obra: un dogmático queda con lo que ya tenía y no puede enriquecerse. El que comprende no debe exceptuar la posibilidad de un cambio o incluso de un rechazo a sus propios puntos de vista preformados y de las posturas anteriores. En el acto de la comprensión se lleva a cabo una lucha, cuyo resultado es un cambio y un enriquecimiento mutuo.

El *encuentro* con lo grande como con algo determinante, algo que obliga e involucra, representa el momento supremo de la comprensión.[7]

Encuentro y comunicación en K. Jaspers (*Philosophie,* 2 vols., Berlín, 1932).[8]

Un acuerdo-desacuerdo activo (en el caso de no haber sido preformado con anterioridad) estimula y profundiza la comprensión, hace a la palabra ajena más elástica e independiente, no permite una disolución y mezcla recíproca. La clara separación de las dos conciencias, su contraposición y su relación mutua.

Comprensión de los elementos repetibles y de la totalidad

irrepetible. Reconocimiento y encuentro con lo nuevo, con lo desconocido. Ambos momentos (el reconocimiento de lo repetible y el descubrimiento de lo nuevo) deben ser fundidos de una manera indisoluble en el acto vivo de la comprensión: la irrepetibilidad del todo se refleja también en cada momento repetible como parte del todo (cada elemento, por decirlo así, es irrepetiblemente repetible). La exclusiva tendencia al reconocimiento, la búsqueda única de lo conocido de lo que ya fue), no permiten que se manifieste lo nuevo (es decir, lo principal, la totalidad irrepetible). Con mucha frecuencia, el método de la explicación e interpretación se reduce a este descubrimiento de lo repetible, al descubrimiento de lo conocido, y en cuanto a lo nuevo, si se percibe, es en una forma extremadamente empobrecida y abstracta. Así, por supuesto, desaparece totalmente la individualidad del creador (del hablante). Todo lo repetible y conocido se disuelve totalmente y se asimila por la conciencia única del que comprende: éste sólo es capaz de ver y comprender en la conciencia ajena a su propia conciencia. No se enriquece con nada. En lo ajeno reconoce únicamente lo suyo.

Llamo palabra (enunciado, obra verbal) ajena [9] cualquier palabra de cualquier otra persona dicha o escrita en su lengua (o sea en mi lengua materna) o en cualquier otra lengua, es decir, la palabra ajena es cualquier palabra que *no es mía*. En este sentido toda palabra (enunciado, obras discursivas y literarias) que no sea la mía propia aparece como palabra ajena. Yo vivo en el mundo de enunciados ajenos. Y toda mi vida representa una orientación en este mundo, una reacción a los enunciados ajenos (se trata de una reacción infinitamente heterogénea), comenzando por su asimilación (en el proceso de dominación inicial del discurso) y terminando por la asimilación de las riquezas de la cultura humana (expresadas en la palabra o en otros materiales sígnicos). La palabra ajena plantea al hombre el problema específico de la comprensión de esta palabra (problema que no existe en relación con la palabra propia, y si existe, es un sentido muy especial). Tal desintegración, para cada persona, de todo lo expresado en la palabra en el mundillo de las palabras propias (percibidas como suyas) y en el enorme, ilimitado mundo de las palabras ajenas, representa el hecho primario de la conciencia humana y de la vida del hombre, hecho que, igual que todo lo primario y sobreentendido, hasta ahora se ha estudiado (se ha concientizado) muy poco, en todo caso, no se ha comprendido en toda su importancia fundamental. La enorme importancia de este hecho para la personalidad, para el *yo* humano (en su carácter irrepetible). Las complejas relaciones con la palabra ajena en todas las esferas de la cultura y de la praxis llenan toda la vida del hombre. Pero no se ha estudiado ni la palabra enfocada desde el punto de vista de esta relación mutua, ni el *yo* del hablante desde el mismo punto de vista.

Todas las palabras para cada hombre se subdividen en palabras propias y palabras ajenas, pero los límites entre ellas pueden desplazarse, y en estos límites tiene lugar una intensa lucha dialógica. Pero al estudiar la lengua y las diferentes zonas de la creación ideológica se suele abstraer este hecho, puesto que existe una abstracta *posición del tercero* que se identifica con la "posición objetiva" como tal, con la posición de todo "conocimiento científico". La posición del tercero es totalmente justificada allí donde un hombre puede ocupar el lugar del otro, donde un hombre es plenamente sustituible, lo cual es posible y justificado sólo en tales situaciones y en las soluciones de tales problemas en los que la personalidad íntegra e irrepetible del hombre no se requiere, es decir en los casos en que el hombre, por decirlo así, se vuelve especialista, expresando sólo una parte de su personalidad arrancada de la totalidad, allí donde el hombre no se manifiesta como un *yo mismo,* sino como "ingeniero", como "físico", etc. En la esfera del conocimiento científico abstracto y del pensamiento abstracto, esta sustitución del hombre por el hombre, estó es, la abstracción del *yo* y del *tú,* es posible (pero incluso en estos casos, probablemente, esto es así tan sólo hasta cierto límite). En la vida, como objeto del pensamiento abstracto, existe el hombre en general, existe el tercero, pero en la vida como vivencia existimos solamente *yo, tú, él,* y sólo en esta vivencia se manifiestan (existen) tales realidades primarias como *mi palabra* y la *palabra ajena* y en general sólo aquellas realidades primarias que aún no se someten al conocimiento abstracto y generalizador, y por lo tanto se pasan por alto por este último.

El complejo acontecimiento del encuentro y de la interacción con la palabra ajena se ha subestimado casi totalmente por las ciencias humanas correspondientes (y ante todo por la ciencia literaria). Las ciencias del espíritu; su objeto no es un solo espíritu sino dos: el que es estudiado y el que estudia, los cuales no deben fundirse en un solo espíritu. El objeto verdadero es la interacción y la relación mutua entre los "espíritus".

El intento de comprender la interacción con la palabra ajena a través del psicoanálisis y del "inconsciente colectivo". Aquello que descubren los psicólogos (mayormente los psiquiatras), había existido en cierto tiempo; y no se ha conservado el inconsciente (aunque se tratase de un inconsciente colectivo), sino que está fijado en la memoria de las lenguas, de los géneros, de los ritos; de estos últimos es de donde penetra en los discursos y en los sueños (relatados, recordados conscientemente) de los hombres que poseen determinada constitución psíquica y que se encuentran en determinado estado. Papel de la psicología y de la llamada psicología de la cultura.

El primer propósito es el de comprender una obra así como la comprendía el autor mismo, sin rebasar las fronteras de esta comprensión. La solución de este problema es muy difícil y exige la utilización de un material enorme.

El segundo propósito es el de aprovechar toda la extraposición temporal y cultural de uno. Incluirlo todo en el contexto nuestro (ajeno para el autor).

La primera fase es la comprensión (aquí hay dos problemas), la segunda fase es el estudio científico (descripción científica, generalización, localización histórica).

La diferencia que existe entre las ciencias humanas y las ciencias naturales. Negación de una frontera infranqueable. La contraposición (Dilthey, Rickert) [10] ha sido refutada por el desarrollo ulterior de las ciencias humanas. La aplicación de la metodología matemática y de las otras metodologías es un proceso irreversible, pero simultáneamente se desarrollan y deben desarrollarse los métodos específicos, la especificidad en general (p. ej., el enfoque axiológico). Distinción estricta entre la comprensión y el análisis científico.

La ciencia falsa basada en una comunicación no vivenciada, es decir, sin la existencia primaria del objeto verdadero. El grado de perfección de esta dación (vivencia auténtica del arte). Con un grado bajo de esta dación un análisis científico siempre tendrá un carácter superficiel e incluso falso.

La palabra ajena debe convertirse en la palabra propia-ajena (o ajena-propia). Distancia (extraposición) y respeto. El objeto, en el proceso de la comunicación dialógica que se establece con él, se convierte en sujeto (otro *yo*).

La simultaneidad de la vivencia artística y del análisis científico. No pueden ser separados, pero pasan diversas fases y grados no siempre de una manera simultánea.

Llamo *sentidos* las respuestas a las preguntas. Aquello que no contesta ninguna pregunta carece para nosotros de sentido.

No sólo es posible la comprensión de una individualidad única e irrepetible, sino también la causalidad individual.

El sentido posee carácter de respuesta. El sentido siempre contesta ciertas preguntas. Aquello que no contesta a nada se nos representa como algo sin sentido, como algo sacado del diálogo. Sentido y significado. El significado está excluido del diálogo de una manera arbitraria, está abstraído convencionalmente del diálogo. En el significado existe una potencialidad del sentido.

El universalismo del sentido y su carácter eterno (de todos los tiempos).

El sentido es potencialmente infinito, pero sólo puede actualizarse al tocar otro sentido (un sentido ajeno), aunque sólo se trate de una pregunta en el discurso interior del que comprende. Cada vez el sentido ha de entrar en contacto con un otro sentido para descubrir nuevos momentos de su infinitud (así como la palabra hace manifestar sus significados únicamente dentro de un contexto). El sentido actual no pertenece a un sentido único (solitario), sino únicamente a dos sentidos que se encuentran y que entran en contacto. No puede haber un "sentido-en-sí", porque un sentido existe tan sólo para un otro sentido, es decir, sólo existe junto a él. No puede haber un sentido único. Por eso no puede haber ni sentido primero ni último, un sentido siempre se ubica entre otros sentidos, representa un eslabón en una cadena de sentidos, la cual es la única que en su totalidad puede ser real. En la vida histórica esta cadena crece infinitamente; por lo tanto uno de sus eslabones siempre vuelve a renovarse, a regenerarse.

El sistema despersonalizado de las ciencias (y del conocimiento en general) y la totalidad orgánica de la conciencia (o de la personalidad).

El problema del hablante (hombre, sujeto discursivo, autor del enunciado). La lingüística sólo conoce el sistema de la lengua y el texto, mientras que cada enunciado, incluso un saludo estándar, posee una forma determinada de autoría (y de destinatario).

Ensayos de antropología filosófica.

Mi representación de mí mismo. Cuál es el carácter que tiene la noción acerca de uno mismo, acerca de la totalidad de su yo. En qué consiste la diferencia principal de mi noción acerca del *otro*. La imagen del *yo* o el concepto, o la vivencia, sensación, etc. La clase de ser que tiene. Cuál es su contenido (de qué manera forman parte de ella, p. ej., las nociones acerca de mi cuerpo, de mi apariencia, de mi pasado, etc.). Qué es lo que yo entiendo por *yo,* al hablar y vivir: "yo vivo", "yo moriré", etc. ("yo soy", "yo no seré", "yo no he sido"). *Yo-para-mí* y *yo-para-otro, otro-para-mí.* Qué cosas en mí se dan de una manera directa y cuáles únicamente se dan a través del otro. El mínimo y el máximo, la sensación propia primitiva y la autoconciencia compleja. Pero el máximo desarrolla aquello que ya estaba presente en el mínimo. El desarrollo histórico de la autoconciencia (la conciencia propia, conciencia de sí mismo). La autoconciencia se relaciona también con el desarrollo de los recursos sígnicos de la expresión (la lengua ante todo). Historia de la autobiografía (Misch) [11]. La composición heterogénea de mi imagen. El hombre frente al espejo. El *no-yo* en mí, algo que es más grande que yo en mí, el ser en mí. En qué medida es posible la unión entre el *yo* y el *otro* en una imagen neutral del hombre. Los sentimientos posibles sólo en relación con otro (p. ej., el amor), y los sentimientos posibles sólo en relación con uno mismo (p. ej., amor propio, abnegación, etc.). A mí no me son dadas mis fronteras temporales y espaciales, pero el otro me es dado totalmente. Yo entro a formar parte del mundo espacial, mientras que el otro siempre se encuentra en él. Diferencias entre el espacio y el tiempo del *yo* y del *otro.* Están en la sensación viva, pero el pensamiento abstracto las borra. El pensamiento forma un único y general mundo del hombre sin relación con el *yo* y con el *otro.* En la sensación propia primitiva y natural, el *yo* y el *otro* están fundidos. Allí aún no existe ni el egoísmo, ni el altruismo.

El *yo* se esconde en el *otro* y en los *otros,* quiere ser únicamente otro para otros, entrar hasta el fin en el mundo de los otros como otro, desembarazarse del peso del único *yo* en el mundo (*yo-para-mí*).

La semiótica se ocupa principalmente de la transmisión de la comunicación preparada previamente mediante un código dado con anterioridad. Mientras que en el discurso vivo, estrictamente hablando, la comunicación se crea por primera vez y no existe en realidad ningún código. Problema del cambio de código en el discurso interior (Zhinkin) [12].

Diálogo y dialéctica. En el diálogo se hacen desaparecer las voces (separación entre las voces), se eliminan las entonaciones (emocionales y personales), de las palabras vivas y de las réplicas se extraen nociones y juicios abstractos, todo se introduce en una sola conciencia abstracta, y el resultado es la dialéctica.

Contexto y código. El contexto es potencialmente inconcluso, pero el código debe ser concluso. El código representa únicamente un recurso técnico de la información, y no tiene significado cognoscitivo y creativo. El código es el contexto establecido deliberadamente y mortificado.

En busca de la voz propia (voz del autor) [13]. Encarnarse, hacerse más definido, más pequeño, más limitado, más tonto. No permanecer en la tangente, irrumpir en el círculo de la vida, hacerse uno de los hombres. Abandonar las justificaciones, dejar de lado la ironía. También Gogol estuvo buscando la palabra seria, un campo de acción serio: convencer (enseñar) y, por lo tanto, estar convencido uno mismo. La ingenuidad de Gógol, su inexperiencia extrema en lo *serio;* por eso le parece que hay que superar la risa. La salvación y la transfiguración de los héroes ridículos. El derecho a la palabra seria. No puede existir la palabra separada del hablante, de su situación, de su actitud hacia el oyente y de las situaciones que los vinculan (la palabra del sacerdote, la palabra del jefe, etc.). La palabra de una persona particular. Poeta. Prosista. "Escritor". Representación de un profeta, de un líder, de un maestro, de un juez, de un fiscal (acusador). Ciudadano. Periodista. La objetualidad pura de la palabra científica.

Las búsquedas que realizó Dostoievski. Periodista. "Diario del escritor". Corriente literaria. Palabra del pueblo. Palabra del tonto (Lebiadkin, Myshkin) *. Palabra del monje, del santo, del peregrino (Makar) **. Existe el justo, el que sabe, el santo. "Mientras que el eremita en su celda" (Pushkin) ***. El asesinado príncipe Dimitri.**** Lágrima de niño sacrificado. Tiene mucho de Pushkin (motivos aún no descubiertos). La palabra como lo personal. Cristo como la verdad. A Él lo pregunto [14]. La profunda comprensión del carácter personal de la palabra. El discurso de Dostoievski sobre Pushkin. La palabra de cualquier hombre dirigida a cualquier hombre. La aproximación de la lengua literaria con la lengua hablada agudiza el problema de la

* Lebiadkin, personaje de *Los endemoniados,* de Dostoievski. Myshkin, protagonista de *El idiota,* del mismo autor. [T.]

** Makar, personaje de *El adolescente,* de Dostoievski. [T.]

*** Cita de *Boris Godunov,* de Pushkin, que se refiere al concepto de testigo que Bajtín maneja en estas notas. [T.]

**** De *Boris Godunov,* de Pushkin. [T.]

palabra del autor. La argumentación puramente objetual y científica en la literatura sólo puede ser paródica en uno u otro grado. Los géneros de la antigua literatura rusa (hagiografías, sermones, etc.), los géneros de la literatura medieval en general. La verdad no verbalizada en Dostoievski (el beso de Cristo). El problema del silencio. La ironía como sustitución especial del silencio. La palabra eliminada de la vida: la palabra del idiota, del tonto, del loco, del niño, del moribundo, en parte la palabra de la mujer. Delirio, sueño, inspiración, inconsciencia, alogismo, espontaneidad, epilepsia, etcétera.

El problema de la imagen del autor. El autor primario (no creado) y el autor secundario (imagen del autor creada por el autor primario). El autor primario es *natura non creata quae creat;* el autor secundario es *natura creata quae creat.* La imagen del héroe es *natura creata quae non creat.*[15] El autor primario no puede ser imagen: se escapa a cualquier representación imaginaria. Cuando intentamos representar al autor primario mediante una imagen, somos nosotros los que creamos su imagen, es decir, llegamos a ser autores primarios de esta imagen. El que crea la imagen (el autor primario) nunca puede formar parte de ninguna imagen por él creada. La palabra del autor primario no puede ser palabra *propia:* esta palabra necesita que algo la consagre mediante recursos supremos e impersonales (argumentos científicos, experimentación, datos objetivos, inspiración, intuición, poder, etc.). El autor primario, cuando se manifiesta a través de la palabra directa, no puede ser simplemente *escritor:* no se puede decir nada de parte del escritor (el escritor se convierte en publicista, moralista, científico, etc.). Por eso el autor primario guarda *silencio.* Pero este silencio puede adoptar diversas formas de expresión, diferentes formas de risa reducida (ironía), de alegoría, etcétera.

El problema del escritor y de su postura primaria de autor se planteó agudamente en el siglo XVIII (en relación con la declinación de autoridades y de las formas autoritarias y con la negación de las formas autoritarias del lenguaje).

Forma de narración impersonal mediante lenguaje literario, pero próximo al habla. Este tipo de narración no se aleja de los héroes, ni tampoco del lector medio. Resumen de una novela en una carta al editor. Resumen de la idea principal: Ahí no hay máscara, sino el rostro normal de un hombre común (el rostro del autor primario no puede ser común). El mismo ser habla a través del escritor, mediante su palabra (en Heidegger) [16].

El pintor a veces se representa en sus cuadros (normalmente

en algún extremo). Autorretrato. El pintor se representa como a una persona común, y no como pintor, creador del cuadro.

La búsqueda de la palabra propia lo es en realidad de una mayor que yo mismo; una tendencia a alejarse de sus propias palabras, mediante las cuales no se puede decir nada esencial. Yo mismo sólo puedo ser un personaje y no un autor primario. La búsqueda de la palabra propia por el autor representa en general una búsqueda de género y de estilo, de la postura de autor. Actualmente es el problema más agudo de la literatura contemporánea, que lleva a muchos a una negación del género de la novela, a su sustitución por un montaje de documentos, por la descripción de cosas, por el letrismo y, en cierta medida, la literatura del absurdo. Todo esto puede ser definido en cierto sentido como diversas formas de silencio. A Dostoievski estas búsquedas lo llevaron a la creación de la novela polifónica. Dostoievski no encontró palabra para una novela monológica. El camino paralelo de L. Tolstoi a los cuentos populares (el primitivismo), a la introducción de las citas del evangelio (en las partes conclusivas). Otro camino es obligar al mundo a hablar y escuchar las palabras del mundo mismo (Heidegger).

"Dostoievski y el sentimentalismo. Ensayo de análisis tipológico."

Polifonía y retórica. Periodismo con sus géneros como una retórica moderna. Palabra retórica y palabra novelesca. El modo artístico y el modo retórico de convencer.

Discusión retórica y diálogo acerca de las últimas cuestiones (sobre la totalidad y en su totalidad). Triunfo o comprensión mutua. Mi palabra y la palabra ajena. El carácter *primario* de esta contraposición. Punto de vista (postura) del tercero. Los propósitos limitados de la palabra retórica. Un discurso retórico suele argumentar desde el punto de vista del tercero: los estratos profundos e individuales no participan en esto. En la antigüedad clásica las fronteras entre la retórica y la literatura se trazaban de una manera diferente y no eran tan rígidas, porque no existía aún la personalidad profundamente individual en el sentido moderno. La personalidad se origina en el límite con la Edad Media (*Soliloquios* de Marco Aurelio; Epicteto; San Agustín, *soliloquia,*[17] etc.). Allí se agudizan (o incluso se generan por primera vez) las separaciones entre la palabra propia y la palabra ajena.

En la retórica existen los incondicionalmente justos y los incondicionalmente culpables, existe el triunfo total y la eliminación del contrincante. En el diálogo la eliminación del opositor elimina también la misma esfera dialógica de la vida de la palabra. En la antigüedad clásica aún no existía esta esfera superior. Esta esfera es muy frágil y fácilmente destructible (es suficiente una violencia mínima, una referencia a las autoridades, etc.). Razumijin habla acerca del engaño como camino hacia la verdad.[18] La oposición entre la verdad y Cristo en Dostoievski.[19] Se trata de una verdad impersonal y objetiva, es decir, de la verdad desde el punto de vista del tercero. Un juicio arbitral es un juicio retórico. La actitud de Dostoievski frente a los jurados. La imparcialidad y la *suprema* parcialidad. El refinamiento extraordinario de todas las categorías éticas personalistas. Estas últimas pertenecen a la esfera limítrofe entre lo ético y lo estético.

El "suelo" en Dostoievski como algo intermedio entre lo impersonal y lo personal. Shatov * como representante de esta tipicidad. El deseo de encarnarse. La mayor parte de los artículos del *Diario de un escritor* se encuentran en esta esfera intermedia entre la retórica y la esfera de lo personal (es decir, en la esfera de Shatov, del "suelo", etc.). Esta esfera intermedia en *Bobok* (un tendero venerable). Una cierta falta de comprensión en relación con la esfera estatal, jurídica, económica, oficial, así como con la esfera de objetividad científica (herencia del romanticismo), con todas aquellas esferas cuyos representantes eran los liberales (Kavelin [20] y otros). Una fe utópica en la posibilidad de convertir la vida en un paraíso de una manera puramente interna. La sobriedad. La tendencia a quitar las ilusiones al éxtasis (la epilepsia). *Los borrachitos* (lo sentimental) [21] Marmeladov y Fiodor Pavlovich Karamazov **.

Dostoievski y Dickens. Semejanzas y diferencias (*Cuentos de Nochebuena* y *Bobok* y *Sueño de un hombre ridículo*); *Pobre gente, Humillados y ofendidos, Los borrachitos*: el sentimentalismo.

La negación (falta de comprensión) de la esfera de lo necesario a través de la cual debe pasar la libertad (tanto en el plano histórico como en el plano personal e individual), que es aquella esfera intermedia que se ubica entre el gran inquisidor (con su aparato estatal, retórica y poder) y Cristo (con su silencio y su beso).

Raskolnikov quería ser algo como el gran inquisidor (asumir los pecados y el sufrimiento).

* Personaje de *Los endemoniados*. [T.]

** Personajes del *Crimen y castigo* y de *Los hermanos Karamazov*, respectivamente. [T.]

Las particularidades de la polifonía. El carácter inconcluso del diálogo polifónico (diálogo sobre las últimas cuestiones). Este diálogo lo realizan las personalidades inconclusas y no los sujetos psicológicos. Una cierta falta de encarnación en estos personajes (un sobrante desinteresado). Cualquier escritor grande participa en este diálogo, participa con toda su obra como una de las partes de este diálogo; pero él mismo no crea novelas polifónicas. Sus réplicas en este diálogo tienen un forma monológica, y cada una de ellas posee un mundo que es propio, mientras que otros participantes del diálogo, con sus mundos respectivos, quedan fuera de las obras. Estos escritores se manifiestan a través de su propio mundo y a través de su propia palabra directa. Pero para los prosistas, sobre todo para los novelistas, surge el problema de la palabra propia. Esta palabra no puede ser simplemente su propia palabra (palabra del *yo*). La palabra del poeta, del profeta, del líder, del científico, y la palabra del "escritor". Su palabra debe ser fundamentada. La necesidad de representar a alguien. Un científico tiene sus argumentos, su experiencia, sus experimentos. Un poeta se apoya en su inspiración y en una especial lengua *poética*. Un prosista no dispone de semejante lenguaje poético.

Solo un polifonista como Dostoievski es capaz de percibir en la lucha de opiniones e ideologías (de diversas épocas) un diálogo inconcluso acerca de las últimas cuestiones (dentro del tiempo grande). Otros sólo se ocupan de problemas que pueden ser solucionados dentro de una época.

Un periodista es, ante todo, un contemporáneo. Está obligado a serlo. Vive dentro de una esfera de problemas que pueden ser solucionados en la actualidad (o, en todo caso, en un período próximo). Participa en el diálogo que puede ser terminado y hasta concluido, puede llegar a ser realización, puede llegar a ser una fuerza empírica. Es en esta esfera donde es posible la "palabra propia" Fuera de esta esfera, la "palabra propia" no es propia (la personalidad siempre se rebasa a sí misma); la "palabra propia" no puede ser la última palabra.

La palabra retórica es palabra del hombre público o está dirigida a hombres públicos.

La palabra de un periodista introducida en una novela polifónica se apacigua frente al diálogo inconcluso e infinito.

Ingresando en la esfera del periodismo de Dostoievski observamos una brusca reducción del horizonte; desaparece el carácter universal de sus novelas, aunque los problemas de la vida personal de sus personajes se sustituyen por los problemas sociales y políticos. Los héroes vivieron y actuaron (y pensaron) frente al rostro del universo (delante de la tierra y el cielo). Las últimas cuestiones, al originarse en su pequeña vida personal y cotidiana aislaban su vida en la vida "divina y universal" [22].

Esta representatividad del héroe por toda la humanidad, por el universo entero, es semejante a la tragedia de la antigüedad clásica y a la de Shakespeare, pero también se distingue profundamente de ellas.

Una discusión retórica es una discusión en que es importante triunfar sobre el opositor y no acercarse a la verdad. Es la forma inferior de la retórica. En sus formas más altas se busca la solución de un problema que puede tener una importancia histórica y temporal, pero no se busca la solución de las últimas cuestiones (donde el retoricismo es imposible).

La metalingüística y la filosofía de la palabra. Las antiguas doctrinas acerca del logos. San Juan.[23] Lengua, discurso, comunicación discursiva, enunciado. Especificidad de la comunicación discursiva.

El hombre que habla. En qué calidad y cómo (es decir, en qué situación) aparece el hombre que habla. Las diversas formas de autoría discursiva, desde los enunciados cotidianos más sencillos hasta los grandes géneros literarios. Se suele hablar de la máscara del autor. Pero ¿cuáles son los enunciados (actuaciones discursivas) en los que se manifiesta la *persona* y donde no hay máscara, esto es, donde no hay autoría? La forma de la autoría depende del género del enunciado. El género a su vez se determina por el objeto, propósito y situación del enunciado. La forma de la autoría y el lugar jerárquico (posición) del hablante (líder, rey, juez, guerrero, sacerdote, maestro, personaje particular, padre, hijo, marido, mujer, hermano, etc.). La correspondiente posición jerárquica del destinatario del enunciado (súbdito, acusado, discípulo, hijo, etc.). Quién habla y a quién se le habla. Todo esto es lo que determina el género, el tono y el estilo del enunciado: la palabra del líder, la palabra del juez, la palabra del maestro, la del padre, etc. Así se determina la forma de la autoría. Una misma persona real puede aparecer en diferentes formas de la autoría. ¿En qué formas y cómo se descubre el rostro del hablante?

En los tiempos nuevos se desarrollan las múltiples formas *profesionales* de autoría. La forma de autoría empleada por el escritor llegó a ser profesional y se subdividió en subgrupos genéricos (novelista, lírico, comediógrafo, escritor de odas, etc.). Las formas de autoría pueden ser usurpadas y convencionales. Por ejemplo, un novelista puede asumir el tono de sacerdote, profeta, juez, maestro, predicador, etc. El complejo proceso de elaboración de formas genéricas extrajerárquicas. Las formas de autoría y sobre todo las particularidades del *tono* en estas formas son esencialmente tradicionales y se remontan a tiempos muy antiguos. Se renuevan en nuevas situaciones. No se puede *inventarlas* (así como no se puede inventar la lengua).

La infinita heterogeneidad de los géneros discursivos y de las formas de autoría en la comunicación discursiva cotidiana (mensajes divertidos e íntimos, súplicas y exigencias de toda clase, declaraciones amorosas, riñas e insultos, intercambio de cumplidos, etc.). Se diferencian por esferas jerárquicas: esfera familiar, esfera oficial y sus variedades.

¿Existirán los géneros de pura autoexpresión (sin la forma tradicional de autoría)? ¿Existirán géneros sin destinatario?

Gógol. Un mundo sin nombres, en él sólo existen apodos y sobrenombres de toda clase. Los nombres de cosas son también apodos. No de la cosa a la palabra, sino de la palabra a la cosa, la palabra engendra la cosa. Gógol igualmente justifica la aniquilación y el nacimiento. Alabanza e insulto. Una se transforma en otro. Se borra la frontera entre lo fantástico y lo cotidiano: Poprischin [de *Apuntes de un loco*] es rey de España, Akaki Akakievich es fantasma que hurta el capote. Categoría de lo absurdo. "De lo ridículo a lo grande..." Lo festivo es lo que mide la trivialidad y la ordinariedad de lo cotidiano. El estilo hiperbólico. La hipérbole siempre es festiva (incluso la hipérbole injuriosa).

El hecho de acudir a la prosa marca el emplear el recurso de lo familiar, del estilo de la plaza pública. Narezhny, Gógol. Miedo y risa. La festividad total del *Inspector*. El carácter festivo de la llegada y de las visitas que hace Chichikov. Bailes, banquetes (se perciben las máscaras). El regreso a los orígenes de la vida discursiva (loa-injuria) y de la vida material (comida, bebida, cuerpo y la vida corporal de los órganos: el sonarse la nariz, el bostezo, el sueño, etc.). Y la *troika* con sus cascabeles.

La ruptura entre la cotidianeidad real y el rito simbólico. La falta de naturalidad de esta ruptura. Su falsa oposición mutua. Se dice: en aquel entonces todo el mundo viajaba en las troikas con cascabeles, es la vida cotidiana, real. Pero también en la vida cotidiana permanece en tono secundario carnavalesco, y en la literatura este tono puede llegar a ser el principal. La cotidianeidad pura es una ficción, un invento de intelectuales. La vida cotidiana del hombre siempre está volcada en una forma, y esta forma es siempre ritual (aunque sea "estéticamente") Una imagen artística puede ir apoyada en este carácter ritual de lo cotidiano. La memoria y la concientización en un rito cotidiano y en una imagen.

Las relaciones entre los hombres y sus jerarquías sociales se reflejan en el discurso. La relación mutua entre las unidades del discurso. La aguda percepción de lo suyo propio y de lo ajeno en la vida discursiva. La importancia excepcional del tono. El mundo de la injuria y de la alabanza (y de sus derivados: lisonja, adulación, hipocresía, humillación, grosería, indirectas, alusiones, etc.). Es un mundo casi extraobjetual que refleja las relaciones mutuas entre los hablantes (su rango, jerarquía, etc.). Es la parte menos estudiada de la vida discursiva. No es un mundo de los tropos, sino un mundo de tonos y matices personales, pero no con respecto a otras personas. El tono no se determina por el contenido objetual del enunciado, ni por los sentimientos y vivencias del hablante, sino por la actitud del hablante respecto a la persona de su interlocutor (su rango, su importancia, etc.).

En las imágenes de la cultura popular (y en cierta medida en Gogol) se borran las fronteras entre lo horrible y lo ridículo. Se borran las fronteras entre lo trivial y lo horrible, entre lo ordinario y lo maravilloso, entre lo pequeño y lo grandioso.

La cultura popular en las condiciones de la nueva época (la época de Gógol). Los eslabones mediatizantes. Juicio. Didáctica. La búsqueda por Gógol de una justificación ("objetivo", "utilidad", "verdad") de la imagen del mundo representado desde el punto de vista de la risa. "Campo de acción", "servicio", "vocación", etc. La verdad siempre juzga en cierta medida. Pero el juicio de la verdad no se parece a un juicio común.

Una negación pura no puede originar una imagen. En una imagen (hasta en la más negativa) siempre hay un momento positivo (amor-admiración). Blok acerca de la sátira.[24] Stanislavski acerca de la belleza del juego de representación de una imagen negativa por el actor. Es ilícita una separación mecánica: lo deforme-personaje negativo, lo bello-actor que representa. El universalismo del mundo de la risa en Gógol.

La compilación de mis artículos[25] que se planea se unifica mediante un mismo tema en diversas etapas de su desarrollo.

La unidad de la idea en el proceso de generación y desarrollo. De aquí cierto carácter inconcluso *interno* de muchas de mis ideas. Pero no es mi propósito el convertir una deficiencia en una virtud: en los trabajos hay muchas imperfecciones externas, imperfecciones no del pensamiento mismo, sino de su expresión y redacción. A veces resulta difícil separar una imperfección de la otra. Mi obra no puede ser referida a una sola corriente (el estructuralismo). Mi predilección por las variaciones y por heterogeneidad de los términos en relación con un solo fenómeno. La multiplicidad de enfoques. La aproximación de lo lejano sin señalar los eslabones intermedios.

NOTAS ACLARATORIAS

Son extractos de los apuntes que llevaba el autor entre mayo de 1970 y diciembre de 1971, viviendo en Klimovsk, distrito de Moscú. Algunos de los apuntes representan planteos de trabajos por realizar (acerca de la palabra ajena como objeto de las ciencias humanas, acerca de la búsqueda de la "palabra propia" por el escritor, acerca de Gógol). A veces sólo está apuntado el título de un trabajo posible: "Dostoievski y el sentimentalismo. Ensayo de análisis tipológico"; el título "Ensayos de antropología filosófica" también aparece encabezando las reflexiones del autor que atestiguan su deseo de volver, en una nueva etapa, hacia los temas de su trabajo antiguo acerca del autor y el héroe.

[1] Ver: Lotman, Iu.M., "O probleme znacheni vo vtorichnyj modeliruiuschij sistemaj", en *Trudy po znakovym sistemam,* fasc. 2, Tartu, 1965, 22-37. La separación entre Bajtín y el nuevo estructuralismo soviético se plantea más adelante en los apuntes "Hacia una metodología de las ciencias humanas" (ver pp. 381 *ss*).

[2] Del poema de V.Jodasevich *Frente al espejo* (1924):

Yo, yo, yo. ¡Qué palabra más loca!
¿Y acaso aquél soy yo?
¿acaso mamá quería a ese
semicano, gris y amarillento
y omnisciente cual sierpe?

[3] Cf. p. 52.

[4] Según un testimonio del autor, había escrito un trabajo sobre el sentimentalismo como corriente literaria, que no se ha conservado.

[5] Ver: Veselovski, A.N., *V.A.Zhukovski. Poezia chuvstva i serdechnogo voobrazheniia,* San Petersburgo, 1904. Zhukovski aparece en el libro como poeta sentimentalista por excelencia, "el único verdadero poeta, de nuestra época, del sentimentalismo", a quien el romanticismo apenas logro tocar.

[6] Los espirituales eran, a fines del siglo XIII, los seguidores más radicales de San Francisco de Asís, que protestaban vehementemente contra la secularización de la Iglesia. Por lo visto Bajtín se refiere, ante todo, al poeta religioso Giacopone da Todi cuya poesía en italiano expresa con mucho sentimiento la compasión por el sufrimiento de Cristo y de la Virgen (p. ej. *Donna del Paradiso...).* Es probable que fuese él quien escri-

bió la secuencia latina *Stabat mater,* marcada por el mismo estado de ánimo "lacrimoso".

[7] Cf. la característica del "encuentro" como uno de los motivos "cronotópicos" más importantes en el trabajo sobre formas del tiempo y del cronotopo en la novela *(Voprosy literatury i estetiki,* pp. 247-249 y 392).

[8] "Comunicación" es la noción principal de Karl Jaspers, y representa una íntima y personal comunicación "en la verdad". Jaspers le da a la noción el rango del criterio de la verdad filosófica: el pensamiento es verdadero en la medida en que favorece la comunicación.

[9] Los apuntes acerca de la "palabra ajena" se refieren a un artículo que Bajtín planeaba escribir para la revista *Voprosy filosofii;* en los apuntes de 1970-1971 aparecen dos variantes para su título: "La palabra ajena como objeto de investigación en las ciencias humanas" y "El problema de la palabra ajena (discurso ajeno) en la cultura y la literatura. Ensayos de metalingüística", así como el epígrafe del *Fausto* citado de memoria: *Was ihr den Geist der Zeiten nennt...;* la cita no es exacta; en Goethe: *Was ihr den Geist der Zeiten heisst...*

[10] Dilthey elaboró los fundamentos de las "ciencias del espíritu", diferenciándolas de las "ciencias de la naturaleza" *(Einleitung in die Geisteswissenschaften).* El método de las "ciencias del espíritu" es la "comprensión" (a diferencia de la "explicación" causal en las ciencias naturales), que coincide con una vivencia comprendida y significante; los métodos del conocimiento del espíritu, la hermenéutica de Dilthey, coinciden con los métodos de la "psicología de la comprensión". La característica de la psicología de la comprensión e interpretación diltheyana, en relación con la filosofía del lenguaje y con las "necesidades metodológicas de las ciencias humanas", aparece en el libro de Bajtín *Marksizm i filosofia iazyka.* Rickert (ver nota 9 al artículo "Autor y héroe en la actividad estética") oponía los métodos individualizantes de las "ciencias acerca de la cultura" a los métodos generalizadores de las ciencias naturales.

[11] Ver Misch, G., *Geschichte der Autobiographie,* Leipzig y Berlín, 1907.

[12] Ver Zhinkin, N.I., "O kodovyj perevodaj vo vnutrennei rechi", *Voprosy iazykoznaniia,* 1964, núm. 6.

[13] El trabajo planeado sobre este tema se apoyaría principalmente en el *Diario de un escritor* de Dostoievski, en relación con las novelas del mismo.

[14] Ver *Problemy poetiki Dostoievskogo,* pp. 164-165.

[15] En la obra principal de Juan Escoto Erígena *Sobre la división de la naturaleza* se describen los cuatro modos del ser: *1*] naturaleza creadora y no creada, esto, es, Dios como la causa eviterna de todas las cosas; *2*] naturaleza creada y creadora, esto es, el mundo platónico de las ideas que permanece en el intelecto de Dios y determina el ser de las cosas; *3*] naturaleza creada y no creadora, o el mundo de las cosas; *4*] naturaleza no creada y no creadora, que es otra vez Dios, pero ya como el fin último de todas las cosas, que las vuelve a absorber al final del proceso dialéctico universal. Bajtín aplica estos términos metafóricamente en la ontología de la creación artística del hombre. A la misma serie pertenecen los términos *natura naturans* y *natura naturata,* que proceden de las traducciones latinas de Averroes usadas por la escolástica cristiana, pero conocidos sobre todo gracias a su importancia en los textos de Spinoza.

[16] La idea principal de la filosofía del arte de Heidegger: la palabra

se origina en las profundidades del ser mismo y se traduce al mundo a través del poeta como médium; el poeta *escucha* (noción que Heidegger opone a la categoría de "contemplación", tradicional para la filosofía europea) el ser, sobre todo su expresión más recóndita, que es la lengua. Los principales trabajos de Heidegger donde se desarrollan estas ideas son: *Holzwege* (Frankfurt am Main, 1950), *Unterwegs zur Sprache* (Pfullingen, 1959).

[17] Los soliloquios eran un género de la literatura medieval que recibió su nombre de una obra de San Agustín. Acerca de este género, ver los libros de Bajtín *Problemy poetiki Dostoievskogo* (p. 203) y *Voprosy literatury i estetiki* (p. 295).

[18] Ver *Crimen y castigo,* parte 2, cap.IV.

[19] Ver la carta de F.M.Dostoievski a N.D.Fonvizina, de febrero de 1854, en el libro: Dostoievski, F.M., *Pis'ma,* t. 1, p. 142; también: Dostoievski, F.M., "Zapisnaia knizhka za 1880 g.", en *Literaturnoie nasledstvo,* t.83, 1971, p. 676.

[20] K.D.Kavelin, en su "Carta a Dostoievski" *(Vestnik Evropy,* 1880, núm. 11), polemizó con el discurso sobre Pushkin pronunciado por Dostoievski. Un proyecto de respuesta a Kavelin se encuentra en los cuadernos de Dostoievski de 1880 (ver *Literaturnoie nasledstvo,* t. 83, pp. 674-696).

[21] *Los borrachitos,* novela planeada antes de *Crimen y castigo* (ver la carta de Dostoievski a Kraievski del 8 de julio de 1865, en Dostoievski, *Pis'ma,* t. 1, p. 408).

[22] Del poema de Tiutchev *Vesna* (1838).

[23] San Juan, 1,1: "En el principio era el Verbo."

[24] Del artículo de A.Blok "Ob iskusstve i kritike" (1920): "Lo cierto es que si Maupassant hubiese escrito todo aquello con un sentimiento de satírico (si tales existen), habría escrito de una manera totalmente diferente, porque siempre mostraría lo mal que se porta George Duroi. Pero tan sólo muestra cómo se comporta George Duroi, y propone que sus lectores deduzcan si está bien o mal. Porque él como artista está "enamorado" de George Duroi, así como Gógol estuvo enamorado de Jlestakov (Blok, A., *Obras* en 8 tomos, t. 6. Moscú-Leningrado, 1962, p. 153).

[25] Son apuntes para la introducción a una compilación de artículos de distintos años que iba preparando Bajtín; la introducción no fue escrita.

HACIA UNA METODOLOGÍA DE LAS CIENCIAS HUMANAS

Comprensión. Desmembración del proceso de la comprensión en actos aislados. En el proceso real y concreto de la comprensión, estos actos están indisolublemente unidos, pero cada acto tiene una independencia ideal de sentido (de contenido) y puede aislarse del acto empírico concreto. *1*] Percepción psicofisiológica del signo físico (palabra, color, forma espacial). *2*] Su *reconocimiento* (como algo conocido o desconocido). Comprensión de su *significado* repetible (general) en la lengua. *3*] Comprensión de su *significado* en un contexto dado (próximo o más alejado). *4*] Comprensión dialógica activa (discusión-consentimiento). Inclusión en el contexto dialógico. Momento valorativo en la comprensión y el grado de su profundidad y universalidad.

La transición de una imagen a un símbolo le confiere una *profundidad* de sentido y una perspectiva semántica. La correlación dialéctica entre la identidad y la no identidad. Una imagen ha de ser comprendida como lo que es y como lo que significa. El contenido de un símbolo auténtico se correlaciona, a través de las conjunciones de sentido mediadas, con la idea de la totalidad universal, con la plenitud del universo cósmico y humano. El universo tiene un sentido. "Imagen del mundo que se manifiesta en la palabra" (Pasternak) [1]. Cada fenómeno particular aparece sumergido en el elemento de los *inicios del ser*. A diferencia del mito, aquí está presente una comprensión de su no coincidencia con su propio sentido.

En el símbolo hay "un calor del secreto que une" (Avérintsev) [2]. Momento de oposición de lo *propio* a lo *ajeno*. Calor del amor y frío de la alienación. Oposición y confrontación. Toda interpretación del símbolo sigue siendo símbolo, pero un poco racionalizado, esto es, algo aproximado a la noción.

Definición del *sentido* en toda la profundidad y complejidad de su esencia. La manifestación del sentido como descubrimiento de lo existente mediante visión (contemplación) y de la multiplicación mediante creación constructiva. La anticipación del contexto ulterior creciente, el hecho de referir a una totalidad conclusa y a un contexto inconcluso. Tal sentido (en un contexto inconcluso) no puede ser calmado y cómodo (es imposible tranquilizarse y morir en él).

Significado y sentido. Los recuerdos *completados* y posibilidades *anticipadas* (comprensión dentro de unos contextos alejados). En los recuerdos tomamos en cuenta también los acontecimientos posteriores (dentro de los límites del pasado), es decir, percibimos y comprendemos lo recordado en el contexto de un pasado inconcluso. En qué aspecto está presente en la conciencia la totalidad (Platón y Husserl).

¿En qué medida se puede descubrir y comentar el *sentido* (de una imagen o de un símbolo)? Únicamente mediante otro sentido (isomorfo) contenido en un símbolo o una imagen. Es imposible disolverlo en conceptos. El papel del comentario. Sólo puede existir una *racionalización* relativa del sentido (un análisis científico común), o bien su profundización con la ayuda de otros sentidos (interpretación filosófico-artística). Profundización mediante la ampliación del contexto lejano.[3]

La interpretación de las estructuras simbólicas se ve obligada a ir en la infinitud de los sentidos simbólicos; por lo tanto no puede llegar a ser científica en el sentido de la cientificidad de las ciencias exactas.

La interpretación de los sentidos no puede ser científica, pero es profundamente cognoscitiva. Puede estar al servicio de la praxis que tiene que ver con las cosas de una manera inmediata.

"...Hay que reconocer que la simbología no es una forma no científica del conocimiento, sino una forma científica *otra* del conocimiento que tiene sus leyes internas y sus criterios de exactitud" (S.S.Avérintsev) [4].

El autor de una obra hace su acto de presencia tan sólo en la totalidad de la obra, y no está ni en uno solo de los momentos de la totalidad, menos aún en el contenido separado de la totalidad. Está presente en aquel momento inseparable donde el contenido y la forma se funden de una manera indisoluble, y más que nada percibimos su presencia en la forma. La ciencia literaria suele buscarlo en un contenido separado del todo, que permite identificarlo con el autor como persona de una determinada época, de una determinada biografía y de una determinada visión del mundo. Así, la imagen del autor casi se funde con la imagen de una persona real.

El autor auténtico no puede llegar a ser imagen porque es creador de toda la imagen, de toda la imaginería de una obra. Por eso la llamada imagen del autor sólo puede ser una de las imágenes de una obra dada (claro, una imagen muy especial). Un artista a menudo se representa en un cuadro (en un rincón), también hace su autorretrato. Pero en un autorretrato no *vemos* al autor como tal (es imposible verlo); en todo caso, no se le ve en una mayor medida que en cualquier otra obra de este mismo autor; más que nada se manifiesta en los mejores cuadros del autor dado. El autor-creador no puede ser recreado en la esfera en que él mismo aparece como creador. Es *natura naturans* y no *natura naturata.*[5] Al creador sólo lo percibimos en su creación, pero no fuera de ella.

Las ciencias exactas representan una forma monológica del conocimiento: el intelecto contempla la *cosa* y se expresa acerca de ella. Aquí sólo existe un sujeto, el cognoscitivo (contemplativo) y hablante (enunciador). Lo que se le opone es tan sólo una cosa *sin voz.* Cualquier objeto del conocimiento (incluso el hombre) puede ser percibido y comprendido como cosa. Pero un sujeto como tal no puede ser percibido ni estudiado como cosa, puesto que siendo sujeto no puede, si sigue siéndolo, permanecer sin voz; por lo tanto su conocimiento sólo puede tener carácter *dialógico.* Dilthey y el problema de la comprensión.[6] Diversos aspectos de la *participación* en la actividad cognoscitiva. La participación del que está conociendo una cosa carente de voz y la participación del que está conociendo a otro sujeto, esto es, la participación *dialógica* del sujeto cognoscente. La participación dialógica del sujeto conocido y sus grados. Cosa y persona (sujeto) como *límites* del conocimiento. Grados de cosismo y de personalismo. Carácter de acontecimiento que tiene el conocimiento dialógico. El encuentro. La valoración como momento necesario del conocimiento dialógico.

Las ciencias humanas, las ciencias del espíritu, las ciencias filológicas (la palabra como parte constitutiva de todas ellas y al mismo tiempo el objeto común de estudio).

La historicidad. El carácter inmanente. La cerrazón del análisis (conocimiento y comprensión) en un solo *texto* dado. El problema de la delimitación del texto y del contexto. Cada palabra (cada signo) del texto conduce fuera de sus límites. Toda comprensión representa la confrontación de un texto con otros textos. El comentario. El carácter dialógico de esta confrontación.

El lugar de la filosofía. La filosofía comienza allí donde se acaba la cientificidad exacta y donde se inicia otra cientificidad. La cual puede ser definida como el metalenguaje de todas las ciencias (y de todos los tipos del conocimiento y de la conciencia).

La comprensión vista como una confrontación con otros textos y como una comprensión en un contexto nuevo (en el mío, en el contemporáneo, en el futuro). El contexto anticipado del futuro: la sensación de que estoy dando un paso nuevo (que me he movido). Las etapas del movimiento dialógico de la *comprensión*: el punto de partida-el texto dado, el movimiento hacia atrás-los contextos pasados, el movimiento hacia adelante-la anticipación (y comienzo) de un contexto futuro.

La dialéctica nació del diálogo para regresar al diálogo en un nivel superior (diálogo de *personas*).

El carácter monológico de la *Fenomenología del espíritu* de Hegel.

El monologismo de Dilthey, no superado hasta el final.

La idea sobre el mundo y la idea en el mundo. La idea que tiende a abarcar el mundo y la idea que se percibe en el mundo (como su parte). El acontecimiento en el mundo y la participación en el acontecimiento. El mundo como acontecimiento (y no como el ser como algo dado).

Un texto vive únicamente si está en contacto con otro texto (contexto). Únicamente en el punto de este contacto es donde aparece una luz que alumbra hacia atrás y hacia adelante, que inicia el texto dado en el diálogo. Hemos de subrayar que este contacto representa un contacto dialógico entre textos (enunciados), y no un contacto mecánico de "oposiciones" que sólo es posible dentro de los límites de un solo texto (pero no del texto y de los contextos) entre los elementos abstractos (*signos* dentro de un texto) y necesario tan sólo en la primera etapa de la comprensión (comprensión del significado, pero no del sentido). Detrás de este contacto se encuentra el contacto entre personas y no entre cosas (en su límite). Si convertimos el diálogo en un texto parejo, esto es, si eliminamos las fronteras entre las voces (los cambios de los sujetos hablantes), lo cual es posible en un principio (la dialéctica monológica de Hegel), entonces el sentido profundo (infinito) desaparecerá (tocaremos el fondo, pondremos punto muerto).

Una cosificación total y completa llevaría inevitablemente a la desaparición de la infinitud del sentido (de cualquier sentido) y de su carácter carente de fondo.

El pensamiento que, semejante a un pececito dentro de un acuario, toca el fondo y las paredes y no puede seguir más profundamente. Las ideas dogmáticas.

El pensamiento sólo conoce los puntos convencionales; el pensamiento deslava todos los puntos puestos con anterioridad.

La iluminación de un texto no mediante otros textos (contextos) sino mediante una realidad extratextual cosificada. Esto suele tener lugar en las explicaciones biográficas, sociológicas vulgares y causales (a la manera de las ciencias naturales), así cuando se practica un historicismo despersonalizado ("historia sin nombres"[7]). Una comprensión auténtica en la literatura y en los estudios literarios suele ser histórica y personalizada. El lugar y los límites de las llamadas realidades. *Cosas preñadas de palabras.*

La unidad del monólogo y la específica unidad del diálogo.

El epos puro y la lírica pura no conocen reservas verbales. El discurso lleno de reservas y de cambios de perspectiva aparece sólo en la novela.

La influencia de la realidad extratextual en la formación de la visión artística y del pensamiento artístico del escritor (y de otros creadores de la cultura).

Las influencias extratextuales tienen una importancia muy especial en las primeras etapas del desarrollo del hombre. Estas influencias están revestidas de palabras (o de otros signos), y estas palabras pertenecen a otras personas; antes que nada, se trata de las palabras de la madre. Después, estas "palabras ajenas" se reelaboran dialógicamente en "palabras propias-ajenas" con la ayuda de otras "palabras ajenas" (escuchadas anteriormente), y luego ya en palabras propias (con la pérdida de las comillas, hablando metafóricamente) que ya poseen un carácter creativo. El papel de encuentros, visiones, "iluminaciones", revelaciones, etc. El reflejo de este proceso en las novelas de educación o de desarrollo, en las autobiografías, en los diarios íntimos, en las confesiones, etc. Ver, por ejemplo: Alexei Remizov, *Podstrizhennymi glazami. Kniga uzlov i zakrut pamiati.*[8] Allí el papel de los dibujos como signos para expresión propia tiene importancia. Desde el mismo punto de vista es interesante *Klim Samguin* [de Gorki] (hombre como sistema de frases). Lo "inefable", su carácter especial y su papel. Las fases tempranas de la comprensión verbal. Lo "inconsciente" sólo puede llegar a ser factor creativo en el umbral de la conciencia y de la palabra (conciencia semiverbal y semisígnica). Como llegan las impresiones de la naturaleza en el contexto de mi conciencia. Estas impresiones están preñadas de la palabra, de la palabra potencial. Lo "inefable" como un *límite en movimiento,* como "idea regulativa" (en el sentido kantiano) de la conciencia creadora.

El proceso de un paulatino olvido de los autores portadores de las palabras ajenas. Las palabras ajenas se vuelven anónimas, se apropian (en forma reelaborada, por supuesto); la conciencia se *monologiza*. Se olvidan también las relaciones dialógicas iniciales con las palabras ajenas: se suelen absorber por las palabras ajenas asimiladas (pasando por la fase de las "palabras propias-ajenas"). La conciencia creativa, al volverse monológica, se completa por los anónimos. Este proceso de monologización es muy importante. Después la conciencia monologizada como un todo único inicia un nuevo diálogo (ya con voces externas nuevas). La conciencia creativa monologizada a menudo reúne y personaliza las palabras ajenas, las voces ajenas llegadas a ser anónimas, en unos símbolos especiales: "la voz de la vida misma", "la voz de la naturaleza", "la voz del pueblo", "la voz de Dios", etc. El papel que cumple en este proceso la palabra *autoritaria* que no suele perder a su portador, que no se vuelve anónima.

La tendencia a cosificar los contextos anónimos extraverbales (a rodearse de la vida extraverbal). Yo soy el único que aparece como una personalidad creadora hablante, todo lo demás fuera de mí representa condiciones externas de cosas, como *causas* que provocan y definen mi palabra. No converso con ellas, sino que *reacciono* a ellas de una manera mecánica, como la cosa reacciona a los estímulos externos.

Fenómenos discursivos tales como órdenes, exigencias, mandamientos, prohibiciones, promesas, amenazas, alabanzas, reprobaciones, injurias, maldiciones, bendiciones, etc., constituyen una parte muy importante de la realidad extracontextual. Todos ellos se relacionan con una *entonación* muy marcada, capaz de transferirse en cualesquiera palabras y expresiones que no tienen el significado directo de orden, amenaza, etcétera.

Es importante el *tono* separado de los elementos fónicos y semánticos de la palabra (y de otros signos). Éstos determinan la compleja *tonalidad* de nuestra conciencia, que sirve de contexto emocional y valorativo durante la comprensión (comprensión completa, comprensión del sentido) del texto leído (o escuchado) por nosotros, así como en una forma más compleja durante la generación creativa de un texto.

El problema consiste en hacer hablar el medio *cosístico* que actúa mecánicamente sobre la persona, en poder descubrir en este medio la palabra y el tono potencial, en convertirlo en el contexto semántico de la persona pensante, hablante, activa y creadora. En realidad, todo rendimiento de cuentas o confesión seria y profunda, toda autobiografía, la lírica pura,[9] etc. lo hacen. Entre los escritores, fue Dostoievski quien logró una máxima profundidad en la transformación de la cosa en el sentido, al revelar los actos y los pensamientos de sus héroes. Una cosa que sigue siendo cosa tan sólo puede actuar sobre cosas; para actuar sobre personas ha de descubrir su *potencial de sentido,* llegar a ser palabra, es decir, iniciarse en un contexto verbal y semántico posible.

En el análisis de las tragedias de Shakespeare también observamos una paulatina conversión de toda la realidad que influye en los héroes en el contexto semántico de sus actos, pensamientos y vivencias: éstas son o bien las palabras directas (palabras de las brujas, del fantasma del padre, etc.), o bien los acontecimientos y circunstancias traducidas al lenguaje de la palabra potencial que actualiza el sentido [10].

Hay que subrayar que aquí no tiene lugar una reducción del todo a un denominador común: la cosa sigue siendo cosa y la palabra palabra, ambas conservan su esencia y tan sólo se completan mediante el sentido.

No hay que olvidar que la cosa y la persona representan *límites* y no sustancias absolutas. El sentido no puede (y no quiere) cambiar los fenómenos físicos, materiales y otros, no puede actuar como una fuerza material. Tampoco lo necesita: es más poderoso que cualquier fuerza, cambia el sentido total del acontecimiento y de la realidad sin cambiar ni un solo grano en su composición real, todo sigue siendo como era pero adquiere un sentido totalmente diferente (la transformación semántica del ser). Cada palabra del texto se transforma en un contexto nuevo.

La inclusión del oyente (lector, observador) en el sistema (estructura) de la obra. El autor (portador de la palabra) y *el que entiende.* El autor, al crear su obra, no la destina a un investigador ni supone una específica *comprensión* que se da en los estudios literarios; no intenta crear una colectividad de investigadores literarios. No invita a los investigadores a su mesa de banquetes.

Los investigadores actuales (en su mayoría los estructuralistas) suelen definir al oyente inmanente a una obra como un ente omnicomprensivo e ideal; se postula que hay uno así dentro de la obra. Por supuesto, no se trata de un oyente *empírico* ni una noción psicológica, como imagen del oyente en el alma del autor. Se trata de una formación abstracta e ideal. Se le opone un autor igualmente abstracto e ideal. En realidad, en tal estado de las cosas, el oyente ideal viene a ser un reflejo especular del autor, su doble. No puede aportar nada suyo, nada nuevo en una obra comprendida de una manera ideal, ni en la idea del autor idealmente completa. Se ubica en el mismo tiempo y espacio que el autor mismo, o más exactamente, está, igual que el autor, fuera del tiempo y del espacio (así como cualquiera formación abstracta e ideal), por lo tanto no puede ser *otro* (o ajeno) para el autor, no puede tener ningún *excedente* determinado por la otredad. Entre el otro y el oyente semejante no puede tener lugar ninguna interacción, ningunas relaciones activas y dramáticas, porque no son voces sino conceptos abstractos idénticos a sí mismos recíprocamente.[11] En este caso sólo son posibles abstracciones mecanicistas o matematizantes, vacías y tautológicas. No existe ni un grano de personificación

El contenido como lo *nuevo,* la forma como un contenido antiguo (conocido) petrificado y estandarizado. La forma sirve de puente necesario hacia un contenido nuevo, aún desconocido. La forma era una visión del mundo, conocida, comprendida por todo el mundo e inmóvil. En las épocas precapitalistas, la transición entre la forma y el contenido era menos brusca, más homogénea: la forma representaba aún el contenido no petrificado, no fijado por completo, no trivial, se relacionaba con los resultados de la creación colectiva general, por ejemplo con los sistemas mitológicos. La forma era una especie de contenido implícito; el contenido de una obra desenvolvía el contenido ya implícito en la forma, pero no lo creaba como algo nuevo, como iniciativa creadora individual. El contenido, por consiguiente, en cierta medida, se anticipaba a la obra. El autor no inventaba el contenido de su obra sino que sólo desarrollaba aquello que ya estaba presente en la tradición.

Los símbolos son elementos más estables y a la vez más emocionales; se refieren a la forma, no al contenido.

El aspecto propiamente semántico de una obra, es decir el *significado* de sus elementos (el primer tipo de la comprensión), es accesible, en principio, a cualquier conciencia individual. Pero su aspecto valorativo y de sentido (incluyendo los símbolos) significa tan sólo para los individuos vinculados por ciertas condiciones comunes de la vida (ver el significado de la palabra "símbolo" [12]), a fin de cuentas por los vínculos de fraternidad a un nivel más alto. En este caso tiene lugar la *iniciación,* y en las etapas superiores la iniciación en un *valor supremo* (en el límite, valor absoluto).

El significado de las exclamaciones emocionales y valorativas en la vida discursiva de los pueblos. Pero la expresión de las relaciones emocionales y valorativas puede tener un carácter no explícitamente verbal, sino un carácter implícito en la *entonación.* Las entonaciones más importantes y estables forman un fondo entonacional de un grupo social determinado (nación, clase, colectividad profesional, círculo, etc.). En cierta medida se puede hablar con puras entonaciones, haciendo que el discurso verbalmente expreso se vuelva relativo y sustituible, casi impersonal. En muchas ocasiones utilizamos las palabras que no requerimos por su significado o repetimos una misma palabra o frase tan sólo para obtener un portador material para una entonación que necesitamos.

El contexto extratextual, entonacional y valorativo, puede sólo parcialmente realizarse en la lectura (declamación) del texto dado, pero en su mayor parte, sobre todo en sus capas más esenciales y profundas, permanece fuera del texto dado como el fondo dialogizador de su percepción. A esto se reduce en cierta medida el problema de la determinación *social* (extraverbal) de una obra.

Un texto, impreso, escrito u oral=transcrito, no es igual a la obra en su totalidad (o al "objeto estético"). El contexto necesario extratextual forma parte de la obra. La obra aparece envuelta en la música entonacional y valorativa del contexto en que ella se comprende y se evalúa (por supuesto, este contexto cambia según las épocas de la percepción, lo cual crea una expresión nueva de la obra).

La comprensión mutua de centurias y milenios, de pueblos, naciones y culturas, está asegurada por la compleja unidad de la humanidad entera, de todas las culturas humanas, por la compleja unidad de la literatura humana. Todo esto se manifiesta tan sólo al nivel del gran tiempo. Cada imagen debe ser comprendida y apreciada al nivel del gran tiempo. Los análisis suelen escarbar en el reducido espacio del tiempo menor, es decir, de la actualidad y del pasado reciente y de un futuro predecible, deseado o inspirador de miedo. Las formas emocionales y valorativas de anticipación del futuro en el habla (orden, deseo, advertencia, conjuro, etc.), la actitud humanamente reducida hacia el futuro (deseo, esperanza, miedo); no hay comprensión del valor de lo no prejuzgado, lo inesperado, de la sorpresa, de la novedad absoluta, del milagro, etc. El carácter específico de la actitud profética hacia el futuro. La abstracción de sí mismo en las ideas acerca del futuro (un futuro sin mí).

El tiempo del espectáculo teatral y sus leyes. La percepción del espectáculo en las épocas de la existencia y predominio de las formas de culto religioso y de oficialidad estatal. La etiqueta cotidiana en el teatro.

La oposición de la naturaleza y el hombre. Sofistas, Sócrates ("no me interesan los árboles del bosque sino los hombres de las ciudades" [13]).

Dos límites en el pensamiento y de la práctica (el acto) o dos tipos de actitud (cosa y persona). Cuanto más profunda es la personalidad, esto es, más próxima al límite personalista, tanto menos aplicables son los métodos generalizadores; la generalización y la formalización borran las fronteras entre el genio y la mediocridad.

El experimento y la elaboración matemática. El plantear la pregunta y el recibir la respuesta representa ya una interpretación personalista del proceso cognoscitivo de las ciencias naturales y de su sujeto experimentador. La historia del conocimiento en sus resultados y la historia de los hombres que conocen. Ver Marc Bloch.[14]

El proceso de cosificación y el proceso de personalización. Pero la personalización no es de ninguna manera objetivación. En este caso, el límite no es el *yo,* sino el *yo* en su relación mutua con otras personas, es decir, el *yo* y el *otro,* el *yo* y el *tú.*

¿Hay una correspondencia con el "contexto" en las ciencias naturales? El contexto es siempre personalizado (diálogo infinito en que no existe ni la primera, ni la última palabra); en las ciencias naturales existe un sistema objetual (sin sujeto).

Nuestro *pensamiento* y nuestra *práctica,* no la técnica sino la *moral* (es decir, nuestros actos responsables), se realizan entre dos límites: actitudes hacia la *cosa* y actitudes hacia la *persona. Cosificación* y *personalización.* Nuestros actos (cognoscitivos y morales) tienden hacia el límite de la cosificación sin lograrlo jamás, otros actos tienden hacia el límite de la personificación sin lograrlo plenamente.

La *pregunta* y la *respuesta* no son relaciones (categorías) lógicas; no caben en una sola conciencia (unitaria y cerrada en sí misma); toda respuesta genera una nueva pregunta. La pregunta y la respuesta suponen una extraposición recíproca. Si la respuesta no origina por sí misma una nueva pregunta, deja de formar parte del diálogo y participa en el conocimiento sistémico impersonal en su esencia.

Los diferentes cronotopos del que hace la pregunta y del que contesta y los diversos mundos de sentido (el *yo* y el *otro*). La pregunta y la respuesta desde el punto de vista de una tercera conciencia y de su mundo "neutral", donde todo es *sustituible,* se despersonalizan inevitablemente.

La distinción entre la *tontería* (ambivalente) y la obtusidad (de un solo signo).

Las palabras ajenas asimiladas ("propias-ajenas") y eternamente vivientes, renovadas creativamente en nuevos contextos, frente a las palabras ajenas inertes, muertas, *palabras "momificadas"*.

El problema principal de Humboldt: la multiplicidad de las lenguas (la unidad del género humano como premisa y fondo de la problemática) [15]. Esto se refiere a la esfera de las lenguas y sus estructuras formales (fonéticas y gramaticales). Pero en la esfera del *discurso* (dentro de los límites de una lengua cualquiera) se plantea el problema de la palabra propia y la palabra ajena.

1] Cosificación y personalización. Distinción de la cosificación y la "alienación". Dos límites en el pensamiento; aplicación del principio de complementariedad.

2] Palabra propia y palabra ajena. Comprensión como conversión de lo ajeno en lo "propio-ajeno". Principio de extraposición. Complejas relaciones mutuas entre el sujeto al que hay que comprender y el sujeto que comprende, entre el cronotopo creado y el cronotopo que comprende y renueva creativamente. La importancia de llegar, de profundizar en el núcleo creador de la personalidad (es en el núcleo creador donde la personalidad sigue viviendo, es decir, es inmortal).

3] Precisión y profundidad en las ciencias humanas. El límite de precisión en las ciencias naturales es la identificación ($a=a$). En las ciencias humanas la precisión representa la superación de la otredad de lo ajeno sin convertirlo en puramente propio (sustituciones de toda clase, modernización, imposibilidad de reconocer lo ajeno, etcétera).

La fase antigua de la personificación (personificación mitológica ingenua). La época de la cosificación de la naturaleza y del hombre. La fase actual de la personificación de la naturaleza (y del hombre), pero sin la pérdida de la cosificación. Ver acerca de la naturaleza en Prishvín según el artículo de V.V.Kozhinov [16]. En esta fase, la personificación no tiene carácter del mito, aunque no le es hostil y usa a menudo su lenguaje (convertido en lenguaje de símbolos).

4] Contextos de la comprensión. El problema de los *contextos alejados*. La infinita renovación de los sentidos en todos los contextos nuevos. El *tiempo menor* (la actualidad, el pasado reciente y el futuro previsto y deseado) y el gran tiempo, que es un diálogo infinito e inconcluso en el cual no muere ni uno solo de los sentidos. Lo vivo en la naturaleza (lo orgánico). Todo lo inorgánico se convierte, en el proceso de intercambio, en lo vivo (pueden oponerse sólo en abstracción, separados de la vida).

Mi actitud frente al formalismo: la diferente comprensión de la especificidad; el menosprecio del contenido lleva a una "estética material" (su crítica en el artículo de 1924[17]); no "hacer", sino crear (del material se obtiene únicamente un "artículo", un "objeto"); la falta de comprensión de la historicidad y del cambio (la percepción mecanicista del cambio). La importancia positiva del formalismo (nuevos problemas y nuevos aspectos en el arte); lo nuevo en sus primeras y más creativas etapas adopta formas unilaterales y extremas.

Mi actitud frente al estructuralismo. En contra del afán de encerrarse en un texto. Categorías mecanicistas: "oposición", "cambio de códigos" (poliestilismo de *Eugenio Oneguin* en la interpretación de Lotman y en la mía[18]). La consecutiva formalización y despersonalización: todas las relaciones tienen carácter lógico (en el sentido amplio de la palabra). Mientras que yo en todo oigo *voces* y relaciones dialógicas entre ellas. El principio de la complementariedad también lo entiendo dialógicamente. Una alta evaluación del estructuralismo. El problema de la "exactitud" y la "profundidad". La profundidad de penetración en el *objeto* (cosa) y la profundidad de penetración en el *sujeto* (personalismo).

En el estructuralismo siempre existe un solo sujeto, que es el sujeto del investigador mismo. Las cosas se convierten en *conceptos* (de diferente grado de abstracción); el sujeto nunca puede llegar a ser concepto (él mismo habla y responde). El sentido es personalista: en él siempre existe pregunta, invocación y anticipación de la respuesta, en él siempre existen dos (como el mínimo dialógico). No es un personalismo psicológico, sino de sentido.

No existe ni la primera ni la última palabra, y no existen fronteras para un contexto dialógico (asciende a un pasado infinito y tiende a un futuro igualmente infinito). Incluso los sentidos *pasados,* es decir generados en el diálogo de los siglos anteriores, nunca pueden ser estables (concluidos de una vez para siempre, terminados); siempre van a cambiar renovándose en el proceso del desarrollo posterior del diálogo. En cualquier momento del desarrollo del diálogo existen las masas enormes e ilimitadas de sentidos olvidados, pero en los momentos determinados del desarrollo ulterior del diálogo, en el proceso, se recordarán y revivirán en un contexto renovado y en un aspecto nuevo. No existe nada muerto de una manera absoluta: cada sentido tendrá su fiesta de resurrección. Problema del *gran tiempo*.

NOTAS ACLARATORIAS

El punto de partida para los apuntes presentes fue un pequeño texto esbozado por el autor a fines de los años 30 o a principios de los 40, intitulado "Para los fundamentos filosóficos de las ciencias humanas". Partiendo de aquel texto, el autor compuso a principios de 1974 estos apuntes; fue el último trabajo escrito por M.Bajtín. Una variante de los apuntes fue especialmente preparada para publicación por V.V.Kozhinov y aprobada por el autor, pero publicada ya póstumamente bajo el título: "Hacia una metodología de los estudios literarios"; apareció en *Kontekst 1974*, Moscú, 1975, pp. 203-212. Los apuntes completos en la versión del autor se publican por primera vez.

He aquí, con algunas reducciones, el texto de "Para los fundamentos filosóficos de las ciencias humanas":

"El conocimiento de la cosa y el conocimiento de la persona. Deben caracterizarse como límites: una cosa pura y muerta, que tiene sólo apariencia y que existe para otro y que puede ser descubierta completamente y hasta el final por el acto unilateral de este otro (el sujeto cognoscente). Tal cosa carente de una interioridad propia, inalienable e inutilizable, sólo puede ser objeto de un interés práctico. Otro límite [...] es el diálogo, la interrogación, la oración. En este caso es necesaria una libre autorrevelación de la personalidad. Aquí existe un núcleo interno que no puede ser devorado, utilizado, en que siempre se conserva una distancia y hacia el cual sólo es posible un desinterés puro; al revelarse para el otro, siempre permanece para sí mismo. La pregunta se plantea por el cognoscente no para él mismo ni para un tercero en presencia de una cosa muerta, sino de lo que se conoce. En este caso, el criterio no es la precisión del conocimiento, sino la profundidad de la penetración. El conocimiento está dirigido hacia lo individual. Se trata de una zona de descubrimientos, revelaciones, reconocimientos, comunicaciones. Aquí importan el secreto y la mentira (y no el error). Aquí importan la falta de modestia y el agravio. La cosa muerta, en el límite, no existe, es un elemento abstracto (convencional); cualquier totalidad (la naturaleza y todos sus fenómenos relacionados con el todo) es en alguna medida personalizada.

"El carácter complejo del acto bilateral del conocimiento-penetración. La participación activa del que conoce y la participación activa del objeto conocido (el dialogismo). La capacidad de conocer y la de expresarse. Se trata de la expresión y del conocimiento (comprensión de la expresión). La compleja dialéctica de lo externo y de lo interno. La persona no sólo posee medio y ambiente circundante, sino también su horizonte propio. La interacción del horizonte del cognoscente con el del objeto conocido. Los elementos de la expresión (el cuerpo no como una cosa muerta, la cara, los ojos, etc.); en ellos se cruzan y se combinan dos conciencias (del *yo* y del *otro*); aquí yo existo para el otro y con la ayuda del otro. La historia de una autoconciencia concreta y el papel del otro (del que ama) en ella. El reflejo de uno mismo en el otro. La muerte para sí y la muerte para el otro. La memoria.

"Los problemas concretos de la ciencia literaria y de la crítica de arte relacionados con la interacción del medio circundante y del horizonte del *yo* y del *otro;* el problema de las zonas; la expresión teatral. La penetración en el otro (la fusión con él) y la conservación de la distancia (de su lugar) que asegura el excedente del conocimiento. La expresión de la personalidad y la expresión de las colectividades, de los pueblos, épocas, de la historia misma con sus horizontes y los medios circundantes. No se trata de la conciencia individual de la expresión y de la comprensión. La autorrevelación y las formas de su expresión en diferentes pueblos, en la historia, en la naturaleza.

"El objeto de las ciencias humanas es el ser *expresivo* y *hablante.* Este ser jamás coincide consigo mismo y por eso es inagotable en su sentido e importancia. La máscara, las candilejas del teatro, el escenario, el espacio ideal como diversas formas de expresión de la representatividad del ser (y no de la unicidad y cosedad) y de la actitud desinteresada hacia él. La precisión, su importancia y sus límites. La precisión supone una coincidencia de la cosa consigo misma. La precisión hace falta para la dominación práctica. El ser que se revela solo no puede ser forzado y amarrado. Es libre y por lo tanto no presenta garantía alguna. Por eso aquí el conocimiento nada nos puede regalar y garantizar, p. ej. no garantiza la inmortalidad como un hecho establecido con exactitud y que tenga importancia práctica para nuestra vida. 'Cree a aquello que te dice el corazón, no hay garantías del cielo'. El ser de la totalidad, el ser del alma humana, que se revela libremente para el acto de nuestro conocimiento, no puede ser atado por este acto en ninguno de sus momentos importantes. No se puede trasferirlos a las categorías del conocimiento de las cosas (el pecado de la metafísica)... El proceso de la formación del ser es un proceso libre. Se puede iniciar en esta libertad, pero no se puede atar mediante un acto de conocimiento (de cosas). Los problemas concretos de diversas formas literarias: autobiografía, memorias (el reflejo propio en la conciencia de los enemigos y de los descendientes), etc. [...]

"Las diferencias filosóficas y estéticas entre una autocontemplación interna *(yo-para-mí)* y la contemplación de su persona en el espejo *(yo-para-otro)*, desde el punto de vista del otro. ¿Es posible contemplar y comprender su apariencia externa desde el punto de vista del *yo-para-mí?*

"No se puede cambiar el aspecto filosófico objetual del pasado, pero el aspecto de sentido, el aspecto expresivo y hablante puede ser cambiado, porque es inconcluso y no coincide consigo mismo (es libre). El papel de la memoria en esta eterna transformación del pasado. El conocimiento y la comprensión del pasado en su carácter inconcluso (en su no coincidencia consigo mismo). El momento de la intrepidez en el conocimiento. El miedo y la intimidación en la expresión (la seriedad), en la autorrevelación, en la confesión, en la palabra. El momento correspondiente de la humildad del sujeto cognoscente; la piedad. [...]

"La expresión como materia plena de sentido o como sentido materializado, el elemento de la libertad que impregna la necesidad. La carne externa e interna para la caricia. Los diferentes estratos del alma en diferente grado se someten a la exteriorización. El núcleo artístico no exteriorizado del alma *(yo-para-mí)*. El carácter a su vez activo del objeto que se conoce.

"La filosofía de la expresión. La expresión como el campo de encuentro de dos conciencias. [...]

"La capa externa del alma carece de valor propio y está entregada a la conmiseración y favor del otro. El núcleo inefable del alma sólo puede reflejarse en el aspecto de la compasión absoluta."

1 Del poema de B.Pasternak *Agosto.*

2 Avérintsev, S.S., "El símbolo", en: *KEL (Breve enciclopedia literaria)*, t.7, Moscú, 1972, p. 827.

3 El tema de los "contextos alejados" pertenecía a las ideas en proceso de elaboración en los últimos años de vida de Bajtín.

4 *KEL*, t.7, 828.

5 Ver la nota 5 al trabajo "De los apuntes de 1970-1971".

6 Ver la nota 10, *idem.*

7 Acerca de la idea de una "historia del arte sin nombres" en la crítica de arte de Europa Occidental de fines del XIX y principios del XX (en aquella corriente que fue caracterizada por Bajtín, en el trabajo sobre el autor y el héroe, como la "estética impresionista"), ver P.N. Medvedev, *Formalnyi metod v literaturovedenii,* pp. 71-73

8 París, 1951. Algunos capítulos de este libro formaron parte de la edición soviética: Remizov, A.M., *Izbrannoe,* Moscú, 1978. Acerca de la importancia de los dibujos, ver los capítulos "Colores", "Natura", "El ciego" (pp. 435-445, 451-456 de la última edición).

9 Ver el análisis de estas formas en el trabajo sobre el autor y el héroe ("La totalidad del sentido en el héroe").

10 Cf. las ideas acerca de Shakespeare manifestadas por el autor en la reseña (escrita en 1970, inédita) del libro de L.E.Pinski *Shakespeare,* Moscú, 1971: L.E.Pinski descubre perfectamente el carácter universal (en el sentido de abarcar en la acción a todo el mundo) y la omnitemporalidad (en el sentido de abarcar todo el tiempo del género humano) de las tragedias de Shakespeare (con máxima claridad, en el análisis del *Rey Lear)*. El escenario del teatro shakespeareano es todo el mundo *(Theatrum Mundi)*. A esto contribuye la especial importancia y a menudo la majestuosidad de cada imagen, de cada acción, de cada palabra en las tragedias de Shakespeare, que ya nunca volvería al drama europeo (después de Shakespeare, en el drama todo se ha vuelto más pequeño). Con esto se relaciona también este específico carácter cósmico (y microcósmico) de las imágenes de Shakespeare. Los cuerpos y las fuerzas cósmicas —el sol, las estrellas, las aguas, los vientos, el fuego— participan directamente en la acción o figuran permanentemente, y precisamente en su significado cósmico, en los discursos de los personajes. Si observamos los mismos fenómenos en los dramas modernos, sobre todo en el siglo XIX (excepto Wagner), nos convencemos fácilmente de que se han convertido, de cuerpos y fuerzas cósmicas, en elementos de *paisaje* (con un matiz levemente simbólico). Esta transformación de lo cósmico en el paisaje se iba realizando a lo largo de los siglos XVII y XVIII (el aspecto cósmico de estos fenómenos casi por completo se concentró en el pensamiento científico).

"Esta particularidad de Shakespeare (que aparece, en una forma muy debilitada, solamente en los escritores españoles) viene a ser una herencia directa del teatro medieval y de las formas populares de espectáculo. La sensación viva del escenario como mundo, la matización determinada cósmica y valorativa de lo alto y lo bajo, todo esto el teatro shakespeareano lo hereda del medioevo, incluso los rudimentos de la estructura externa del escenario (por ejemplo, el balcón en el fondo del escenario correspondía al cielo en las épocas anteriores). Pero lo más importante es la percepción (más exactamente, la viva sensación que no iba acompañada de una conciencia clara) de la acción teatral como de una especie de rito simbólico. Es de conocimiento general, y hasta llegó a ser una perogrullada, el hecho de que la tragedia antigua y los autos teatrales de la Edad Media ascienden y se desarrollan a partir de antiguos ritos religiosos. Este origen suyo es bien estudiado y vislumbrado en trabajos especiales. Pero su posterior conversión en un drama secular está lejos de ser tan clara. Lo importante en este desarrollo es lo siguiente: la desaparición del sentido religioso y del dogmatismo religioso hizo posible una libre creatividad en el drama, a pesar de que el carácter ritual como conjunto de determinadas particularidades formales se ha conservado en la etapa mundana de su desarrollo. Los rasgos de lo ritual —carácter universal y omnitemporal, simbolismo especial, lo cósmico— adquirieron una importancia genérica y artística. En aquella etapa del desarrollo del rito en el género llegó a nosotros la tragedia griega. En la misma etapa se iban creando las tragedias de Shakespeare."

[11] Cf. las ideas análogas en un trabajo juvenil del autor: "No hay nada más nocivo para la estética que el menosprecio del papel independiente del oyente. Existe la opinión muy difundida de que al oyente hay que verlo como igual al autor, con la excepción de la técnica, que la postura de un oyente competente ha de ser una simple reproducción de la postura del autor. En realidad, esto no es así. Más bien se podría exponer un postulado opuesto: el oyente nunca es igual al autor. Tiene su propio e insustituible lugar en el acontecimiento de la creación artística; ha de ocupar una posición especial, incluso *bilateral,* en la creación: con respecto al autor y con respecto al protagonista; y es esta posición lo que determina el estilo del enunciado" (Voloshinov, V.N., "Slovo v zhizni i slovo v poezii", *Zvezda,* 1926, núm. 6, p. 263).

[12] Ver Avérintsev, S.S., "Simbol", en: *KEL,* t. 7, p. 827.

[13] Platón, *Fedro:* "Discúlpame, buen amigo, soy curioso, pero los lugares y los árboles nada me quieren enseñar, y sí la gente de las ciudades."

[14] Bloch, M., *Le métier de l'historien.*

[15] Humboldt, W., "Acerca de la estructura de las lenguas humanas y su influencia en el desarrollo del género humano", en Zveguintsev, V.A., *Istoria iazykoznaniia XIX-XX vekov v ocherkaj i izvlecheniiaj,* parte 1, Moscú, 1964, pp. 85-87.

[16] Kozhinov, V.V., "Ne sopernichestvo, a sotvorchestvo", *Literaturnaia gazeta,* 31 oct., 1973.

[17] "Problema soderzhaniia, materiala i formy v slovesnom judozhestvennom tvorchestve" (Bajtín, M. *Voprosy literatury i estetiki,* pp. 6-71).

[18] Ver la nota 1 al trabajo "De los apuntes de 1970-1971".